'S *L*EVENS FELHEID

¶ *'Toen de wereld vijf eeuwen jonger was, hadden alle levensgevallen veel scherper uiterlijke vormen dan nu. Tussen leed en vreugde, tussen rampen en geluk scheen de afstand groter dan voor ons; al wat men beleefde had nog dien graad van onmiddellijkheid en absoluutheid, dien de vreugde en het leed nu nog hebben in de kindergeest.'*

¶ Hoofdstuk 1: 's Levens Felheid' in J. Huizinga, *Herfsttij der Middeleeuwen*, Leiden 1919.

's Levens Felheid

de Meester van het
Amsterdamse Kabinet
of de Hausbuch-meester

ca. 1470-1500

Samenstelling J.P. Filedt Kok

Inleidingen en bijdragen van K.G. Boon,
J.P. Filedt Kok, M.D. Haga, Jane C. Hutchison,
M.J.H. Madou, Keith P.F. Moxey en Peter Moraw.

Rijksprentenkabinet/Rijksmuseum – Amsterdam
Uitgegeven in samenwerking met Gary Schwartz,
Maarssen 1985.

Tentoonstelling in de zalen van
het Rijksprentenkabinet
14 maart - 9 juni 1985

Deze publicatie is tot stand gekomen
met steun van het Prins Bernhardfonds

Redactie: J.P. Filedt Kok met medewerking van
Els Verhaak, Marjanka Huygen-van Meyel en Machteld
Löwensteyn
Typewerk: Femke Koens en Brigit Taling
Vertaling uit het Engels en het Duits (pp. 41-88; 218-23; 241-44):
Loekie Schwartz

Vormgeving: Henk Hoebé (Studio Dumbar)
Litho's: Litho de Lang & Co.
Druk: Rosbeek BV, Nuth

Afbeelding op voorzijde omslag: Jongeman en de Dood [58]
Afbeelding op achterzijde: rechterhelft van Hertenjacht [67]
Afbeelding tegenover titel: Vertrek voor de jacht [72]: 2x ware
grootte.

In de handel gebracht door
Uitgeverij Gary Schwartz, Maarssen

ISBN 90 6179 059 X

INHOUD

Bruikleengevers

VOORWOORD

¶ In het Rijksmuseum, als gebouw in zoveel opzichten geïnspireerd op de Middeleeuwse architectuur, heeft de kunst uit die periode nooit de hoogste prioriteit gehad. En dat is dan eigenlijk nog maar heel zwak uitgedrukt. Want de kracht van de collecties, vooral die der schilder- en tekenkunst, in mindere mate ook van de beeldhouwkunst en kunstnijverheid, ligt vanouds zo evident in de latere perioden, dat vergeleken daarmee de Middeleeuwen hier een onderontwikkeld verzamelgebied vormen. Te opmerkelijker dan ook, dat in het Rijksprentenkabinet wèl bijna het gehele œuvre te vinden is van een van de grootste prentkunstenaars uit de vroegste tijd van de Europese grafiek. Een artistieke persoonlijkheid uit de late Middeleeuwen, wiens maatschappelijke identiteit nog steeds onbekend is, maar die vaak wordt aangeduid met de plaats waar al die prenten zo onverwacht worden bewaard: 'Meester van het Amsterdamse Kabinet'.

¶ Met deze kunstenaar zitten we midden in één van de grootste raadsels uit de kunstgeschiedenis. Wie was hij? Waardoor is hij zo hardnekkig verscholen kunnen blijven in de anonimiteit? En hoe kon het gebeuren dat 80 van de ca. 120 afdrukken van zijn prenten op één plaats – hier in Amsterdam – zijn terechtgekomen?

¶ Sinds in de negentiende eeuw Max Lehrs de internationale aandacht vestigde op de prenten van onze Meester is ruim honderd jaar frenetiek gezocht naar de oplossing van die vragen. Beantwoord zijn ze nog altijd niet, maar natuurlijk is al dat speuren toch niet zonder resultaat gebleven. Een der belangrijkste ontdekkingen was wel, dat hij de tekenaar moet zijn geweest van een groot deel der illustraties in een ander monument van laat-Middeleeuwse kunst, bekend als het 'Hausbuch'.

¶ Ook deze catalogus draagt de oplossing van het raadsel niet aan. Hij heeft uitdrukkelijk niet de pretentie om eindconclusies te trekken in de complexe problematiek rond de kunstenaar. Wèl is ernaar gestreefd de artistieke betekenis van zijn œuvre nader te bepalen en de huidige stand van het onderzoek uiteen te zetten. Bij de samenstelling is de thans meer en meer gebruikelijke – en ons inziens zeer gelukkige – formule van tweeledigheid gevolgd: door de wetenschappelijke bijdragen enerzijds een monografie, is de uitgave anderzijds toch heel duidelijk ook tentoonstellingsbegeleider.

¶ Op de tentoonstelling zelf, gehouden in de zalen van het 'Amsterdamse Kabinet', is nu voor het eerst 's meesters œuvre bijeen: alle prenten – op één na, die in de DDR berust en niet ter beschikking kon worden gesteld – tezamen met het 'Hausbuch', een aantal schilderijen, tekeningen, glasschilderingen en geïllustreerde boeken. Dat biedt de mogelijkheid de werken van deze mysterieuze kunstenaar in het origineel met elkaar te vergelijken. Een kans die zich nu voor de eerste maal in de vijfhonderd jaar na het ontstaan van de werken voordoet, en die in geen generaties – misschien zelfs nimmer – meer terug zal komen. Mogelijk brengt die confrontatie de kunstwetenschap op nieuwe gedachten, die hopelijk eens tot de ontsluiering van het raadsel zullen leiden. Zeker zal zij duizenden bezoekers in de ban brengen van 's Levens Felheid, de intense overgave waarmee de laat-middeleeuwer de vreugden van het aards bestaan beleed, afgewisseld met de innigste devotie of religieuze vervoering. Zij zullen naar Huizinga's woord de prikkelende suggestie ondergaan van de bonte vormen waarmee toen alles zich aan de geest opdrong.

¶ Dat deze unieke confrontatie verwezenlijkt kon worden danken wij aan de onbekrompen tegemoetkomendheid van zovele musea en andere instellingen, naast die van hen die nog als particulier de zorg hebben over laat-Middeleeuwse kunstwerken. Van fundamentele betekenis is natuurlijk de aanwezigheid van het beroemde 'Hausbuch'. Het is tot dusverre maar ééns op een tentoonstelling te zien geweest, en wij zijn de eigenaar diep dankbaar voor zijn bereidheid er hier in Holland een groot bezoekerspubliek – uiteraard op veilige afstand – mee te laten kennismaken. Het past ons hier tevens dank te brengen aan Prof. Willibald Sauerländer, wiens bemoeiïngen in deze onmisbaar waren.

¶ Van begin af aan is beseft, dat de uitgave die de tentoonstelling begeleidt wezenlijk zou worden verrijkt wanneer buiten de eigenlijke bewerker, Dr. J.P. Filedt Kok, ook specialisten van elders daaraan zouden bijdragen. Ook hier laten wij graag een hartelijk dankwoord horen aan hen die direct positief op ons verzoek reageerden en door wier kennis het spectrum van de onderneming zo aanzienlijk verbreed is: Prof. Jane Hutchison, die zich ook nà haar dissertatie over de kunstenaar intensief met zijn werk heeft beziggehouden, Prof. Keith Moxey, wiens iconografische interpretaties zoveel prenten tot spreken brachten, en uit eigen land Drs. K.G. Boon, die zijn lange ervaring en grote vertrouwdheid met de vijftiende-eeuwse kunst in dienst heeft willen stellen van een tentoonstelling voor de verwerkelijking waarvan hij zich al vele jaren geleden ook zelf zo heeft ingezet. Aan Dr. Peter Moraw dankt de catalogus het historisch panorama van die landen van het toenmalig Europa waar de kunst van en rond onze Meester tot bloei kwam.

¶ Voor costuumhistorische aspecten mochten wij rekenen op de deskundigheid van Mevrouw Mireille Madou. Bij alle vragen op het gebied van de glasschilderkunst was Prof. Rüdiger Becksmann de autoriteit. Dat een zo belangrijk element als de ondertekening in de schilderijen van de Meester in de beschouwingen kon worden betrokken is vooral te danken geweest aan onderzoek in samenwerking met Dr. J.R.J. van Asperen de Boer.

¶ In de relatief korte voorbereidingsperiode moesten in hoog tempo veel musea en prentenkabinetten worden bezocht, bibliotheken geconsulteerd, foto's besteld. De medewerking van al deze instellingen blijft een onmisbare factor bij een onderneming als deze, en voor de ondervonden hulpvaardigheid worde hier nog eens nadrukkelijk dank gebracht aan de vele ongenoemden op wie telkens een beroep mocht worden gedaan. In tentoonstelling èn catalogus herleeft een kunstenaar van vijf eeuwen geleden. Een naam heeft hij nog niet, maar belangrijker dan dat is zijn sterke en originele persoonlijkheid. Ook de mens van nu moet daarvan onder de indruk komen.

S.H. Levie   J.W. Niemeijer

Hoofddirekteur van het   Direkteur van het
Rijksmuseum   Rijksprentenkabinet

LIJST VAN AFKORTINGEN VAN VEELVULDIG GEBRUIKTE LITERATUUR

Anzelewsky 1958 — Fedja Anzelewsky, 'Das Gebetbuch der Pfalzgräfin Margarethe von Simmern', *Berliner Museen*, NF 8 (1958), pp. 30-35.

Baer 1903 — Leo Baer, *Die illustrierten Historienbücher des 15. Jahrhunderts*, Straatsburg 1903.

Becksmann 1968 — Rüdiger Becksmann, 'Das 'Hausbuchmeisterproblem' in der mittelrheinischen Glasmalerei', *Pantheon* 26 (1968), pp. 352-367.

Bernheimer 1952 — Richard Bernheimer, *Wildman in the Middle Ages: A study in Art, Sentiment and Demonology*, Cambridge Mass., 1952.

Bossert-Storck 1912 — Helmuth Th. Bossert en Willy F. Storck, *Das mittelalterliche Hausbuch nach dem Originale im Besitze des Fürsten von Waldburg-Wolfegg-Waldsee*, Leipzig 1912.

Buchner 1927 — Ernst Buchner, 'Studien zur Mittelrheinischen Malerei und Graphik der Spätgotik und Renaissance', *Münchner Jahrbuch der bildenden Kunst* NF 4 (1927), pp. 229-325.

Filedt Kok 1983 — J.P. Filedt Kok, 'The Prints of the Master of the Amsterdam Cabinet', *Apollo* 117 (1983), pp. 427-436.

Friedländer, deel 1-14 — Max J. Friedländer, *Early Netherlandish Painting* (Eng. Edition), 14 delen, Leiden 1967-76.

Frommberger-Weber 1973 — Ulrike Frommberger-Weber, 'Spätgotische Buchmalerei in den Städten Speyer, Worms und Heidelberg', *Zeitschrift für Geschichte des Oberrheins* 121 (1974), pp. 35-145.

Frommberger-Weber 1974 — Ulrike Frommberger-Weber, 'Spätgotische Tafelmalerei in den Städten Speyer, Worms und Heidelberg (1440-1500),' *Kunst in Hessen und am Mittelrhein* 14 (1974), pp. 49-79.

Fuchs 1958 — Reimar Walter Fuchs, 'Die Mainzer Frühdrucke mit Buchholzschnitten 1480-1500', (Archiv für Geschichte des Buchwesens (X) *Börsenblatt für den Deutschen Buchhandel* 14 (1958), nr. 75a, pp. 1129-1164.

Glaser 1910 — Curt Glaser, 'Zur Zeitbestimmung der Stiche des Hausbuchmeisters', *Monatshefte für Kunstwissenschaft* 3 (1910), pp. 145-156.

Husband 1980-81 — Timothy Husband with the assistance of Gloria Gilmore-House, *The Wild Man - Medieval Myth and Symbolism*, New York 1980-81.

Husband 1985 — Timothy Husband, 'The Master of the Amsterdam Cabinet, The Master of the Housebook and a stained glass painting at the Cloisters', *Corpus Vitrearum, United Stated - Occasional Paper I, Studies on Medieval Stained Glass* (ed. by Madeline H. Caviness and Timothy Husband), New York (Metropolitan Museum of Art) 1985.

Hutchison 1964 — Jane Campbell Hutchison, *The Hausbuchmeister - sources of his style and iconography*, Dissertation, University of Wisconsin 1964 (unpublished typescript).

Hutchison 1966 — Jane Campbell Hutchison, 'The Housebook Master and the Folly of the Wise Man', *The Art Bulletin* 48 (1966), pp. 73-78.

Hutchison 1972 — Jane Campbell Hutchison, *The Master of the Housebook*, New York 1972.

Hutchison 1976 — Jane Campbell Hutchison, 'The Housebook Master and the Mainz Marienleben', *Print Reviews* (1976): *Tribute to Wolfgang Stechow*, pp. 96-113.

Kirschbaum — Engelbert Kirschbaum (ed.), *Lexikon der christlichen Ikonographie*, 8 delen, 1968-76.

Legenda Aurea — *Die Legenda Aurea des Jacobus de Voragine*, aus dem Lateinischen übersetzt von Richard Benz, Köln-Olten 1969.

Lehrs, deel 1-9 — Max Lehrs, *Geschichte und Kritischer Katalog des Deutschen, Niederländischen und Französischen Kupferstichs im XV. Jahrhundert*, Wenen, 9 delen, 1908-34.

Lehrs (Dover) — Max Lehrs, *Late Gothic Engravings of Germany and the Netherlands* (682 copperplates from the 'Kritischer Katalog'), Dover publications, New York 1969.

Lehrs 1893-94 — Max Lehrs, *Der Meister des Amsterdamer Kabinetts*, Internationale Chalkographische Gesellschaft, Berlijn 1893-94.

Lehrs 1899 — Max Lehrs, 'Bilder und Zeichnungen vom Meister des Hausbuchs', *Jahrbuch der königlich preussischen Kunstsammlungen* 20 (1899), pp. 173-182.

Naumann 1910 — Hans Naumann, *Die Holzschnitte des Meisters vom Amsterdamer Kabinett zum Spiegel Menschlicher Behältnis*, Straatsburg 1910.

Panofsky 1953 — Erwin Panofsky, *Early Netherlandish Painting*, 2 delen, Cambridge, Mass. 1953.

Ringbom 1965 — Sixten Ringbom, *Icon to narrative - The rise of the dramatic close-up in fifteenth-century devotional painting*, Abo 1965 (second edition 1984).

Schmitz 1913 — Hermann Schmitz, *Die Glasgemälde des Kön. Kunstgewerbemuseums in Berlin. Mit einer Einführung in die Geschichte der Deutschen Glasmalerei*, 2 delen, Berlijn 1913.

Schneider 1915 — Hans Schneider, *Beiträge zur Geschichte des niederländischen Einflusses auf die oberdeutsche Malerei und Graphik um 1460-80* (inaugural dissertation), Basel 1915.

Schramm, deel 1-23 — Albert Schramm, *Der Bilderschmuck der Frühdrucke*, deel 1-23, Leipzig 1925-1943.

Schreiber — W.L. Schreiber, *Handbuch der Holz- und Metallschnitte des XV. Jahrhunderts*, 8 delen, Leipzig 1926-30.

Shestack 1967-68 — Alan Shestack, tent.cat. *Fifteenth century engravings of Northern Europe from the National Gallery of Art, Washington D.C.*, Washington 1967-68.

Shestack 1971 — Alan Shestack, *Master LCz and Master WB*, New York 1971.

Solms-Laubach 1935-36 — Ernstotto Graf zu Solms-Laubach, 'Der Hausbuchmeister', *Städel-Jahrbuch* 9 (1935-36), pp. 13-95.

Stange 1955, deel 7 — Alfred Stange, *Deutsche Malerei der Gotik*, deel 7: *Oberrhein, Bodensee, Schweiz und Mittelrhein*, Berlijn 1955.

Stange 1958 — Alfred Stange, *Der Hausbuchmeister*, Baden-Baden/ Straatsburg 1958.

Stewart 1977 — Alison G. Stewart, *Unequal Lovers - A Study of Unequal Couples in Northern Art*, New York 1977.

Storck 1909 — Willy F. Storck, 'Die Zeichnungen des Hausbuchmeisters', *Monatshefte für Kunstwissenschaft* 2 (1909), pp. 264-66.

Valentiner 1903 — W.R. Valentiner, 'Der Hausbuchmeister in Heidelberg', *Jahrbuch der königlich preussischen Kunstsammlungen* 24 (1903), pp. 291-301.

Waldburg-Wolfegg 1957 — Johannes Graf Waldburg-Wolfegg, *Das mittelalterliche Hausbuch*, München 1957.

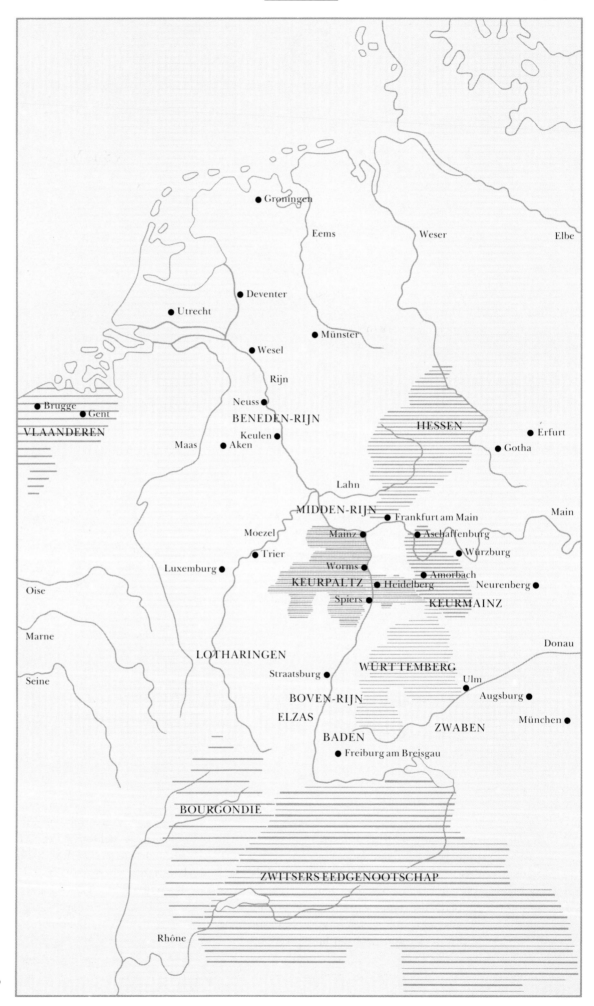

Afb. 1
Het Rijngebied omstreeks 1480
(tekening Dick Letema gvn).

De meester van het Amsterdamse Kabinet of de Meester van het Hausbuch en zijn verhouding tot de kunst van de Bourgondische Nederlanden

K.G. Boon

¶ Lang voordat de conservator van het Dresdense Prentenkabinet, Max Lehrs, in 1888 de naam Meester van het Hausbuch in de kunsthistorische literatuur introduceerde,[1] was de graveur wiens werk in deze catalogus beschreven is, bekend als de Meester van het Amsterdamse Kabinet of soms als de Meester van 1480. Hij had die Nederlandse naam gekregen omdat verreweg het grootste deel van zijn gravures (oorspronkelijk 82 óf 83 stuks)[2] zich in Amsterdam bevond. Voor Lehrs, de kenner van de vroege prentkunst, had de oudere naam een irritante bijsmaak. Zij herinnerde aan pogingen om deze kunstenaar, die naar zijn idee een sieraad van de Duitse kunst was, binnen de sfeer van de Bourgondische Nederlanden te brengen. De oudere naam kon, nu gebleken was dat de graveur ook de tekeningen van het *Hausbuch* [117] gemaakt had, voor zijn gevoel voor goed worden geschrapt.

Het Hausbuch

¶ Inderdaad is het zogenaamde *Hausbuch* door zijn illustraties van het leven in de nabijheid van een vorstelijk hof in de late Middeleeuwen een kostelijk document voor de Duitse cultuur uit die tijd. Het is bovendien al sedert de zeventiende eeuw in de verzamelingen van het geslacht Waldburg-Wolfegg in Zuid-Duitsland en volgens een aantekening op een van de bladen in de zestiende eeuw in het bezit van Ludwig Hof, die zich in Innsbruck vestigde. Het lijdt geen twijfel, dat het ook in Duitsland is ontstaan.

¶ De naam *Hausbuch* geeft nauwelijks een idee van de zeer uiteenlopende voorstellingen waarmee deze bundel gevuld is.

¶ Men zou het eerder, in plaats van de in 1865 door de historicus Retberg bedachte naam, een handboek van een 'Büchsenmeister', ('Bus(se)-meester', beheerder van de wapenkamer en het geschut) kunnen noemen, zoals een van de recente auteurs over het Hausbuch, Johannes graaf Waldburg-Wolfegg, voorstelde.[3] Het grootste deel van de bundel wordt immers gevuld door tekeningen van wapentuig, instrumenten die in het krijgswezen dienden, afbeeldingen van legerkamp en legertrossen, van het mijnwezen, van een smeltoven en van waterbouwkundige instrumenten (fol. 35v-56r). Aan dit hoofdzakelijk technische gedeelte van de bundel gaan scènes uit het leven van de adel vooraf (fol. 18v-25r): toernooien (*afb. 2*), een badhuis en het vermaak rondom een buitenverblijf, een afwisseling van spel en sport van de adel, zoals die in de late Middeleeuwen op de wanden van ridderhofsteden werd uitgebeeld in wandtapijten of muurschilderingen en uitvoeriger nog in handschriften die voor de adel waren bestemd.

¶ Alleen in de afbeelding van een brons- of ijzersmeltoven (fol. 35v) en op een blad dat de mijnbouw (fol. 35r) weergeeft, wordt ook aandacht aan het doen en laten van de handwerksman besteed. Als contrast met het aan strenge regels onderworpen toernooispel heeft de tekenaar op de voorgrond van het blad met het *Bergwerk* (*afb. 9*) een Bruegeliaanse vechtpartij van vier rauwe kerels weergegeven en daarmee de nadruk gelegd op het verschil met de adel in gedrag en optreden.

¶ Afgezien echter van de grote verscheidenheid van de voorstellingen waarmee het Hausbuch is gevuld, zijn ook de deels geaquarelleerde, deels alleen met de pen getekende bladen in tekenwijze en in stijl zó verschillend dat slechts een deel van de auteurs, die zich met de Hausbuch-meester bezig hielden er éénzelfde tekenaar in konden zien. De meeste specialisten schreven het aan meerdere handen toe. De bladen die het meest nabijkomen aan de prenten van de Meester van het Amsterdamse Kabinet bevatten zeven Planetenillustraties (fol. 11-17). Zij gaan vooraf aan de hierboven genoemde voorstellingen met het vermaak van de edellieden.

¶ In levendigheid van uitbeelding en in de soms zeer humoristische karakteristiek van de temperamenten van de Planetenkinderen overtreffen

Afb. 2
Hausbuch [117], fol. 21b-22a:
Toernooi.

deze zeven bladen het stellig niet geringe niveau van de rest van de bundel. Opmerkelijk verschillen zij van de houtsneden in de twee versies, de Duitse en de Nederlandse, van het gedrukte *Planetenboek*, dat uit de jaren zestig dateert en dat de tekenaar hier en daar tot voorbeeld kan hebben gediend.[4]

¶ Het ordeloos patroon van bezige figuurtjes in de houtsneeboeken is in de getekende serie van de Hausbuch-meester vervangen door keurig gerangschikte groepjes, die in afnemende grootte over het beeld zijn verspreid. Waar in de houtsneden willekeurige figuurtjes bezig zijn met de uitoefening van een beroep, schildert de Meester onder de Planeten het type mens dat onder die planeet geboren is. Een zó treffende temperamentenuitbeelding ontbreekt zelfs in de zeer rijk uitgevoerde Italiaanse gravures met de Planetenkinderen.

¶ De Hausbuch-meester tekent de Saturnuskinderen (fol. 11), zoals ze in het begeleidend gedicht beschreven zijn: grof, traag, nijdig, treurig en onbehouwen, al naar gelang de situatie waarin zij verkeren. De kinderen van Mars (fol. 13) zijn opvliegend, hun trekken zijn fel en de gemoederen licht ontvlambaar. Verfijnd en beschaafd in hun optreden en tevens ingetogen, gedragen zich de kinderen van Sol (fol. 14). Hun vermaak is als van de kinderen van Venus (fol. 15), dat van lieden van goede stand. De meest subtiele trekjes van het talent van de tekenaar vindt men in zijn uitbeelding van de kinderen van Luna (fol. 17). Hier speelt een goochelaar een doortrapt spelletje met een niets vermoedende toeschouwer, wiens mond van verbazing openvalt.[5] Een stedeling probeert goedgelovige boertjes met zijn praatjes om de tuin te leiden. Met een Bruegeliaanse verve interpreteert de tekenaar hier de woorden van het traditionele gedichtje, dat aan de kinderen van Sol een scherp verstand toeschrijft, maar godsvrucht slechts tot aan de middag: 'Darnach leben sie wie man will'.

¶ Vooral door zijn humor, zonder de pedanterie van een zedenmeester, en door zijn gave om situa-

Afb. 3 en 4
Het *Getijdenboek van Catharina van Kleef*, Utrecht, ca. 1440-45, fol. 67, bas de page: *Hazenjacht* en p. 206, illustratie in bordure: *Biddende non*, New York, Pierpont Morgan Library.

ties in het menselijk bedrijf te doorzien steekt de tekenaar van deze Planetenvoorstellingen ver uit boven alles wat verder in deze bundel is afgebeeld.

DE PRENTEN

¶ Dezelfde eigenschappen ontmoet men in de prenten van de Meester van het Amsterdamse Kabinet; vanzelfsprekend minder in de religieuze voorstellingen, al kan ook hierin zijn gevoel voor humor soms om de hoek komen kijken, zelfs zo, dat in *De Besnijdenis in de Synagoge* [11] de sacrale betekenis van het gebeuren haast ondergeschikt lijkt aan het commentaar van de groepjes oudere en jongere leden van het Oude Verbond. Zo verliest ook de *Heilige Familie bij de rozenstruik* [28] iets van haar heilige aura, omdat de prentkunstenaar te veel aandacht vraagt voor het spelletje met de appel, dat Jozef met het Kind speelt.

¶ Nog vrijer en ongedwongener dan in deze twee religieuze prenten heeft de kunstenaar zijn fantasie in de wereldlijke prenten uitgeleefd. Dit zijn, zoals soms ook zijn religieuze prenten, vrijwel uitsluitend fragmenten, die doen denken aan notities in een schetsboek. Maar het is een moderne gedachte dat een kunstenaar in de vijftiende eeuw hier en daar genoteerde momenten uit het dagelijks leven zou putten voor een duurzame vormgeving. Dit idee past niet in de wereld van de late Middeleeuwen die nog sterk aan de traditie gebonden was.

¶ Motieven als de spelende kindertjes, de fluit- en schalmeiblazers, de krabbende hond, het wildemans-vrouwtje op een hert, de hertenjacht, zelfs de brevier lezende monniken en nonnen, en de drie levende en de drie dode koningen zijn geen nieuwe vondsten, al lijkt de manier waarop zij weergegeven zijn aan de werkelijkheid getoetst. Het zijn alle motieven afkomstig uit een oud repertoire, namelijk dat van de miniaturisten, vooral van de verluchters van de randen van getijdenboeken en brevieren, die men 'vignettisten' pleegde te noemen.[6]

DE MEESTER VAN HET AMSTERDAMSE KABINET EN DE MINIATUURKUNST

¶ Dit onderdeel van de versieringskunst van de gotische handschriften beleefde ten tijde van haar nabloei in de vijftiende eeuw, gedeeltelijk door de invloed van de Eyckiaanse miniaturen, in Noord- en Zuid-Nederland een opmerkelijke vernieuwing. Tegenwoordig wordt algemeen aangenomen dat Utrechtse miniaturisten voor 1450 hierin een leidende rol speelden.

¶ Nu komen de motieven van de Meester, die ik zoëven noemde (en hun aantal kan nog met religieuze voorstellingen worden vermeerderd), herhaaldelijk voor in de randen van de Utrechtse handschriften, die tussen 1440 en 1460 zijn ontstaan.

¶ Ernstotto graaf zu Solms-Laubach heeft hier als eerste op gewezen aan de hand van een Utrechts Getijdenboek te Berlijn (Ms.Germ.Oct.648 van de Preussische Staatsbilbliothek).[7] In 1935, toen deze auteur zijn artikel schreef, was het vroegste handschrift waarin dit soort randen voorkomen nog niet bekend.[8] Solms-Laubach zou anders ongetwijfeld ook de boeken uit het atelier van de Meester van Catharina van Kleef genoemd hebben, waarin deze nieuwe realistische versiering van de randen voor het eerst in Nederlandse handschriften verschijnt. De betekenis die dit atelier heeft gehad voor het doorgeven van motieven uit de omgeving van Van Eyck kan het best worden geïllustreerd aan de hand van de *Hazenjacht* in de benedenrand van fol. 67 van de *Getijden van Catharina van Kleef* (*afb. 3*). Een dergelijke jachtvoorstelling komt al voor in het verloren gedeelte van de *Très Belles Heures* uit het atelier der Van Eycks.[9] De Meester van het Amsterdamse Kabinet heeft dit motief in zijn prent met de *Hertenjacht* [67] weer opgenomen en er op voortbouwend nog een tweede aan toegevoegd, dat ook aan de miniaturen zal zijn ontleend, namelijk het hert dat in het bos verdwijnt. Zo zijn ook de lezende en toehorende monniken en nonnen in de prenten [68 en 69] terug te vinden in die bladen van de getijdenboeken, waar de gebeden voor een dode, *de Vigiliën*, zijn afgebeeld (in het New Yorkse handschrift, bij voorbeeld op pag. 206, *afb. 4*). In deze *Vigiliën* komt soms ook het motief van de drie levende en de drie dode koningen voor (*afb. 5*; vgl. **57**).[10] Betekent dit overnemen van motieven uit de getijdenboeken, dat de Meester in contact heeft gestaan met een milieu, waarin de miniatuurkunst van de Van Eycks tot een nieuwe vorm van randversieringen heeft geleid, zoals in de Utrechtse miniaturen?

Afb. 5
Het *Getijdenboek van Yolande de Lalaing*, Utrecht, ca. 1460-65, fol. 57v-58r, bas de page: *De drie dode en de drie levende koningen*. Oxford, Bodleian Library, ms. Douce 93.

Afb. 6
Krabbende hond [78], drogenaald, ca. 1475-80.

Afb. 7
Getijdenboek, Utrecht, ca.
1450-60, fol. 160v: illustratie
in bordure: *Krabbende hond*.
Den Haag, Rijksmuseum
Meermanno-Westreenia-
num, ms. 10 F 50.

¶ Men zou op deze vraag kunnen antwoorden, dat het voorkomen van motieven uit het repertoire van de Hollandse boekverluchters-werkplaatsen nog geenszins hoeft te wijzen op een *directe* invloed van die ateliers. De verspreiding van die motieven zou ook door het van hand tot hand gaan van modellen kunnen worden verklaard. Langs deze weg wordt bijvoorbeeld de overeenkomst tussen enkele dieren in de randen van de *Getijden van Catharina van Kleef* met die op de prenten van de Speelkaarten-meester uit het Boven-Rijn gebied begrijpelijk. De motieven, die de prenten van de Meester met de miniaturen gemeen hebben, zijn echter niet nauwgezet uit de Utrechtse boeken overgenomen. Ze zijn door de prentkunstenaar op zíjn wijze geïnterpreteerd. Sommige ervan, als de zich krabbende hond in een Utrechts Getijdenboek uit de jaren tussen 1450 en 1460 (*afb. 6*) dat behoort tot de boeken uit het atelier van de Catharina van Kleef-meester (Ms. 10 F 50 van het Rijksmuseum Meermanno-Westreenianum te Den Haag, fol. 160v), komen echter zo uiterst zelden voor, dat men in zo'n geval wel tot een direct contact met het atelier van de miniaturist moet besluiten.

¶ Het weinig Duitse karakter van de prenten van de Meester blijft niet tot de motieven beperkt. Ook de stijl waarin ze getekend zijn verschilt van de Duitse prenten en hetzelfde geldt voor zijn zilverstift- en pentekeningen [121-126]. Hoewel deze onderling verschillend zijn en het soms zelfs

moeilijk is om hun plaats in het totale œuvre van de kunstenaar aannemelijk te maken (bijvoorbeeld voor de tekening van het *Vredesbanket van keizer Maximiliaan te Brugge* uit 1488) [124],[11] onderscheiden ze zich alle van de Duitse tekeningen en prenten door hun spontaan karakter en hun natuurgetrouwe weergave. Deze laatstgenoemde eigenschappen zijn nauwelijks aan te wijzen in de zorgvuldig gestileerde tekeningen en prenten van Schongauer en zijn school aan de Boven-Rijn. Zij ontbreken ook in tekeningen uit het Midden-Rijn gebied als die van Meester b x g of van de tekenaar van het Herpin-handschrift, en zelfs in de vrijere tekeningen van de Keulse School – beginnend met die van Stephan Lochner tot aan die van de Meester van het 'Aachener altar' – zal men deze eigenschappen niet in die mate aantreffen als bij de Meester van het Hausbuch.

¶ Tot deze conclusie kwam ook Ernstotto graaf zu Solms-Laubach in zijn artikel van 1935-36 in het Städel Jahrbuch.[12] Hij noemde hier 'de verwantschap met Nederlandse miniaturen de kern van het Hausbuch-meester probleem'. Om dit laatste te bewijzen ging Solms uit van een constatering van H. Schmitz, die in zijn catalogus van de Berlijnse glasruiten had gewezen op ontleningen in werk uit de kring van de Meester aan een handschrift van Jean Tavernier uit Oudenaerde van omstreeks 1460.[13] Dit spoor volgend stuitte Solms op een blad uit een ander handschrift van Taver-

Afb. 8
(Jean Tavernier), *Le Débat de l'Honneur*, Brussel, 1449-50, fol. 45r. Brussel, Koninklijke Bibliotheek, mss. 9278/80.

Afb. 9
Hausbuch [**117**], fol. 35, *Bergwerk*.

nier, *Le Débat de l'Honneur* uit dezelfde tijd, waarin hij in de voorgrond van een miniatuur een wandelend paar aantrof dat hem onmiddellijk deed denken aan vrijwel hetzelfde paar op de voorgrond van het blad met het *Bergwerk* (fol. 35, *afb. 9*) in het Hausbuch.[14]

¶ Een grotere overeenkomst in typen en in de uitbeelding ervan dan met die in de Vlaamse handschriften meende Solms-Laubach echter te kunnen vaststellen met figuren in gebedenboeken en bijbels die in het Utrechts bisdom en in Gelre zijn ontstaan. Als bewijs hiervoor beeldde hij een aantal miniaturen uit het reeds genoemde *Getijdenboek* te Berlijn van omstreeks 1460 af. Solms had ook kunnen wijzen op een Getijdenboek in dezelfde stijl te Oxford (Ms.Douce 93), waarin op fol. 100v een toernooi (*afb. 10*) in de geest van dat in het Hausbuch (fol. 21v/22r, *afb. 2*) voor-

komt. Hij constateerde ook dat, daar waar dezelfde motieven voorkomen, de manier van weergeven van de Meester 'ganz frei und natürlich' is.

¶ Hoewel de overeenkomsten tussen de voorstellingen van de Hollandse miniaturen, die Solms-Laubach noemde, en die van het *Hausbuch* niet te ontkennen vallen, meen ik, dat deze nog steeds geen doorslaggevend bewijs voor de herkomst van de tekenstijl van de Meester leveren. Als van een Utrechtse scholing van deze begaafde tekenaar gesproken kan worden, dan moet hij contact hebben gehad met meer vooruitstrevende talenten dan de kunstenaars van de zoëven genoemde boeken. Vooral zijn tekenstijl wijst erop dat de Meester met een vrijere hand begon dan die van de genoemde Utrechtse miniaturisten van omstreeks 1460. Hun minuscule figuurtjes doen nog

Afb. 10
Het Getijdenboek van Yolande de Lalaing, Utrecht, ca. 1460-65, fol. 100v, bas de page: *Toernooi*. Oxford, Bodleian Library, ms. Douce 93.

Afb. 11
Het Getijdenboek van Catharina van Kleef, Utrecht, ca. 1440-45, fol. 213, illustratie in bordure: *Simson en de leeuw.* New York, Pierpont Morgan Library.

Afb. 12
Het Getijdenboek van Maria van Bourgondië, Gent, ca. 1475-77, fol. 106, bas de page: *Acrobaat.* Wenen, Österreichische Nationalbibliothek, Codex Vind. 1857.

te veel denken aan miniaturen uit de school van Van Eyck. Ze zijn houterig in hun bewegingen en missen daardoor elk élan.

¶ Hierboven kwam al ter sprake dat graaf zu Solms-Laubach de handschriften uit het atelier van de Meester van Catharina van Kleef niet heeft gekend. In dit atelier ontstond reeds omstreeks 1440 de nieuwe stijl van randversieringen met kleine vignetten van één of twee figuren en uitgebreider voorstellingen in de 'bas de pages'. De boeken die Solms raadpleegde, geven onvoldoende idee van de importantie van die nieuwe stijl. Ze zijn slechts een flauwe afschaduwing van hetgeen door de Meester van Catharina van Kleef in de eerste helft van de vijftiende eeuw werd nagestreefd.

¶ Men leert die stijl het best kennen bij het doorbladeren van het omvangrijke en rijk versierde *Getijdenboek* in de Pierpont Morgan Library te New York[15] en uit het *Getijdenboek voor Catharina van Lochorst* in het Museum te Münster.[16] In deze boeken zijn de figuren binnen krachtige en hoekige contouren geheel met het penseel gemodelleerd. Dit is de stijl van de leider van het atelier, de Catharina-meester, die ook een derde boek uit dit atelier begon (Ms.10 F 50 van het Rijksmuseum Meermanno-Westreenianum in Den Haag)[17]. Voor dit boek maakte hij de zes grote miniaturen en een klein deel van de randversieringen (hoofdzakelijk tot pag. 87). De rest van de randen liet hij over aan een jongere, begaafde kracht die een andere tekenstijl in dit boek introduceerde. Zijn randversieringen zijn gemakkelijk van die van de oudere meester te onderscheiden door de ranke figuren die zich heel ongedwongen tussen de voluten bewegen in een veel grotere variëteit dan die van de oudere meester. Ze zijn meestal in een uitvoerige tekening opgezet, wat goed te zien is op fol. 160v bij de krabbende hond (*afb. 7*). Het Haagse boek is tussen 1455 en 1460 ontstaan. Na 1465 komen tekenstijl en figuren van de tweede miniaturist in een aantal Brugse handschriften tot hun volle ontplooiing. Die boeken zijn voor Karel de Stoute en zijn stiefbroer

Antoine de Bourgogne gemaakt en na 1469 hoofdzakelijk voor Lodewijk van Brugge, heer van Gruthuse. Men komt er vrijwel dezelfde randversiering in tegen als in het Haagse Getijdenboek.

¶ Vroeger werd de miniaturist van deze boeken Philippe de Mazerolles[18] genoemd, maar in zijn commentaar bij een van de rijk versierde boeken uit dit atelier, het *Getijdenboek Cod. 1587* van de Weense National Bibliothek, heeft Antoine de Schrijver kunnen aantonen dat niet Mazerolles, maar de in Gent opgeleide en in 1462 te Antwerpen als schilder ingeschreven Lieven van Lathem, de verluchter ervan moet zijn geweest.[19] De veronderstelling van De Schrijver dat Lieven van Lathem het miniaturisten-métier in Utrecht voor het eerst uitoefende, klinkt waarschijnlijker dan dat de Fransman Mazerolles naar het veraf gelegen Utrecht getrokken zou zijn.

¶ Hoe het ook zij, de stijl van de randversieringen in het Haagse handschrift Ms. 10 F 50 en die in de prachtige pagina's van de latere boeken van Van Lathem: de *Histoire de la Conquête de la Toison d'or* (Bibliothèque Nationale Ms.fr.331), *l'Histoire du bon roi Alexandre* (Verz. Dutuit, Petit Palais), beide te Parijs en in drie delen van het Froissart-handschrift te Breslau,[20] staat zowel in de voorbereidende tekening als door haar spontaneïteit veel dichter bij de Planetenfiguren van het Hausbuch dan die van de Utrechtse handschriften, die Solms noemde.

¶ Houdingen en proporties van Van Lathem's figuren en ook zijn paarden, die sterk doen denken aan die van de Planeten, wijzen erop dat een contact met Van Lathem in Utrecht en misschien ook daarna in Brugge tot de mogelijkheden behoort. Als wij dus uitgaan van een eerste scholing van de Hausbuch-meester in Utrecht en mogen aannemen dat Van Lathem daar tot zijn vorming heeft bijgedragen, dan moeten de indrukken die hij in dit bloeiende miniaturisten-centrum heeft opgedaan ook duidelijk in zijn prenten aanwijsbaar zijn. Van de religieuze motieven kan alleen *Simson en de leeuw* [5] worden genoemd. Dit motief komt zowel in de *Getijden van Catharina van Kleef* (fol. 213; *afb. 11*) voor als in het *Getijdenboek 10 F 50* in Den Haag (pag. 198 van de hand van Van Lathem). Ik wees al op de vele genremotieven in de randen van de Utrechtse miniaturen, in het bijzonder op de nergens elders voorkomende zich krabbende hond.

¶ Van evengroot belang als dit laatste motief acht ik het voorkomen van een acrobaatje dat op de handen staat, een motief dat de Meester tweemaal in zijn wapenprenten [**88** en **89**] gebruikte. Lieven van Lathem was hierin zijn voorganger. Hij beeldde een dergelijke figuur tot tweemaal toe in de randen van het Weense *Getijdenboek Cod. 1587* (op fol. 100r en v; *afb. 12*) af. Vele figuurtjes trouwens uit de Weense *Getijden* lijken in houding verrassend veel op de Planetenkinderen.[21]

DE SCHILDERIJEN

¶ De meeste critici die zich met de Meester bezighielden nemen (mijns inziens terecht) aan dat een belangrijk deel van zijn prenten ontstond vóórdat hij opdrachten voor altaar-schilderijen kreeg. Dit staat vast voor de Maria-cyclus voor een van de kerken van Mainz, waarvan een paneel 1505 gedateerd is [**132**]. Dit werk werd waarschijnlijk voltooid na zijn dood. In het altaar voor een kerk te Spiers [**131**], dat mogelijk in de tweede helft van de jaren zeventig is geschilderd, is de invloed van de Nederlandse schilderkunst veel geringer dan Solms meent. Ik kan daarom enigermate het standpunt van Alfred Stange, de schrijver van de laatste œuvre-catalogus van de Meester,[22] begrijpen, die vrijwel alle Nederlandse invloed in het werk van zijn oer-Duitse Hausbuch-meester negeert. Stange zocht de leerschool van de Meester in het gebied van de Boven-Rijn (o.a. in Colmar en Straatsburg). Het feit dat de Meester Nederlandse schilderijen kende, als het *Columba-altaar* van Rogier van der Weyden en de

panelen van een altaar van Bouts (thans te München), die in de Keulse kerken te zien waren, telt voor Stange in zijn boek van 1958 niet zwaar.

¶ Solms-Laubach vermeldde die invloed wel en noemt ook Ouwater als bron van inspiratie, maar hij gaat hier niet verder op in. En toch zocht juist Solms de oplossing van het Hausbuch-meesterprobleem in de identificatie met een Nederlandse schilder, Erhard Reuwich uit Utrecht.

¶ Ik kom later op de hypothese van Solms terug. Zij is weliswaar niet het eerst door hem gelanceerd, want al in 1891 werd zij, vragenderwijs, door een van de directeuren van het Rijksmuseum, A. Pit, geopperd.[23] Solms-Laubach heeft Pits idee echter met uitgebreid bewijsmateriaal verder uitgewerkt.

¶ Alvorens hier op in te gaan, wil ik, terugkerend naar de schilderijen, wijzen op het ouderwetse karakter in sommige panelen, die tot het vroegste altaar van de Meester behoren, het altaar voor Spiers [**131**], dat door verschillende auteurs tussen de tweede helft van de jaren zeventig en de eerste helft van de jaren tachtig wordt gedateerd. In een tijd waarin de invloed van Nederlandse voorbeelden in Keulen en aan de Midden-Rijn al goed merkbaar wordt, ontwierp de Meester in twee panelen van dit altaar, de *Voetwassing* en het *Laatste Avondmaal*, interieurs met sterk terugwijkende muren en met een naar de achtergrond oplopend grondvlak. In de nauwe ruimten, die hierdoor ontstonden, zijn de figuren soms zó op elkaar gedrongen, dat zij bijna tot silhouetten zijn gereduceerd.

¶ Deze twee voorstellingen doen onwillekeurig denken aan interieurscènes in handschriften, en men gaat zich afvragen of dit ouderwets aspect niet te maken heeft met de leertijd van de kunstenaar in Utrecht. Die scholing blijkt ook elders in dit altaar. Solms-Laubach en, reeds lang voor hem Hans Schneider (in 1915), wezen op de invloed

Afb. 13
Het Getijdenboek van Gijsbrecht van Brederode, Utrecht, ca. 1460, fol. 66v, bas de page: *Opstanding*. Luik, Universiteitsbibliotheek, ms. Wittert 13.

Afb. 14
Peregrinationes in Terram
Sanctam [142], Mainz 1486,
frontispice, houtsnede.

van Bouts in de nachtelijke scène op het paneel met *Christus voor Caïphas* van het Spierse altaar.[24] Die Bouts-invloed wordt ook aangenomen voor de *Opstanding van Christus* [131d], behorend tot hetzelfde altaar. Enige invloed van de Nederlandse kunstenaar op de compositie van dit paneel kan niet ontkend worden. De houding van de slapende soldaat links op de voorgrond is echter niet aan Bouts ontleend. Toen de Meester deze figuur tekende, moet hij een model uit de miniatuurkunst gebruikt hebben, want deze slapende soldaat komt in precies dezelfde houding in een Utrechts Getijdenboek voor. (*Getijdenboek van Gijsbrecht van Brederode* te Luik, fol. 66v, uit de jaren vóór 1460; *afb. 13*).[25]

¶ Een veel meer gebruikt motief uit het repertoire van de miniaturisten heeft de Meester in een ander paneel van het altaar uit Spiers ingelast, nl. de knielende figuur op de voorgrond. In het *Getijdenboek van Catharina van Kleef* te New York

en in de zogenaamde *Vronensteyn-Getijden* te Brussel komen dergelijke figuren respectievelijk op fol. 68 en 38v voor.[26]

¶ Het zijn dus niet alleen de interieurs van het Spierse altaar, maar ook het overnemen van modellen uit de miniatuurkunst, die bij mij de indruk bevestigen dat de Meester een eerste scholing als miniaturist moet hebben gehad. Die leerschool kwam hem trouwens goed te pas bij de uitvoering van de miniaturen in het Evangeliarium te Cleveland [119].

DE MEESTER VAN HET AMSTERDAMSE KABINET OF DE MEESTER VAN HET HAUSBUCH: ERHARD REUWICH

¶ In hoeverre is nu het hierboven geschetste beeld van zijn kunst te rijmen met de hypothese van graaf zu Solms-Laubach, die voorstelt om de Meester te identificeren met Erhard Reuwich uit Utrecht, de illustrator van het reisverslag naar het Heilig Land van Bernhard von Breydenbach en twee edellieden uit zijn omgeving. Oppervlakkig gezien lijkt het een eenvoudige zaak: een kunstenaar die contact moet hebben gehad met Utrechtse ateliers en die behalve in Heidelberg en Spiers vooral in Mainz moet hebben gewerkt, zou heel goed dezelfde kunnen zijn als de schilder Reuwich, die van 1483 (en al jaren daarvoor?) tot 1488 in Mainz traceerbaar is. Reuwich is uit Utrecht afkomstig en waarschijnlijk een zoon van de schilder Hillebrant (van) Reewijk, die tussen 1456 en 1465 voor de Utrechtse Buurkerk werkte en in 1470 deken van het Utrechtse gilde was. Erhard (Everard?) kan dus als schilder al omstreeks 1470 naar het Rijnland getrokken zijn en zich in Mainz gevestigd hebben.[27]

¶ Na opdrachten voor de domproost en deken Breydenbach te hebben uitgevoerd, trok hij met deze via Venetië naar Jeruzalem en vandaar door het barre en verwaarloosde land naar het graf van de H. Catharina op de Berg Sinaï, de berg van wijsheid en licht en volgens de overlevering eens de woonplaats van God. Het reisverslag, dat geen titel heeft, hoewel het meestal de *Peregrinationes in Terram sanctam* [142] wordt genoemd, is van een rijk versierd frontispice voorzien. Op deze pagina staan de wapens afgebeeld van de drie adellijke heren: Breydenbach, kamerheer van de aartsbisschop van Mainz, graaf Johann zu Solms-Lich en ridder Philipp von Bicken, het drietal dat, begeleid door een tolk en de schilder Reuwich, de reis naar het Heilig Land ondernam (*afb. 14*).

¶ Reuwich voorzag het boek van zes grote panorama's van de steden en de eilanden waar het gezelschap langs trok: Venetië, Parenzo, Corfu, Modon, Candia (Kreta) en Jeruzalem. Aan het eind van het boek voegde hij bij het verhaal over de belegering van het eiland door de Turken nog een prent van Rhodos toe. In dit deel staat ook de houtsnede met de Turkse en Genuese ruiterstoet (*afb. 15*), die A. Pit in 1891 zo sterk deed denken aan de *Turkse ruiter* van de Meester [**74**, *afb. 16*].

¶ Behalve deze ruiterstoet en de panorama's, bevat het boek afbeeldingen van de verschillende naties die het gezelschap in het Heilig Land aantrof en een blad met dieren, waaronder een eenhoorn, die de schilder op zijn tocht zou hebben gezien. De stijl van de figuren in de drie uitgaven, de Latijnse en Duitse van 1486 en de Nederlandse van 1488, die te Mainz in het huis van de schilder werden gedrukt, zoals de colophon van het boek vermeldt, is nogal verschillend.

¶ Het titelblad met Vrouwe Venetië, staande op een sokkel en omgeven door twee wapens en een uitvoerige omlijsting van rozen en granaatappelstruiken, waarin naakte kindertjes dartelen, is uiterst subtiel in het houtblok gesneden, kennelijk naar een ontwerp van een tekenaar die op de natuurgetrouwe weergave van zijn tekening stond. Solms heeft met een overvloed aan argumenten laten zien hoe dicht deze houtsnede bij de tekenstijl van de prenten en tekeningen van de Meester komt.

¶ Een heel andere indruk maken de houtsneden van de Joodse marktkooplui, van de Grieken en Abessiniërs en van de Syriërs in een wijngaard. Misschien zijn deze door een minder bekwame hand gesneden, waardoor de tekening misvormd kan zijn en waardoor de vergelijking van Solms-Laubach met de prenten en tekeningen van de Meester niet zo overtuigend is.

¶ De zeven panorama's op grote uitslaande bladen vormen echter het grootste struikelblok voor het aanvaarden van de hypothese van Solms-Laubach. In deze houtsneden van steden en eilanden, en in het bijzonder in de nauwkeurige prent van de *Kerk van het Heilig Graf en zijn omgeving*, zijn de wetten van het perspectief zeer strikt in acht genomen. Hierdoor maken deze houtsneden een veel modernere indruk dan de interieurs in het altaar

uit Spiers. Solms heeft dit opvallend verschil niet serieus overwogen en het gebagatelliseerd met de opmerking 'dat aan de schilder in dit geval een heel andere opgave werd gesteld'. De manier waarop de stad Jeruzalem met het Heilig Land tot aan de berg Sinaï is weergegeven, is inderdaad topografisch, maar ten dele ook cartografisch en als zodanig is hierin een andere traditie gevolgd dan in de andere landschappen van de schilder. De opmerking van Solms gaat echter minder op voor de stadsveduten en de gezichten van de eilanden.[28] In de houtsnede van Venetië is bijvoorbeeld de stad al veel zorgvuldiger in haar omgeving geïntegreerd. Maar er blijft ook in dit gezicht iets van het cartografisch karakter bespeurbaar.

¶ Solms-Laubach heeft zich in 1935 niet de vraag gesteld of de Meester misschien in Utrecht kan zijn geschoold. Kennelijk is hij van de gedachte uitgegaan dat het een schilder in de vijftiende eeuw weinig moeite kostte om vertrouwd te raken met voorbeelden uit de miniaturisten-ateliers. Zo eenvoudig was dit echter niet. De schilders en boekverluchters waren in afzonderlijke gilden ondergebracht en elk van deze beroepen werkte naar voorbeelden uit de eigen kring.

¶ Het is daarom nogal onwaarschijnlijk dat een schilder uit Utrecht, Reuwich, zoals Solms veronderstelde, een boek van Tavernier van omstreeks 1449-50 heeft leren kennen, ook al omdat zo'n handschrift niet lang in het atelier van de miniaturist gebleven zal zijn. Voor Utrecht was de

Afb. 16
Turkse ruiter [**74**], drogena‐ ca. 1485-90.

Afb. 15
Peregrinationes in Terra‐ Sanctam [**142**], Mainz 1486, fol. 76, *Turkse ruiters*, houtsnede.

situatie waarschijnlijk iets anders dan in Brugge waar Tavernier werkte. Daar is één geval bekend waaruit blijkt dat er wél contact tussen een schilder en een miniaturist is geweest.

¶ Met dit voorbeeld voor ogen zou men zich kunnen voorstellen dat de Meester en Reuwich, in de tijd waarin beiden in Mainz verbleven, over en weer contact hebben gehad. Het zou dan mogelijk zijn dat de Meester het titelblad van de *Peregrinationes* voor Reuwich ontworpen heeft. De argumenten van Solms-Laubach om dit blad en de wapendraagster aan het eind van het boek aan de Meester toe te schrijven zijn immers steekhoudend. Bovendien kan de Meester geprofiteerd hebben van Reuwichs kennis van het Heilig Land en kan hij voor zijn *Turkse ruiter* [74] details aan diens tekeningen hebben ontleend.

¶ Zo lang onze kennis van Reuwich tot de *Peregrinationes* [142] en de *Gart der Gesuntheit* [141] beperkt blijft, lijkt het mij echter niet mogelijk om de Meester met Reuwich te identificeren. Dit betekent dat wij nog steeds zullen moeten berusten in de noodnamen die de kunstenaar gekregen heeft. Of wij daarbij, zoals Lehrs, de naam *Hausbuch-meester* boven die van *Meester van het Amsterdamse Kabinet* zouden moeten verkiezen, hangt af van het afwegen van Duitse tegenover Nederlandse eigenschappen in zijn werk. Persoonlijk ben ik geneigd aan het nauwe contact met Utrecht méér betekenis te hechten dan aan contacten met de kunst van Zwaben of van het gebied van de Boven-Rijn, waarop van Duitse zijde gewezen is.

1. Max Lehrs, *Katalog der im Germanischen Museum befindlichen deutschen Kupferstiche des XV. Jahrhunderts*, Neurenberg 1887-88, p. 30.

2. Behalve de tachtig prenten, die thans te Amsterdam worden bewaard, waren er voor de inbeslagname in 1812 door de conservator van de Bibliothèque Nationale ten behoeve van deze instelling tenminste nog twee andere prenten van de Meester van het Amsterdamse Kabinet in de Koninklijke Bibliotheek in Den Haag [6 en 75, en mogelijk ook 25]. Bij de teruggave in 1816 te Parijs werden zij echter achtergehouden; zie Filedt Kok 1983, pp. 427-28.

3. Waldburg-Wolfegg *1957*, p. 7.

4. F. Lippmann, *Die sieben Planeten* (Internationale chalcographische Gesellschaft), Berlin etc. 1895 (Duitse versie in Kupferstichkabinett, Berlijn). Een andere, wellicht eerdere Nederlandse versie (met Latijnse bijschriften) in Kopenhagen, werd gepubliceerd door M.J. Schretlen, 'Blokbogen De syv Planeten', *Kunstmuseets Aarsskrift* 16-18 (1929-31), pp. 1-15.

5. Deze voorstelling doet enigszins denken aan die van Hieronymus Bosch, alleen bekend door copieën, waarvan de beste in het Museum van Saint Germain-en-Laye is.

6. G. Hulin de Loo, 'La vignette chez les enlumineurs gantois entre 1480 et 1500', *Bulletin de la Classe des Beaux Arts de l'Académie Royale de Belgique* 21 (1939), pp 158-80; L.M.J. Delaissé, *A century of Dutch manuscript illumination*, Berkeley en Los Angeles 1968, pp. 40, 82 en verder.

7. Solms-Laubach 1935-36, pp. 18-22.

8. Cf. Friedrich Gorissen, *Das Stundenbuch der Katharina von Kleve, Analyse und Kommentar*, Berlijn 1973, p. 104 e.v.; Delaissé, op.cit. (noot 6), p. 40, afb. 83.

9. Gorissen, op.cit. (noot 8), p. 1040-41.

10. *Getijdenboek van Yolande de Lalaing*, in de Bodleian Library, Oxford (Douce 93), fol. 57v en 58r.

11. De toeschrijving van deze tekening, waarvan A. Warburg het onderwerp kon identificeren met het banket dat keizer Maximiliaan in 1488 door de stad Brugge werd aangeboden, is van M.J. Friedländer. Zij werd vrijwel algemeen geaccepteerd. Het uiterst spontane karakter ervan treedt zelfs niet in de tekening *Drie mannen in gesprek* [123] zo evident naar voren. Bovendien is deze tekening ook opmerkelijk door karakterisering van de uiteenlopende reacties van de omstanders en de tegenstelling tussen de nieuwsgierig opdringende Brugse burgers en de hautaine houding van de hovelingen, bijvoorbeeld bij de page op de voorgrond.

12. Solms-Laubach 1935-36, p. 16 en p. 93.

13. H. Schmitz 1913, deel 1, pp. 101-23, vooral pp. 105-06.

14. Het blad met het *Bergwerk* in het Hausbuch wordt thans vrijwel algemeen niet meer als werk van de Hausbuch-meester beschouwd. Het is de *enige* tekening van het Hausbuch die door de boom-typen en de architectuur van de burcht enige overeenkomst heeft met dergelijke details in Reuwichs landschappen van de *Peregrinationes* [142]. Het zou dus de kunstenaar van dit blad (of de miniaturist) moeten zijn, die met het atelier van de in Brugge verblijf houdende Jean Tavernier uit Oudenaerde (werkzaam tussen 1454 en 1467) contact heeft gehad. Als tenminste de veronderstelling van Solms-Laubach werkelijk juist is, dat het wandelend paar op het *Bergwerk* inderdaad ontleend is aan *Le Débat de l'Honneur*. Dergelijke wandelende paren komen echter ook elders voor. Zie hiervoor noot 21.

15. John Plummer, *The Hours of Catherine of Cleves; introduction and commentaries*, Londen 1966.

16. Paul Pieper, 'Das Stundenbuch der Katharina von Lochorst und der Meister der Katharina von Kleve', *Westfalen, Hefte für Geschichte, Kunst und Volkskunde* 44 (1966), pp. 97-157.

17. K.G. Boon, 'Nieuwe gegevens over den Meester van Catharina van Kleef en zijn atelier', *Bulletin van de Koninklijke Nederlandse Oudheidkundige Bond* 6e serie, 17 (1964), pp. 242-54.

18. De naam Mazerolles werd het eerst door Paul Durrieu gesuggereerd in zijn artikel 'l'Histoire du bon roi Alexandre', *Revue de l'Art Ancien et Moderne* 13 (1903), pp. 49-121, vooral pp. 49-64, 103-21.

19. *Gebetbuch Karls des Kühnen vel potius Stundenbuch der Maria von Burgund Codex Vindobonensis 1857 der Österreichischen Nationalbibliothek* (Codices selecti vol. XIV) Faksimile und Kommentar (Étude de l'enluminure par Antoine de Schryver), Graz 1969, Commentar, pp. 90-102.

20. Arthur Lindner, *Der Breslauer Froissart*, Berlin 1912; voor de andere handschriften zie Paul Durrieu, 'Livre de Prières peint pour Charles le Téméraire par son enlumineur et titre Philippe de Mazerolles', *Monuments et mémoires de la Fondation Eugène Piot* 22 (1916), pp. 71-130; Friedrich Winkler, 'Studien zur Geschichte der niederländischen Miniaturmalerei des xv. und xvi. Jahrhunderts', *Jahrbuch der Kunsthistorischen Sammlungen in Wien* 32 (1915), pp. 38-342, vooral pp. 292 en 299 e.v.

21. *Gebetbuch ..... Codex Vindobonensis 1857*, op.cit. (noot 19), fol. 106, recto en verso: *Jongleurs* en fol. 98 recto: *Wandelend paar*. Van Lathem kan ook het voorbeeld zijn geweest voor de miniaturist die het *Missaal van Margaretha von Simmern* [120] met rijk geornamenteerde randen versierde. F. Anzelewski schreef deze randversieringen in een artikel in *Berliner Museen* (N.F. 8 (1958) pp. 30-34 aan de Hausbuch-meester toe op grond van overeenkomsten tussen zijn werk en de figuren in de randen van het *Missaal*. Deze toeschrijving heeft weinig weerklank gevonden in de literatuur. Voorzover er een connectie bestaat, zou die ook verklaard kunnen worden door de gemeenschappelijke bron, waar beiden op teruggaan, dat wil zeggen de Bourgondisch-Nederlandse miniatuurkunst. De

verschillen tussen het werk van de miniaturist en dat van de Hausbuch-meester zijn te opvallend, vooral de humor en subtiliteit van de laatste, die bij de eerste geheel ontbreken. Een vergelijking kan dit duidelijk maken. Beide kunstenaars gebruikten het motief van de jongeman en de Dood. De miniaturist op fol. 160 verso, de Hausbuch-meester in zijn prent, [58]. De miniaturist hield zich aan de gebruikelijke voorstelling, een *Jongeman worstelend met de Dood;* de Hausbuch-meester gebruikte in het motief een tikje ironie. De frivole 'Weltmann' keert zich bij hem met een glimlach en met jeugdige overmoed tot de waarschuwende Dood. De miniaturist van het *Simmern-Missaal* behoorde waarschijnlijk tot een jongere generatie dan die van de Meester van het Hausbuch.

22. Stange 1958, p. 19. Lehrs, deel 8, p. 74 noemde de Boven-Rijnlandse oorsprong van de Hausbuch-meester 'problematisch'.

23. A. Pit, 'La gravure dans les Pays Bas aux XVme siècle', *Revue de l'Art Chrétien* 34 (1891), pp. 486-97, vooral p. 494.

24. Schneider 1915, p. 58. Schneider wees verder op een mogelijke overname bij [26] uit het zogenaamde Maelbeke-altaar van Jan van Eyck en op het thema van de zogenaamde Johannesschotel [37] dat teruggaat op Nederlandse voorbeelden. Ook de vondst van Kristeller, die aantoonde dat de prent van *Christus als de Goede Herder* [17] aan een Nederlandse houtsnede ontleend is, nam hij over. Deze zeer incidentele ontleningen leveren echter nauwelijks materiaal voor een duidelijk contact met de kunst in de Nederlanden.

25. *Livre d'Heures de Gysbrecht de Brederode, évèque élu d'Utrecht. Reproduction de 38 pages enluminées du Manuscript Wittert 13 de la Bibliothèque de l'Université de Liège,* publiées avec une introduction de Joseph Brassine, Brussel 1923, pl. 20.

26. Zie respectievelijk Plummer, op.cit. (noot 13), afb. 58 en voor het *Vronensteyn-Getijdenboek,* te Brussel, Bibliothèque Royale ms. II 7619, Delaissé, op.cit., pp. 45-48 en afb. 105. Dit Gebedenboek is gemaakt voor Jan van Amerongen en 1460 gedateerd.

27. De data betreffende het verblijf te Mainz van de schilder Erhard Reuwich zijn ontleend aan het verslag van Bernard von Breydenbachs reis die op 25 april 1483 aanving en tot januari 1484 duurde. In 1488 verscheen de derde uitgave van Breydenbachs *Peregrinationes* in het Nederlands. In de eerste Latijnse uitgave wordt Reuwich een 'pictor artificiosus et subtilis' genoemd. Deze kwalificatie zou ook de Hausbuch-meester kunnen sieren, hoewel zij niet veel meer dan een gebruikelijk epitheton ornans betekent. In de tekst wordt ook nog vermeld dat Reuwich het boek in zijn huis drukte. De gegevens over de Reuwich (Reewijk) familie in Utrecht zijn ontleend aan de *Bijdragen en Mededelingen van het Historisch Genootschap te Utrecht* 3 (1880), p. 115 en K.G. Boon, 'Een Utrechts schilder uit de 15de eeuw, de Meester van de Boom van Jesse in de Buurkerk', *Oud Holland* 76 (1962), pp. 51-60.

28. Deze houtsneden verschillen in wezen van de even nauwkeurige gezichten op de steden Brugge, Gent en Duinkerken in het Froissart-handschrift van de miniaturist Lieven van Lathem. Als de Hausbuch-meester met Breydenbach naar het Heilige Land zou zijn gegaan, dan zou hij, net zoals Van Lathem in zijn miniaturen, zijn stadsgezichten minder breed hebben opgezet en de houtsneden overladen hebben met kleine incidenten, die in het werk van Reuwich alleen van ondergeschikte betekenis bleven.

D E O N T W I K K E L I N G V A N D E V I J F T I E N D E - E E U W S E D U I T S E G R A V E E R K U N S T E N D E D R O G E N A A L D P R E N T E N V A N D E M E E S T E R V A N H E T A M S T E R D A M S E K A B I N E T

J.P. Filedt Kok

¶ De eerste gravures – afdrukken van gegraveerde koperplaten op papier – zijn waarschijnlijk in de jaren dertig van de vijftiende eeuw in de Duitse Rijnvallei ontstaan.[1] Het graveren in metaal werd al eeuwen lang door goud- en zilversmeden voor de decoratie van voorwerpen beoefend. Zij maakten zelf vermoedelijk ook wel incidenteel gebruik van de mogelijkheid om van de in het metaal gegraveerde tekening een afdruk op papier te maken, door de gegraveerde lijnen met inkt te vullen. De tekening kon dan als 'model' dienen en voor verder gebruik behouden worden. Toen aan het begin van de vijftiende eeuw meer en goedkoper papier ter beschikking kwam, heeft men zich waarschijnlijk gerealiseerd, welke mogelijkheden de gravure biedt voor het vermenigvuldigen van afbeeldingen. Niet lang daarvoor was de houtsnede, eerder toegepast bij textieldecoratie, voor het eerst voor dit doel gebruikt.

¶ De productie van handgeschept papier, die pas (na de stichting van de eerste Duitse papiermolen in Neurenberg in 1391) aan het begin van de vijftiende eeuw in Duitsland behoorlijk op gang kwam, was een voorwaarde voor de ontwikkeling van grafische technieken en, wat later, van de boekdrukkunst. Daarnaast waren de sociale en economische omstandigheden in het Rijnland, waar deze nieuwe media tot ontwikkeling kwamen, hiervoor zonder twijfel uitermate gunstig. De welvarende steden, met een gecultiveerde groep ambachtslieden, een sterk patriciaat, met daarnaast een grote artistieke activiteit, stimuleerden de hang naar afbeeldingen en nieuwe kennis, waarin de nieuwe vermenigvuldigingstechnieken konden voorzien.[2]

¶ Evenals bij de houtsnede bestond het merendeel van de gravures uit religieuze afbeeldingen, vooral de Passie van Christus en heiligen. Zij werden vooral verkocht bij bedevaartplaatsen, in kerken, op jaarmarkten en dienden voor de devotie. Zulke prenten, vaak met de hand gekleurd, zijn voorlopers van de latere bidprentjes; sommige werden uitgereikt bij de betaling van aflaatgelden. De veelvuldig voorkomende reeksen van Passievoorstellingen en heiligen werden vaak in gebedenboeken geplakt, naast of ter vervanging van miniaturen. De kwaliteit van deze prenten is, vooral waar het de weergave van het menselijk lichaam betreft, niet hoog; desondanks blijkt tot ver in de zestiende eeuw een voortdurende vraag naar dit type devotionele grafiek bestaan.

¶ In het Noorden van Europa, vooral in Duitsland en in mindere mate in de Nederlanden, zijn in de vijftiende eeuw grote aantallen gravures gemaakt; van meer dan drieduizend zijn afdrukken bewaard gebleven. Hoewel het merendeel daarvan tot de categorie devotieprentjes behoort, bood de gravure grotere artistieke mogelijkheden. In de loop van de eeuw werden de expressiemogelijkheden van de graveertechniek vergroot en verfijnd, zodat dit medium zich in een aantal gevallen kon ontwikkelen tot een kwalitatief gelijkwaardig grafisch equivalent van de schilderkunst van die tijd. Tot de jaren zestig van de vijftiende eeuw werd de graveerkunst vooral beoefend door goud- en zilversmeden; later in de eeuw waren ook belangrijke schilders (in de eerste plaats Martin Schongauer) als graveur actief. Voor Schongauer geldt, zoals later ook voor Dürer, dat de artistieke invloed die uitging van zijn prenten, die een brede verspreiding vonden, groter was dan van zijn schilderijen.

¶ Doordat de eerste graveurs hun tekening met fijne lijntjes in de plaat graveerden, versleet de plaat bij het afdrukken vrij snel en konden slechts kleine aantallen goede drukken gemaakt worden. Pas Schongauer ontwikkelde de graveertechniek zo ver dat grotere oplagen van goede kwaliteit mogelijk waren. Toch zijn er van de vroege gravures relatief meer exemplaren bewaard gebleven dan van de in grotere oplagen verschenen houtsneden, waarvan zelden meer dan één afdruk over is; waarschijnlijk werden gravures als waardevolle objecten beter bewaard. Tot de beperkte kring van liefhebbers voor deze prenten moeten zeker kunstenaars en gespecialiseerde ambachtslieden hebben behoord, want juist dit type prenten heeft een belangrijke rol gespeeld bij het overbrengen van artistieke formules en ideeën. De composities van de vroegere gravures zijn waarschijnlijk vaak gebaseerd op geschilderde of getekende voorbeelden en hebben op hun beurt weer als voorbeelden gediend voor andere kunstenaars. Later in de eeuw daarentegen komen de nieuwe composities, inventies en voorbeelden die in prent worden gebracht, vaak van de belangrijkste vijftiende-eeuwse prentkunstenaars zelf. Omdat ook deze originele inventies vaak al gauw in prent gecopieerd en herhaald werden, is het soms moeilijk vast te stellen of het een 'originele' prent of één van de copieën is, die aan een andere herhaling ten grondslag ligt.

De Meester van de Speelkaarten.

¶ De eerste belangrijke kunstenaar in de vijftiende-eeuwse Duitse graveerkunst is de Meester van de Speelkaarten, wiens werk tussen 1435 en 1455 gedateerd wordt en van wie wordt aangenomen dat hij in de Boven-Rijnvallei tussen Straatsburg en het meer van Konstanz werkzaam was. Hij is genoemd naar een fragmentarisch bewaarde serie van 39 speelkaarten, waarvan het merendeel van de, nimmer als speelkaarten gebruikte, afdrukken in Parijs en Dresden bewaard wordt.[3] Hoewel zijn techniek in principe dezelfde is als die van

andere vroege graveurs, is deze op zeer verfijnde en piesturale wijze toegepast: de contouren zijn met enkele lijnen in het metaal getrokken, terwijl daarbinnen de modellering uit honderden lichte parallelle burijnlijntjes bestaat (*afb. 17*). Deze tekenwijze, waarbij de schaduwen door concentraties van fijne parallelle 'lijntjes' worden aangegeven, vindt men ook in zilverstift- en penseeltekeningen uit deze tijd.

¶ Naast religieuze prenten ('Leven van Christus' en heiligen), die meestal eenvoudig van opbouw zijn, verrassen de vaak van meerdere plaatsegmenten gedrukte speelkaarten door hun raffinement in de afbeeldingen van bloemen, vogels, herten, leeuwen, wildemannen etc. Vroeger werd algemeen aangenomen dat deze prenten originele ontwerpen zijn; thans zijn de meningen hierover nogal verdeeld. Veel motieven komen ook voor in randversieringen van handschriften, die tussen 1410 en 1430 gedateerd kunnen worden, waarvan men vermoedt dat de afbeeldingen op zogenaamde modelboeken gebaseerd zijn; daaruit zou men kunnen afleiden dat de speelkaartmotieven ook aan een dergelijke bron ontleend zijn. Deze modelboeken – verzamelingen van allerhande tekenvoorbeelden voor kunstenaars en ambachtslieden – hebben gedurende de Middeleeuwen een belangrijke rol gespeeld bij het bewaren en overbrengen van artistieke formules en oplossingen. In de loop van de vijftiende eeuw werd deze functie overgenomen door de grafiek; dit is dan ook de reden dat men op afdrukken van vijftiende-eeuwse prenten zo vaak verfsporen, vlekken e.d. aantreft. Wáár ook de prioriteit van de artistieke inventie in dit geval ligt: bij de prenten, bij het – thans verloren – modelboek óf bij de miniaturen zelf, het is duidelijk dat de speelkaarten spoedig na hun ontstaan zelf als modellen zijn gaan functioneren.[4] Van de prenten die werkelijk als speelkaart zijn gebruikt is slechts één voorbeeld bewaard; de rest is waarschijnlijk gewoon versleten en weggegooid.

Meester E.S.

¶ De belangrijkste kunstenaar van de tweede generatie Duitse graveurs is Meester E.S., die tussen 1450 en 1467 – eveneens in het Boven-Rijngebied – werkzaam was. Ook van hem wordt aangenomen dat hij van origine een goudsmid was, omdat in zijn prenten veelvuldig het gebruik van de goudsmidspons te zien is en verschillende van zijn prenten ontwerpen zijn voor goudsmeedwerk.[5]

¶ De wijze van graveren van zijn vroegst gedateerde prenten sluit aan bij die van de Meester van de Speelkaarten; al spoedig ontwikkelde hij evenwel een meer effectieve en systematische graveertechniek. De kleine modellerende parallelle lijntjes van de graveurs werden langer gemaakt

Afb. 17
Meester van de Speelkaarten, detail (2x vergroot) uit *Bloemen-Dame B* (L. 49), gravure, ca. 1440-50. Wenen, Albertina.

en gecombineerd tot vloeiende arceersystemen, waarbij Meester E.S. voor het eerst in de grafiek kruisarceringen gebruikt. Hij slaagde erin de burijn op zo'n soepele wijze te hanteren, dat hij zijn arceringen als een netwerk van regelmatige lange lijnen kon opbouwen. Met een gecompliceerde combinatie van deze modellerende arceringen, kruisarceringen, streepjes en puntjes gaf hij zijn vormen een sterk – soms sculpturaal – volume (*afb. 18*).

¶ Naast prenten met bijbelse thema's, Madonna's en heiligen, die het merendeel van zijn werk vormen, zijn er ook speelkaarten van zijn hand en bovendien een alfabet bestaande uit menselijke figuren en prenten met profane thema's, die veelal de 'hoofse' cultuur van die tijd lijken te weerspiegelen (zie p. 66; **75f**). Evenmin als bij de Meester van de Speelkaarten kan men de mate van originaliteit van de veelvuldig gecopieerde gravures van Meester E.S. met zekerheid vaststellen. Meester E.S. blijkt zeer gevoelig voor de artistieke invloeden van tijdgenoten, al zijn er zelden directe formele voorbeelden voor de prenten aan te wijzen. Aangenomen wordt dat een aantal van zijn composities gebaseerd is op het werk van de Meester van de Karlsruher Passie (Hans Hirtz?) die, waarschijnlijk ook als ontwerper van gebrandschilderd glas, in Straatsburg tussen 1420 en 1460 werkzaam was. Ook het werk van de beeldhouwer Nicolaus Gerhaert van Leyden, die tussen 1460 en 1470 in Trier en Straatsburg werkzaam was, was belangrijk voor hem.

Voor de volgende generaties beeldhouwers, bijvoorbeeld Pacher, Veit Stoss en Riemenschneider, waren de prenten van Meester E.S. op hun beurt van betekenis als voorbeeld.[6]

MARTIN SCHONGAUER.

¶ Martin Schongauer is de eerste Duitse graficus, die we met naam en toenaam kennen en over wie de nodige biografische gegevens bekend zijn. De betekenis van Schongauer voor de laat vijftiende-eeuwse Noordelijke kunst is alleen te vergelijken met die van Dürer voor de zestiende eeuw.[7] Terwijl hij het graveren waarschijnlijk al jong van zijn vader, die goudsmid was, heeft geleerd, was hij tevens tot schilder opgeleid. Volgens overlevering is zijn leermeester Isenmann, de stadsschilder van zijn woonplaats Colmar, ten westen van de Beneden-Rijn. In diens werk was reeds de invloed van de vijftiende-eeuwse Vlaamse schilderkunst merkbaar. Voor Schongauer zijn de schilderijen van Rogier van der Weyden een voortdurende inspiratiebron geweest.

¶ Schongauers gegraveerde werk, dat gewoonlijk tussen ca. 1470 en 1491 (zijn sterfjaar) wordt gedateerd, bestaat uit 116 bladen. Daarvan is in de meeste gevallen een redelijk aantal goede afdrukken bewaard, wellicht dankzij een graveerwijze, waarbij de lijnen dieper in de koperplaat gestoken werden. Hierdoor sleet de plaat minder snel en konden meer goede afdrukken van de prent gemaakt worden. Schongauer perfectioneerde de graveertechniek van Meester E.S. door

Afb. 18
Meester E.S., detail (2x vergroot) uit *Kruisiging met Maria en Johannes* (L. 32), gravure, ca. 1455-60.

Afb. 19
Martin Schongauer, detail (2x vergroot) uit *Dood van Maria* (B. 33; L. 3), gravure, ca. 1475.

lange, diep in het koper gestoken modellerende lijnen te combineren met zorgvuldig beheerste netwerken van arceringen en kruisarceringen. In de lichte partijen worden deze opener en beperken zij zich tot fijne streepjes, krullen etc. Het is een techniek waarmee Schongauer in zijn latere gravures een bijna klassieke helderheid en monumentaliteit bereikt.

¶ In zijn vroege prenten als de *Dood van Maria* (*afb. 19*) ontbreekt die technische perfectie en helder-

heid nog enigszins. De fijne burijntoetsjes en lijntjes zijn nog wat ongecoördineerd, maar zeer levendig en expressief; een streven om een pictureaal in plaats van een lineair grafisch effect te bereiken, verraadt Schongauers vorming als schilder. De compositie is zowel zeer levendig en gevarieerd als vrij complex.

¶ In formeel opzicht streefde Schongauer in de loop van zijn ontwikkeling een vereenvoudiging en helderheid na, die we ook in zijn graveertechniek terugvinden. De *Verkondiging* (*afb. 20*) is één van Schongauers laatste prenten, uit 1490 of 1491. De figuren zijn tegen een lichte achtergrond geplaatst, die hun plastische werking versterkt; de scherpe plooien van hun gewaden zijn zeer precies gedefinieerd in licht-donker contrasten door heldere en vrij sobere systemen van arceringen, enkele en dubbele kruisarceringen. Schongauers prenten zijn, hoewel over het algemeen niet groot van formaat, even origineel en monumentaal als zijn geschilderde werk. Schongauer is de belangrijkste van de eerste generatie schilder-graveurs, wiens gegraveerde werk in artistiek opzicht gelijkwaardig is aan zijn schilderijen. Andere laat vijftiende-eeuwse kunstenaars, van wie men dit ook kan zeggen, zijn, behalve de Meester van het Amsterdamse Kabinet, in Duitsland, Meester LCz (werkzaam ca. 1480 - ca. 1505), Meester W B [113 t/m 116] en in de Nederlanden Meester FVB (werkzaam 1480-1500 in Vlaanderen, zie [8a]) en Meester I.A.M. van Zwolle (werkzaam ca. 1470/90).

¶ De betekenis van Schongauers gravures voor de

Afb. 20
Martin Schongauer, detail (2x vergroot) uit *H. Maria van de Verkondiging* (B. 2; L. 3), gravure, ca. 1490.

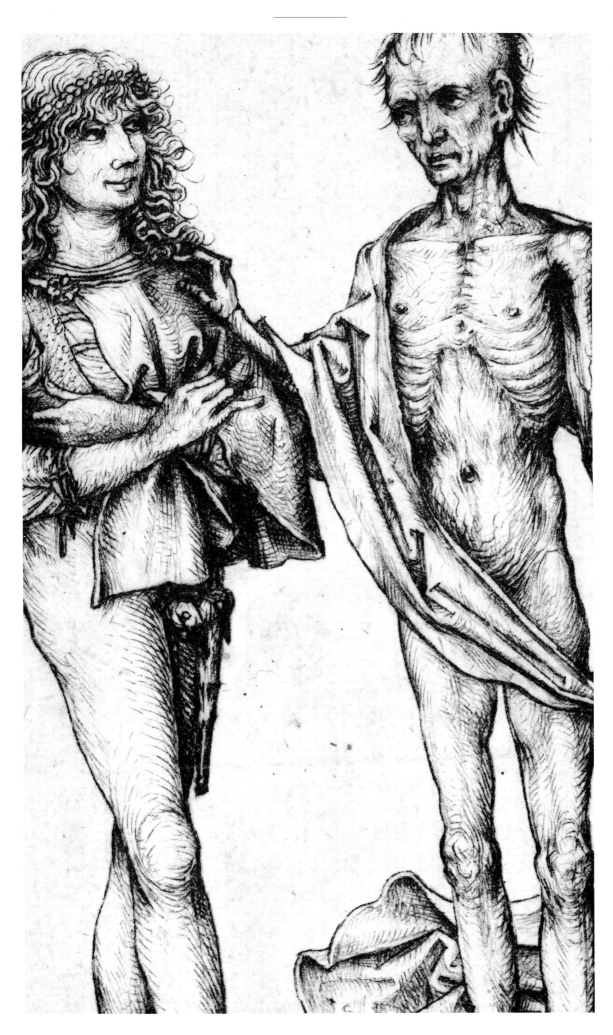

Afb. 21
Detail (3x vergroot) uit de
Jongeman en de Dood [**58**],
drogenaald.

vijftiende-eeuwse kunst is immens geweest. Ze werden niet alleen in behoorlijke aantallen op de markt gebracht (van de meeste van zijn prenten zijn enkele tientallen goede afdrukken bewaard), maar ook door min of meer capabele handen snel en veelvuldig gecopieerd. Talloos zijn de copieën of gedeeltelijke navolgingen in andere media als schilderkunst, sculptuur en decoratieve kunst.[8]

DE MEESTER VAN HET AMSTERDAMSE KABINET.

¶ In artistiek opzicht is het grafische werk van de Meester van het Amsterdamse Kabinet tenminste even belangrijk als van zijn wat oudere tijdgenoot Schongauer. Tussen de prenten van beide kunstenaars bestaan grote verschillen, in de keuze van onderwerpen, in stilistisch opzicht en vooral in techniek: terwijl Schongauer door het perfectioneren van de graveertechniek dit medium geschikt heeft gemaakt voor grotere oplagen, liet de drogenaaldtechniek, zoals onze Meester die toepaste, slechts het maken van een handvol goede afdrukken toe. Waar Schongauer regelmatige lijnen in de koperplaat 'sneed', 'tekende' onze Meester met een scherpgepunte naald in een metalen plaat, die waarschijnlijk veel zachter was. Bij deze techniek blijft een smal randje metaal, de zogenaamde braam, naast de groef staan; bij het ininkten van de drogenaaldprent blijft de inkt niet alleen in de groef, maar ook in of achter deze braam zitten. Dit geeft bij het afdrukken een fluwelige, diepzwarte lijn (*afb. 21*), die veel beter in staat is picturale effecten te suggereren dan de strakke gravurelijn. De gecontroleerde krachtsinspanning die aan een goed gegraveerde prent ten grondslag ligt, blijft bij de drogenaald achterwege, waardoor lijnvoering een veel spontaner en schetsmatiger karakter heeft, te vergelijken met een pentekening. Het

grote nadeel van de techniek is dat de braam vrij snel slijt en dat van de groeve alleen slechts zeer magere afdrukken gemaakt kunnen worden. Voor grotere oplagen is de techniek dan ook ongeschikt. Men kan slechts gissen naar het antwoord op de vraag, hoe onze Meester op het idee kwam de drogenaaldtechniek toe te passen. Men gaat er van uit, dat hij, in tegenstelling tot de meeste vijftiende-eeuwse graveurs, niet in het milieu van goudsmeden is opgeleid. Zijn werkwijze heeft onder zijn tijdgenoten geen navolging gevonden; Dürer maakte zijn drie drogenaaldprenten pas in 1512 (*afb. 35*). Dezelfde techniek werd in de zeventiende eeuw weer opgenomen door de grootste graficus onder de schilders, Rembrandt; maar ook dan blijft de drogenaald een weinig gebruikt medium. Pas in de negentiende eeuw wordt de techniek naar Rembrandts voorbeeld door een grotere groep kunstenaars gebruikt.

¶ Naar de precieze werkwijze van de Meester bij het maken van de drogenaaldprenten kan men slechts op grond van de schaars bewaarde afdrukken gissen. Over het algemeen zijn de prenten op een metalen plaatje van een betrekkelijk klein formaat getekend; slechts bij uitzondering is een wat groter formaat gebruikt. Waarschijnlijk gebruikte hij een zachter materiaal dan koper dat voor gravures gebruikt werd – misschien een legering van koper en lood of tin. Het oppervlak daarvan vertoonde, blijkens de afdrukken, vaak gebreken: putjes in de plaat, krassen, en in enkele gevallen zelfs barsten. Om in het metaal te tekenen gebruikte hij verschillend gepunte stiften, soms met een betrekkelijk ronde, brede punt, soms met een uiterst scherpe, fijne punt, terwijl hij ook van een scherp mesje gebruik schijnt te hebben gemaakt. Veel bladen hebben een zeer schetsmatig, bijna slordig karakter; de droge-

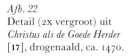

Afb. 22
Detail (2x vergroot) uit
Christus als de Goede Herder
[**17**], drogenaald, ca. 1470.

Afb. 23
Detail (2x vergroot) uit
Simson overwint de leeuw [5],
drogenaald, ca. 1470-75.

naaldtechniek bood nauwelijks de mogelijkheid tot correcties. Waarschijnlijk werden de prenten gedrukt met behulp van een kleine handpers. Dat zou er de verklaring van kunnen zijn dat verschillende van zijn grotere bladen tijdens het afdrukken in de pers iets verschoven en onscherp gedrukt zijn. De kleur van de inkt verschilt nogal in de verschillende afdrukken – van diepzwart tot geelbruin –; maar het is moeilijk na te gaan of dergelijke kleurverschillen ten dele ook het gevolg van latere restauraties kunnen zijn.

¶ Tot laat in de negentiende eeuw namen de specialisten aan dat de drogenaaldprenten van de Meester als één groep binnen een betrekkelijk kort tijdsbestek zijn ontstaan; de sterke verschillen in technische vaardigheid en in stijl maken het evenwel waarschijnlijk dat de prenten juist over een tamelijk lange periode zijn gemaakt. Geen van de prenten is gedateerd en slechts in enkele gevallen geven te dateren copieën een *terminus ante quem*: een datum waarvoor de prent gemaakt moet zijn. Ook het andere aan de Meester toegeschreven werk, het Hausbuch, tekeningen, schilderijen en glasruitjes, bieden afgezien van de getekende titelpagina met de datering 1480 van een handschrift in Heidelberg [118], nauwelijks aanknopingspunten voor een datering. Het is daarom alleen mogelijk een globale chronologie binnen het grafische werk op stilistische gronden op te stellen.

¶ Het meest overtuigend is tot nu toe de chronologie die Glaser in 1911 voor de prenten heeft samengesteld, omdat deze volledig los staat van de talloze pogingen om de Meester met een historische persoonlijkheid te identificeren en daarmee ook andere kunstwerken aan hem toe te schrijven. Omdat Glaser vrijwel uitsluitend van de stilistische ontwikkeling in de prenten zelf uitgaat, is zijn chronologie aanvaard door verschillende generaties specialisten, die verder zeer uiteenlopende opvattingen over de Meester hebben. Ook het beeld dat hieronder en in de catalogus wordt gegeven, wijkt zelden wezenlijk af van de bij Glaser beschreven ontwikkeling.[9] Het is duidelijk dat de Meester aarzelend en onwennig zijn weg binnen het nieuwe medium heeft gezocht, waarbij de gravures van voorlopers en tijdgenoten wellicht voorbeelden boden voor de composities. Pas wat later in zijn ontwikkeling worden de prenten van Schongauer voor hem van grote betekenis en durft hij grotere formaten en meer ingewikkelde composities aan.

Het vroege werk.

¶ Het vroege werk is van klein formaat, aarzelend van tekening, eenvoudig van opbouw en meestal tot één of twee figuren beperkt. Een karakteristiek voorbeeld is *Christus als de Goede Herder* [17]: binnen tamelijk zware contouren zijn eenvoudige smalle banen van parallelle lijntjes, in de donkere partijen tot kruisarceringen gecombineerd, in de koperplaat gekrast. Omdat de arceringen nauwelijks een logische eenheid vormen met elkaar en met de contouren, geven zij aan de figuur maar weinig volume en werkt het geheel erg vlak (*afb. 22*). De hoekige plooival draagt nauwelijks bij aan de suggestie van volume. Zijn betrekkelijke onbeholpenheid in het suggereren van diepte en volume is heel duidelijk in de banderol, waarover de arceringen eerder decoratief dan logisch verdeeld zijn.

¶ Zoals ook uit beide – wellicht iets latere – prenten met *Simson* [5, 6] blijkt, zijn in het vroege werk de figuren gedrongen, is de anatomische opbouw gebrekkig en is de ruimte rond hen beperkt; de eenvoudige arceringen geven de figuren en hun kleding weinig structuur. Maar tegelijkertijd is het gebeuren met een grote, haast naïeve direct-

Afb. 24
Detail (2x vergroot) uit
Profeet [**2**], drogenaald,
ca. 1475.

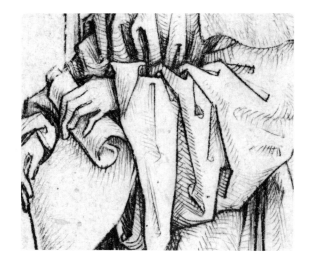

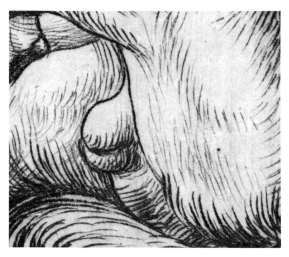

Afb. 25
Detail (2x vergroot) uit *Krabbende hond* [**78**], drogenaald,
ca. 1475.

heid weergegeven (*afb. 23*). Waar voorgangers zulke gebeurtenissen stileren, toont onze Meester een voorliefde voor karakteristieke individuele details in houding, kleding en dergelijke. Dit komt verrassend tot uiting in de prentjes met *Spelende kinderen* [**59-61**]. Kenmerkend voor de vroege periode zijn de donkere puntjes, waarmee de pupillen van de ogen in de lichte gezichten, die weinig modellering vertonen, zijn aangegeven en het spaarzame gebruik van parallelle arceringen in de lichamen. Het directe observatievermogen en gevoel voor humor blijft karakteristiek in de verdere ontwikkeling van de Meester, die zich al spoedig een grotere technische vaardigheid eigen maakt, met name in het gebruik van arceringen.

¶ Tegen het einde van de vroege fase kan men de *Vier profeten* [**1-4**] dateren. De proporties van de figuren zijn overtuigender; de plooien zijn weliswaar vrij hoekig, maar de arceringen zijn, hoewel nog vrij simpel, veel effectiever gebruikt (*afb. 24*).

¶ De hierboven beschreven vroege fase in het werk van de Meester kan waarschijnlijk tussen ca. 1470 en ca. 1475 gedateerd worden; *Christus als de Goede Herder* [**17**] is gebaseerd op een Vlaamse houtsnede van ca. 1470 [**17a**] en *Simson overwint de leeuw* [**5**] werd als voorbeeld gebruikt voor een houtsnede, verschenen als illustratie in de *Spiegel menschlicher Behaltnis* [**140, 5a**], dat tegen 1480 in Spiers is uitgegeven.

Afb. 26
Detail (2x vergroot) uit
H. Maarten [**38**], drogenaald,
1475-80.

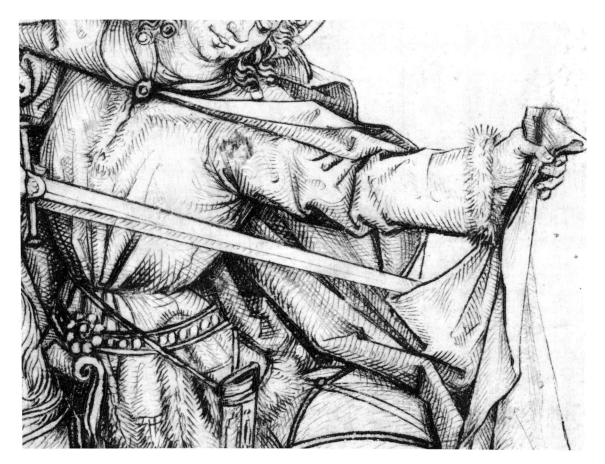

DE MIDDENPERIODE

¶ De middenperiode in het werk van de Meester – de overgang naar het rijpere werk – wordt gekenmerkt door een groter formaat, grotere figuren en zorgvuldige, maar vrij open arceringen. De modellering bestaat vooral uit arceringen van korte, stevig neergezette, gebogen lijntjes. De *Krabbende hond* [78; *afb. 25*] is met behulp van een vrij brede stift getekend met deze komma-achtige gebogen lijntjes – in de donkere partijen in enkele lagen over elkaar geplaatst – die een zeer overtuigend plastisch geheel vormen. Mede door de zeer rake observatie van de houding is deze hond het meest natuurgetrouw geportretteerde dier uit de vijftiende-eeuwse grafiek.

¶ In de *H. Maarten* [38; *afb. 26*] toont het paardenlijf hetzelfde type arceringen, maar laat de kleding van de heilige een iets gecompliceerder patroon van arceringen en kruisarceringen zien, dat sterker aan de arceringen in de gravures van Schongauer herinnert. De Meester mist in zijn drogenaaldtechniek de technische perfectie van Schongauers graveerwerk, maar hier staat tegenover dat de drogenaald in zijn directheid zeer effectief is.

¶ In het rijpere werk zien we een ontwikkeling naar een sterkere ruimtesuggestie, een grotere verfijning en sierlijkheid en een meer trefzekere techniek. De *Kruisdraging* [13, *afb. 27*] toont in vergelijking met het vroege werk een tamelijk gecompliceerde compositie, waarbij een indruk van diepte gewekt wordt door de rotsen, die achter de hoofdfiguren als repoussoirs zijn geplaatst en waarachter men een woud van lansen ziet, dat de aanwezigheid van een grote groep soldaten suggereert. Maar ook door een geraffineerde verdeling van licht en donker, die bereikt wordt door een sterke variatie in arceringen, wordt de ruimtewerking versterkt. Ook in deze prent valt de variëteit in de raak getypeerde houdingen op.

DE ZOGENAAMDE HOFPERIODE OF DE PERIODE VAN DE MET EEN FIJNE STIFT GETEKENDE PRENTEN.

¶ De rijke en zorgvuldige modellering met behulp van verschillende typen arceringen bereikt een hoogtepunt in *Salomo's afgoderij* [7] en *Aristoteles en Phyllis* [54], waarin de figuren zeer levendig en elegant zijn weergegeven (*afb. 28*). De variëteit in arceringen, vaak in meerdere lagen over elkaar gezet, ziet men het duidelijkst in de *H. Christoffel* [32].

¶ *Salomo's afgoderij* is net zoals het *Liefdespaar* gedeeltelijk gebruikt als voorbeeld voor de houtsneden van Hongaarse vorsten in de *Chronica Hongarorum*, die in 1488 te Augsburg verscheen. Naar men aanneemt begrenzen dit laatste jaartal en de datum 1480, die voorkomt op de door onze Meester getekende titelpagina van een handschrift in Heidelberg [118] de periode waarin het, wat het gebruik van de drogenaald betreft, meest verfijnde werk is gemaakt. Op deze 1480 gedateerde tekening wordt het betreffende manuscript, de

Afb. 27
Detail (2x vergroot) uit
Kruisdraging [13], drogenaald,
ca. 1480.

vertaling van *Die Kinder von Limburg* aan de keurvorst Philips de Oprechte (1448-1508) aangeboden door de hofdichter Johann van Soest. De tekening maakt het aannemelijk dat de Meester in contact heeft gestaan met het hof van deze vorst. Juist omdat een aantal van de wat de techniek betreft meest geraffineerde prenten van de Meester 'hoofse' thema's op een uiterst elegante wijze afbeeldt, wordt deze periode in de literatuur soms aangeduid als de 'hofperiode'.

¶ Degenen, die deze term gebruiken, gaan ervan uit dat deze prenten tijdens een verblijf van de Meester aan het hof van Philips de Oprechte zijn ontstaan; de 'hoofse' thematiek zou dan een weerspiegeling zijn van het leven en van de ridderidealen van dit hof. Andere specialisten, die hieraan twijfelen, hebben op de verwantschap tussen de met een zeer fijne stift gegraveerde prenten en zilverstifttekeningen gewezen en één van hen spreekt over de 'Feinstich' periode.[10] De prenten

vertonen het gebruik van een zeer fijne drogenaald, die zeer subtiel is gebruikt, zonder de diepe regelmatige kruisarceringen die bijvoorbeeld in *Aristoteles en Phyllis* nog ten volle aanwezig zijn: de overgangen in de modellering zijn zacht en vloeiend. Typerend is de *Vrouw met uil en wapenschild met letters AN* [**86**, *afb. 29*]: de arceringen zijn licht en delicaat, de diepe volle plooien van het eerdere werk ontbreken, maar de plooien worden allerminst schematisch of vlak: de fijne transparante arceringen gaan als een toon werken.

¶ De 'hoofse' gezelschappen [**66, 70, 73, 75**] en de jachttaferelen [**67, 72**] zijn voor het merendeel in deze verfijnde techniek uitgevoerd. De figuren zijn slank en vrij lang, zeer elegant gekleed: de mannen met de modieuze lange puntschoenen (zogenaamde 'Schnabelschuhe'), nauwe maillotachtige broeken ('hosen'), opengesneden mouwen en jakken, de vrouwen met hoog gesloten gewaden. *De Jongeman en de Dood* [**58**, *afb. 30*] toont

Afb. 28
Detail (2x vergroot) uit
Salomo's afgoderij [**7**], drogenaald, ca. 1480-85.

Afb. 29
Detail (2x vergroot) uit
Vrouw met uil en wapenschild met letters AN [**86**], drogenaald, ca. 1485.

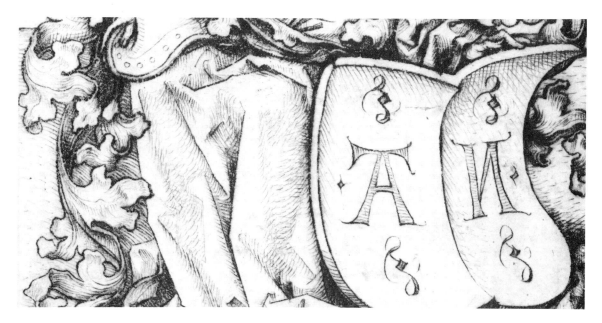

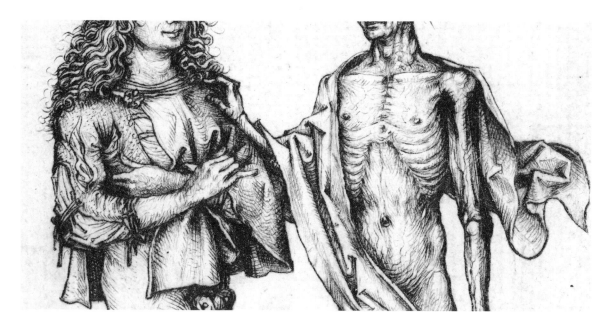

Afb. 30
Detail (2x vergroot) uit
Jongeman en de Dood [**58**],
drogenaald, ca. 1485.

Afb. 31
Detail (2x vergroot) uit
Heilige Michael [**39**], droge-
naald, ca. 1490-95.

de vergankelijkheid van dat alles op indringende wijze. De techniek, een combinatie van zeer fijne arceringen met vrij brede drogenaaldcontouren, is zowel uiterst subtiel als effectief.

HET LATE WERK

¶ De stilistische ontwikkeling van de Meester is vrij logisch tot in het hier beschreven rijpere werk: van technisch onbeholpen naar een ambachtelijke beheersing van de drogenaaldtechniek, die tenslotte op een geraffineerde en gedetailleerde wijze werd toegepast. Omdat deze verfijning van de drogenaaldtechniek niet verder opgevoerd kon worden, neemt men aan dat de prenten, waarin de systematische arceringen ontbreken en de drogenaald vrijer is gebruikt, het late werk van de Meester vormen. De lijnvoering in deze prenten

is vaak nerveus en beweeglijk: de talloze fijne lijntjes lijken snel in de plaat gekrast; sommige bladen hebben zelfs een uitgesproken schetsmatig karakter [**16, 50, 77**]. Ook in vrij traditionele, voor de devotie bedoelde voorstellingen als de *H. Drieëenheid* [**21**], *Tronende Madonna* [**27**], *H. Michael* [**39**, *afb. 31*] en *H. Maria Magdalena* [**50**] zien we deze vrije, schetsmatige tekenwijze. De diepzwarte fluwelige lijnen en vlakken, die door het krachtige gebruik van de drogenaald ontstaan, bepalen in deze prenten sterker dan de arceringen de volumes en de ruimtelijke werking. Deze sterk picturale techniek wordt ook toegepast in grotere, vrij gecompliceerde composities, waarbij de ruimte rond de figuren en de verdeling tussen licht en schaduw een belangrijke rol spelen.

¶ Hoewel het lineaire perspectief in de *Heilige Fami-*

lie bij de rozenstruik [**28**, *afb. 32*] niet erg volmaakt is, wordt door de licht-donkerverdeling een overtuigend atmosferisch perspectief bereikt dat de Heilige Familie van de achtergrond isoleert en daardoor de intimiteit van het gebeuren wonderlijk benadrukt. Aangezien één van Dürers vroegste gravures, de *Heilige Familie met de vlinder* [**28**a], meestal 1495 gedateerd, moeilijk denkbaar is zonder het voorbeeld van de prent van onze Meester, moet de *Heilige Familie bij de rozenstruik* vóór 1495 gedateerd worden.

¶ Tot het late werk behoort ook de *Aanbidding der Koningen* [**10**, *afb. 33*], een compositie, die gedeeltelijk op Rogier van der Weyden gebaseerd is. Het zachte sfumato van de drogenaaldpartijen verbindt de figuren tot een overtuigend geheel. In de weergave van de figuren streeft de kunstenaar niet naar idealisering, maar naar het weergeven van het individuele, hetgeen soms tot caricaturale uitdrukkingen leidt, bijvoorbeeld bij de Joden in de *Besnijdenis* [**11**]. De *Besnijdenis* en de *Aanbidding* hangen samen met drie door de Meester geschilderde panelen van de negendelige cyclus van het Marialeven in Mainz [**132**d,e,g]. Aangezien de cyclus slechts gedeeltelijk eigenhandig is, moet men aannemen dat de andere prenten door andere kunstenaars, waarschijnlijk zijn werkplaatsassistenten, gemaakt of voltooid zijn, mogelijk na de dood van de Meester. De *Verkondiging* uit de cyclus [**132**b], waarvan de compositie op de gelijknamige prent van de Meester [**8**] is gebaseerd, is 1505 gedateerd, waarschijnlijk het jaar waarin de cyclus voltooid is [zie **132**].

¶ De genoemde prenten, die waarschijnlijk tot zijn late werk behoren, moeten daarom vóór 1505 gedateerd worden; om stilistische redenen kan men zelfs vermoeden dat de artistieke activiteiten van de Meester, in wiens werk iedere invloed van Dürers werk ontbreekt, al omstreeks 1495 tot een einde komen.

¶ Hoewel het wel mogelijk lijkt de hoofdlijnen van de stilistische ontwikkeling van de Meester aan de hand van een aantal karakteristieke voorbeelden te beschrijven, is het veel moeilijker alle prenten precies te dateren. Het valt trouwens te betwijfelen of er van een consequente ontwikkeling sprake is geweest, zeker waar er nogal wat verschillen in de aard van de afgebeelde onderwerpen en het formaat van de prenten bestaan, die mogelijk hun invloed op de vormentaal hebben gehad. De vraag komt daarbij aan de orde in hoeverre de drogenaaldprenten van de Meester als zelfstandige kunstwerken voor een bredere verspreiding bedoeld waren, óf eerder als modellen voor hemzelf en collega-kunstenaars gemaakt zijn.

VERSPREIDING, AARD EN FUNCTIE VAN DE DROGENAALDPRENTEN

¶ Het kleine aantal afdrukken [**121**] dat van de prenten [**89**] van de Meester bewaard is – 70 van de 89 prenten bestaan slechts in één exemplaar – leidt tot de veronderstelling dat deze slechts in zeer beperkte mate verspreid zijn. Om verschillende redenen kan men aannemen dat van veel prenten, die thans als unicum bewaard zijn, wel méér dan één afdruk gemaakt is, hoewel in de drogenaaldtechniek nimmer grote oplagen mogelijk zijn. Van enkele prenten zijn late afdrukken bewaard [**26, 49, 55**], waarbij te zien is dat de braam geheel of grotendeels versleten is; in andere bladen, die in meer dan één afdruk bekend zijn, blijkt in de verschillende drukken de braam daarentegen nog goed intact. In deze laatste gevallen gaat het vooral om prenten met profane onderwerpen uit de 'hofperiode'. Het aantal bewaarde afdrukken is zelden groter dan drie of vier, maar van weinig vijftiende-eeuwse prenten met profane thema's zijn méér exemplaren bewaard. Men kan daarom vermoeden dat van deze prenten een kleine oplage, van misschien een tiental exemplaren, is verschenen. De duidelijke samenhang die hier bestaat tussen het aantal bewaarde exemplaren en het onderwerp van de prent, maakt het zinvol hier kort in te gaan op de inhoud van de verschillende thematische groepen in het prentwerk van de Meester.

¶ De thema's van de religieuze prenten met een verhalend karakter beperken zich tot een aantal voorstellingen uit het leven van Maria en de Passie van Christus en enkele gebeurtenissen uit heiligenlevens. In de bijbelse prenten valt over het algemeen de nadruk op intieme details in het leven van Maria en Christus, die in de laat Middeleeuwse mystiek een grote rol speelden, omdat zij, daar zij het 'meebeleven' van deze gebeurtenissen stimuleerden, tot een intense geloofsbeleving leidden. Ook afbeeldingen van Madonna's [**23-27, 30**] en van de Lijdende Christus [**19-22**] passen in deze belangstelling en zijn verwant aan de vele geschilderde en gebeeldhouwde *Andachtsbilder* uit deze tijd. Zulke beelden of schilderijen, die de emotionele inhoud van de thema's benadrukten, waren bedoeld voor de devotie en speelden in de laat Middeleeuwse geloofsbelevenis een grote rol. Een aantal van de prenten herinnert, net als de staande profeten [**1-4**] en heiligen [**35, 41, 46, 47**], zo sterk aan beeldhouwwerk dat zij op sculpturale voorbeelden gebaseerd lijken te zijn. Afgezien van iconografisch ongewone details en de verrassende directheid, waarmee de voorstellingen zijn weergegeven, passen de religieuze onderwerpen van de Meester binnen het standaardrepertoire van de laat vijftiende-eeuwse Duitse beeldhouwer of schilder. Hoewel er wel enkele prenten als voorbeelden gebruikt zijn in de schilderkunst, zijn ze zelden gecopieerd.

¶ Van veel grotere invloed zijn de prenten met profane thema's geweest. Gezien het aantal copieën en navolgingen moet dit aspect van het werk van de Meester de grootste betekenis voor zijn tijdgenoten hebben gehad. De kleinere, meestal in de vroege periode gedateerde prenten met wildemannen, spelende kinderen, boeren, zwervers en dergelijke sluiten het sterkst aan bij illustraties in de randversieringen van laat Middeleeuwse handschriften (zie pp. 12-18). Bij een aantal van deze thema's, zeker bij de zogenaamde wapenschilden [79-82], ligt een satirische betekenis voor de hand, al is deze moeilijk precies te duiden.

¶ Bij de prenten met 'hoofse' thema's wordt aangenomen, zoals elders uiteen wordt gezet, dat zij de weerspiegeling vormen van een hofcultuur, waarin de herleving van de ridderlijke idealen een grote rol speelde. Het zijn deze prenten, die gezien de inhoud bedoeld waren voor een beperkt en elitair publiek, waarvan de meeste afdrukken bewaard zijn gebleven. Hier geldt, waarschijnlijk net zoals bij de vroege gravures, dat deze prenten als waardevolle objecten beter bewaard zijn dan de voor de devotie bedoelde prenten. Het blijft evenwel de vraag of ook voor de religieuze prenten van de Meester geldt dat zo weinig afdrukken bewaard zijn gebleven, omdat de rest door het devotioneel gebruik verloren is gegaan. Het is aannemelijker dat de prenten, gezien het gebruik van de drogenaaldtechniek en het soms uitgesproken schetsmatig karakter nimmer voor een bredere verspreiding bedoeld zijn geweest. Helaas ontbreken alle aanwijzingen voor de veronderstelling dat de Amsterdamse verzameling van prenten van de Meester (zie hierover p. 91), die vrijwel alle in één exemplaar bewaarde pren-

Afb. 32
Detail (2x vergroot) uit *Heilige Familie bij rozenstruik* [28], drogenaald, ca. 1490.

Afb. 33
Detail (2x vergroot) uit *Aanbidding der Koningen* [10], drogenaald, ca. 1490-95.

ten bevat, afkomstig zou kunnen zijn van de kunstenaar zelf, maar het is wel waarschijnlijk dat de prenten in een schilderswerkplaats zijn gebruikt.

¶ Veel van de Amsterdamse afdrukken vertonen verfvlekken; in een aantal gevallen zijn er met de penseel in grijze inkt wassingen op aangebracht [bijvoorbeeld **18, 19, 32**] of is er op de afdruk getekend [**66, 79, 80, 85**]. In één geval zijn de contouren doorgeprikt [**45**] en in een ander geval doorgetrokken. Het gebruik van grafiek als voorbeeld of model in ateliers van kunstenaars of ambachtslieden was niet ongebruikelijk; dat is wellicht de reden dat de speelkaarten van de gelijknamige Meester bewaard zijn.

¶ Of het de Meester zelf was die zijn prenten voor gebruik in zijn atelier heeft bewaard, of dat een tijdgenoot ze bijeengebracht heeft en ze pas in een later stadium als 'modellen' zijn gebruikt, onttrekt zich aan de waarneming.

¶ Een aantal van de meer schetsmatige bladen als de *Spelende kinderen* [**59-61**], *Krabbende hond* [**78**], *Studie van twee hoofden* [**77**] en dergelijke, herinneren aan tekeningen in zogenaamde modelboeken.[11]

¶ Men kan zich afvragen in hoeverre de prenten als modellen zijn gemaakt; met andere woorden: bood de drogenaald onze Meester een mogelijkheid enkele figuren en composities zonder al te grote inspanning op de plaat vast te leggen en in beperkte mate als modellen te vermenigvuldigen? Dit zou een verklaring kunnen vormen voor de vraag waarom een kunstenaar, die blijkens de aard van zijn werk eerder als schilder dan als graficus gevormd is, de drogenaaldtechniek is gaan toepassen. Zoals eerder is opgemerkt[12] is het aannemelijk dat de kunstenaar in de eerste plaats als miniaturist is opgeleid; het gebruik van arceringen en hoekige lijnen om de plooien aan te geven behoort evenzeer tot de vormentaal van de graficus als van de miniaturist, zoals we zien in de miniaturen van de *Vier Evangelisten* in het Evangeliarum in Cleveland [**119**]. De ondertekening in de schilderijen van de Meester [zie **131-32**] is, in het gebruik van verschillende typen arceringen, verwant aan de drogenaaldprenten. Arceringen die dwars geplaatst zijn over hoekige lijnen vindt men bijvoorbeeld niet in de gravures van tijdgenoten, maar wel in de ondertekening van de schilderijen van de Meester. Ook de veelvuldige overeenkomsten tussen de drogenaaldprenten en de tekeningen van de Meester [**121-22, 124**] wijzen erop dat de kunstenaar op eenzelfde directe wijze in de plaat tekende als hij dit op papier of perkament deed.

¶ Deze observaties leiden tot de veronderstelling dat het niet altijd de intentie van de kunstenaar kan zijn geweest om zijn prenten te verspreiden.

Zijn bedoeling was wellicht eerder om op een eigen bescheiden wijze figuren en composities vast te leggen ten behoeve van het eigen atelier en mogelijk voor enkele collega's.

¶ Het schetsmatige karakter van veel van de prenten van de Meester wijst in die richting, evenals de onverzorgde toestand van de metalen platen waarvan de prenten gedrukt zijn. Bij meer dan één prent blijkt dat de plaat sterk bekrast was, vele kleine putjes bevatte of zelfs gebarsten was. Ook daaruit valt op te maken dat de bladen niet voor publicatie bedoeld waren.

¶ Een andere mogelijke toepassing wordt elders (p. 59) gesuggereerd ten aanzien van de kleine bladen met heiligen en dergelijke, namelijk dat ze gemaakt zijn om in de randen van gebedenboeken te worden geplakt. Van een dergelijk gebruik van de prenten zijn geen voorbeelden bewaard gebleven. Ook van het gebruik van de prenten van de Meester als modellen voor randillustraties in handschriften zijn nauwelijks voorbeelden bekend [alleen **60**]; de verwantschap tussen een aantal motieven in de drogenaaldprenten en in dergelijke randillustraties [ook bijvoorbeeld in **120**] verschaffen een iets sterkere basis aan de veronderstelling dat de prenten ten dele als model bedoeld zouden zijn.[13]

¶ Uitgaande van de bewaard gebleven afdrukken en de bekende copieën van de prenten moet men concluderen, dat over het algemeen slechts de prenten met wereldse en 'hoofse' thema's een wat bredere verspreiding hebben gevonden. Bij het merendeel daarvan ontbreken de slordigheden en technische onvolkomenheden die in veel prenten van de Meester te zien zijn. Dit bevestigt de veronderstelling dat deze prenten in een kleine oplage op de markt zijn gebracht.

¶ Het opmerkelijke feit dat geen van de prenten een monogram of merkteken van de kunstenaar draagt, wijst er in ieder geval op dat de kunstenaar nimmer de ambitie had, om zijn naam als prentenmaker te vestigen en zich te meten met graveurs als Schongauer en Van Meckenem.

¶ Het hier gesuggereerde onderscheid tussen de prenten bedoeld voor intern gebruik in het kunstenaarsatelier en de bladen, die voor de verkoop bestemd waren, brengt ons tot een laatste vraag in hoeverre dit onderscheid ook van invloed kan zijn geweest op de mate van gedetailleerdheid en zorg waarmee de drogenaald is gehanteerd. Met andere woorden, gaat het bij de met een fijne stift gegraveerde prenten uit de 'Feinstich'- of 'hofperiode' wel om een in tijd afgebakende periode, of zijn ze deels in dezelfde tijd ontstaan als de losser getekende – meestal laat gedateerde – bladen? Vooralsnog is het moeilijk een antwoord op deze vraag te geven.

DE INVLOED VAN DE MEESTER OP TIJDGENOTEN

¶ In deze sectie komen tijdgenoten van de Meester aan de orde, wier werk met het zijne samenhangt: Meester b x g, Wenzel van Olmütz, Israhel van Meckenem en de Meester W B. De drie eerstgenoemde kunstenaars hebben werk van onze Meester gecopieerd, terwijl de vier gravures van Meester W B zeker oorspronkelijk werk zijn, dat in de invloedsfeer van onze Meester is ontstaan. Zowel aan Meester W B als aan Meester b x g zijn in de catalogus aparte secties gewijd [respectievelijk **92-112** en **113-116**], omdat zij waarschijnlijk in direct contact met onze Meester stonden en hun werk aan het zijne verwant is.

¶ Het gegraveerde werk van Meester b x g bestaat in de eerste plaats uit copieën van vijf prenten uit de Passieserie van Schongauer en van een aantal prenten van onze Meester: dankzij zijn gravures is het merendeel van de *Kinderen* van de Meester [**61** b-f] in copie voor ons bewaard gebleven. Net als bij de andere copiïsten van de Meester beperken zijn copieën zich tot profane thema's. Het is echter de vraag of het bij alle profane prenten met het monogram b x g om copieën gaat. Zeer onwaarschijnlijk is dit bij het Rohrbach-wapenschild [**111**], maar ook bij andere prenten is het mogelijk dat de graveur ook de *inventor* – de ontwerper – van de prent is. Uit de prent met de wapens van de Frankfurtse families Rohrbach en Holzhausen [**111**] kan afgeleid worden dat Meester b x g omstreeks 1480 in Frankfurt werkzaam was; op grond van zijn graveertechniek en van enkele ornamentprenten met zijn monogram, neemt men aan dat hij goudsmid was, al is een overtuigende suggestie voor zijn identiteit nooit gedaan.

¶ In de gevallen waarin men voorbeelden van de Meester met copieën van de Meester b x g kan vergelijken, blijkt dat de copiïst de tekening getrouw in een krachtige lineaire graveertrant overbrengt, waarin naast parallelle en kruisarceringen, ook fijnere gebogen lijntjes voorkomen voor het aangeven van de grond en de lichtere plooien.[14]

¶ *Israhel van Meckenem* was tussen 1465 en 1503 als goudsmid werkzaam, na ca. 1475 vooral in Bocholt. Hij was waarschijnlijk de meest productieve graveur uit de vijftiende eeuw; zijn meer dan 620 gravures zijn grotendeels copieën van andermans prenten. In de eerste plaats copieerde hij Meester E.S., wiens leerling hij waarschijnlijk was: hij maakte meer dan 200 letterlijke copieën van diens prenten, afgezien van 41 koperplaten van Meester E.S., die hij herbewerkte en herdrukte. Maar ook werk van Schongauer, van onze Meester en zelfs van de jonge Dürer werd door hem gecopieerd. De meeste copieën van de prenten van de Meester [**53**a, **55**a-**56**a, **75**c, **89**a] zijn waarschijnlijk direct naar zijn drogenaaldprenten gemaakt, maar bij de *Kinderen* [**61**g] vormen de copieën van Meester b x g naar onze Meester [**60**a, **61**a-f] het voorbeeld. De weliswaar effectieve, maar weinig genuanceerde graveertechniek van Van Meckenem is over het algemeen nauwelijks geschikt om het verfijnde en subtiele karakter van de prenten van de Meester over te brengen; toch hebben Meckenems copieën zonder twijfel tot de bekendheid van de inventies van de Meester bijgedragen.

¶ In artistiek opzicht veel geslaagder dan de genoemde copieën zijn Meckenems late prenten met profane onderwerpen, waarvan de *Spelende kinderen* [**60**h/i] voorbeelden zijn. In deze prenten toont Van Meckenem een meer persoonlijke, vrij piturale graveerstijl, waarbij de lichte figuren tegen een donkere gearceerde achtergrond zijn geplaatst.[15]

¶ *Wenzel van Olmütz* is uitsluitend als copiïst, vooral van de prenten van Schongauer, bekend; hij werkte tussen 1475 en 1500 in Olmütz bij Praag en voorzag zijn gravures van het monogram W. Men neemt aan dat hij in het Rijnland heeft rondgereisd en op deze wijze met de Keulse kunst, het werk van Schongauer en de Meester in aanraking is gekomen. Zijn drie copieën naar prenten van de Meester [**64**b, **65**b en **75**b] tonen hem als een getrouw copiïst, die evenwel weinig gevoel voor subtiele nuances heeft.[16]

¶ *Meester W B* is net als onze Meester actief als schilder, tekenaar, ontwerper van gebrandschilderd glas en waarschijnlijk ook van boekillustraties. Zowel de serie geschilderde panelen met voorstellingen uit het leven van de H. Sebastiaan in de Mainzer Dom, als de waarschijnlijk door hem ontworpen illustraties van de *Chronecken der Sachsen* maken het aannemelijk dat Meester W B in Mainz of omgeving werkte, wellicht in dezelfde periode als onze Meester.[17] Zijn vier gegraveerde portretkoppen zijn zo nauw verwant aan het werk van onze Meester, dat Baer ze in 1910 als diens late werk beschouwde, gedrukt van platen, die door een uitgever met een monogram W B omstreeks 1500 waren opgestoken.[18] De verwantschap komt vooral tot uiting in het type gezichten en in het landschap op twee van de prenten; aan de andere kant heeft Meester W B een onmiskenbare eigen stijl, die ook in zijn schilderijen, tekeningen en in de aan hem toegeschreven glasschilderingen terugkomt.

¶ Hoewel de hoeveelheid aan fijne arceringen in het gelaat van de figuren herinnert aan de arceringen in de late prenten van de Meester, is de graveertechniek van de Meester W B minder schetsmatig en tamelijk krachtig; de plaatsing van de figuren tegen een donkere achtergrond wijst op de invloed van de late Meckenem.

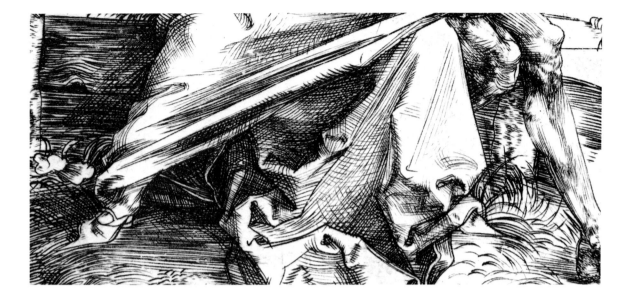

Afb. 34
Albrecht Dürer, detail (2x vergroot) uit *Jonge vrouw bedreigd door de Dood* of de *Verkrachter* [**58**e], gravure, ca. 1495.

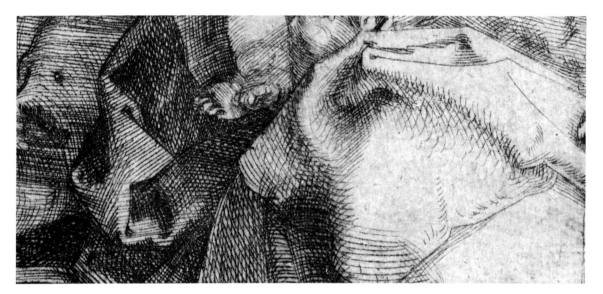

Afb. 35
Albrecht Dürer, detail (2x vergroot) uit *Heilige Familie* [**28**b], drogenaald, 1512.

DE JONGE DÜRER

¶ Albrecht Dürer werd in 1471 als zoon van een goudsmid te Neurenberg geboren. Wellicht is hij aanvankelijk bij zijn vader in de leer geweest, voordat hij in 1486 als leerling in de schilders-werkplaats van Michael Wolgemut werd toegelaten. Na de voltooiing van zijn leerperiode in 1490 ging hij op reis door Duitsland, onder meer met de bedoeling om Martin Schongauer in Colmar op te zoeken. We weten niet wat hem ophield tijdens zijn reis door Duitsland, en wellicht door de Nederlanden, maar hij arriveerde pas in de herfst van 1491 in Colmar, waar hij moest verne-men dat de door hem zo bewonderde graveur aan het begin van dat jaar overleden was. Nadat hij gedurende een langere periode in Bazel en Straatsburg had gewerkt, keerde hij in 1494 naar Neurenberg terug, waar hij trouwde en zich als kunstenaar vestigde. Zijn eerste gravures ont-staan naar men aanneemt in 1495 en al snel ont-wikkelt hij zich tot de meest befaamde graficus van zijn tijd, wiens werk gretig aftrek vindt en onmiddellijk wordt nagevolgd. In zijn prenten

krijgen voor het eerst in het Noorden de Renais-sance-idealen vorm, die een breuk met de laat-Middeleeuwse kunst betekenen. Toch wortelt de jonge Dürer in de kunst van zijn tijd; het werk van Martin Schongauer en van onze Meester is van beslissende betekenis voor zijn vroege pren-ten.[19] Al in de tekeningen die Dürer voor zijn reis maakte [zie **57**a] is hun beider invloed merkbaar; op zijn reis heeft hij waarschijnlijk nog beter met het werk van zijn voorlopers kunnen kennis maken. In zijn vroege prenten streefde Dürer naar een synthese van de kwaliteiten van Schon-gauer en de Meester, ondanks de grote verschil-len tussen de twee; hij slaagt erin de superieure graveertechniek te combineren met het directe observatievermogen, de spontaniteit en de uit-drukkingskracht van de Meester. In één van Dürers eerste gravures, de *Heilige Familie met de vlinder* [**28**a] grijpt hij direct terug op de prent van de Meester, *Heilige Familie bij de rozenstruik* [**28**]. Zijn graveertechniek is dan nog niet zo virtuoos als enkele jaren later, maar toch wordt een helder en buitengewoon krachtig licht-donker effect bereikt, dat bijdraagt tot een zekere monumentaliteit zonder dat de intimiteit van het gebeuren geheel verloren gaat. Niet alleen zijn er overeenkomsten in formele details, ook in de opzet en belichting volgt Dürer het voorbeeld van de Meester. De atmosfeer van diens werk vindt men nog sterker terug in het kleine blad *Jonge vrouw bedreigd door de Dood* of de *Verkrachter* [**58**e; *afb. 34*], krachtig gegraveerd in tamelijk lange onsystematische lijnen. In zijn vroege prenten laat Dürer vaak de braam langs de gegraveerde lijn staan, waardoor krachtige, enigszins fluwelige, diepzwarte lijnen ontstaan. Het effect hiervan in de vroege afdrukken van de prent is verwant, maar niet helemaal gelijk aan de drogenaaldpartijen in de prenten van de Meester, die over het algemeen breder en zwaarder zijn. De diepgesneden lijnen van Dürers gravures maakten het mogelijk een aanzienlijk aantal afdrukken van de koperplaat te maken, ook wanneer de braam versleten is. Dürers technische beheersing van het medium

leidt verbazend snel tot virtuositeit; hoewel de graveertechniek daardoor in weinig aan onze Meester doet denken, blijft Dürer tot in de zestiende eeuw thema's behandelen die aan het werk van de Meester zijn ontleend of daaraan sterk verwant zijn. Veel later, in 1512, maakt hij enkele prenten in de techniek van de Meester: de drogenaald.

¶ Opmerkelijk is dan dat hij voor de compositie van de drogenaald *Heilige Familie*, (*afb. 35*) teruggrijpt op de *Heilige Familie met de vlinder* [**28**a]. Hoewel het zachte sfumato-effect van de drogenaald zeer geslaagd is, wordt het duidelijk dat Dürer niet los kan komen van zijn viruoze graveertrant, die niet past bij de directe, schetsmatige drogenaaldtechniek, waarin spontaniteit essentieel is en correcties niet mogelijk zijn. Pas Rembrandt, ruim een eeuw later, slaagt erin de spontaniteit van de drogenaald met een andere prenttechniek effectief te combineren: ditmaal niet meer met de graveer-, maar met de etskunst.

1. Zie over het ontstaan en de ontwikkeling van de vijftiende-eeuwse Noordelijke prentkunst, Lehrs, deel 1-9; Max Geisberg, *Anfänge des Kupferstichs*, (Meister der Graphik, deel 2, 2e ed.), Leipzig 1923; idem, *Geschichte der deutschen Graphik vor Dürer*, Berlin 1939 en het meest recent Shestack 1967-68.

2. Zie over de sociaal-economische omstandigheden: Philippe Braunstein, 'Exposé introductif à Table ronde sur 'La gravure avant Dürer'', *Nouvelles des Estampes* (1982), pp. 6-8.

3. Fritz Koreny, tent.cat. *Spielkarten – ihre Kunst und Geschichte in Mitteleuropa*, Wenen (Graphische Sammlung Albertina) 1974, nr. 12.

4. Over modelboeken, zie R.W. Scheller, *A survey of medieval model books*, Haarlem 1963. Zie verder over de relaties tussen modelboeken, randillustraties in manuscripten en gegraveerde speelkaarten: Anne H. van Buren en Sheila Edmunds, 'Playing cards and manuscripts: some widely disseminated fifteenth-century modelsheets', *Art Bulletin* 55 (1974), pp. 13-20; Fritz Koreny, 'Spielkarte und Musterbuch in der Spätgotik', *150 Jahre Piatnik*; idem, tent.cat. *Spielkarten*, op.cit. (noot 3); Martha Wolff, 'Some manuscript sources for the Playing Card Master's number cards', *The Art Bulletin* 64 (1982), pp. 587-600.

5. Zie Lehrs, deel 2; Max Geisberg, *Der Meister E.S.* (Meister der Graphik X), Leipzig 1924; en meest recent Alan Shestack, *Master E.S. – Five hundredth Anniversary exhibition*, Philadelphia (Philadelphia Museum of Art) 1967, Shestack 1967-68, nrs. 3-15.

6. Lilli Fischler, *Die Karlsruher Passion und ihr Meister*, Karlsruhe 1952. Zie over de relaties tussen de prenten van Meester E.S. en de beeldhouwkunst: W. Pinder, 'Zur Vermittlerrolle des Meisters ES in der deutschen Plastik', *Zeitschrift für Bildende Kunst* NF 32 (1921), pp. 129-32, 192-204; E. Hissig, *Die Kunst Meister ES und die Plastik der Spätgotik*, Berlin 1935.

7. Zie Lehrs, deel 5; Eduard Flechsig, *Martin Schongauer*, Straatsburg 1951; Julius Baum, *Martin Schongauer*, Wenen 1948; het meest recent Shestack, 1967-68, nrs. 33-115 en met weinig nieuw materiaal Charles Isley Minott, *Martin Schongauer*, New York 1970.

8. Zie Lehrs, deel 5, passim; W. Thöllden, *Die Wirkung der Schongauerstiche auf die deutsche Plastik um 1500*, Dresden 1938.

9. Zie Glaser 1910. Kort na Glasers publicatie volgde Leo Baer's 'Weitere Beiträge zur Chronologie und Lokalisierung der Werke des Hausbuchmeisters', *Monatshefte für Kunstwissenschaft* 3 (1910), pp. 408-24, die minder overtuigend schijnt, doordat bij het jeugdwerk van de Meester ervan wordt uitgegaan dat hij bij Meester E.S. is opgeleid. Een vergelijkend overzicht van de chronologieën wordt gegeven door Hutchison 1972, pp. 11-16.

10. Storck in Bosschert-Storck 1912, pp. 38-53, voerde voor de eerste maal de term 'hofperiode' in de literatuur in, waar Glaser 1910, p. 150, op de 'Feinheit der Nadelführung' van deze prenten wees en op de verwantschap daarvan met zilverstifttekeningen. Lehrs, deel 8, p. 27, spreekt over de 'silberstiftartig gehaltenen Stiche' en haalt op p. 33 het proefschrift van Faber du Faur uit 1921 aan, dat de periode 1480-88 als die van de 'Hofstiche' karakteriseert. Solms-Laubach 1935-36, p. 96, vervangt de term 'hofperiode' door 'Feinstichperiode', omdat hij niet gelooft in een langdurig verblijf van de Meester aan het hof in Heidelberg.

11. Zie bijvoorbeeld Scheller, op.cit. (noot 4), afb. 57-58, 85, 87, 89, 98 en andere.

12. Zie Solms-Laubach 1935-36, p. 15-20; zie ook Boon, pp. 12-21 en Hutchison, pp. 57-59.

13. Opmerkelijk is het gebruik van vijftiende-eeuwse prenten in de *Heures de Charles d'Angoulême* (Parijs, Bibliothèque Nationale, ms. latin 1173), dat ca. 1480 gedateerd wordt; dit bevat, behalve geïllumineerde afdrukken van de Passie-serie van Van Meckenem, ook een aantal miniaturen die op prenten gebaseerd zijn. Naast prenten van Meester FVB (L.2) en Meester I.A.M. van Zwolle (L.23), zijn copieën door Van Meckenem van prenten van onze Meester [**53, 55**] als voorbeeld gebruikt.

14. Zie Lehrs, deel 8, pp. 165-220; de prenten van Meester b x g, waarvan Lehrs 1893 aannam dat ze naar prenten van de Meester gemaakt zijn, zijn alle afgebeeld en beschreven bij Hutchison 1972, pp. 74-80, ill. 90-119; zie verder nrs. 92-112.

15. Max Geisberg, *Verzeichnis der Kupferstiche Israhels van Meckenem*, Straasbourg 1905; Lehrs, deel 9; meest recente literatuur, Shestack 1967-68, nrs. 154-249.

16. Max Lehrs, *Wenzel von Olmütz*, Dresden 1889; Lehrs, deel 6, pp. 178-280; Shestack 1967-68, nrs. 123-24. Zie ook Hella Robels in tent.cat. *Herbst des Mittelalters - Spätgotik in Köln und am Niederrhein*, Keulen 1970, pp. 130, 151.

17. Max Lehrs, *Der Meister LCz und der Meister W B* (Graphische Gesellschaft XXV) Berlin 1922; Lehrs, deel 6, pp. 343-49; Buchner 1927; Shestack 1972.

18. Baer 1910, op.cit. (noot 9), pp. 412-13.

19. Voor de literatuur over de relaties met Dürer: zie Hutchison 1972, pp. 95-96; verder tent. cat. *Albrecht Dürer 1471-1971*, Neurenberg, (Germ. Nationalmuseum 1971,) pp. 74-87.

Ex ungue leonem:

wie was de meester van het hausbuch?

de geschiedenis van het probleem

Jane Campbell Hutchison

¶ 'Es geht mir mit unserem Hausbuche, wie mit der Edda, dem Nibelungenliede, der Gudrun oder dem sogenannten Gebetbuche des Kaisers Max und den übrigen Werken unseres herrlichen Meisters Dürer, oder Goethe's Faust oder den Stichen nach Cornelius...'

Ralf von Retberg, *Kulturgeschichtliche Briefe* (1865)

¶ Deze woorden schreef Von Retberg toen de studie van het Hausbuch en de ermee verwante prenten in Amsterdam nog maar in de kinderschoenen stond. Misschien was een vergelijking met de Lorelei juister geweest. Dat is immers het enige andere obstakel in het stroomgebied van de Rijn waarop nog meer ondernemingen schipbreuk hebben geleden. De anonieme laat-vijftiende-eeuwse meester die de fraaiste tekeningen in het Hausbuch schiep, en de tachtig als een schat gekoesterde drogenaaldprenten in het Rijksprentenkabinet geeft zijn identiteit niet prijs, hoewel Duitse en Nederlandse kunsthistorici en kenners zich vanaf het midden van de negentiende eeuw gefascineerd met hem hebben beziggehouden, toen men oog begon te krijgen voor zijn levendige opmerkingsgave en zijn experimenten op technisch gebied. Vooral toen men begon in te zien dat zijn werk van grote betekenis was voor de ontwikkeling van de jonge Dürer – deze maakte zelf in zijn geschriften melding van vroegere meesters als Stefan Lochner en Martin Schongauer – vroeg men zich serieus af wie toch deze mysterieuze tekenaar was geweest. Het gevolg was dat hem vanaf dat moment achtereenvolgens wel twaalf verschillende namen zijn gegeven, variërend van de Bourgondische goudsmid Gilleken van Overheet,[1] tot coryfeeën als Matthias Grünewald en Hans Holbein de Oude. Pogingen om achter de identiteit van de Meester te komen hebben tot nu toe eigenlijk meer laten zien over de wisselende kunsthistorische modes dan over de Meester zelf.

¶ Het Hausbuch bevindt zich in Schloss Wolfegg, in het zuidelijk deel van Baden-Württemberg bij het Bodenmeer,[2] in dezelfde prinselijke collectie waar het zich al bevindt sinds het in de zeventiende eeuw werd gekocht door rijksdrost Maximiliaan von Waldburg. Deze was de stichter van de Wolfeggse familiebibliotheek en van de bijbehorende prentenverzameling.

De Amsterdamse drogenaaldprenten en hun anonieme makers

¶ De herkomst van de drogenaaldprenten in het Rijksprentenkabinet gaat niet verder terug dan de achttiende-eeuwse collectie van Pieter Cornelis, Baron van Leyden en Heer van Vlaardingen (1717-1788).[3] Diens dochter verkocht de verzameling aan Lodewijk Napoleon, een transactie waardoor de kern werd gevormd voor de latere nationale prentverzameling (zie ook p. 91).

¶ Carl Heinrich von Heinecken (1706-1791), van 1746 tot 1763 directeur van het prentenkabinet van de hertogen van Saksen in Dresden, was de eerste kunsthistoricus die het werk van de anonieme prentmaker vermeldde – hij noemde hem Meester AN [86] – bij zijn beschrijving van de vier bladen in Dresden en Wenen die hij van hem kende.[4] Geen melding maakte hij van de portefeuille anonieme vijftiende-eeuwse prenten in de verzameling van Pieter Cornelis, bij wie hij tijdens een reis door de Nederlanden in 1768 drie dagen had gelogeerd, en wiens belangrijkste prenten hij in een publicatie van het jaar daarop beschreef[5] – misschien omdat hij of zijn gastheer ze in het niet vonden vallen naast de schitterende drukken van beroemde meesters als Rembrandt, die de pronkstukken waren van de verzameling. In 1784, toen Pieter Cornelis' collectie met inbegrip van de tachtig drogenaaldprenten al was geïnventariseerd, was Adam Bartsch te gast bij de Baron. Maar ook deze kenner, beheerder van de Albertina in Wenen, maakte geen melding van het werk van de anonieme meester, en ook toen hij de bladen in Wenen beschreef merkte hij net als Heinecken niet op dat deze gemaakt moesten zijn door dezelfde kunstenaar.[7]

¶ Jean Duchesne sr., directeur van het prentenkabinet van de Bibliothèque Royale in Parijs ten tijde van Louis Philippe, was de eerste die zich een zodanig beeld vormde van de stijl van de kunstenaar, dat hij in staat was zijn werk te herkennen in de Duitse, Oostenrijkse en Engelse collecties die hij bezocht, alsook in de Amsterdamse verzameling. Duchesne, die al sinds 1795 stafmedewerker was, had de meeste Amsterdamse prenten vrij zorgvuldig bestudeerd in de jaren 1812-1816, toen tijdens de inlijving bij Frankrijk de beste bladen uit de voormalige collectie van Baron van Leyden waren geconfisqueerd en uit de Koninklijke Bibliotheek in Den Haag naar Parijs waren overgebracht.

¶ In zijn *Voyage d'un iconophile* (Parijs 1834), noemde hij de anonieme meester de 'Meester van 1480', en identificeerde hem als de vroegste prentmaker van Hollandse origine. Prenten van zijn hand trof hij buiten Amsterdam nog aan in Wenen, Dresden, in de Nagler-collectie in Berlijn, in Stowe Castle, Engeland, en in het British Museum. Duchesne merkte op hoe zeldzaam werk van deze kunstenaar was en stelde de spoedige publicatie in het vooruitzicht van diens prenten en van die van zijn voorganger, de 'Meester van 1466' (Meester E.S.) – een project dat hij helaas nooit verwezenlijkte.[8]

¶ De volgende die het werk van de Meester van 1480 onderzocht, was Johann David Passavant. Deze voormalige schilder en graveur uit de groep van de Nazareners, werd in 1840 inspecteur van het Städelsches Kunstinstitut in Frankfurt. Zelf een prentverzamelaar met inzicht en smaak, publiceerde hij in 1850 een artikel in het eerste nummer van het *Deutsche Kunstblatt*[9] over de vroegste graveurs. In zijn latere overzichtscatalogus, een gemoderniseerde versie van Bartsch (1860), nam Passavant de Meester van 1480 op als 'voortreffelijk schilder uit de school van Van Eyck' en merkte op dat grote waardering van zijn tijdgenoten blijkt uit de hoeveelheid copieën naar zijn werk door Israël van Meckenem en 'Barthel Schoen' (Meester b x g).[10] Verder vestigde hij de aandacht op het grote aantal 'taferelen uit het dagelijks leven en andere profane voorstellingen', en op de opmerkelijke fletse kleur van een aantal bladen (p. 255). Bij de prenten onderscheidde Passavant drie verschillende handen die hij dateerde in het laatste kwart van de vijftiende eeuw. De fraaiste prenten gaf hij aan de belangrijkste hand (waaraan hij ten onrechte werk toeschreef van de Meesters FVB (L. 8), LCz (L.11),

Meester E.S. (L. 216), W B (L. 3) en Wenzel von Olmütz (L. 57)). De rest verdeelde hij onder diens navolgers. Omdat volgens hem de enige aanwijzing voor de Hollandse origine van de meester was, dat het merendeel van de prenten opgedoken was in één Nederlandse verzameling, week hij af van Duchesnes' benaming 'Hollands' – de Belgische onafhankelijkheid lag nog steeds gevoelig. In plaats daarvan bracht hij een al in 1856 door H.A. Klinkhamer geopperde mening naar voren,[11] dat het werk wat betreft stijl en compositie eerder Zuid- dan Noordnederlands was en vooral de stijl van Memlinc weerspiegelt.

¶ Gustav Friedrich Waagen, de eerste directeur van de Berlijnse Gemäldegalerie, beschreef in zijn *Treasures of art in Great Britain* (1854) de drogenaaldprenten in het British Museum als Nederlands, behalve de *Turkse ruiter* [74] waarin hij een Duitse hand zag.[12] In zijn latere boek over de Weense collecties dat na Passavants catalogus verscheen, gebruikte hij ook de benaming 'Meester uit de school van Van Eyck' en wees op de overheersende invloed van Hans Memlinc.[13] Waagen behoorde net als Passavant tot de romantische generatie. Hoewel zelf geen kunstenaar zoals Bartsch en Passavant, was zijn vader een Hamburgs kunstschilder met veel vrienden onder de nieuwe Duitse Romantici. Hij bezocht de universiteiten van Heidelberg en Berlijn. De man die hem kennis liet maken met de vijftiende-eeuwse Duitse en Nederlandse schilderkunst was Sulpiz Boisserée, die zijn schitterende collectie Keulse kunstschatten, verzameld in de periode dat het kerkelijk goed werd geseculariseerd, naliet aan de Alte Pinakothek in München. Waagen had methodisch onderzoek geleerd dankzij de grondlegger van de moderne kunstgeschiedenis, Carl Friedrich von Rumohr. Zijn vroege monografie over de gebroeders Van Eyck, verschenen in 1822, was de eerste kunsthistorische studie van dit onderwerp. Ondanks zijn methodisch geavanceerde aanpak van de bestaande Van Eyck-literatuur en het probleem van de gesigneerde en ongesigneerde werken, schreef Waagen een aantal schilderijen toe aan Van Eyck, die nu gegeven worden aan Rogier van der Weyden, Memlinc, Geertgen en Dirck Bouts. Zijn geloof dat Jan van Eyck leefde tot ca. 1470, sterkte hem in zijn overtuiging dat de prentmaker een lid was van de 'school van Van Eyck', een zeer algemene en door Waagen in regionale zin gebruikte term.[14]

¶ Tot dit moment, het midden van de negentiende eeuw, was de discussie over de Amsterdamse drogenaaldprenten nog uitsluitend gevoerd door museummensen, verbonden aan instellingen met werk van de anonieme meester in hun collecties. Wat zij publiceerden waren eenvoudige beschrijvingen van de bekende prenten, ten behoeve van andere kenners en verzamelaars. En hun exacte beschrijvingen waren geen overbodige luxe in de dagen van vóór de accurate fotografische reproductie. Belangstelling voor anonieme meesters was een relatief nieuw verschijnsel, terwijl de mogelijkheid niet denkbeeldig was dat meer werk van dezelfde hand zou opduiken, hopelijk met een identificeerbaar monogram of merk.

HERONTDEKKING EN PUBLICATIE VAN HET HAUSBUCH

¶ Er zouden bijna zeventig jaar verstrijken tussen Heineckens eerste vermelding van de anonieme 'Meester A.N.' en de eerste publicatie die het bestaan onthulde van het Hausbuch in Wolfegg. Dat gebeurde pas in 1855, in de Zwabische reismemoires van Conrad Dietrich Hassler.[15] Dat was vreemd gezien de overweldigende belangstelling voor Duitse Middeleeuwse kunst en literatuur, aan het eind van de achttiende eeuw in het leven geroepen door Goethe's lofzang op Erwin von Steinbach, de bouwer van de kathedraal van Straatsburg, en Herders *Von deutscher Art und Kunst* (1773). Het was een belangstelling die tijdens en na de Napoleontische oorlogen enorm toenam, mede dankzij de secularisering van het kerkelijk goed aan de linker Rijn-oever in 1803. De bestudering en het verzamelen van Middeleeuwse handschriften werd bijzonder belangrijk voor en door het ontstaan van een nieuwe wetenschap, de Germanistiek, het vergelijkend onderzoek van historische en regionale dialecten gecombineerd met de studie van sprookjes, juridisch materiaal en Middeleeuwse poëzie.

¶ De colleges van A.W. Schlegel in Bonn, Joseph Görres in München en Hegel in Berlijn, de publicaties van de gebroeders Grimm, Karl Lachmann en Karl Müllenhoff op het gebied van de godsdienstwetenschap en de *Altertumskunde*, Ludwig Uhlands monografie over Walther von der Vogelweide (1822) en Heinrich Heine's eerste *Buch der Lieder* (1827), geven aan hoe ver- en diepgaand de Middeleeuwen in Duitsland werden bestudeerd aan het begin van de negentiende eeuw. Heinrich Heine beroemde zich er later zelfs op dat zijn eerste daad na aankomst in Parijs in 1831 was geweest om zich naar de Bibliothèque Royale te spoeden en de Codex Manesse[16] op te vragen, het beroemdste van alle Duitse wereldse manuscripten, dat de Fransen tijdens de Dertigjarige Oorlog hadden buitgemaakt uit het kasteel van Heidelberg.

¶ Toch zijn er een aantal redenen waarom men te midden van deze hausse van belangstelling voor de Middeleeuwen (waartoe men vóór 1820 ook Dürer nog rekende) het Hausbuch onontdekt was gebleven. De eerste ligt voor de hand: Wolfegg

lag niet bepaald centraal: in de Allgäu, het allerzuidelijkste deel van Zuid-Beieren, ver van alle centra van Romantische wetenschapsbeoefening. Het kasteel werd en wordt nog steeds bewoond door de rooms-katholieke prinselijke nazaten van Georg, Truchsess von Waldburg, aanvoerder van de Schwäbische Bund en gesel der boeren tijdens de Boerenopstand van 1525. Nu waren de eerste romantische vereerders van de Middeleeuwen voornamelijk Noordduitse protestanten, zodat Schloss Wolfegg geografisch zowel als sociaal buiten hun gezichtsveld lag. Wat de publicatie van het handschrift echter meer in de weg stond, was de inhoud ervan, in een tijd dat geleerden zowel als schrijvers van mening waren dat de Middeleeuwen, met inbegrip van de vijftiende eeuw, zich onderscheidden door godsvrucht, ridderlijkheid en ernst. Een manuscript met Hebreeuwse letters maar geen directe verwijzingen naar het christendom, waarin de hoofse liefde zo gewaagd wordt uitgebeeld als in de *Minneburcht* (fol. 19v-20r) – de burcht der liefde als een bordeel – een gemengd badhuis (fol. 18v-19r), en een satirisch feest in een *Liefdestuin* (fol. 24v), droeg niet bepaald bij tot het verheven beeld van het Duitse verleden, zo angstvallig geschetst door de gebroeders Schlegel en hun tijdgenoten. Er zijn weliswaar ook afbeeldingen van ridderlijke bezigheden in het manuscript, zoals een hertenjacht en een steekspel met zowel toernooilansen als echte (fol. 20v-21r en 21r-22r), maar er staan ook zeer onromantische practische recepten in voor huismiddeltjes, zoals voor het toedienen van een purgeermiddel aan hardlijvige paarden (fol. 31r: *Pfert leibig zu machen*), een kwaal waarvan men het paard van Parcival bijvoorbeeld nooit zou verdenken. Het Romantische ridderbeeld strookte al helemaal niet met het assortiment recepten voor liefdesdranken en zalven van strikt intieme aard, gebrouwen uit hoogst merkwaardige ingrediënten.[17] Daarbij bevat het Hausbuch ook nog een schat aan technische informatie over het slaan van munten, constructie en gebruik van artilleriegeschut en het toebereiden van buskruit. Het manuscript vermeldt (fol. 57a) dat dit technische gedeelte speciaal bijeengebracht is ten behoeve van een *Büchsenmeister* (munitiemeester).[18]

¶ De ontdekking van het Hausbuch was dus beslist niet de verdienste van Romantische wetenschapsbeoefenaren. Wat zij in geïllustreerde manuscripten zochten waren vooral geschilderde miniaturen en Middeleeuwse Duitse literatuur. De illustraties van het Hausbuch zijn tekeningen en de in het Hoogduits geschreven tekst is noch origineel, noch van literair belang, daarvan zijn de versjes bij de tekeningen van de Planetenkinderen (fol. 11-17) een duidelijk voorbeeld. De eer-

R. Petzsch, Facsimile van de *Luna*-tekening in het Hausbuch, [**117**, fol. 17], in: 1857.

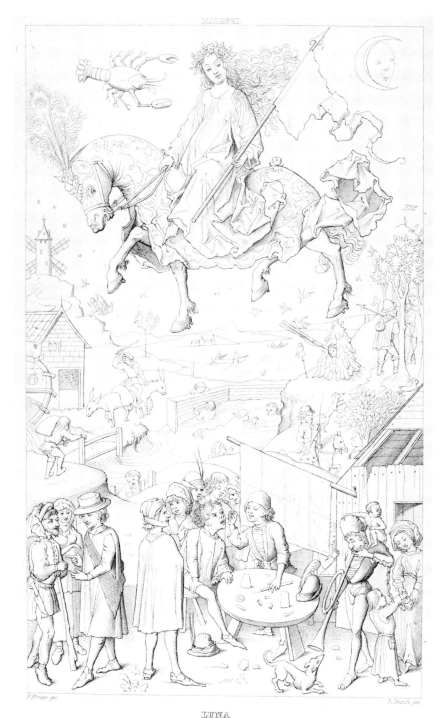

het manuscript in Wolfegg, beschreef het als een soort potpourri van de cultuur van de vijftiende eeuw.[19]

¶ Hassler reisde in 1854 naar Wolfegg in verband met het aanleggen van een lijst van de historische monumenten in die streek. De snelle groei van de Duitse economie tijdens de industriële revolutie had de restauratie mogelijk gemaakt van Middeleeuwse bouwwerken als de kathedralen van Bamberg, Spiers en Regensburg, en een groot aantal kastelen, zoals dat van Heidelberg en de Wartburg. Ook werd de kathedraal van Keulen afgemaakt en verrees er in Beieren tussen 1832 en 1836 zelfs een geheel nieuw gotisch slot, Hohenschwangau. Hassler zelf kwam uit Ulm, waar hij in 1844 had behoord tot de initiatiefnemers voor de restauratie van het laat-gotische Münster. Hij was *Oberstudienrat* van het Ulmse gymnasium, had oosterse talen en Hebreeuws gestudeerd en in de Bibliothèque Royale in Parijs een uitgebreide studie gemaakt van de manuscripten. Hij was een verzamelaar van Zwabische prentkunst, schilderijen en incunabula en dus al met al zeker in staat om Schloss Wolfegg en de inhoud van zijn bibliotheek naar waarde te schatten.[20] Hasslers rapport, gepubliceerd samen met de bevindingen van de plaatselijke oudheidsvereniging, was niet geïllustreerd.

¶ Ernst Förster (1800-1885) die twee jaar later in Hasslers voetsporen naar Wolfegg kwam, legde ook de nadruk op het cultuurhistorische belang van het handschrift, vooral omdat het zo fraai de overgang illustreerde van religieuze naar wereldse onderwerpen. Hij prees de manier waarop de kunstenaar het 'echte leven' weergaf, die hij gunstig vond afsteken bij de genreschilderkunst van een later tijdperk.[21] Zijn verslag, in 1857 gepubliceerd in het derde deel van zijn monumentale serie over de Duitse architectuur, bevatte een gravure van de *Luna* (*afb. 36*) door R. Petzsch naar een tekening van de auteur. Förster was de schoonzoon van de populaire Romantische schrijver Jean-Paul Richter en had schilderles gehad van de voormalige Nazarener Peter Cornelius. Van zijn hand waren o.a. de muurschilderingen in de aula van de universiteit van Bonn (1824-1825). Hem vielen stilistische verschillen op tussen de tekeningen in het Hausbuch onderling. De beste groep, en daartoe rekende hij de Planetenkinderen *Luna, Mars* en *Venus* (**117**, fol. 17, 13, 15), en de over de twee bladzijden lopende tekeningen van toernooi en jacht, schreef hij toe aan een kunstenaar die zeer dicht bij Martin Schongauer moest staan. De verluchte initialen beschouwde hij als het werk van een rondreizend Vlaams miniaturist en de technische tekeningen als het werk van nog een derde kunstenaar. Hij dateerde het handschrift tussen 1450 en 1460,

ste belangstelling voor dit wereldse manuscript kwam dan ook vanuit de hoek van de Positivisten, aanhangers van een beweging in opkomst waaruit rond 1840 de nieuwe wetenschap van de *Kulturgeschichte* ontstond, de grote stimulans voor een bredere bestudering van de wereldse aspecten van het leven in de vijftiende eeuw. Conrad Dieter Hassler (1803-1872), de eerste die verwees naar

aanzienlijk vroeger dus dan Schongauers vroegst gedateerde werk – van 1469 zoals we nu weten – en noemde het Zwabisch, met invloeden van de Gentse school.[22] De versjes bij de Planetenkinderen noemde hij eveneens Zuidduits.

De maker van de drogenaaldprenten en het Hausbuch: Bartholomäus Zeitblom van Ulm of Hans Holbein de Oude?

¶ Ernst Georg Harzen was de eerste die de tekeningen in het Hausbuch en de prenten uit Amsterdam aan een en dezelfde hand toeschreef. In zijn monografie over het onderwerp, die drie jaar na die van Förster verscheen, in 1860,[23] suggereerde hij zelfs een naam voor de kunstenaar. Veertig jaar lang was Harzen de belangrijkste prenthandelaar en -verzamelaar geweest in Hamburg en had zich als een van de eersten gespecialiseerd in vijftiende-eeuwse Duitse grafiek, een gebied dat door Bartsch maar zeer ten dele was begrepen. Zijn schitterende collectie prenten van Schongauer, Meester E.S., de Meester van het Amsterdamse Kabinet en andere vroege monogrammisten liet hij bij zijn dood in 1863 na aan het nog zeer prille Hamburgse prentenkabinet.[24] Harzen was het eens met Försters datering van 1450-1460 voor het Hausbuch, dat hij persoonlijk had onderzocht.[25] De drogenaaldprenten uit Amsterdam had hij ook met zijn eigen ogen gezien, tijdens een lang bezoek aan Nederland in 1838. Harzen die zelf amateur-etser was, schreef de gemonogrammeerde kopergravures van de Meesters b x g en W B toe aan dezelfde hand als van de Amsterdamse prenten. De stilistische verschillen verklaarde hij uit de verschillen in techniek. Harzen identificeerde de schepper van dit gevariëerde oeuvre als de belangrijkste Zwabische schilder van het eind van de vijftiende eeuw, Bartholomäus Zeitblom van Ulm, omdat volgens hem 'b x g' gelezen moest worden als 'b x s' voor Bartholomäus Seitblom, en W B (afb. 37) als 'VVSB' – dezelfde naam, achterstevoren gespeld zoals gebeurt wanneer een graveur geen rekening houdt met het feit dat bij het drukken de voorstelling op de plaat wordt gespiegeld. Harzen wees op zekere Boven-Rijnse kenmerken van zijn composiete meester en citeerde een preek van Johannes Capistrano, gehouden in Ulm in 1461, waarin deze fulmineerde tegen snavelschoenen en onfatsoenlijk korte wambuizen zoals deze gedragen worden door jongemannen in de prenten en tekeningen van de Meester uit de jaren tachtig. Waagen[26] vond deze redenering overtuigend (hoewel de monografie niet was geïllustreerd), evenals Retberg[27] en anderen; Karl Schnaase verwierp haar in 1879.[28] Buiten Duitsland vond Harzens stelling echter nergens gehoor, maar dat kwam misschien gedeeltelijk omdat hij in hetzelfde jaar

gepubliceerd was als het deel van Passavant, waarin de Amsterdamse prenten werden opgevat als Vlaams, uit de school van Van Eyck. Harzens werk verscheen bovendien in het Duits, terwijl Passavant zijn Peintre-Graveur in het Frans had geschreven met het oog op een internationaal publiek, net als Adam Bartsch trouwens gedaan had. Bartsch' opvolger aan de Albertina, Oostenrijks belangrijkste Dürer-kenner Moriz Thausing (1838-1884),[29] en Duitse experts als Karl Woermann, directeur van het museum in Dresden en Alfred Woltmann, de jonge Holbein-specialist, beschouwden de 'Meester van 1480' zoals ze hem bleven noemen, nog steeds als Vlaams.[30]

¶ Ralf von Retberg (1802-1885), die de eerste monografie schreef over het Hausbuch van Schloss Wolfegg (1865), was er nog steeds voor geporteerd de Meester te identificeren als Zeitblom. Uit het heraldische materiaal in het Hausbuch leidde hij bovendien een sterke band af met de stad Augsburg, waarbij hij in het voorbijgaan Hans Holbein de Oude als alternatieve mogelijkheid vermeldde.[31] Retberg was een gepensioneerd legerofficier in München, prentenverzamelaar, amateurschilder en autoriteit op het gebied van de cultuurgeschiedenis en de krijgskunde van de vijftiende eeuw. Hij kende Hasslers werk, had zelf het Hausbuch onderzocht en was zowel in Hamburg geweest bij Harzen, als in Amsterdam om de prenten te zien. Zijn gedetailleerde notities over de iconografie van de Hausbuch-tekeningen zijn nog steeds buitengewoon waardevol. De landschapsstijl loopt volgens hem vooruit op Dürer; met zijn bijzonder scherpe oog merkte hij op dat het perspectief niet altijd op dezelfde manier wordt gebruikt: bij de tekeningen van fonteinen en technische apparatuur bezit het eerder zestiende- dan vijftiende-eeuwse kenmerken. Omdat echter alle costuums verder vijftiende-eeuws zijn, schrijft hij de verschillen liever op rekening van de langdurige werkzaamheid van één meester, dan dat hij het manuscript verdeelt over een aantal handen. De tekst moet volgens hem geschreven zijn door iemand uit Noord-Duitsland of de Nederlanden, op grond van Frankische woordvormen. Verder vindt hij het niet verstandig om bepaalde gedeelten van het boek aan dames te laten zien (p. 11).

¶ Retbergs monografie zou oorspronkelijk verschijnen als uitgave van het Germanische Nationalmuseum in Neurenberg, volledig geïllustreerd met gravures van alle afbeeldingen. Geheel onafhankelijk verscheen een jaar later echter een facsimile-editie van het Hausbuch met gravures van Heinrich Ludwig Petersen en een korte, niet gesigneerde tekst, die de tekeningen verdeelde over een aantal handen, waarvan de beste Zeitblom zou zijn.[32]

Afb. 37
a. Monogram van Meester b x g.
b. Monogram van Meester W B.

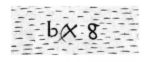

NATIONALISME EN MODERN KENNERSCHAP

¶ Nu gebeurden er drie dingen, alle drie in het voorjaar van 1871, die hun stempel drukten op alle verdere publicaties over het Hausbuch die in de negentiende eeuw nog zouden verschijnen.

¶ Eerst was er de noodlottige tentoonstelling en het symposium over de Holbeins in het museum van Dresden: slechts veertien van de veertig werken die op naam stonden van Hans Holbein de Jonge kwamen daaruit als eigenhandig tevoorschijn. Dat was wel een bijzonder ruwe manier om tot het besef te komen dat authenticiteit zwaarder moet wegen dan schoonheid bij het beoordelen van een kunstwerk. Een aantal kunsthistorici boog zich dan ook met nieuwe moed over werken die men voordien het aankijken niet waard had gevonden. Tien vooraanstaande kunsthistorici, die aan het symposium deelnamen, hadden een verklaring getekend dat de versie van Holbeins *Madonna van burgemeester Meyer* in Darmstadt de echte was, en de pompeuzere compositie uit het museum in Dresden een zeventiende-eeuwse copie.[33] Van hen waren er acht die later zouden publiceren over werken die met de Hausbuch-meester werden geassocieerd. Wilhelm Lübke, medewerker van Jakob Burckhardt, noemde het Hausbuch een Zwabisch-Alemannisch manuscript afkomstig uit Konstanz (1891).[34] Friedrich Lippmann, directeur van het Berlijnse prentenkabinet, de man die de Amsterdamse prenten had bestudeerd toen ze in Berlijn waren om gereproduceerd te worden, ondernam een poging om ze als jeugdwerk toe te schrijven aan Hans Holbein de Oude (1894).[35] Hij steunde hierbij deels op Retbergs aarzelende suggestie van 1865 (zie boven) en deels op zijn eigen overtuiging dat noch de prentenmaker, noch de oudere Holbein in staat waren om een diep religieus gevoel uit te drukken. Ook geloofde Lippmann dat de iconografie van zowel de Planetenkinderen in het Hausbuch als in eerdere Hollandse en Duitse blokboeken van Italiaanse oorsprong was. Aby Warburg zou later aantonen dat de afbeeldingen letterlijke illustraties zijn van de verzen in het blokboek, over de verschillende planeten en hun kinderen.[36]

¶ Nog in hetzelfde jaar werd Lippmanns Holbein-these tot tweemaal toe ontkracht. Eerst door iemand die ondertekende met 'Historicus'; deze wees op de tekening in het Hausbuch van het kampement van Friedrich III bij Neuss, tijdens de veldtocht tegen Karel de Stoute in 1475 [**117**, fol. 53] die volgens hem accuraat genoeg is om aan te mogen nemen dat de kunstenaar zelf in het keizerlijke leger aanwezig was,[37] een omstandigheid die het hoogst onwaarschijnlijk maakt dat het Hans Holbein de Oude was, want die was toen tien jaar oud. Ook in 1894 publiceerde

de toekomstige Dürer-biograaf, Hans Wolfgang Singer, een artikel waarin Lippmanns hypothese werd afgewezen op grond van het verschil in stijl en temperament tussen de prentmaker en Holbein, dat zo groot was dat zij onmogelijk één en dezelfde persoon konden zijn.[38]

¶ De tweede belangrijke gebeurtenis in 1871 was de viering van de vierhonderdste geboortedag van Albrecht Dürer, die een nieuwe impuls betekende voor de studie van zijn stilistische bronnen. Moriz Thausing vermeldt in zijn belangrijke nieuwe Dürer-monografie van 1876 de grote invloed op de jonge Dürer van de 'graveur uit de school van Van Eyck'[39] en Robert Vischer stelt in zijn diepgaande studie van de wortels van Dürers kunst (1886) dat de anonieme prentmaker (een 'Rheinschwabe') de onbekende Straatsburgse meester was bij wie Dürer in 1493 of 1494 als reizende gezel had gewerkt.[40]

¶ Van minstens evengroot belang voor de verdere studie van de Hausbuch-meester was de overwinning van de Pruisen op de Fransen bij Sedan in 1871. Dit bracht de Elzas, in 1792 aan Frankrijk verloren, terug aan Duitsland en daarmee werd de langverbeide eenwording van het Duitse Rijk onder keizer Wilhelm I een feit. Dat de viering daarvan samenging met een artistieke zowel als militaire erkenning van het Duitse culturele erfgoed, lag niet meer dan voor de hand. Een nieuwe editie van Dürers *Befestigungslehre* (Berlijn 1872) en een bronnenuitgave, door het Germanische Nationalmuseum in Neurenberg in hetzelfde jaar, van de geschiedenis van het vuurwapen, geïllustreerd met afbeeldingen uit het Hausbuch, waren het directe gevolg.[41] Het opnieuw Duits-zijn van het Rijnland stimuleerde een enorme belangstelling voor Martin Schongauer en voor Grünewalds *Isenheimer altaar* in Colmar, nu die plaats niet langer onder Frans bestuur viel. Een ware stortvloed van publicaties brak los over nog niet toegeschreven vijftiende- en vroeg-zestiende-eeuwse schilderijen uit het Zuid- en Middenduitse stroomgebied van de Rijn. Daartoe behoren de eerste baanbrekende studies over Grünewald en ook de eerste publicaties over de panelen die men later in verband zou brengen met de Meester van het Amsterdamse Kabinet: panelen van het zogenaamde Spierse altaar met taferelen uit het lijden van Christus, nu in Frankfurt, Freiburg en Berlijn [**131**] en de negen panelen afkomstig van een *Leven van Maria* uit Mainz [**132**]. Men wees op overeenkomsten tussen het *Opstandingspaneel* (Frankfurt; destijds Sigmaringen) en het werk van Michael Wolgemuth,[42] terwijl 'school van Schongauer' werd voorgesteld voor andere panelen.[43] Het zogenaamde *Mainzer Maria-leven* werd aan Grünewald[44] toegeschreven totdat Friedländer later een toeschrijving voorstelde aan de Meester van het Amsterdamse Kabinet.[45]

¶ De belangrijkste publicaties uit de Duitse keizertijd waren echter die van de jonge Max Lehrs (1855-1938). Lehrs was begonnen als Lippmanns assistent in het Berlijnse prentenkabinet en werd later directeur van het Kupferstichkabinett van Dresden. Jarenlang werkte hij aan zijn systematische catalogisering van alle bekende Noordeuropese prenten, die zou resulteren in de *Geschichte und kritischer Katalog*, gepubliceerd in tien delen, die verschenen van 1908 tot 1934. Daaraan voorafgaand schreef hij nog een catalogus van de prenten in het kabinet van Neurenberg en een serie artikelen over vijftiende-eeuwse prenten in kleinere stedelijke en particuliere verzamelingen, in het *Repertorium für Kunstwissenschaft*.[46] In de stukken over de prenten uit Neurenberg en Wolfegg deelt hij Robert Vischers mening, dat de anonieme meester afkomstig moet zijn geweest uit het gebied tussen het Bodenmeer en Bazel. Hij stelt voor om hem vanwege zijn Duitse afkomst liever de 'Meester van het Hausbuch' te noemen dan de 'Meester van het Amsterdamse Kabinet'.[47] Lehrs gebruikte deze naam voortaan in al zijn publicaties, behalve eenmaal in 1893, in een monografie voor de *Internationale Chalkographische Gesellschaft*. Omdat dat geschrift zowel in het Duits als het Engels zou verschijnen, gebruikte hij de naam 'Meester van het Amsterdamse Kabinet' op aanraden van Lippmann, die meende dat 'Hausbuchmeister' een onbeholpen Engelse vertaling zou opleveren.[48] Lehrs rekent in deze monografie af met de invloed uit de school van Van Eyck ('die lijkt mij wel zeer gering') en merkt op hoe verrassend het is dat invloeden van Martin Schongauer nagenoeg ontbreken. Hij legt zeer de nadruk op de oorspronkelijkheid van de Meester en vindt zijn vrije tekenstijl uitsteken boven het werk van alle andere vijftiende-eeuwse graveurs. In het bijzonder prijst hij zijn 'belangstelling voor gebeurtenissen uit het dagelijks leven' zijn bekwaam weergegeven landschapsachtergronden, zijn goed-geobserveerde diertekeningen en zijn gevoel voor humor – kenmerken die tussen haakjes ook zeer gewaardeerd werden in de salonschilderijen van de jaren 1880 en '90 – het tijdperk van Fritz von Uhde, Lovis Corinth en Max Liebermann – en in de litho's van Toulouse-Lautrec, die Lehrs rond 1895 systematisch begon te verzamelen voor het prentenkabinet in Dresden.[49]

DE JONGE DÜRER EN DE HAUSBUCH-MEESTER: WILHELM PLEYDENWURFF

¶ Lehrs' monografie van 1893 was van enorme invloed, vanwege de uiterst bekwame en onberispelijke aanpak, een kwaliteit die zijn hele wetenschappelijke werk kenmerkt, vooral ook omdat het vergezeld ging van een compleet stel fotogravures van de Amsterdamse prenten, welwillend naar Berlijn gezonden door de directeur van het Rijksprentenkabinet. Voor de eerdere facsimile-editie (Kaiser 1866, heruitgave Boland 1883) had men volstaan met moderne gegraveerde copieën. Door Lehrs' publicatie kon een groter publiek dan ooit tevoren kennis maken met de zeer eigen stijl van de prenten, en was bestudering van de anonieme meester niet langer het exclusieve terrein van museummensen en rijke collectionneurs en kenners die in Amsterdam waren geweest. Nu kon iedere hoogleraar en student zich over het probleem buigen, een omstandigheid die er toe leidde dat al spoedig het aantal suggesties over de identiteit van de Meester epidemische vormen begon aan te nemen.

¶ De eerste dissertatie over de anonieme meester, van Carl Hachmeister (Heidelberg 1897), identificeerde hem als Wilhelm Pleydenwurff uit Neurenberg, de stiefzoon van Albrecht Dürers leermeester Michael Wolgemuth.[50] Pleydenwurff komt voor als een van de ontwerpers van de houtsneden in Hartmann Schedels *Weltchronik*, in 1493 in Neurenberg uitgegeven door Dürers peetvader Anton Koberger.

¶ Helaas had Hachmeister zich nogal op een dwaalspoor laten brengen door de colleges van zijn promotor Henry Thode en diens kort daarvoor, in 1891 verschenen boek over de Neurenberg school,[51] voor wat betreft de mogelijke toeschrijving van schilderijen aan de jongere Pleydenwurff. Zijn (niet geïllustreerde) proefschrift was echter in zoverre nuttig dat het de aandacht vestigde op het aandeel van de anonieme prentmaker in de ontwikkeling van de jonge Dürer, met name voor tekeningen als de *Drie Lansknechten* van 1489 (Winkler 18) en de *Cavalcade* [**57**a], en gravures als de *Kok en zijn vrouw* (B. 84) en de *Oosterling en zijn vrouw* [**65**c].[52] De Pleydenwurff-theorie werd al gauw weerlegd door Max Friedländer (1898), die al in een eerder artikel heel overtuigend de panelen van het zg. Mainzer *Maria-leven* [**132**] ten tonele had gevoerd als geschilderde werken waarin de stijl van de prenten het dichtst werd benaderd.[53] Dat betekende dat de invloedssfeer van de Meester gezocht moest worden in de Palts, in de omstreken van Mainz. Friedländer geloofde met Lippmann dat de prenten binnen een relatief kort tijdsbestek zijn ontstaan, en dat zij het jeugdwerk waren van een Duits schilder, hetzij gemaakt voor diens eigen plezier, hetzij voor dat van een enkele opdrachtgever.

¶ Eduard Flechsig (1897) was de eerste die het aandurfde een oeuvre te reconstrueren van het geschilderde werk. Hij schreef aan de prentmaker o.a. het *Liefdespaar* uit Gotha toe [**133**], de *H. Anna-te-Drieën* uit Oldenburg [zie **29**a] en de panelen van het Spierse *Passie-altaar*. Als werk van navolgers introduceerde hij de altaarstukken van Seligenstadt, Bossweiler, Wachenheim en Wolfskehlen, alle met een herkomst uit hetzelfde gebied.[54] Max Lehrs (1899) onderschreef het idee van de uitgebreide werkzaamheden als schilder, maar accepteerde alleen de panelen van het Spierse altaar [131] als eigenhandig. De panelen uit Mainz [132], destijds nog niet ontdaan van hun zware overschilderingen, beschouwde hij als het product van een plaatselijk atelier, dat prenten van de Meester als model gebruikte.[55]

DE OORSPRONG VAN DE STIJL VAN GRÜNEWALD: MARTIN HESS UIT FRANKFURT

¶ Toen Hachmeisters Pleydenwurff-theorie onhoudbaar bleek, bracht diens promotor Henry Thode (1857-1920), als onderdeel van zijn onderzoek naar de stijl van Grünewald,[56] een eigen kandidaat naar voren: Martin Hess uit Frankfurt. Thode was drie jaar directeur van het Städelsches Kunstinstitut in Frankfurt, van 1889 tot 1891, en werd daarna hoogleraar in Heidelberg. Zijn specialisatie was de Italiaanse Renaissance, maar hij was al sinds zijn studietijd in Wenen onder Moriz Thausing ook geïnteresseerd in de kring rond Dürer, getuige o.a. zijn monografie over de Neurenbergse school.[51] Beide belangstellingen waren niet los te zien van zijn verering voor Richard Wagner, die zijn schoonvader was, en zijn geloof in de rassentheorieën van Houston Stewart Chamberlain uit diens *Grundlagen des 19. Jahrhunderts* (1889-1901). Net als zijn vriend Hans Thoma (1839-1924), de anti-impressionistische schilder van *Heimatkunst* en directeur van de Kunsthalle in Karlsruhe, bestond er volgens Thode een mystieke band tussen de kunstenaar en diens geboorteplaats, een constellatie waaruit zijn stilistische aanpak voortsproot en ook zijn keuze van onderwerpen.[57] Thode's colleges waren zeer populair maar hij had ook niet onaanzienlijke faam verworven als maker van verkeerde toeschrijvingen, zoals zijn aartsvijand Frans Wickhoff (1853-1909), grondlegger van de 'Weense school' van kunsthistorische methodologie, met veel leedvermaak placht op te merken.[58] Met Martin Hess was Thode echter op relatief veilig terrein, omdat men toen nog geen enkel schilderij van deze fascinerende kunstenaar had ontdekt. Martin Caldenbach, genaamd Hesse of Hess, ontving de persoonlijke groeten van Dürer in de brieven aan opdrachtgever, Jacob Heller van Frankfurt, gedateerd 21 maart en 26 augustus 1509.[59] Louter uit gebrek aan bewijs van het tegendeel verging het Hess beter dan Pleydenwurff of Holbein de Oude. Hem was als kandidaat zelfs een langer bestaan beschoren dan Nikolaus Schit, de meester die

Eduard Flechsig in 1898 voorstelde, want van deze laatste kwam helaas een gesigneerd schilderij boven water dat onverenigbaar was met de stijl van de prenten.[60] Zowel Leo Baer als Mela Escherich accepteerden Hess, totdat deze in 1908 door Carl Gebhardt voorgoed van het toneel werd gevaagd.[61]

¶ Thode, die Dürers lovende woorden aan het adres van Hess ten onrechte interpreteerde als zou Hess de oudere van de twee zijn geweest, terwijl hij in werkelijkheid een tijdgenoot was – hij werd in 1470 geboren – paste de data van de Hausbuch-meester zodanig aan dat hij al in 1464 werkzaam was, veel vroeger dan men sinds Förster had aangenomen (Flechsigs Nikolaus Schit begint pas in 1480 te werken). Leo Baer kiest voor een nog vroegere datum, 1458, om een leertijd bij Meester E.S. mogelijk te maken, die hij in Konstanz localiseert. Zijn Nederlandse stijlkenmerken zouden een gevolg zijn van een reis naar het noorden in 1476.[62]

EX UNGUE LEONEM: DE HAUSBUCH-MEESTER EN DE METHODE MORELLI

¶ De stilistische ontwikkeling van de Hausbuchmeester en de kenmerken van zijn stijl zijn tot dusver slechts besproken in verband met de verschillende theorieën over zijn identiteit, zonder een meer dan vluchtige blik op het werk zelf. In 1910 werden de veeleisende methodes van het kennerschap ontwikkeld door Morelli op het probleem losgelaten toen een anonieme 'vriend' (in

Afb. 38
Illustratie bij het artikel 'Ex ungue leonem', in het tijdschrift *Cicerone*, 1910.

werkelijkheid Flechsig) van het tijdschrift *Cicerone* een prijsvraag voor zijn lezers publiceerde. Kenners werden uitgenodigd een toeschrijving te maken[63] voor een zogenaamd net-ontdekt vijftiende-eeuws boek, geïllustreerd met houtsneden afkomstig uit het Midden-Rijngebied en gedateerd tussen 1477 en 1488. Indachtig Giovanni Morelli's succesvolle toeschrijvingen op basis van handen en oren, liet Flechsig twee pagina's lijntekeningen (*afb. 38*) afdrukken met eenendertig paar benen en voeten, gestoken in diverse beenbedekkingen maar allemaal met een karakteristieke hoge wreef en dikke knobbels bij de grote teen. Specialisten in vijftiende-eeuwse Duitse kunst werd gevraagd na te gaan waar ze dergelijke kenmerken eerder waren tegengekomen. Oplossingen werden ingestuurd door Ludwig Kämmerer, Willy Storck, Max Geisberg en Hermann Voss, die allen de onbekende kunstenaar identificeerden als de Hausbuch-meester; en van één 'anonymus', die Veit Stoss noemde. Kämmerer identificeerde bovendien het boek als Peter Drachs *Spiegel menschlicher Behaltnis*, uitgegeven in Spiers omstreeks 1478 [**140**], terwijl Geisberg en Voss ook nog de naam van de maker van de prijsvraag raadden. In een dramatisch démasqué, geïllustreerd met reproducties van acht van de voeten uit de Amsterdamse prenten, onthulde Flechsig zijn eigen identiteit, die van het boek – inderdaad Drachs *Spiegel* – en drukte een lijst af met negentien van de drogenaaldprenten, verwijzend naar de illustraties bij Lehrs.

De carrière van een prentmaker

¶ Ook in 1910 verscheen een overtuigende chronologie voor de drogenaaldprenten, gebaseerd op een stilistische analyse van de lijnvoering van de Meester. De schrijver was de kunsthistoricus Curt Glaser (1879-1943), die een tijd Friedländers assistent geweest was in Berlijn.[64]

¶ Glaser accepteerde Thode's termini, 1465-1505, voor begin en eind van de werkzaamheid van de Meester, maar ging verder uitsluitend uit van wat de prenten zelf te zeggen hadden. Omdat hij een zeer scherp oog had voor stijlvariaties, en omdat zijn chronologie niet staat of valt met een bepaalde theorie over identiteit of nationaliteit, kon deze de basis worden voor elke volgende studie over de Meester, met inbegrip van die van Max Lehrs (1932) en van ideologisch zo van elkaar verschillende schrijvers als Solms-Laubach, die een identificatie voorstond met Erhard Reuwich van Utrecht,[65] en Alfred Stange die rotsvast geloofde in de Boven-Rijnse origine van de kunstenaar.[66]

¶ Glaser schetste de ontwikkeling van de prenten als een logisch verlopende weg van eenvoudig naar complex. Volgens hem bestond het vroegste

werk uit prenten die klein waren en een beperkt gezichtsveld vertoonden, een minder zekere tekenstijl en een beperkt aantal nogal plompe figuurtjes lieten zien. Naarmate de techniek verbetert – volgens hem deels het gevolg van de invloed van de prentkunst van Martin Schongauer – worden de plooien meer uitgewerkt, het chiaroscuro samenhangender, de figuren beter van proportie en de composities ambitieuzer. Het hoogtepunt van deze middelste periode noemt hij een groep van de meest verfijnde prenten van merendeels wereldse onderwerpen, die met zoveel finesse zijn getekend dat ze wel zilverstifttekeningen lijken. Als laatst mogelijke datum voor deze groep noemt hij 1488, op grond van een belangrijke ontdekking van Baer, namelijk dat twee prenten uit deze groep gefungeerd hebben als model voor de portretten van Koning Andreas II en Koningin Maria van Hongarije, in de *Chronica Hungarorum* (Augsburg 1488), van Johannes Thurocz [**7a** en **75a**].[67]

¶ Hachmeister had al vastgesteld dat de meest onhandige prenten de vroegste waren. Glasers bijdrage was het inzicht dat stijlontwikkeling niet altijd rechtlijnig behoeft te verlopen, met raffinement als eindpunt. Zijn belangrijkste nieuwe inzicht was dat hij de resterende prenten een volgorde gaf die typerend is voor de ouder wordende Meester: precisie en plasticiteit maken plaats voor een steeds teken- en schilderachtiger werkende techniek. Verder merkte hij op dat jeugd en schoonheid een steeds minder belangrijke rol gingen spelen net als de hoofse onderwerpen, en dat religieuze thema's een prominentere plaats kregen. Ondanks de soms aanwezige gebreken bespeurde hij een verdieping van het gevoel en de inhoud, en soms ook een ingewikkelder indeling van de ruimte dan hij bij de Meester op jeugdiger leeftijd mogelijk achtte.

¶ Volgens Glasers opvattingen beleefde de Meester dus een lange carrière als prentkunstenaar. De drogenaaldprenten beschouwde hij niet als de jeugdwerken van een man die op latere leeftijd altaarstukken schilderde, maar als het werk van iemand die gedurende zijn hele loopbaan in die techniek is blijven werken: de groep prenten vertoont een duidelijke begin-, midden- en eindperiode. Glasers chronologie is ook voor ons nog volkomen aannemelijk, juist in het licht van studies over het late werk van lang-levende kunstenaars als Michelangelo, Titiaan en Donatello. Toch is het duidelijk dat kunsthistorische geschriften uit zijn eigen tijd, met name de monumentale Rembrandtbiografie van Carl Neumann, ook van invloed zijn geweest op Glasers ideeën over de late stijl van de Hausbuch-meester,[68] een boek dat naar Jan Emmens heeft aangetoond, voor het eerst zowel de rijpe *Maler der Seele* ten tonele voerde als de geijkte schoonheids-opvattingen omverwierp. Dat Glaser de losse, schetsende lijn van prenten als *De Heilige Familie bij de rozenstruik* [28] bejubelde als een sublieme artistieke belevenis, liever dan deze te karakteriseren als het werk van een jeugdige ongeoefende hand, zoals Passavant en Hachmeister nog gedaan hadden, was echter pas mogelijk na het verschijnen van Richard Hamanns *Der Impressionismus in Leben und Kunst* (Keulen 1907). Tegenover Henry Thode, die het Impressionisme onartistiek, immoreel en *undeutsch* vond,[69] onderscheidde Hamann (1879-1961) een 'impressionistische' late stijl niet alleen bij Rembrandt, Beethoven en Goethe, maar ook in de geschiedenis als zodanig. Iedere cultuurperiode bezat volgens hem een pre-Spengleriaanse impressionistische fase.

HEIMATKUNST: HEINRICH MANG EN ZUID-BEIEREN

¶ Glasers besluit om de prenten alleen stilistisch te bespreken moet men ook zien in het licht van de toenmalige afkeer van het Positivisme, een stroming waartegen menig belangrijk boek uit die dagen zich afzette. Zo bijvoorbeeld Ernst Heidrichs *Altdeutsche Malerei* (Jena 1909), dat Glaser zelf na Heidrichs dood in de Eerste Wereldoorlog[70] nog opnieuw zou bewerken en uitbrengen, en zijn eigen *Zwei Jahrhunderte deutscher Malerei* (München 1916), waarin de vijftiende-eeuwse kunst werd voorgesteld als de '*deutscheste*' fase van de Duitse kunst, net zoals Henry Thode dat gedaan had. Ook Hans August Schmidt (*Grünewald*, 1907) en Wilhelm Worringer (*Formprobleme der Gothik*, 1911) zochten met grote ijver naar een specifiek Duitse vormentaal die de eenheid, in nationalistische zin, van de Duitse kunst moest bewijzen.

¶ Het zoeken naar het *deutsch-volkstümliche* was een van de reacties op de industrialisatie die in Duitsland binnen een veel korter tijdsbestek tot stand was gekomen dan in Engeland of de Verenigde Staten. Er ontstond een actieve monumentenzorg, men ging in toenemende mate regionale klederdrachten dragen en in kunst en literatuur werd een belangrijke plaats toegekend aan het streeklandschap en de deugden van het platteland in het algemeen tegenover de immoraliteit van de grote stad. De artistieke idealen van de *Heimatkunst* werden zeer in het bijzonder gepropageerd door de publicaties en de tentoonstellingen van Ferdinand Avenarius' op het bevorderen van de goede smaak gerichte *Dürerbund*, die zich wijdde aan de verheerlijking van Duitse cultuurhelden uit het verleden en aan het kweken van het juiste artistieke en morele klimaat voor de Duitse jeugd, tenminste dat hoopte men. Tot de meest geleerde leden van de *Dürerbund* behoorden Max Lehrs en Wilhelm von Bode, Henry Thode,

Hans Thoma, H.A. Schmidt en Heinrich Wölfflin, en ook de meer radicale Paul Schultze-Naumberg, wiens latere boek *Kunst aus Blut und Boden* (1934) het manifest werd van de nationaal-socialistische kunsttheorie.[71]

¶ Een definitieve monografie over het Hausbuch, geschreven door Helmut Bossert en Willy Storck verscheen in 1912. Daarin zijn alle tekeningen gereproduceerd, is de complete tekst getranscribeerd en wordt de herkomst en paginering van het manuscript uitvoerig behandeld. Bossert had reeds in 1910 een artikel gepubliceerd over het onderwerp in het tijdschrift *Schau-ins-Land*, van de Freiburgse afdeling van de *Dürerbund*.[72] Hij schreef de tekeningen in het Hausbuch toe aan drie verschillende handen, waarvan hij er één identificeerde als 'Heinrich Mang', de naam die in spiegelbeeld voorkomt op het paardedek van een van de twee ridders die omkranste toernooilansen aangereikt krijgen [117, fol. 21v]. Tegenwoordig neemt men algemeen aan dat de naam eerder slaat op een toernooiridder dan op een kunstenaar: wellicht Heinrich Mang von Hohenreichen, maarschalk van Papenheim, een suggestie van Stange.[73] Eerst had Bossert de naam gelezen als 'Lang' (1910) en kwam pas later tot de slotsom dat de naam 'Mang' moest zijn, in welk geval hij de kunstenaar onderbracht in de familie van de Innsbrucke goudsmid Conrad Mang. Net als zoveel van de ideeën die ontstonden in de *Dürerbund*, leefde 'Heinrich Mang' voort tot ver in het Derde Rijk.[74] Enkele trekken van Mangs gefantaseerde levensloop werden weer van stal gehaald door Johannes Dürkopp, ten behoeve van zijn naamloze maar Zwabische *Hausbuchmeister* (1932), een hypothese waarin *Seelenmalerei* een huwelijk aanging met de generatietheorie van Wilhelm Pinder, terwijl Bosserts oorspronkelijke 'Heinrich Lang' weer uit de dood herrees in de *Schau-ins-Land* van 1937.

¶ Meer in specifiek racistische richting dan Bosserts werk, waren *Die Heimat des Hausbuchmeisters* en *Bodensee und Hausbuchmeister* van H. Weiszäcker.[75] Daarin worden de 'sterke wortels van zijn kunnen' herleid tot het Zwabisch-Alemannische 'stamgebied', de oever van het Bodenmeer. Een dergelijk regionaal determinisme is ook te vinden in Alfred Stange's werk (1894-1968). Diens eerste geschriften, uit de jaren 1920, gingen over Middeleeuwse Duitse beeldhouwkunst. In de eerste jaren van het Derde Rijk begon Stange aan zijn twaalfdelige *Deutsche Malerei der Gotik*, waarin hij zijn materiaal ordende naar landstreek. Hoewel het deel over het Bodenmeer en het Boven- en Midden-Rijngebied pas in 1955 verscheen, en zijn monografie over de Hausbuch-meester in 1958, bleef Stange een taal hanteren waarin door elkaar termen voorkwamen uit de *Heimatkunst* en de *See-*

lenmalerei, met hier en daar een vleugje Heidegger. In een publicatie uit 1937[77] toonde Stange zijn instemming met het Nationaal Socialisme en tijdens de Tweede Wereldoorlog maakte hij deel uit van de *Stab Rosenberg* in Parijs.

MAX LEHRS: GESCHICHTE UND KRITISCHER KATALOG

¶ Het beslissende woord over de Amsterdamse prenten viel in Max Lehrs' *Geschichte und kritischer Katalog*, deel 8, 1932.[78] Voor de toen zevenenzeventig-jarige Lehrs was de bestudering van de Noordeuropese grafiek van de vijftiende eeuw zijn levenswerk. Met de volledige medewerking van prentenkabinetten en musea in binnen- en buitenland gaf hij complete beschrijvingen van de toestand, de staat en het watermerk van elk bekend blad grafiek – sommige onbekend aan Briquet – plus een stilistische en iconografische analyse en waardevolle informatie over originelen en copieën. Hoewel Lehrs vóór de Eerste Wereldoorlog zijn medewerking had verleend aan de *Dürerbund* – zoals andere geleerden trouwens ook hadden gedaan, overigens vaak met de beste intenties – was hij nooit besmet geraakt met de rassenwaan die zo kenmerkend was voor de extremisten uit de groep. Hij had in 1895 zijn baan in Berlijn opgegeven en was teruggekeerd naar Dresden, waar het aankoopbeleid van het museum onder Woldemar von Seidlitz relatief vrij was van de *Kunstpolitik*, die in de Pruisische hoofdstad toen al bepaald benauwend was geworden.[79]

¶ In deze nieuwe en veel diepgaandere studie van de drogenaaldprenten noemde Lehrs de kunstenaar weer 'Hausbuchmeister' omdat hij de benaming 'Meester van het Amsterdamse Kabinet', destijds ten behoeve van de vertaler gebruikt, misleidend vond. Hij was nog steeds van mening dat de kunstenaar *oberdeutsch* was, op grond van het feit dat diens invloed vooral aanwezig was in het zuidelijk deel van het Rijndal en de aantoonbare hoewel beperkte verbanden met een aantal werken van Meester E.S. en Schongauer, maar bovenal omdat hij meende dat de prentmaker ook de tekeningen in het Hausbuch had gemaakt. Voor de prenten hield hij globaal de chronologie van Glaser aan. De tekeningen in het Hausbuch waren volgens zijn conclusie net als de prenten ontstaan over een lange periode. In zijn uitgebreide kritische overzicht van de bestaande literatuur, die hij niet zonder spot karakteriseerde als het 'toch al bijna tot zinkens toe overladen hypothesenscheepje',[80] boog Lehrs zich over alle toeschrijvingen van schilderijen, tekeningen, ontwerpen voor houtsneden en gebrandschilderd glas, die zich in de loop der jaren hadden opgestapeld.

EEN NEDERLANDSE KANDIDAAT: ERHARD REUWICH VAN UTRECHT

¶ In zijn hoofdstuk over de houtsneden die al door andere auteurs aan de Meester waren toegeschreven, met Harzen (1860) voorop, wees Lehrs[81] een suggestie af als 'niet serieus te nemen' in 1891 gedaan door de museumdirecteur Dr. Adriaan Pit.[81] Pits stelling was, dat de Meester ook verantwoordelijk was voor de houtsneden in Bernhard von Breydenbachs *Peregrinationes in terram sanctam*, Mainz 1486 [142].[82] In 1935 echter publiceerde Ernstotto Graf zu Solms-Laubach een lang artikel in het *Städel-Jahrbuch* waarin hij aantoonde dat de Hausbuch-meester inderdaad wel eens Erhard Reuwich kon zijn, die in de inleiding van de *Peregrinationes* genoemd wordt als de illustrator en uitgever daarvan.[83] In die inleiding staat ook dat Reuwich een uit Utrecht afkomstige schilder was die in Mainz woonde, en dat hij Breydenbach, toen deken van de kathedraal van Mainz, in 1483 had vergezeld op een pelgrimstocht naar het Heilige Land. In 1934, een jaar vóór het artikel van Solms-Laubach, was een uitstekende gedetailleerde studie verschenen over deze pelgrims, geschreven door Frederick Uhlhorn, in het *Gutenberg Jahrbuch*.[84] Uhlhorn, die nauwgezet naar de documenten werkte, vestigde de aandacht op de jonge Graaf Johann zu Solms-Lich (1464-1483), die de financier was van de pelgrimsreis, die plaats vond kort nadat hij als achttienjarige in het bezit was gekomen van zijn erfdeel. Breydenbach, die goed bevriend was geraakt met de graaf toen deze in Mainz studeerde, was zijn metgezel, evenals Ridder Philipp von Bicken. Als dienaren gingen mee een kok, een gids en Reuwich, wiens schetsen van exotische dieren en volkeren en zijn accurate stadsgezichten later werden omgewerkt tot de houtsneden die Breydenbachs reisboek tot een bestseller maakten.

¶ Solms-Laubach was een nazaat van Breydenbachs jonge patroon. Hij bepleitte de identificatie van Reuwich als de Hausbuch-meester op grond van de invloeden van Bouts, Utrechtse miniaturen en van de werkplaats van Jean Tavernier, op een grote groep schilderijen, prenten en tekeningen toegeschreven aan de Meester. Verder merkte hij de, ook al door Pit vermelde, stilistische overeenkomsten op, tussen de *Turkse ruiter* [74] en de trommelslager in Reuwichs *Turken uit Rhodos* [142, p. 41]. Ook viel hem op dat beide kunstenaars belangstelling hadden voor straattaferelen, costuums en vreemde volken [zie bijvoorbeeld de *Zigeunerfamilie*, 65]. Zijn conclusie dat er sprake is van één enkele meester en niet van twee, nl. Reuwich, baseerde Solms-Laubach op diens gedocumenteerde aanwezigheid in Mainz in de tijd dat de verschillende edities van de *Peregrinationes* uitkwamen, zijn invloed op de illustraties in Peter Schöffers *Hortus sanitatis* [Mainz, 1485; **141**], en het *Missale Wratislawiense* (1483), en op het feit dat de Meester van het Hausbuch in diezelfde periode invloed had op de schilder- en beeldhouwkunst van Mainz. Reuwichs Hollandse origine tenslotte was volgens hem de verklaring voor de Nederlandse invloeden die hij in het werk van de Hausbuch-meester bespeurde. Solms verwierp de mogelijkheid dat de kunstenaar afkomstig was uit het gebied rond het Bodenmeer. Hij beriep zich daarbij op het werk van Ernst Buchner, Lilli Fischel en Otto Fischer, die kort daarvoor zeer overtuigend hadden aangetoond dat een aantal tekeningen en schilderijen in het toegedachte oeuvre aanwijsbaar van de hand waren van Nikolaus Schit, de Meester van de Coburgse Rundblätter, Hans Hirtz, de Meester van Waldersbach en anderen.[85] Geheel onnodig echter compliceerde Solms de zaak door de *Bergwerk*-tekening als eigenhandig te accepteren van de man die ook de prenten in Amsterdam had gemaakt (*afb. 9*), een van de zwakste tekeningen uit het Hausbuch. Bovendien kwam hij met een toeschrijving aan Reuwich van een groep beelden in Mainz, die in verband stonden met Breydenbach en diens kring. De beelden, o.a. de graftombe van aartsbisschop Adalbert van Saksen (gest. 1484) werden gewoonlijk toegeschreven aan de 'Meester van Adalbert van Saksen', maar Solms-Laubach interpreteerde de vermelding van Reuwich als 'Herrn Bernharts meler und schnytzer' als 'schilder en beeldhouwer' in plaats van 'schilder en houtsnijder' ('Formschneider').[86]

¶ Op grond van deze lezing schreef hij het belangrijkste beeldhouwwerk uit de groep aan hem toe, de *Wallfahrermaria*, uit de kloostergang van de kathedraal van Mainz (*afb. 39*), een wijgeschenk van Breydenbach en Philipp von Bicken als dank voor hun veilige terugkeer van de pelgrimsreis tijdens welke hun jonge patroon en vriend, Graaf Solms, was gestorven.

¶ Reuwichs geboortejaar, jaar van zijn vertrek uit Utrecht en datum en plaats van zijn dood zijn tot dusver onbekend. Solms veronderstelt een leertijd vanaf ca. 1450; de door Glaser als vroegst beschouwde prenten van de Hausbuch-meester dateert hij rond 1460-65 en zijn eerste contacten met Duitsland vóór het eind van de jaren 1460. Solms kwam tot deze ongewoon vroege begindatum ten eerste omdat hij geloofde in de eigenhandigheid van twee tekeningen in het Hausbuch die copieën zijn naar Meester E.S.: de *Jongleurs*, en de *Liefdestuin*, en wilde deze dateren vóór 1467, het jaar dat Meester E.S. ophield met het maken van prenten. In de tweede plaats geloofde Solms dat Baer gelijk had, toen deze een serie tekeningen niet langer aan de Hausbuch-meester, maar

aan de tekenaar van het zogenaamde *Alfabet van Maria van Bourgondië* toeschreef (Parijs, Musée du Louvre, collectie Ed. de Rothschild). Verder geloofde Solms dat de tekening bekend als *Maximiliaan bij de Vredesmis* [**124**], volgens Warburg gemaakt bij het vredesverdrag in 1488, eigenlijk Philips de Goede tijdens de mis voorstelt, gebaseerd op een miniatuur van dit onderwerp door Tavernier, gedateerd 1457 (*Traité aesthétique*, Brussel). Tenslotte achtte Solms een langdurig verblijf van Reuwich in Heidelberg in de jaren 1480 onverenigbaar met zijn pelgrimage en zijn gedocumenteerde verblijf in Mainz daarna. Het ontstaan van de prenten in Glasers zilverstiftmanier (Lehrs: 'hofperiode', zie p. 31), verklaarde hij dan ook uit de grote aristocratische klantenkring van Reuwichs atelier in Mainz, afkomstig uit verafgelegen plaatsen als Heidelberg en Spiers. Omdat Solms zo sterk mogelijk wilde benadrukken dat de Meester al vroeg invloeden uit de Nederlanden had ondergaan, liet hij na om adequaat rekening te houden met de beperkte, maar toch onmiskenbare invloed van Martin Schongauer. Omdat hij bovendien de panelen van het Mainzer *Maria-leven*, waarvan één van de panelen 1505 gedateerd is, niet als eigenhandig accepteerde, veronderstelde hij dat Reuwich al in 1490 overleden was, of in ieder geval opgehouden met werken – ruim twintig jaar eerder dan Glaser, Lehrs en anderen aannamen. Reuwich als kandidaat bracht dus een aantal bezwaren met zich mee, waaronder enkele van Solms' eigen makelij.

¶ En inderdaad is het een hele grote stap om een behoorlijk aantal monumentale beelden toe te schrijven aan een anonieme prentmaker, wiens tekenstijl tot dan toe beschouwd werd als het toppunt van *malerisch*. Maar nog afgezien van alles koos Solms wel een heel ongelukkig moment in de geschiedenis uit om te beweren dat de zogenaamde onuitwisbare indruk die zijn Zuidduitse *Heimat* op de Meester had gemaakt, een hooggeleerd verzinsel was van bepaalde kunsthistorici. De duitsheid van de Duitse kunst en de verering van oude Duitse meesters tegenover de 'ontaardheid' van de moderne kunst, stond in 1937 op het punt een bijzonder belangrijk gegeven te worden. Dat was het jaar dat Adolf Hitler in eigen persoon de Deutschlandhalle opende in München en de grote zuivering begon in de Duitse musea waarbij alle moderne gedegenereerde kunstwerken werden verwijderd. De uit de jaren '20 stammende mythe van de volksaard kreeg een nieuwe impuls in Wilhelm Pinders boek over de *Dürerzeit* (1940), waar deze eenvoudigweg stelde dat een opgewekte geestige aard als die van de Hausbuch-meester een zeer fraaie weerspiegeling is van het dialect van de Palts en het Rijn-Frankenland.[87]

¶ Helmuth Bossert leidde uit de spelling 'Henrich' in plaats van 'Heinrich' op het fameuze paarde-dek in het Hausbuch af, dat zijn Heinrich Lang, volgens hem de maker van de vroegste tekeningen in het Hausbuch, 'van geboorte een Zuid- of Midden-Duitser moest zijn', maar moest spijtig bekennen dat er voorshands geen documenten waren gevonden die Lang wat nauwkeuriger konden localiseren.[88]

¶ Al met al vond de Erhard Reuwich-theorie alleen steun aan de monding van de Rijn, in twee boeken die tijdens de bezetting in Nederland werden geschreven. De tachtigjarige verzamelaar J.C.J. Bierens de Haan (1867-1951), een gepensioneerd chirurg met hoge onderscheidingen voor zijn werk tijdens de Eerste Wereldoorlog, was de eerste om te onderschrijven dat Reuwich een sterke kandidaat was. In zijn nieuwe catalogus van de prenten (1947) met reproducties die voor het eerst sinds 1894 volledig recht deden aan de dunste lijntjes van de Amsterdamse prenten, blies hij de naam 'Meester van het Amsterdamse Kabinet' nieuw leven in. Bierens de Haan, die al in 1944 aan zijn boek was begonnen nadat de bezetter zijn Amsterdamse woning had gevorderd, was de eerste die een monografie in het Nederlands over de Meester publiceerde.[89]

¶ Volgens D.P.R.A. Bouvy, wiens boek ook in 1947 verscheen, leed het geen enkele twijfel of Reuwich was dezelfde als de Hausbuch-meester, de Adalbert-meester en de prentmaker. Hij nam Solms' theorie in zijn geheel over in zijn proefschrift over Nederlandse beeldhouwkunst.[90]

¶ Dirck Bax wees in zijn eerste boek over de iconografie van Hiëronymus Bosch (1949) op de invloed van Reuwichs houtsneden met exotische dieren in de *Peregrinationes*. Ook vestigde hij nog eens de aandacht op de overeenkomsten tussen de Planetenkinderen in het Hausbuch, Nederlandse blokboekillustraties en het werk van Bosch.[91]

¶ Verder droeg Boon in 1961 materiaal aan dat betrekking had op Erhard Reuwichs Utrechtse jeugd. Hij stelde voor Hillebrant van Reeuwijk te identificeren als de Meester van de Boom van Jesse (Utrecht, Buurkerk), die dan wellicht Erhard Reuwichs vader was, en niet zijn broer, zoals werd aangenomen.[92] Verder zouden volgens hem de miniaturen, toegeschreven aan de Meester van Evert van Zoudenbalch, jeugdwerken kunnen zijn van Erhard Reuwich.

¶ In Duitsland was het intussen nooit gekomen tot een serieuze discussie over Solms' Reuwich-theorie. Max Lehrs was tachtig jaar oud en blind, voordat Solms' artikel verscheen. Hij onthield zich van commentaar, hoewel hij nog tot 1934 met behulp van zijn schoondochter Dora Lehrs, en van de nauwkeurige aantekeningen die hij in

Afb. 39
Meester van Adalbert von Sachsen (Erhard Reuwich?), *Wallfahrer Maria*, votief-reliëf, ca. 1485. Mainz, kathedraal, kloostergang.

de loop der jaren had verzameld was blijven publiceren. In het laatste deel van Thieme-Becker (1950), werd Solms' stelling als onaanvaardbaar vermeld.[94] Aan het eind van de jaren vijftig echter staken er sterke stemmen op ten gunste ervan. Fedya Anzelewsky van het Kupferstichkabinett in Berlijn was een bijzonder welsprekend medestander.[95] Hij schreef nog andere miniaturen toe aan de Reuwich/Hausbuch/Amsterdamse Kabinet-meester en vestigde vooral de aandacht op het gezicht op Jeruzalem op de *Bewening* in Dresden, een van de panelen die al door Max Lehrs en anderen als eigenhandig waren toegeschreven aan de Hausbuch-meester. Het detail vertoonde verwantschap met Erhard Reuwichs houtsnede in de *Peregrinationes*, waar ook een waarheidsgetrouw gezicht op de stad is afgebeeld. Lottlisa Behling liet overeenkomsten zien met Peter Schöffers *Hortus sanitatis* [Mainz 1485; **141**],[96] reeds lang aan Reuwich toegeschreven. Behling schreef verder nog glasschilderingen aan hem toe en inderdaad is van Reuwich bekend dat hij als glasschilder en glazenier werkte [zie **136**].

ALBRECHT DÜRERS STRAATSBURGSE MEESTER REDIVIVUS: WOLFGANG PEURER

¶ Na de Tweede Wereldoorlog kwamen er uit Duitsland twee nieuwe theorieën over de identiteit van de Hausbuch-meester: Walter Hotz' interessante kandidaat Nikolaus Nievergalt van Worms (zie hieronder) en V.M. Strocka's Wolfgang Peurer, voorgesteld in een kort opstel uit

Afb. 40
Wolfgang Peurer, *Courier.*
Pentekening met Dürers
handschrift en de datum
1484. Gdansk, Stadt-
museum.

Afb. 41
Albrecht Dürer, *De grote
courier,* ca. 1493-94. Gravure
(B. 81). Wenen, Albertina.

1970.[97] Peurers naam wordt door Albrecht Dürer
zelf vermeld op een tekening (Gdansk, Stadtmu-
seum, *afb. 40*), gedateerd 1484, die als voorbeeld
gediend heeft voor de gravure de *Grote Ruiter* (*afb.
41*). Strocka, die terloops zegt ervan overtuigd te
zijn dat de Hausbuch-meester Duits was en niet
Nederlands, oppert de mogelijkheid dat Peurer,
de Hausbuch-meester en Dürers naamloze
Straatsburgse meester één en dezelfde persoon
geweest zijn. De Peurer-tekening bezit een inderdaad reeds lang opgemerkte onmiskenbare verwantschap met de jonge Dürer. Hij is echter te
lomp om van dezelfde hand te kunnen zijn als de
Amsterdamse prenten en de fraaiste tekeningen
uit het Hausbuch. Er zijn echter wel overeenkomsten met een paar van de tekeningen uit Erlangen,
die soms ook aan de Hausbuch-meester worden
toegeschreven, vooral de *Zittende handboogschutter*
[129], en de *Slapende man in een zetel*. Walter Strauss
heeft de mogelijkheid geopperd dat Meester
W B misschien Wolfgang Peurer is, gezien het feit
dat de letters P en B min of meer verwisselbaar
waren in Dürers tijd.[98] Van Meester W B is
bekend dat hij werkzaam was als schilder, graveur en ontwerper van gebrandschilderde ramen,
met name die van de Mariakerk in Hanau, die
dateren van het eind van de jaren 1480.[zie
113-16].[99]

NIKOLAUS NIEVERGALT VAN WORMS
¶ Een intrigerende en rijk-gedocumenteerde mogelijke identiteit voor de Hausbuch-meester, Nikolaus Nievergalt van Worms, werd in 1953 gepre-
senteerd door Walter Hotz, een geestelijke uit
Rheinheim. Hij publiceerde, de *Heimatkunst*
waardig, in het obscure plaatselijke tijdschrift *Der
Wormsgau*.[100] Hij kwam tot de Nievergalt-theorie
op basis van een in wezen 'unitarische' kijk op

de meeste tekeningen uit het Hausbuch — een kijk
die werd gesteund door belangrijke kenners als
Lehrs, Anzelewsky, Boon en wijlen Peter Halm,
maar die intussen beslist niet tot dogma was verheven. Hotz verdiepte zich in de tekst van een
belangrijk deel van het Hausbuch waarin
geschreven wordt over munitie en krijgstactiek,
een aspect van het handschrift dat nauwelijks
werd gedekt door de Reuwich-theorie. Hotz
droeg veel nog niet eerder gepubliceerd materiaal
aan met betrekking tot Nievergalt, uit archieven
in Spiers, Worms en Heidelberg. Aangenomen
wordt dat Nievergalt omstreeks 1445-50 werd
geboren in Spiers. Een 'Clas Nyvergal von Spyr'
wordt vermeld als lansknecht in een detachement
dat in 1475 uit Frankfurt vertrok naar opper-
bevelhebber Keizer Friedrich III. In mei 1476
wordt hij wegens ernstige verwondingen uit de
krijgsdienst ontslagen. Het is daarom heel goed
mogelijk, zelfs waarschijnlijk, dat hij deelnam
aan de veldslag tegen Karel de Stoute bij Neuss
(1475), die in het Hausbuch wordt afgebeeld (fol.
53a-b). In 1483 woont Nievergalt in Worms. Hij
heeft dan bezittingen en is een zeer gerespec-
teerde politieke figuur. Ook is hij werkzaam als
schilder — het bekendst zijn zijn muurschilderingen met de Siegfried-sage in het muntgebouw,
die in 1689 door de Fransen werden verwoest.
Nievergalt trouwde met de dochter van de Heidelbergse muntmeester, zodat hij inderdaad heeft
kunnen kennismaken en experimenteren met
intaglio-technieken. Zijn zwager was de dichter
Johann von Soest, die is geportretteerd op een
eigenhandig gekleurde tekening van de hand
van de Meester van het Amsterdamse Kabinet:
het miniatuur op de dedicatiepagina van Johann
von Soest, *Die Kinder von Limburg*, waarop de dichter zijn manuscript overhandigt aan Paltsgraaf

Philips de Oprechte [**118**].

¶ Nievergalt is een kandidaat met een aantal voordelen. Is hij de Meester zelf niet, dan kende hij hem in elk geval persoonlijk, via Johann von Soest. Men weet van Nievergalt dat hij in 1501 een (nu verloren gegaan) altaar heeft geschilderd voor de kathedraal van Spiers. Van het altaar van de Meester, naar men denkt ook voor een kerk in Spiers [**131**], weten we min of meer zeker dat het tussen 1475-1485 gedateerd kan worden. Nievergalts belangrijkste werkstukken zijn verdwenen, wat erg gelegen komt, en naar bekend had hij contacten met humanisten en militairen. Het enige onbetwist eigenhandige werk dat we van hem kennen is een houtsnede uit 1505, met het niet veelbelovende conterfeitsel van een gedrochtelijk konijn, een beest met twee lijven en een kop (*afb. 42*), dat voor een stijlvergelijking weinig te bieden heeft. Het stukje landschap op de achtergrond echter, met de Schongauer-achtige gevlochten heining, lijkt enigszins op dat van het jachttafereel in het Hausbuch (fol. 22b-23a).

¶ Nievergalts ervaring in het leger heeft hem mogelijkerwijs een goed contact gegeven met de schrijver van een deel van de tekst in het Hausbuch, de man die zichzelf betitelde als *Büchsenmeister* (fol. 57a), hoewel een dergelijke kortstondige militaire ervaring natuurlijk niet automatisch betekent dat hij dan ook meteen in staat zou zijn om de technisch zeer competente tekeningen te maken van tactische manoeuvres en specialistisch materieel. De late datering van zijn belangrijkste werken (1492-93 voor de Siegfried-muurschilderingen; 1501 voor het Spierse altaar) en het feit dat hij bij zijn dood in 1511 minderjarige kinderen naliet, is moeilijk te verenigen met het beeld dat door Glaser en Lehrs is opgeroepen van de loopbaan van de man die de prenten in Amsterdam maakte.

Meer gebrandschilderd glas: Reuwich, Nievergalt en/of de Hausbuch-meester

¶ Hoewel Hotz zijn Nievergalt-theorie niet afdoende kon bewijzen,[101] droeg hij wel belangrijk nieuw materiaal aan omtrent de activiteiten van Erhard Reuwich als ontwerper van gebrandschilderd glas. Hij bewees ondermeer onomstotelijk dat hij het ontwerp had geleverd voor, en de plaatsing verzorgd van, verscheidene glazen ruitjes van de Amtskellerei in Amorbach [**136**]. Verder identificeerde hij als van de hand van Reuwich nog een aantal andere ruitjes, die in 1939-40 waren aangekocht door het museum van Darmstadt (vroeger in Schloss Erbach).[102] Zonder illustraties verklaarde hij ze stilistisch onverenigbaar met het werk van de Hausbuch-meester en vond dit bewijs genoeg dat Reuwich niet de maker kon zijn van de Amsterdamse prenten.

Korte tijd later gebruikte Solms dezelfde ruitjes als positief bewijs, ten gunste van Reuwich. Hij publiceerde wel foto's, en wees overeenkomsten aan tussen de tekening van gezichten, haar, handen en voeten in Reuwichs glasruitje van St. Maarten [**136**] en de Amsterdamse prent met hetzelfde onderwerp [**38**]. Dat ze niet exact met elkaar overeenstemden gaf volgens hem de doorslag voor Reuwichs auteurschap van beide.[103]

¶ In 1968 publiceerde Rüdiger Becksmann zijn ontdekking van een ongewoon grote en fraaie glasschildering van een toernooi.[135] Hij identificeerde deze als het werk van dezelfde man die de toernooien had getekend in het Hausbuch en opperde de mogelijkheid dat dit Nievergalt was.[104] Het glas heeft een Frankfurtse herkomst. Becksmann merkt op dat het een laat-vijftiende-eeuws toernooi voorstelt van burgers, niet van ridders, zoals beschreven in Bernhard Rohrbachs *Liber gestorum*, de kroniek van het Frankfurtse patriciërsvendel 'Alt-Limpurg'. Becksmanns stelling is aantrekkelijk. Als aanvulling moet worden opgemerkt dat de Rohrbachs aanwijsbare banden bezaten met een leerling van de Meester. De monogrammist b x g graveerde een prent waarop zijn afgebeeld het wapenschild van Bernhard Rohrbach met dat van zijn echtgenote Eilge Holzhausen, voorzien van een kroon ter herinnering aan het keizerlijke privilege dat Bernhard in 1470 ontving [**111**: *Wapenschild van de families Rohrbach en Holzhausen*).

De historische Erhard Reuwich: Reimar Walter Fuchs

¶ Solms' identificatie van de Hausbuch-meester als Erhard Reuwich viel moeilijk te rijmen met een aantal niet-overtuigende toeschrijvingen waarmee hij zijn eigen argument onnodig verzwakte. Een monografie van Alfred Stange (1958), waarin de Reuwich-theorie werd verworpen ten gunste van een kunstenaar met een Zuidduitse *Heimat* leed aan hetzelfde euvel: hem werden twee wel bijzonder onaantrekkelijke Elzasser panelen toegeschreven als jeugdwerken.[105] Stange had bovendien een bijzonder behoudende kijk op de tekeningen van het Hausbuch, en vermeed zorgvuldig de kwestie van een eventueel verband met ontwerpen voor glas en houtsneden, gebieden waarop Reuwich aantoonbaar zijn sporen had verdiend.

¶ Een definitieve studie van alle documenten over Reuwich en diens opdrachtgevers, is de dissertatie van Reimar Walter Fuchs, over de geïllustreerde Mainzer incunabula, net als Stange's monografie gepubliceerd in 1958, in een wetenschappelijk vakweekblad voor de boekhandel.[106] Fuchs' positieve identificatie van Reuwich als de Hausbuch-meester is misschien nog niet eens zo

Afb. 42
Nikolaus Nievergalt van Worms, *Hasenmissgeburt*. Houtsnede, 1505. Worms, Stadtarchiv.

interessant als zijn grondige, ordelijke, op archief-materiaal gebaseerde reconstructie van de activiteiten van Reuwich, diens werkgever Bernhard von Breydenbach en de achttienjarige Graaf Johann von Solms, in de tijd dat zij elkaar kenden. Fuchs legt grote nadruk op het opmerkelijk geringe aantal, en de hoge kwaliteit van de geïllustreerde boeken die tussen 1480 en 1500 in Mainz verschenen. Bovendien verschaft hij opheldering over de respectievelijke rol van Peter Schöffer, Bernhard von Breydenbach en Reuwich bij de productie van de *Peregrinationes*: Reuwich gebruikte de drukpers en de letters van Schöffers werkplaats – Fuchs maakte daaruit op dat de 'uitgever' daarom in werkelijkheid Breydenbach was, omdat deze geheel de financiële verantwoordelijkheid droeg.[107] Fuchs is het eens met Uhlhorn, dat Reuwich de schilder moet zijn geweest die door Breydenbach naar Lich werd gestuurd, de residentie van Graaf Solms. Dat was in de maand februari, drie maanden voor het begin van de pelgrimage.[108] Er bestaat een gedetailleerde correspondentie tussen Breydenbach en de jonge Graaf Ludwig von Hanau-Lichtenberg[109] en de zestien jaar-oude Graaf Philipp zu Solms-Lich,[110] de erfgenaam van titel en bezit van zijn op pelgrimstocht omgekomen broer Johann. Zeer belangwekkend zijn verder Breydenbachs grote vriendschap met de nieuwe aartsbisschop van Mainz, Berthold von Henneberg, en zijn positie ten opzichte van diens hervormingsplannen voor de Mainzer uitgevers,[111] evenals Fuchs' uitvoerige bespreking van de Mainzer herbaria van 1484, 1485 en 1491 en de aanwijzingen voor Breydenbachs auteurschap van en Reuwichs rol bij het illustreren van de *Gart der Gesundheit* van 1485 [**141**],[112] Tenslotte spelen ook een rol bij een identificatie van Reuwich als de Hausbuch-meester Breydenbachs aanwezigheid bij de verkiezing (Frankfurt) en bij de kroning van Maximiliaan tot Rooms Keizer (Aken) in 1491,[113] en zijn benoeming tot kanunnik van de St. Maria ad Gradus, de kerk waarvoor de Hausbuch-meester verondersteld wordt zijn *Maria-leven* panelen te hebben geschilderd.[114]

EEN VORK EN GEEN STEEL: DE STAND VAN HET ONDERZOEK IN 1985

¶ Een zo origineel meester als die van het Hausbuch en het Amsterdamse Kabinet, door kunsthistorici van weleer aangemerkt als de voorloper van 'modernen' als Chodowiecki, Böcklin en Hans Thoma,[115] is geknipt als proefkonijn om te bepalen welke kunsthistorische methode de beste is, en precies voor dat doel lijkt hij ook steeds maar weer gebruikt te zijn. Maar ondanks het feit dat een dergelijke 'wereldse' meester toch sporen nagelaten zou moeten hebben, zijn er na bijna twee eeuwen onderzoek en meer dan een dozijn mogelijke kandidaten wèl een aantal vijftiende-eeuwse kunstenaarsnamen herontdekt – Nikolaus Schit, Martin Kaldenbach, Hans Hirtz en Nikolaus Nievergalt – maar is het nog steeds een evengroot raadsel wie de man was die de Amsterdamse prenten maakte.

DE PRENTMAKER

¶ Twee feiten doen vermoeden dat de mysterieuze prentmaker zijn prenten schiep voor een kleine groep mensen: de kwetsbare drogenaaldtechniek die hij gebruikte en – mede daardoor – het geringe aantal nog bestaande drukken. Toch lijkt zijn werk op kunstwerken in andere media – schilderijen, gravures, houtsneden, miniaturen, borduurwerk en glasschilderingen – van bepalende invloed te zijn geweest in een gebied dat zich uitstrekte van het hele Boven- en Midden-Rijndal tot Neurenberg en verder. Het ideaal van jeugdige mannelijkheid dat hij in zijn 'hoofse' stijl van de jaren 1480 vorm gaf [zie het *Liefdespaar*; **75**] leefde onverminderd voort tot in de tijd van Dürers jeugd, zoals blijkt uit diens zelfportretten van 1493 (Parijs) en 1498 (Madrid). Hoe is het mogelijk dat een zo populair kunstenaar zo weinig persoonlijke sporen heeft nagelaten?

¶ Deels misschien omdat een aantal van zijn trouwste volgelingen – Israhel van Meckenem, Wenzel von Olmütz, Wilhelm Pleydenwurff en de jonge Dürer – zelf zeer vruchtbaar waren en op de voorgrond traden. In veel gevallen zal de invloed van de Meester daarom niet verspreid zijn door zijn eigen voorbeelden, maar door gegraveerde, en dus in grote oplagen te drukken copieën naar zijn composities, gemaakt door 'reproductieve' graveurs als Israhel of Wenzel, of, mutatis mutandis, door houtsneden in populaire boeken als de *Schatzbehalter* of de Neurenberger Kroniek.

¶ Veel van de prenten lijken in haast te zijn gemaakt en duidelijk niet bestemd voor de handel; dit geldt vooral voor de religieuze onderwerpen. Aan sommige afdrukken is te zien dat de platen van een zachter materiaal moeten zijn geweest dan koper, misschien een tin-achtige legering met veel lood of zink, want de afdrukken ervan vertonen duidelijke putjes en krassen. Er zijn ook vervormde nimbussen, ongecorrigeerde uitschieters van de droge naald, niet goed ingeïnkte of verschoven drukken; er zijn spatjes verf op te zien, gaatjes van het doorprikken, ze zijn beduimeld of opgewerkt met pen en penseel. Daaruit valt af te leiden dat ze gediend hebben als model voor andere kunstwerken, zoals vroeger de Gothische modelboeken. Het unieke karakter van de Amsterdamse collectie, die iets weg heeft van het dossier van een kunstenaar, zijn 'morgue', lijkt deze conclusie te staven. In tegenstelling tot de religieuze bladen zijn de wereldse, met hun hoofse voorstellingen, voortdurend bijgeschaafd en verfijnd, maar ook deze zijn door andere kunstenaars als model gebruikt [zie 75].

De verluchter van het Hausbuch

¶ Het Hausbuch van Wolfegg was bestemd voor een nog beperkter publiek dan de drogenaaldprenten. Als handboek voor een *Büchsenmeister* bevat het immers uiterst geheime informatie. De schrijver van de technische teksten geeft, kennelijk ten behoeve van zijn opvolger, waarschijnlijk zijn zoon, zeer goede raad in een aantal vertrouwelijke zaken zoals de keuze en de opleiding van personeel, erop gericht hun trouw te bevorderen en gelegenheid tot verraad tot een minimum te beperken. De opvolger moet steeds 'God voor ogen houden' vanwege het altijd-aanwezige gevaar bij het omgaan met vuurwapens en buskruit, en zijn leerjongens altijd goed behandelen en voeden, zodat ze geen wrok zullen gaan koesteren jegens hun heer. Nadrukkelijk wijst hij erop dat de munitiemeester altijd zelf moet onderhandelen met de vijand en hij geeft aanwijzingen voor de tactiek bij het gebruik van zwaar artilleriegeschut en boogschutters en de juiste volgorde van het vuren bij een aanval en een verdediging. Het deel van het handschrift met de huismiddelen, gebaseerd op Avicenna, geeft niet alleen aanwijzingen op urologisch en haematologisch gebied, maar waarschuwt ook, een patiënt in levensgevaar niets te vertellen over de resultaten van het onderzoek. De namen van sommige ingrediënten worden bij enkele medische en huishoudelijke recepten met Hebreeuwse letters geschreven, bij wijze van geheimschrift. Er zijn gecompliceerde aanwijzingen voor het slaan van gouden munten in diverse maten en tenslotte is er de triomfantelijke aantekening van de laat-zestiende-eeuwse eigenaar Joachim Hof, dat het manuscript 'van mij, helemaal van mij' is, temeer een teken dat de codex jaloers werd bewaakt.

¶ Nog steeds weten wij niet welk aandeel de prentmaker heeft gehad bij de totstandkoming van de illustraties van de verschillende onderdelen van het Hausbuch. Opinies hierover zijn soms alleen gebaseerd op reproducties, terwijl ook de mening van mensen die het manuscript niet eens met eigen ogen hebben gezien in de literatuur is overgenomen. Inderdaad zijn er stilistische verschillen te zien, zelfs in de twee onderdelen met de fraaiste tekeningen: de kleine figuurtjes die de toernooi-, jacht- en badhuistaferelen bevolken dragen alle dezelfde familietrekken, terwijl de Planetenkinderen onderling zeer verschillen, trouwens geheel volgens de beschrijvingen in de bijbehorende versregels. De vlakke, ongearticuleerde vloer, die het toneel vormt voor de bezig-

heden van de kinderen van Mercurius, weerspiegelt een prototype dat teruggaat tot het begin van de vijftiende eeuw, te zien in een Tübings manuscript van 1405.[116] De taferelen van Saturnus en Jupiter zijn geënsceneerd in het schabloonachtige coulissenlandschap, kenmerkend voor de Berlijnse en Kopenhaagse blokboeken.[117] Alleen in *Mars*, *Sol* en *Luna*, de enige tekeningen die door iedereen worden beschouwd als het werk van de man die ook de prenten heeft gemaakt, ontrolt het landschap zich op een natuurlijke manier van de voorgrond naar een laag-liggende horizon. Het schitterende gezicht over het water in de *Luna*, is zelfs zo suggestief dat men de tekening verscheidene malen gebruikt heeft als bewijs dat de kunstenaar afkomstig moet zijn geweest uit de streek rond het Bodenmeer. Hierbij moet echter opgemerkt worden, dat de aanwezigheid van de verplichte watermolen, beschreven in het bijbehorende gedicht, sterk doet vermoeden dat het water hier geen meer is maar een rivier. In elk geval is er geen enkele reden om aan te nemen dat dit landschap iets te maken heeft met de geboorteplaats van de kunstenaar. Zoals Curt Glaser al vele jaren geleden overtuigend heeft aangetoond, zijn de vroegste prenten van de Meester juist die, waarop landschap en architectuur nagenoeg ontbreken.[118] De prentmaker lijkt alleen in zijn middelste en laatste periode het landschap – al dan niet met een rivier – te hebben gebruikt. Van een van de liefelijkste prenten, *De Heilige Familie bij de rozenstruik* [28] is trouwens aangetoond dat die geheel is opgebouwd uit Maria-symbolen afkomstig uit Middeleeuwse hymnen en litanieën, zoals Jan van Eyck deed in zijn *Rolin-Madonna*.[119]

De oorsprong van de prentmaker als miniaturist

¶ Wat voor de kunstenaar op de allereerste plaats kwam, was het uitbeelden van het menselijk leven. Zijn gevoel voor individuele verschillen is een van zijn opmerkelijkste trekken, zijn onweerstaanbare humor een andere. De meest gebruikte bijvoeglijke naamwoorden voor hem zijn dan ook 'sympathiek, open, levenslustig', eigenschappen die men lang beschouwd heeft als uniek. Nu is het waar dat zijn humor subtieler, en voor ons althans geestiger is dan die van de Meester E.S. of van Jeroen Bosch, voor wie humor vaak gelijkstaat aan het ontbloten van bepaalde lichaamsdelen. Hoe meer we echter te weten komen over vijftiende-eeuwse miniaturen en boekillustraties, over het snijwerk aan koorbanken en andere staaltjes van kunstnijverheid, hoe meer zijn humor blijkt te passen in een ruime traditie. Men denke daarbij bijvoorbeeld niet alleen aan de Tübingse Planetenkinderen, maar ook aan

miniaturen en marginalia in het *Getijdenboek van Catharina van Kleef* (zie *afb. 3, 4, 44*), die een geest van vriendelijke huiselijkheid ademen. Humoristischer – en stilistisch ook meer verwant – zijn de komische grimassen en houdingen in het rijkgeïllustreerde *Belial* van Broeder Nikolaus von Rohrbach, gedateerd 1461, uit Burg Trifels in het bisdom Spiers (*afb. 43*).[120]

¶ Een theoretische basis voor de belangstelling van de Meester voor het individu vindt men in de Noord-Duitse rijmen die de Planetenkinderen vergezellen, zowel in het Hausbuch als in zijn voorgangers, de blokboeken. De teksten geven duidelijke aanwijzingen voor de gelaatstypes die passen bij de 'kinderen' van elke planeet. Elke planeet wordt geregeerd door één of meer van de vier elementen vuur, aarde, lucht en water, en dit mengsel bepaalt de vorm van gezicht, gestalte,

gelaatskleur en temperament van de kinderen die onder zijn teken zijn geboren. Net zoals Chaucer bepaalde mensen 'martiaal' en 'venerisch' noemt, maakt de Hausbuch-meester onderscheid tussen 'saturnisch' en 'joviaal'. Dat geldt niet alleen voor de tekeningen in het Hausbuch, maar ook voor losse bladen, zoals de Berlijnse zilverstifttekening [121] van een jong, goedgekleed paar met de ronde, rozige gezichten van de fortuinlijke kinderen van Jupiter.

¶ Liet de Berlijnse tekening een algemeen type zien, aan het hof en in de persoon van Paltsgraaf Philips de Oprechte vond de Meester de belichaming van dit ideaal. Vanaf 1480, met de dedicatiepagina van Johann von Soests *Die Kinder von Limburg* [118] werkte hij zijn uitbeeldingen van de fortuinlijke jeugd steeds verder uit. Het Heidelbergse manuscript vormt een tastbare en dateer-

bare aanwijzing voor de meest waarschijnlijke richting waarin wij de oorsprong van de Meester moeten zoeken – niet in de werkplaats van de goudsmid, maar in die van de miniatuurschilder. Het uitgelezen *Evangeliarium* in het Cleveland Museum [**119**], afkomstig uit Koblenz, bewijst dat hij dit beroep uitoefende totdat zijn kunst volledig tot rijping was gekomen.

¶ Het pionierswerk van de Meester op het gebied van de drogenaaldtechniek, met experimentele methodes maar met kwalitatief minderwaardig drukkersmateriaal, uit het eind van de jaren 1460 en het begin van de jaren 1470, is mogelijk te beschouwen als een van de vele pogingen uit die tijd om een individueel karakter te geven aan boeken gedrukt met het nieuwe procédé van de losse letter. Soms werden handgeschilderde miniaturen en marginalia toegevoegd op speciaal opengelaten plaatsen in Duitse incunabula, op verzoek van de aanstaande koper.[121] Ursula Petersen heeft aangetoond[122] dat graveurs als Meester A G (waarschijnlijk Anton Gerbel van Pforzheim) en zijn compagnon Meester W H, onder andere canonpagina's leverden, gedrukt van koperplaten, soms zelfs op perkament, bestemd voor missalen die aan het eind van de vijftiende eeuw werden uitgegeven door de bisschoppen van Würzburg en Eichstadt. Hoogtepunten van dit 'maatwerk' op verzoek van een bepaalde opdrachtgever, zijn natuurlijk de vroeg-zestiende-eeuwse gedrukte gebedenboeken voor Maximiliaan, die met de hand werden versierd.

De schilder

¶ Met infrarood-reflectografie, het nieuwste technische hulpmiddel dat men op het probleem van de Hausbuch-meester heeft losgelaten, heeft men de ondertekening gedeeltelijk zichtbaar gemaakt op een aantal panelen die door o.a. Friedländer aan de prentmaker zijn toegeschreven. De bevindingen, een primeur voor deze tentoonstelling, tonen zonder een spoor van twijfel aan dat de prentmaker ook werkte als paneel- en miniatuurschilder. Op de nog bestaande panelen van het zg. Spierse altaar is een ondertekening gevonden in de karakteristieke trefzekere hand van de Meester, evenals op de *Geboorte*, *Aanbidding der koningen*, *De twaalfjarige Jezus in de tempel* en delen van het *Pinksterfeest* van de panelen van het zg. *Mainzer Marialeven* [**132**]. De ondertekening is meer dan een functionele schets ter voorbereiding van het schilderij; op een paar plaatsen, vooral bij gezichten en handen, blijft hij als modellerende schaduw zichtbaar door de transparante glaceringen.

Tijd en plaats van de werkzaamheden

¶ De panelen met het lijden van Christus zijn uit Spiers afkomstig, terwijl men aanneemt dat de Maria-taferelen geschilderd zijn voor de St. Maria ad Gradus in Mainz – de veertiende-eeuwse parochiekerk die tot de verwoesting door de Fransen aan het begin van de negentiende eeuw, gebruikt werd als een ceremonieel voorportaal voor de kathedraal, vroeger met de kerk verbonden door een atrium, in navolging van een dergelijke constructie bij de oude St. Pieter in Rome.[123] De schilder-prentmaker heeft dus aantoonbare connecties gehad met Spiers, Mainz, Heidelberg en Koblenz. Het is zeker niet uitgesloten dat hij Baden-Baden heeft bezocht, want zijn afbeeldingen van de gekruisigde Christus [**14, 15**], laten een verwantschap zien met het beeldhouwwerk van Nikolaus Gerhardt. Zijn eigen invloed strekt zich uit tot Frankfurt, door het werk van Meester b x g.

¶ De panelen van de Meester verraden een sterke Nederlandse invloed van een type schilderijen dat in Keulen te zien was. De *Opstanding* en de *Christus voor Caiphas* van het Spierse altaar [**131**] vertonen verwantschap met twee werken uit het atelier van Bouts in de Alte Pinakothek in München, de *Opstanding* en de *Gevangenneming*, die zich aan het eind van de vijftiende eeuw in de St. Lorenz in Keulen bevonden. Uit de Mainzer panelen blijkt bovendien bekendheid met Rogier van der Weydens *Columba-altaar*, destijds in de Wasservass-kapel in de St. Columba in Keulen, en ook met het Bouts-achtige werk van de Meester van de Lyversberg Passie en de Meester van het Maria-leven. Die connecties laten zien hoe betrekkelijk eenvoudig kunstenaars en hun invloed zich van stad tot stad verplaatsten over de waterwegen van Rijn, Main en Neckar in de vijftiende en het begin van de zestiende eeuw. Iets van de rijkdom van deze culturele uitwisseling is gedocumenteerd in de Dominicanerkerk in Frankfurt waar, weliswaar iets later, een hele serie werken van vooraanstaande, niet in de stad zelf woonachtige schilders hing, van Albrecht Dürer, Matthias Grünewald, Jörg Ratgeb en Hans Holbein de Oude. Als Gertrud Rudloff-Hille het bij het rechte eind heeft wat betreft het *Liefdespaar* in Gotha [**133**],[124] dan heeft de meester in elk geval tijdelijk ook in Hanau gewerkt, voor de jonge Graaf Philip von Hanau-Münzenberg (1449-1500).

Mainz en Reuwich

¶ Het werkterrein van de meester heeft dus voor zover wij kunnen nagaan gelegen in dat deel van West-Duitsland dat aan Frankrijk grensde en herhaaldelijk in oorlogstijd werd geplunderd en verwoest. De aartsbisschopsstad Mainz, zetel van de primaat van het rijk, eens befaamd om haar goud- en edelsmeden en haar drie altaren van Matthias Grünewald, werd in de Dertig-jarige Oorlog geplunderd door het Zweedse leger. Veel van de buit ging tijdens een schipbreuk voor de Baltische kust verloren. Spiers en Heidelberg werden door de Fransen verwoest, zowel door Lodewijk XIV, waarbij de befaamde Paltsbiblio-theek werd leeggeroofd, als later, tijdens de Revo-lutie. Verwoestingen in Mainz vonden verder plaats ten tijde van Napoleon, toen de stad door de Duitse artillerie onder vuur werd genomen, in een poging tot herovering. De ergste schade werd echter toegebracht tijdens de Tweede Wereldoor-log. Wat er over is van de panelen van de Meester is dus vrijwel zeker slechts een deel van zijn totale productie.

¶ Er zijn aanwijzingen dat de Mainzer panelen met het leven van Maria, opgezet en gedeeltelijk uit-gevoerd door de prentmaker, pas in 1505 werden voltooid – dit jaartal komt voor op het paneel met de *Verkondiging*, een van de composities die zijn gebaseerd op een drogenaaldprent van de Meester [8], maar die door een ander werden uitgevoerd. De serie panelen dateert dus van later datum dan het gedocumenteerde werk van Erhard Reuwich, wiens houtsneden voor Bernhard von Breydenbachs *Peregrinationes* [142] en glasruitjes voor de Amtskellerei in Amorbach [136] al in 1486 werden voltooid.

¶ Een reconstructie van Reuwichs bezigheden tus-sen 1483 en 1486 is gemaakt door Fuchs, die reke-ning hield met de aan zekerheid grenzende waar-schijnlijkheid dat Reuwich door Breydenbach naar Lich werd gestuurd, waar de jonge Graaf Johann vertoefde[125] en ook met de stilistisch vast-staande, maar ongedocumenteerde kandidatuur van Reuwich als illustrator van Breydenbachs *Gart der Gesundheit* [Mainz 1485; 141], het eerste kruidenboek in de Duitse taal. Zoals Fuchs opmerkt, moet aangenomen worden dat Reuwich al een aantal jaren in Mainz was, voordat zijn gedocumenteerde samenwerking met Breyden-bach plaatsvond, omdat nauwelijks valt aan te nemen dat Breydenbach of Graaf Solms een totaal onbekende zouden meenemen naar het Heilige Land, ongeacht diens talenten. Vanwege zijn associatie met Breydenbach, die van tenmin-ste 1486 tot zijn dood in 1497 kanunnik was van de St. Maria ad Gradus heeft Reuwich zeer sterke papieren als kandidaat voor de Meester van het Hausbuch/van het Amsterdamse Kabinet. Wat een stellige identificatie evenwel in de weg staat, ondanks dat zowel Reuwich als de anonieme meester zich interesseerden voor vreemde volken en dieren, is het feit dat Reuwichs meest opval-lende vaardigheid het gebruik van lineair per-spectief is (vergelijk vooral de architectuur in de *Peregrinationes*) – en dit ontbreekt ten enen male in de drogenaaldprenten en op de panelen die

aan de prentmaker zijn toegeschreven. Reuwichs boomgroepen – ronde, struikachtige, elkaar over-lappende vormen (vergelijk het panorama van Venetië) – hebben bovendien hoegenaamd niets gemeen met welke bomen dan ook op de prenten of in het Hausbuch. De anonieme tekenaar tekent bomen, net als mensen, in alle soorten en maten; zijn meest gebruikte vorm is afkomstig uit Franco-Vlaamse miniaturen: een lange slanke stam, die bij de top vorkt en een massa bladeren draagt, stuk voor stuk getekend en een beetje te groot [zie *Aristoteles en Phyllis*; **54**]. Reuwichs ellip-tische bomen in regelmatige slagorde zijn de directe voorlopers van die van Albrecht Dürer, zowel in zijn vroege houtsneden als op de achter-grond van schilderijen als het *Portret van Elspeth Tücher*, van de jaren 1490, en ook op het befaamde panorama van de *Schweizerkrieg* van 1494, gegra-veerd door de Meester PW van Keulen.

DÜRER EN DE MEESTER

¶ Omstreeks 1490 zien wij bijvoorbeeld aan teke-ningen als de *Heilige Familie* in Erlangen en de *Elevatie van Maria Magdalena* [**50c**] uit Coburg, dat ook Dürer heeft kennisgemaakt met de droge-naaldprenten. Voortzetting van die kennisma-king is af te leiden uit vroege gravures als het *Liefdesoffer* (M 77), de *Ontvoerder* [**58e**], de *Heilige Familie met een vlinder* [**18a**] en de vroege zelfpor-tretten in Madrid en Parijs. Zelfs later werk als de *H. Hubertus*, de beroemde aquarel van de haas in het gras en de drogenaaldprent van de *Heilige Familie* van 1512 (*afb. 35*), staan in het krijt bij de anonieme prentmaker en diens observaties van mens en natuur, en zijn technische experi-menten. Dürers belangstelling breidde zich ech-ter al snel nog verder uit, waarschijnlijk evenzeer onder invloed van de reizen die hij maakte als door zijn vrienden, humanisten uit de kring van Pirckheimer in Neurenberg, een zeer productieve groep, waaronder verscheidene geleerden die aan Italiaanse universiteiten waren afgestudeerd. Uit Dürers brieven uit Venetië weten wij hoezeer hij op de hoogte was van de klassieke en moderne Italiaanse literatuur en van het grote maatschap-pelijk aanzien dat Italiaanse kunstenaars geno-ten. Dit maakte het – typisch renaissancistische – verlangen in hem wakker naar persoonlijke erkenning, dat zich uitte in het feit dat hij zijn werk nauwkeurig voorzag van signatuur en datum en vaak zelfs van een vermelding van zijn geboorteplaats.

¶ De Meester van het Hausbuch, van de Amster-damse prenten, het Passie-altaar en de panelen uit het Maria-leven was werkzaam in minstens twee universiteitssteden, Heidelberg en Mainz, en bezocht kennelijk ook Keulen. Zoals zijn gete-kende portret van Johann von Soest, de hofdichter van de Palts, bewijst [**118**], telde de Meester ook tenminste één humanist onder zijn opdrachtgevers. Zijn voorkeur voor onderwerpen die te maken hebben met de liefde en zijn groeiende belangstelling voor rivierlandschappen lopen parallel aan het literaire werk van een nog belangrijker dichter, Conrad Celtes, die in 1484 en 1490 Heidelberg bezocht en in 1491 Mainz. Celtes, die hofdichter was van Keizer Friedrich III (1487), was de oprichter van de *Sodalitas literaria Rhenana* en de schrijver van talloze gloedvolle werken over zijn eigen liefdesavonturen, de schoonheid van de rivier de Rijn en de stad Mainz als de bakermat van de drukkunst. Johannes Trithemius, de schrijver van een belangrijk tractaat over de H. Anna, dat van belang is voor de 'verlichte' manier waarop de prentmaker zijn Heilige Familie weergeeft, was lid van Celtes' literaire gezelschap, evenals Johann von Dalberg, kanselier van de Heidelbergse universiteit.[126]

¶ Dat de Meester *Salomo's afgoderij* [**7**] en *Aristoteles en Phyllis* [**54**] uitkoos om als pendants af te beelden uit alle onderwerpen die door Middeleeuwse schrijvers en kunstenaars zijn gebruikt om de macht van de vrouw te illustreren, lijkt te zijn ingegeven door zijn kennis niet alleen van het Zuid-Duitse carnavalsspel uit zijn tijd *Ain spil von Maister Aristotiles*[127] maar ook van de filosofische controverse die zich in die tijd afspeelde tussen de aanhangers van de zg. *Via Moderna* en de reactionaire, neo-Thomistische *Via Antiqua*, aangevoerd door Johannes Heynlin vom Stein, een geleerde uit Bazel, die tegen de modernisten in het geweer was gekomen. Aan de Heidelbergse faculteit waren een aantal vooraanstaande modernisten verbonden, met name Rudolf Agricola (1483-85), de grote Friese humanist en criticus van de *Via Antiqua*. De studenten waren verdeeld in twee kampen en bevochten elkaar in straten en kroegen,[128] terwijl dissertaties werden ingediend met titels als 'Is een Thomist de domste mens ter wereld?' en 'Bestaat er een verschil tussen een realist en de Chimaera?'[129] In de veertiende en vijftiende eeuw werd in Noord-Europa Thomas van Aquino's kennistheorie, waarin wordt gesteld dat de mens een redelijk wezen is in een wereld die door de rede begrepen kan worden, met succes betwist door de aanhangers van Willem van Ockham, de internationale beweging van de *Via Moderna*, die stelden dat de manier

waarop de mens de wereld kent (d.w.z. via zijn waarnemingen) niet de manier is waarop de wereld in werkelijkheid bestaat. Het prentenpaar van de Meester waarop twee in de Oudheid bewonderde filosofen worden bespot – de bijbelse wijsgeer Salomo en de Griek Aristoteles wiens logica de theoretische basis vormde van Aquino's filosofie – moet bijzonder aantrekkelijk zijn geweest voor de leden van Agricola's kring in Heidelberg. Zij vormen namelijk een levendige illustratie van zowel de macht van de liefde als van de gevaren verbonden aan het klakkeloos volgen van de voorbeelden uit de klassieke Oudheid.

¶ Het religieuze oeuvre van de meester, zijn prenten zowel als zijn schilderijen, laten de invloed zien van een ander soort verzet tegen Thomas van Aquino, nl. dat van de Moderne Devotie. Dat was een Nederlandse beweging uit het eind van de veertiende eeuw waarvan in de vijftiende eeuw Thomas à Kempis de grote leider was (gest. 1471), de schrijver van het populaire boek *De navolging van Christus*. Prenten als de *Kruisdraging* [**13**] en schilderijen als de *Opstanding* (uit een verzegeld graf) en de *Voetwassing* [**131**d,e], illustreren thema's uit populaire houtsneden en devotieboeken die thuishoorden bij deze beweging.[130] Rudolf Agricola was een aanhanger van de Moderne Devotie, evenals Adolf van Nassau, de aartsbisschop van Mainz, wiens wapens voorkomen in het Hausbuch (p. 53a-b).

¶ Het is daarom zeer waarschijnlijk dat de toegangen die de anonieme meester had tot, en zijn bekendheid met, een aantal van de leidinggevende humanisten uit Heidelberg en Mainz, een belangrijke bijdrage leverden aan de ontwikkeling van zijn werk. Tegelijk echter wordt duidelijk uit de zelfverzekerde manier waarop hij de bezigheden van de adel weergeeft en de maatschappelijke pretenties van de burgerij hekelt, dat hij nauw moet hebben samengewerkt met een of meer adellijke opdrachtgevers en, in het geval van de Mainzer panelen, met de hoogste kerkelijke autoriteiten. Een dergelijke positie als beschermeling moet een kunstenaar een welhaast Middeleeuwse zekerheid hebben verschaft, die het hem niet nodig maakte om zijn naam grote bekendheid te geven – een luxe die Dürer nooit heeft gekend. Het betekent echter helaas ook, dat die naam verloren is gegaan met de dood van de laatste van zijn opdrachtgevers.

1. Renouvier vatte bij vergissing de inscriptie 'O vere tu...' op het voetstuk onder de afgod op de prent *Salomo's afgoderij* [**7**], op als een cryptische signatuur. Op grond daarvan stelde hij voor, de prentmaker te identificeren als de goudsmid Gilliken van Overheet, wiens naam voorkomt in een Bourgondisch register (Jules Renouvier, *Histoire de l'origine et des progrès de la gravure dans les Pays-Bas jusqu'à la fin du 15e siècle*, Brussel 1860, pp. 171-177).

2. Zie voor het Hausbuch uit Wolfegg, Bossert-Storck 1912 en Waldburg-Wolfegg 1957.
Ralf von Retbergs identificatie van de wapens als de familiewapens van de uit Konstanz afkomstige familie Goldast, is verworpen (zie Waldburg-Wolfegg 1957, pp. 39-40). Meer onlangs heeft Maria Lanckorońska een identificatie voorgesteld met de familie van Siegmund von Ast, slotvoogd van de Schalksburg in Württemberg (Maria Lanckorońska, *Das mittelalterliche Hausbuch der fürstlich Waldburgschen Sammlung*, Darmstadt 1975).

3. Zie Filedt Kok 1982, p. 427 en J.W. Niemeijer, 'Baron van Leyden, founder of the Amsterdam print collection', *Apollo* 117 (1983), pp. 461-68, vooral p. 461.

4. C.H. von Heinecken, 'Entwurf einer Kupferstichgeschichte'. *Neue Nachrichten von Künstler und Kunstsachen*, deel 1, Dresden/ Leipzig 1786, nrs. 24, 37, 289, 325; pp. 168, 362. Voor Heinecken, zie verder Christian Dittrich, 'Heinecken und Mariette', *Jahrbuch der staatlichen Kunstsammlungen Dresden* (1981), pp. 43-46.

5. C.H. von Heinecken, 'Beschreibung einer Reise nach Niedersachsen, Westphalen und Holland', in *Nachrichten von Künstlern und Kunstsachen*, deel 2, Leipzig 1769, p. 60. Niemeijer, op.cit. (noot 3), p. 467, noot 14.

6. Zoals Niemeijer (op.cit. noot 3, pp. 467-68, noot 15) heeft aangetoond, bestaat er goede reden om aan te nemen dat de tachtig prenten en een aantal andere vijftiende-eeuwse gravures door Baron van Leyden *en bloc* zijn aangekocht, waarschijnlijk in de vorm van een album.

7. Adam Bartsch, *Le peintre-graveur*, 21 dln., deel 6, Wenen 1803, p. 307, nr. 168 [**72**], en copieën van [**75**] door Wenzel von Olmütz, Israhel van Meckenem en Meester b x g; een zestiende-eeuwse copie van [**13**] (Bartsch, deel 6, p. 178, nr. 14; Bartsch, deel 10, p. 4, nr. 8); een copie van [**89**] door Israhel van Meckenem.

8. Jean Duchesne sr., *Voyage d'un iconophile*, Parijs 1834, pp. 189, 241. Zie ook pp. 77, 110, 222, 346, 363, 376.

9. Johann David Passavant, 'Zur Kunde der ältesten Kupferstecher und ihrer Werke', *Deutsches Kunstblatt* 1 (1850), nr. 23, p. 181.

10. Johann David Passavant, *Le peintre-graveur*, 6 dln., deel 2, Leipzig 1860, pp. 254-64.

11. H.A. Klinkhamer, 'Les estampes indécrites du musée d'Amsterdam. Supplément au 10e vol. de Bartsch', *Revue universelle des arts* 4 (1856), pp. 406-420.

12. G.F. Waagen, *Treasures of art in Great Britain*, 3 dln., deel 1, Londen 1854, p. 291. Bij *Salomo's afgoderij* [**7**] herkende hij echter een zekere gelijkenis met de stijl van Martin Schongauer in de vorm van de handen, hoewel de prent zelf 'volgens mijn mening van Nederlandse oorsprong is, en dateert van omstreeks 1470'. Het wapenschild was volgens hem ook Nederlands, van omstreeks 1480, te oordelen naar de kleding van de *Vrouw met het wapenschild A.N.* [**86**].

13. G.F. Waagen, *Die vornehmste Kunstdenkmale in Wien*, deel 2, Wenen 1867, pp. 258-59.

14. G.F. Waagen, *Über Hubert und Jan van Eyck*, Breslau 1822. Voor de verering van Jan van Eyck, zie ook Friedrich Schlegel, 'Gemäldebeschreibungen aus Paris und den Niederlanden in den Jahren 1802 bis 1804', in: *Europa, eine Zeitschrift*, Frankfurt 1803 (1805); Johanna Schopenhauer, *Johann van Eyck und seine Nachfolger*, 2 dln., Frankfurt 1822; Hans Wolfgang von Lohneysen, *Die ältere niederländische Malerei: Künstler und Kritiker*, Eisenach/Kassel 1956, pp. 189-254. Omdat Waagen geloofde dat Margaretha van Eyck, de zuster van Hubert en Jan, werkzaam was als miniatuurschilderes (vgl. Waagen 1822), en dat een derde broer, Lambert genaamd, die alleen bekend is uit de documenten, een werkzaam aandeel had in het atelier (vgl. Elisabeth Dhanens, *Hubert en Jan van Eyck*, Antwerpen 1980, pp. 32, 62), was het toen gemakkelijker dan nu om een deelname aan de 'school' van Van Eyck te veronderstellen.

15. C.D. Hassler, 'Bericht über eine Reise nach Wolfegg, 8. Juli 1854', *Bericht über die Verhandlungen des Vereins für Kunst und Altherthum in Ulm und Oberschwaben*, Ulm 1855, p. 22.

16. Heinrich Heine, *Ludwig Börne: eine Denkschrift (1840)*, Düsseldorfer Ausgabe, deel 11, Hamburg 1978, pp. 92, 568. ('Seit Jahren gelüstete mich mit eigen Augen die theuren Blätter zu sehen, die uns... die Gedichte Walters von der Vogelweide, des grössten deutschen Lyrikers, aufbewahrt haben.' Ik ben mijn collega Jost Hermand, Vilas Professor of German, Universiteit van Wisconsin-Madison, dankbaar voor deze verwijzing en voor veel informatie omtrent vroeg-negentiendeeeuws onderzoek waarbij Duitse manuscripten werden gebruikt. Het *Manessische Handschrift* zou tot 1888 in Parijs blijven. Toen werd het verworven door een Straatsburgse antiquaar in ruil voor drieëntwintig Karolingische manuscripten (waarvan enkele kennelijk afkomstig van diefstal), die het verkocht voor 400.000 mark aan de regering als een geschenk voor de 400ste verjaardag van de universiteit van Heidelberg (vgl. *Brockhaus*, 'Manessische Handschrift').

17. *Hausbuch*, fol. 31b: 'Pulchrum faciem'; 'Ein confect, ut mulier petat coitum'; 'Aliud pro viro et muliere'; 'Quod mulier sic probatur', et. al. Ingrediënten variëren van gekookt eigeel, nootmuskaatolie en kippevet tot lappen gedrenkt in menstruatiebloed en aarde vermengd met faecaliën, afhankelijk van het gebruik als inwendig medicijn als pappleister of als iets dat begraven moet worden aan de kant van de weg, waar een moord is gepleegd.

18. Zie ook: Waldburg-Wolfegg 1957, pp. 6 en verder en [**117**]. Dit type handboek ontstond in de vijftiende eeuw en bevatte gewoonlijk gegevens over vuurwerk, artillerie, gepantserde voertuigen, de verwarming van badhuizen; putten, greppels en voorraden voor de kwartiermeester. Het Hausbuch uit Wolfegg is uniek omdat het bovendien informatie geeft over metallurgie, het slaan van munten en recepten voor genees- en huismiddelen.

19. Hassler, op.cit. (noot 15).

20. Voor Hasslers biografie, zie *Allgemeine deutsche Biographie*, 'Konrad (sic) Dietrich Hassler'.

21. Ernst Foerster, *Denkmale deutscher Baukunst, Bilderei und Malerei*, 12 dln., deel 3, Leipzig 1857, Abt. 3, p. 14.

22. Ibid. p. 14.

23. Ernst Georg Harzen, 'Über Bartholomaeus Zeitblom, Maler von Ulm, als Kupferstecher', *Naumanns Archiv für die zeichnende Künste* 6 (1860), pp. 1-30; 97-124.

24. Wolf Stubbe, *Hundert Meisterzeichnungen aus der Hamburger Kunsthalle 1500-1800*, Hamburg 1967, pp. 3-7. Harzen bezat de beste bekende druk van het *Gevecht tussen twee wildemannen te paard* [**53**], die hij in 1837 in Londen had gekocht voor twee pond en twee shilling, evenals de *Kruisdragende Christus* van de Meester b x g (L.3). Zie Lehrs, deel 8 (1932).

25. Harzen, op.cit. (noot 23), noot p. 14.

26. G.F. Waagen, *Handbuch der deutschen und niederländischen Malerschulen*, 2 dln., deel 1, Stuttgart 1862, p. 184.

27. Ralf von Retberg, *Kulturgeschichtliche Briefe über ein mittelalterliches Hausbuch des 15. Jahrhunderts aus der fürstlich WaldburgWolfeggischen Sammlung*, deel 8, Leipzig 1865, p. 53.

28. Karl Schnaase, *Geschichte der bildenden Künste*, 10 dln., deel 8, Stuttgart 1879, pp. 423-24.

29. Moriz Thausing, *Dürer, Geschichte seines Lebens und seiner Kunst*, tweede druk, 2 dln., Leipzig 1884 (eerste druk in het Engels, 1882). Zie ook J.W. Kaiser, *Curiosités du musée d'Amsterdam I, Facsimilés d'estampes de maîtres inconnus du 15e siècle*, Utrecht/ Leipzig/Parijs 1856; G. Duplessis, *Histoire de la gravure en Italie, en Espagne, en Allemagne, dans les Pays-Bas, en Angleterre et en France*, Parijs 1880, pp. 157-58; W.H. Willshire, *A descriptive catalogue of early prints in the British Museum*, 2 dln., deel 2, Londen 1883, pp. 291-99; Eugène Dutuit, *Manuel de l'amateur d'estampes*, 5 dln., deel 3, Parijs 1882, pp. 132-34.

30. Alfred Woltmann en Karl Woermann, *Geschichte der Malerei*, 4 dln., deel 3, Leipzig 1882, pp. 102 en verder.

31. Retberg, op.cit. (noot 27), pp. 280-93. Voor Retbergs biografie, zie *Allgemeine deutsche Biographie*.

32. *Ein mittelalterliches Hausbuch. Bilderhandschrift des 15. Jahrhunderts mit vollständigem Text und faksimilierten Abbildungen, herausgegeben vom Germanischen Museum*, Leipzig 1866; tweede druk met een inleiding door A. Essenwein, Frankfurt a.M. 1887.

33. Zie Udo Kulturmann, *Geschichte der Kunstgeschichte*, Wenen/

Düsseldorf 1966, hoofdst. 13, 'Der Dresdner Holbeinstreit', pp. 251-62, met een complete bibliografie van de Holbein-controverse op pp. 455-56, noot 1.

34. Wilhelm Lübke, *Altes und Neues: Studien und Kritiken*, 1891, pp. 136-53. Zie ook Carl von Lützow, *Geschichte des deutschen Kupferstiches und Holzschnittes* (*Geschichte der deutschen Kunst*, deel 4), Berlijn 1981, pp. 26-27; Woltmann en Woermann (1882), op.cit. (noot 30); Adolf Bayersdorfer, *Katalog der in der kgl. Galerie zu Schleissheim ausgestellten Gemälde*, 1885, p. 15, nr. 165; Wilhelm von Bode, *Bilderlese aus kleinen Gemäldesammlungen: Die grossherzogliche Gemälde-Galerie zu Oldenburg*, Wenen 1888, p. 79.

35. Friedrich Lippmann, 'Über einen deutschen Stecher des 15. Jahrhunderts, den sogenannten Meister des Amsterdamer Kabinetts', *Kunstchronik* 5 (1891), pp. 292-94; en *Sitzungsberichte der Berliner kunstgeschichtlichen Gesellschaft*, deel 1 (1884), p. 26.

36. Aby Warburg in *Gesammelte Schriften*, 2 dln., deel 2, Leipzig/Berlijn 1932, p. 179 (zie ook Fritz Saxl, 'The literary sources of the Finiguerra Planets', *Journal of the Warburg Institute* 2 (1938-39), pp. 72-74.

37. 'Historicus', 'Hans Holbein der Ältere und der "Meister des Amsterdamer Kabinetts"', *Kunstchronik* 5 (1894), pp. 313-16.

38. Hans Wolfgang Singer, 'Rezension von Lippmann, Der Kupferstich', *Repertorium für Kunstwissenschaft* 17 (1894), pp. 165-68, vooral p. 166.

39. Moriz Thausing, *Dürer, Geschichte seines Lebens und seiner Kunst*, Leipzig 1876, p. 23.

40. Robert Vischer, 'Albrecht Dürer und die Grundlagen seiner Kunst', *Studien zur Kunstgeschichte*, Stuttgart 1886, pp. 174, 415.

41. Germanisches Nationalmuseum, *Quellen zur Geschichte der Feuerwaffen*, Neuenberg 1872, vgl. pl. 61-63.

42. F.A. von Lehner, *Verzeichnis der Gemälde des fürstlich Hohenzollernschen Museums zu Sigmaringen*, tweede druk, 1883.

43. Bayersdorfer, op.cit. (noot 34), p. 15, nr. 165; Ludwig Scheibler, 'Schongauer und der Meister des Bartholomäus', *Repertorium für Kunstwissenschaft* 7 (1884), pp. 31-68, vooral p. 49, noot 15.

44. Friedrich Niedermayer, 'Matthias Grünewald', *Repertorium für Kunstwissenschaft* 7 (1884), pp. 245-66, vooral p. 265.

45. Max J. Friedländer, 'Zum Meister des Amsterdamer Cabinets', *Repertorium für Kunstwissenschaft* 17 (1894), pp. 270-73.

46. Max Lehrs, *Katalog der im Germanischen Museum befindlichen deutschen Kupferstiche des XV. Jahrhunderts*, Neurenberg 1887; 'Der deutsche und niederländische Kupferstich des fünfzehnten Jahrhunderts in den kleineren Sammlungen: Schloss Wolfegg', *Repertorium für Kunstwissenschaft* 11 (1888), pp. 47-65, vooral pp. 49-54; 'Amsterdam', ibid. 15 (1892), pp. 110 en verder.

47. Lehrs (1887 en 1888), loc.cit. (noot 46).

48. Max Lehrs, *Der Meister des Amsterdamer Kabinetts*, (Internationale Chalkographische Gesellschaft) 1893-94 (verder geciteerd als Lehrs 1893).

49. Zie Werner Schmidt, 'The prints and drawings cabinet', in tentoonstellingscatalogus *Splendor of Dresden*, New York 1978, p. 245, voor Lehrs' aankopen van Toulouse-Lautrec.

50. Carl Hachmeister, *Der Meister des Amsterdamer Kabinetts und sein Verhältnis zu Albrecht Dürer* (dissertatie Heidelberg), Berlijn 1897, passim. (Latere proefschriften waren o.a. die van Curt von Faber du Faur, Giessen 1921; Johannes Dürkopp, Halle 1931; Jane Campbell Hutchison, Wisconsin 1964 en Ulrike Frommberger-Weber, Heidelberg 1971. Deze dissertaties hebben met elkaar gemeen dat zij geen nieuwe identiteiten aanwijzen voor de Meester, maar liever materiaal verzamelen voor of tegen reeds door oudere kunsthistorici genoemde kandidaten, of bepaalde aspecten van het werk belichten.

51. Henry Thode, *Die Malerschule von Nürnberg im 14. und 15. Jahrhundert in ihrer Entwicklung bis auf Dürer*, Frankfurt 1891.

52. Hachmeister, op.cit. (noot 50), pp. 38 en verder.

53. Max J. Friedländer, recensie van C. Hachmeister, 'Der Meister des Amsterdamer Kabinetts und sein Verhältnis zu Albrecht Dürer', *Zeitschrift für bildenden Kunst* N.F. 9 (1898), pp. 246-47.

54. Eduard Flechsig, 'Der Meister des Hausbuches als Maler', *Zeitschrift für bildenden Kunst* 8 (1897), pp. 8-17; 66-73.

55. Max Lehrs, 'Bilder und Zeichnungen vom Meister des Hausbuches', *Jahrbuch der königlich Preussischen Kunstsammlungen* 20

(1899), pp. 173-182.

56. Henry Thode, 'Die Malerei am Mittelrhein im XV. Jahrhundert und der Meister der Darmstadter Passionsszenen', *Jahrbuch der königlich Preussischen Kunstsammlungen* 21 (1900), pp. 113-35.

57. Ibid., pp. 128-29 en passim.

58. Zie Udo Kulturmann, *Geschichte der Kunstgeschichte*, Wenen/Düsseldorf 1966, pp. 240-42, waar Wickhoff geciteerd wordt die Thode beschrijft als 'de geprivilegieerde ontdekker, die de wereld overspoelt met valse Dürers, Mantegna's, Correggio's etc... Die een heel boekwerk heeft laten verschijnen met werken van Dürer, die stuk voor stuk van een ander zijn, van Rijnlanders, Vlamingen, Italianen... Alle schilderende naties zijn vertegenwoordigd, alleen een Spanjaard en een Chinees ontbreken tot nog toe'. Wickhoff begroette één juiste toeschrijving van Thode, met het commentaar: 'wees gerust, strenge lezer, af en toe vindt zelfs een blinde kip een graantje...' Zie ook Max Liebermann, 'Der Fall Thode', *Frankfurter Zeitung* 1905, herdrukt in Max Liebermann, *Die Phantasie in der Malerei: Reden und Schriften*, Frankfurt 1978 en Berlijn (DDR) 1983, pp. 159-63.

59. Vgl. Hans Rupprich, *Dürers schriftlicher Nachlass*, deel 1, Berlijn 1956, pp. 69,73.

60. Eduard Flechsig, in *Die Baudenkmale in der Pfalz*, IIA, 1898, pp. 127-30. Nikolaus Schit was de schilder van het Gelnhauser altaar (gesigneerd). Zie Stange, deel 7, Pl. 266-67; Tafelbilder, 115, nr. 524.

61. Baer 1903; Mela Escherich, 'Zur Martin-Hess-Frage', *Repertorium für Kunstwissenschaft* 32 (1909), pp. 67-68; Carl Gebhardt, 'Martin Hess', *Repertorium für Kunstwissenschaft*, 31 (1908), pp. 437-45. Voor Martin Caldenbach, genaamd Hess, zie Thieme-Becker.

62. Leo Baer, 'Weitere Beiträge zur Chronologie und Lokalisierung der Werke des Hausbuchmeisters', *Monatshefte für Kunstwissenschaft* 3 (1910), pp. 408-24.

63. (Eduard Flechsig), 'Eine Rundfrage: Ex ungue leonem', *Cicerone* 2 (1910), pp. 71-74 en 190-94.

64. Glaser 1910, pp. 145-56. Voor Glasers biografie, zie de tentoonstellingscatalogus *Max Beckmann (1884-1958), Gemälde, Zeichnungen, Graphik*, Berlijn (DDR) 1984, p. 13. Voor deze verwijzing dank ik Glaubrecht Friedrich.

65. Solms-Laubach 1935-36, pp. 13-96.

66. Stange 1958.

67. Baer 1903, p. 53 en verder.

68. Betreffende Neumann, zie Jan Emmens, *Rembrandt en de regels van de kunst* (proefschrift, Utrecht 1964), Amsterdam 1979.

69. Zie Kulturmann, op.cit. (noot 58), pp. 263 en verder. ('Die Kunstanschauung des Impressionismus'), hoofdstuk 14.

70. Curt Glaser, *Die altdeutsche Malerei*, München 1924. Gezien zijn betrokkenheid bij de staat van zuiverheid van de Duitse kunst uit de vijftiende eeuw, is het ironisch dat Glaser, die zijn land in de Eerste Wereldoorlog diende als legerarts, zich in 1933 gedwongen zag te emigreren, vanwege zijn Joodse afkomst. Hij stierf in 1943 in New York (zie noot 64).

71. Zie Gerhard Kratsch, *Kunstwart und Dürerbund: ein Beitrag zur Geschichte der Gebildeten im Zeitalter des Imperialismus*, Göttingen 1969, pp. 463-66. Voor *Heimatkunst*, zie Richard Hamann en Jost Hermand, *Stilkunst um 1900*, Berlijn 1967, pp. 364-94.

72. Helmuth Bossert, 'Heinrich Lang und der Hausbuchmeister', *Schau-ins-Land* 27 (1910), pp. 102-19.

73. Stange 1958, p. 7.

74. Johannes Dürkopp, 'Der Meister des Hausbuches', *Oberrheinische Kunst*, 4 (1932), pp. 83-159; Helmuth Bossert, 'Heinrich Lang und der Hausbuchmeister', *Schau-ins-Land* 64 (1937).

75. Hans Weiszäcker, 'Die Heimat des Hausbuchmeisters', *Jahrbuch der königlich Preussischen Kunstsammlungen* 33 (1915), pp. 79-104; en 'Bodensee und Hausbuchmeister', *Jahrbuch für Kunstwissenschaft* 1924-25, pp. 290-98.

76. Stange 1958; Stange, deel 7.

77. Alfred Stange, 'Kunstwissenschaft', in *Deutsche Wissenschaft, Arbeit und Aufgabe*, Leipzig 1939; (Kulturmann, p. 327).

78. Lehrs, deel 8.

79. Ik ben Werner Schmidt van het Kupferstichkabinett Dresden dankbaar voor deze informatie.

80. Lehrs, deel 8, p. 70: 'hij karakteriseerde de literatuur als 'das ohnehin fast bis zum Sinken überladene Hypothesenschifflein'.

81. Lehrs, deel 8, p. 51.

82. Adriaan Pit, 'La gravure dans les Pays-Bas au XVe siècle', *Revue de l'art chrétien* 34 (1891), pp. 494, 497.

83. Solms-Laubach 1935-36.

84. Friedrich Uhlhorn, 'Zur Geschichte des Breydenbachsen Pilgerfahrt', *Gutenberg-Jahrbuch* 1934, pp. 107-11.

85. Ernst Buchner, 'Studien zur mittelrheinischen Malerei und Graphik der Spätgotik', *Münchner Jahrbuch* N.F. 4 (1927), pp. 284-313 (Meester van de Coburger Rundblätter, Nikolaus Schit); Lilli Fischel in *Oberrheinischer Kunst* 4 (1933), pp. 41 en verder; Otto Fischer, 'Der Meister von Waldersbach i.E.', *Zeitschrift für Kunstgeschichte* 2 (1933), pp. 41 en verder; Lilli Fischel, *Die Karlsruher Passion und ihr Meister*, Karlsruhe 1952.

86. Rödelheimer Renteirei Rechnung 1483-84. Graf zu Solms-Rödelheimisches Archiv, Assenheim.

87. Wilhelm Pinder, *Die Kunst der Dürerzeit*, Leipzig 1940, p. 144.

88. Bossert, op.cit. (noot 74), pp. 10-11.

89. Johan Catherinus Justus Bierens de Haan, *De meester van het Amsterdamsch Kabinet*, Amsterdam 1947. Voor een biografie van Bierens de Haan, die zijn collectie prenten naliet aan Museum Boymans-van Beuningen, zie *Bulletin van het Museum Boymans* 3, nr. 2, juli 1952.

90. D.P.R.A. Bouvy, *Middeleeuwsche beeldhouwkunst in de Noordelijke Nederlanden*, Amsterdam 1947, pp. 76-80.

91. Dirk Bax, *De ontcijfering van Jeroen Bosch*, Den Haag 1949, p. 251, noot 157; pp. 239-43: 'Bosch en Erhard Reuwich'.

92. Karel G. Boon, 'Een Utrechtse schilder uit de 15de eeuw, de Meester van de Boom van Jesse in de Buurkerk', *Oud Holland*, 76 (1961), pp. 51-60.

93. Ik dank Werner Schmidt voor zijn informatie over Lehrs' laatste levensjaar. Lehrs' eigenhandige notities bevinden zich nog steeds in het Kupferstichkabinett in Dresden.

94. Ulrich Thieme en Felix Becker, *Allgemeines Lexikon der bildenden Künstler*, deel 37 (1950), pp. 139-42.

95. Fedya Anzelewsky 1958, pp. 30-34; en 'Der Hausbuchmeister', *Zeitschrift für Kunstgeschichte* 24 (1961), pp. 86 en verder.

96. Lottlisa Behling, 'Der Hausbuchmeister, Erhard Reuwich', *Zeitschrift für Kunstwissenschaft* 5 (1951), pp. 179-90; en *Die Pflanze in der mittelalterlichen Tafelmalerei*, Weimar 1957.

97. Volker Michael Strocka, 'Albrecht Dürer und Wolfgang Peurer', in *Argo: Festschrift für Kurt Badt zu seinem 80. Geburtstag am 3. März 1970*, onder redactie van Martin Grosebruch en Lorenz Dittmann, Keulen 1970, pp. 249-60.

98. Walter Strauss, mondelinge mededeling, februari 1978.

99. Voor Meester W B, zie Alan Shestack, *Master LCz and Master W B*, New York 1971, vooral pp. 72-80, 85.

100. Walter Hotz, 'Der 'Hausbuchmeister', Nikolaus Nievergalt und sein Kreis', *Der Wormsgau* 3 (1953), pp. 97-125; en (1956), pp. 306-16. Nievergalts naam werd voor het eerst vermeld in 1916, in een artikel van W.K. Zulch over Martin (Caldenbach) Hess: W.K. Zulch, 'Martin Caldenbach, gen. Hess, und Nikolaus Nyfergalt, zwei mittelrheinische Maler', *Repertorium für Kunstwissenschaft* 38 (1916), p. 158. Zie verder 'Nyfergalt' in Thieme-Becker (1931) en complete literatuur in Hotz, noot 16.

101. Alfred Stange accepteerde Nievergalt bijvoorbeeld eerst enthousiast, zoals blijkt uit zijn felicitaties in een brief aan Hotz. W. Hotz, 'Nikolaus Nievergalt von Worms in der spätgotischen Malerei: neue Beiträge zur Hausbuchmeisterfrage', *Der Wormsgau* 3 (1956), pp. 306-16, p. 307, noot 20. De brief is gedateerd 3 januari 1954: '...Ik geloof dat men u geluk mag wensen en de naam Nievergalt ten minste mag accepteren als de waarschijnlijkste'. Een jaar later verwierp hij in *Deutsche Malerei der Gotik*, deel 8 (1955), de Nievergalt theorie, en ook in zijn monografie van 1958.

102. Hotz, op.cit. (noot 100); vooral p. 118.

103. Ernstotto, Graf zu Solms-Laubach, 'Nachtrag zu Erhard Reuwich', *Zeitschrift für Kunstwissenschaft* 10 (1956), pp. 187 en verder.

104. Becksmann 1968, noot 13.

105. Stange 1958, p. 59.

106. Fuchs 1958.

107. Ibidem, p. 1177.

108. Ibidem, p. 1165.

109. Ibidem, p. 1168.

110. Ibidem, p. 1169.

111. Ibidem, pp. 1170-71.

112. Ibidem, pp. 1199 en verder. Zie verder Behling 1951 op.cit. (noot 96), pp. 179-90. De anonieme illustrator van dit werk wordt in het voorwoord vermeld als een kunstenaar die op pelgrimstocht is geweest naar het Heilige Land, in gezelschap van een dignitaris uit Mainz.

113. Fuchs 1958, p. 1171.

114. Ibidem, p. 1163. Stand van zaken.

115. Bossert-Storck 1912, p. 38.

116. Zie Heinz Artur Strauss, *Der astrologische Gedanke in der deutschen Vergangenheit*, Oldenburg/München/Berlijn 1926, afb. 26; Erwin Panofsky en Fritz Saxl, *Dürers Melencholia I: eine Quellen- und Typengeschichtliche Untersuchung*, Leipzig 1923, Anhang V: 'Die Entwicklung der Planetenkinder Darstellung', pp. 121 en verder; Guy de Tervarent, 'Astrological conceptions in Renaissance art', *Gazette des Beaux-Arts*, (1946), pp. 233-48.

117. Over de blokboeken, zie M.J. Schretlen, 'Blokbogen "De syv Planeter",' *Kunstmuseets Arskrift* 16-18 (1929-31), pp. 1-15; zie verder [**117**]; E. Hoffmann-Krayer en Hans Bächtold-Stäubli, *Handwörterbuch des deutschen Aberglaubens*, Berlijn/Leipzig 1935-36, deel 7, pp. 278 en verder ('Planeten').

118. Glaser 1910, p. 146.

119. Hutchison 1972, pp. 35-36 en Hutchison 1976, pp. 109-10.

120. München, Bayerische Staatsbibliothek CGM 48.

121. Het Rijksmuseum Meermanno-Westreenianum in Den Haag bezit een met de hand geïllumineerd exemplaar van Peter Schoffers uitgave van 1468 van Justinianus, *Institutiones cum glossa* (RMW 39 A3), gemaakt in Mainz, evenals een exemplaar van Bernhard Richels uitgave van 1474-75 van Alphonsus de Spina's *Fortaliteum fidei* (RMW 1 A 11), waarin zowel met de hand verluchte hoofdletters voorkomen als houtsneden.

122. Ursula Petersen, *Meister A G* (proefschrift Freiburg im Breisgau 1953).

123. Zie Rudolf Vierengel, 'Ad gradus beatae Mariae Virginis', *Mainzer Zeitschrift* 60-61, (1965-66), p. 89; Hutchison 1976, p. 96-113.

124. Gertrud Rudloff-Hille, 'Das Doppelbildnis eines Liebespaares unter dem Hanauischen Wappen in Gotha', *Bildende Kunst* 1968, pp. 19-23.

125. Fuchs 1958, p. 1165.

126. Voor de Heidelbergse universiteit en Celtes' Sodalitas Rhenana, zie Richard Benz, *Heidelberg: Schicksal und Geist*, Konstanz 1961, pp. 76-79; Gerhard Ritter, *Studien zur Spätscholastik*, deel 2: *Via Antiqua und Via Moderna auf den deutschen Universitäten des XV. Jahrhunderts*, Heidelberg 1922; Karl Morneweg, *Johann von Dalberg, ein deutscher Humanist und Bischof*, Heidelberg 1887; Franz von Bezold, *Rudolf Agricola*, München 1884.

127. Hutchison 1966.

128. Willy Andreas, *Deutschland vor der Reformation*, Stuttgart/Berlijn 1932, p. 51.

129. Andreas, ibidem.

130. Zie *Geert Grote en de Moderne Devotie*, tent. cat. Rijksmuseum Het Catharijneconvent, Utrecht, 1984, overal, en Cornelis Los, *Van Geert Grote tot Erasmus*, Zeist 1983, vooral pp. 93-97, 'Rudolf Agricola'.

Het ridderideaal

en de hausbuch-meester

(de meester van het amsterdamse kabinet)*

Keith P.F. Moxey

¶ Als een van de belangrijkste grafische kunstenaars vóór Albrecht Dürer heeft de Hausbuchmeester of de Meester van het Amsterdamse Kabinet (hierna kortweg aangeduid als de Meester), een aanzienlijke hoeveelheid aandacht van de zijde der kunsthistorici gekregen.[1] Toch is in de literatuur tot dusver voornamelijk de kwestie van zijn identiteit ter sprake gekomen. Wetenschappelijke publicaties over hem kan men zonder overdrijving kenschetsen als geobsedeerd door het verlangen een historische persoonlijkheid te vinden, die met de nog bestaande werken in verband gebracht kan worden. Dit is een typische behoefte van deze tijd. Wij zijn nu eenmaal geneigd onze eigen opvatting, dat kunstwerken het resultaat zijn van een zeer individueel proces van introspectie, te projecteren in het verleden. Het gevolg daarvan is, dat men vrijwel helemaal is vergeten te kijken naar de culturele en sociale betekenis van het werk van de Meester. Hoewel ik mij ervan bewust ben dat het nauwelijks mogelijk is om een voorbije cultuur te bestuderen helemaal zonder onze eigen waarden in het verleden te projecteren, geloof ik dat het toch niet onmogelijk is om de vinger te leggen op dimensies van tot nu toe verwaarloosde artistieke betekenis, als men zich maar bewust blijft van dit gevaar.[2]

¶ Gezien de nadruk die altijd is gevallen op het probleem van de identiteit van de Meester, is het bijna onvermijdelijk dat karakterbeschrijvingen van hem zijn vervat in termen van biografische beeldspraak. De kunstenaar wordt bovenal een 'observator' genoemd, een man die zijn artistieke persoonlijkheid in dienst heeft gesteld van het kijken naar, en het weergeven van de werkelijkheid. Zozeer voelde hij het observeren als zijn taak, zo redeneert men, dat het naturalistische element in zijn werk met recht het wezenlijkste genoemd mag worden. Deze kijk op de kunstenaar komt waarschijnlijk het sterkst tot uiting in Alfred Stange's monografie van 1958: 'Hij moet rondgekeken hebben met onverzadigbare ogen.

Nog veel sterker dan Schongauer zag hij het als de eerste plicht van de kunstenaar om het leven in zich op te nemen en de mensen te leren kennen. Hij observeerde het leven en de dingen zeer fris en natuurlijk'.[3]

¶ Volgens Stange was de Meester geen gewone observator, maar een man die aan wat hij zag de kracht meegaf van zijn eigen emoties. Meestal wordt deze creatieve intensiteit aangevoerd als reden voor het feit dat zijn werk onaf aandoet; het onvolmaakte eigen aan een voorbereidende schets bleef ook bij de voltooide prent bestaan: 'maar wanneer wij zien hoe hij twee, drie, zelfs vier lijntjes nodig heeft – een lijn is kennelijk te weinig om vorm te geven aan het onuitsprekelijke – dan gunt hij ons een blik over zijn schouder. Wij voelen zijn hartslag, de spanning van zijn hand, wij vermoeden de golven van emotie die onder het werk door hem heen gingen, en duidelijk zien wij de hele worsteling tot aan de voltooiing'.[4]

¶ Inderdaad, zo komt deze meester naar voren als een kunstenaar die door een sterk gevoelde plicht tot observeren zich geroepen voelt op zo'n dramatische manier de werkelijkheid weer te geven dat zijn werk breekt met alle stijlconventies van zijn tijd. Dit opstel is een evaluatie van de juistheid en de compleetheid van het zojuist geschetste beeld. Aan de hand van zijn wereldse en hoofse onderwerpen en een serie gefantaseerde wapenschilden, zullen wij de vraag toetsen of deze beelden ons een blik gunnen op de maatschappij en de natuur zoals deze zich aan de Meester voordeden, of dat zij nieuwe formuleringen zijn van traditionele of conventionele onderwerpen uit de kunst. Hoewel wij Stange's bewondering blijven delen voor de opmerkelijke kwaliteiten van de Meesters beeldtaal, zullen wij proberen antwoord te vinden op de vraag of de kracht van die taal gelegen is in de directe observatie van de wereld om zich heen, of in een hergebruik naar eigen inzichten van thema's die in de kunst van zijn tijd bekend waren. Voorzover kan worden aangetoond dat het werk van de Meester uiteenvalt in reeds bestaande categorieën, zullen wij proberen vast te stellen wat hun functies waren binnen het culturele en maatschappelijke raamwerk van zijn tijd. Met andere woorden, wij zullen proberen de betekenis van het werk te doorgronden binnen de context van zijn eigen maatschappij, door te laten zien welke raakvlakken de waarden van deze maatschappij hebben met de mensen voor wie hij werkte.

¶ De drogenaaldprent bekend als het *Liefdespaar* [75, *afb. 45*] is een van de liefelijkste composities van de vijftiende-eeuwse prentkunst; hij bezit een innige tederheid die grote betovering uitstraalt. Het jonge paar gaat kennelijk geheel op in hun gevoelens jegens elkaar, maar zij zijn tegelijk aarzelend en verlegen, alsof ze niet weten hoe ze die gevoelens moeten uitdrukken. De goede smaak waarmee de kunstenaar die gemoedstoestand uit-

Afb. 45
Liefdespaar [75], drogenaaldprent, ca. 1485.

beeldt, de aarzelende gebaren en de sfeer van bedachtzame dromerigheid ontroeren ons. De grote esthetische waarde die men altijd aan deze prent heeft toegekend is daar ook gedeeltelijk het gevolg van. Toch zou ik willen suggereren dat juist ons directe contact met de inhoud van dit tafereel, de begrijpelijkheid ervan, er de oorzaak van is dat wij ons niet realiseren wat de betekenis van de prent geweest moet zijn voor de tijdgenoten van de Meester.

¶ Voor wij komen met een suggestie betreffende de iconografische traditie waarin dit tafereel geplaatst kan worden, moeten wij eerst stilstaan bij eerdere suggesties hierover. De anjers in de pot, links van de vrouw, heeft men wel geduid als een teken dat het paar verloofd is.[5] Toch is de anjer onder de bloemen die voorkomen op vijftiende-eeuwse Duitse huwelijks- en verlovingsportretten niet zo overheersend, dat vaststaat dat deze bloem altijd een huwelijkssymbool moet zijn. Men mag zelfs zeggen dat iedere bloem gebruikt kon worden in de huwelijks- en verlovingssymboliek.[6] Het Duitse woord voor anjer, *Nelke*, heeft als verdere betekenis 'nageltje', en de bloem kwam dan ook op portretten voor als een verwijzing naar het lijden van Christus, d.w.z. naar de nagels die Christus' handen en voeten doorboorden bij de kruisiging.[7] De geportretteerden maakten daarmee kenbaar dat zij zich bezighielden met het hiernamaals, hun geloof dat het kruisoffer van Christus de weg is tot de verlossing, op het moment dat zij zich in hun wereldse status en met hun wereldse bezittingen lieten schilderen. Hoewel de anjer op portretten dus een bepaalde herkenbare symboliek vertegenwoordigt, is de prent van de Meester geen portret. Het is daarom misschien beter om aan de anjers op de prent geen bepaalde betekenis toe te kennen. Net als andere elementen uit dit tafereel die nog ter sprake zullen komen, zijn de bloemen misschien alleen een verwijzing naar de natuur, als de passende omgeving voor een minnekozend paar.

¶ De wijnkruik die in de koeler staat zonder dat het paar er naar omkijkt, heeft men wel opgevat als teken van hun eerbare liefde.[8] De afgesloten kruik zou dan een teken zijn dat hun liefde kuis is gebleven. Afgezien van de vraag of de gesloten kruik hier ook deze betekenis heeft, is wijn een veelvoorkomend attribuut op liefdestaferelen, zoals bij liefdestuinen (*afb. 46*).[9] Verder is het mogelijk dat de boog van lover, waaronder de gelieven zitten, een tuin moet suggereren.

¶ Het hondje dat bij het meisje op schoot zit, wordt vaak geïnterpreteerd als het symbool van de trouw.[10] Dat onderstreept nog eens de sfeer van begrip en vertrouwen die uit de houding van het paar spreekt. Nu zijn honden inderdaad op Middeleeuwse portretten vaak het symbool van

trouw, maar even vaak zijn ze eenvoudigweg de metgezellen van de elegante paartjes uit de liefdestuinen, waar ze die betekenis niet lijken te hebben. Omdat dit tafereel van de Meester in niets verband lijkt te houden met de visuele tradities van de portretkunst, en alles met het ideale beeld van de liefde, lijkt het minder zeker dat de hond op deze prent niet anders kan worden uitgelegd dan als een verwijzing naar de trouw.

¶ Een zittend of staand liefdespaar komt ook voor op veertiende-eeuws Frans ivoor, zoals bv. een spiegeldeksel uit het British Museum (*afb. 47*).[11] Twee geliefden, gezeten op een bank, kijken elkaar aan, hun handen gegeven in een gebaar dat communicatie betekent, misschien zelfs conversatie. Belangrijker dan de overeenkomsten in compositie die er zijn met de prent, zijn de culturele associaties die men kan verbinden aan het ivoor. Het zittende paar op deze spiegel behoort tot een specifieke groep onderwerpen die vaker voorkomen als decoratie van dit soort voorwer-

Afb. 46
Meester van de Liefdestuinen, *De grote liefdestuin*, gravure (L. 21), ca. 1450. Berlijn, Staatliche Museen, Kupferstichkabinett.

Afb. 47
Anoniem, Frans, ca. 1320, *Gesprek tussen twee geliefden*, ivoren spiegeldeksel. Londen, British Museum.

Afb. 48
Anoniem, Zwitsers, ca. 1480-
90, *Allegorie van de trouw*,
tapisserie. Vroeger P.W.
French & Co., New York.

Afb. 49
Meester E.S., *Liefdespaar*
[**75**e], gravure (L. 211), ca.
1460. Wenen, Albertina.

Afb. 50
Vertrek voor de jacht [72],
drogenaaldprent, ca. 1485.

Afb. 51
Jean de Limbourg, Très
Riches Heures du Duc de Berry,
fol. 8v, Augustus, 1415-16.
Chantilly, Musée Condé.

pen: taferelen van elkaar ontmoetende geliefden, minnaars die elkaar een bloemenkrans schenken, op jacht gaan, schaakspelen en eer bewijzen aan de god der liefde. Daarnaast zijn er steekspeltaferelen, allegorische voorstellingen zoals de bestorming van de burcht van de liefde en soms illustraties van bekende scènes uit ridderromans. Koechlin heeft echter aangetoond dat het hierbij niet ging om illustraties bij bepaalde passages, maar eerder om taferelen die een algemeen beeld oproepen van de ridderepiek, voorstellingen die dus als het ware een 'embleem' waren van het ridderlijke liefdesideaal.[12] Hoewel de prent van de Meester te veel verhalende elementen bezit om alleen maar een visuele verwijzing te zijn naar een literair genre, is het niet uitgesloten dat wij de betekenis wel in die richting moeten zoeken, met andere woorden, het *Liefdespaar* legt misschien eerder dan een persoonlijk geobserveerd beeld van de Meester, een cultureel idee vast.

¶ Een hoofs liefdespaar als verbeelding van de romantische liefde komt niet alleen voor op Franse ivoren. Op een aantal Zwitserse tapisse-

rieën, geproduceerd in Bazel in de tweede helft van de vijftiende eeuw, wordt hetzelfde motief aangetroffen. Een typerend voorbeeld is het tapijt van omstreeks 1490, vroeger in de collectie van de firma P.W. French & Co te New York (*afb. 48*).[13] Hier zit een jong paar tegen een achtergrond van gestileerde planten, die een liefdestuin suggereren. De banderol boven de jongeman draagt de woorden: 'Ik zal met u in trouwe', en boven de vrouw: 'Dat zal u nooit berouwen'. De trouw en standvastigheid die uit deze woorden spreken zijn begrippen die visueel worden onderstreept door de miniatuur-eenhoorn in de schoot van de vrouw, een ondubbelzinnige bevestiging van haar maagdelijkheid[14] en door de valk die een reiger doodt, middenop het tafereel, een embleem, zoals trouwens ieder jachtmotief, van de liefde.[15] Hoewel de gravure van de Meester niet zo allegorisch van opzet is als het tapijt, spreekt uit zijn voorstelling toch hetzelfde culturele ideaal. Op het tapijt worden de beginselen van het ridderlijke liefdesideaal geformaliseerd en dienen ze tot lering, terwijl de prent de zinne-

Afb. 52
Anoniem, Frans, ca. 1320,
Vertrek voor de jacht, ivoren
schrijftafeltje.
Londen, British Museum.

Afb. 53
Anoniem, Frans, ca. 1320,
De bekransing van de geliefde,
ivoren schrijftafeltje.
Londen, British Museum.

lijk-poëtische kant van hetzelfde ideaal tot uitdrukking brengt. Het eerste vormt een cultuurideaal dat dient tot voorbeeld voor gedragsregels,
het tweede maakt het tot een betoverend en ver-
leidelijk beeld dat ons genot en vermaak schenkt.

¶ Wanneer men de prent van de Meester vergelijkt
met de mogelijke bron ervan, de gravure met het
Liefdespaar van Meester E.S., gewoonlijk gedateerd in de jaren 1460 [**75e**, *afb. 49*], ziet men een
opmerkelijk contrast. Hoewel de composities veel
overeenkomsten vertonen, hebben de twee kunstenaars ieder een geheel ander aspect belicht van
de verhouding tussen man en vrouw. Het tafereel
van de Meester roept een beeld op van een ridderideaal dat uitnodigt tot bewondering en navolging, terwijl Meester E.S. de relatie tussen de
twee gelieven schetst in termen van lust en
begeerte. De man doet een openlijke toenade-
ringspoging door de hand op de boezem van zijn
gezellin te leggen. De vrouw lijkt hem – overigens
zonder veel effect – weg te willen duwen en haar
schoothondje laat een komische echo van dat
gebaar zien. Het gevoel van innige intimiteit dat
de prent van de Meester uitstraalt is bij Meester
E.S. niet aanwezig. Deze houdt zich minder bezig
met hun gevoelens voor elkaar, dan met de toeschouwer. Zijn twee minnaars kijken ons enigszins besmuikt aan, alsof ze heel goed weten dat
ze iets schandelijks aan het doen zijn. Dit verschil
tussen beide prenten laat zien hoe eenzelfde onderwerp gebruikt wordt om twee heel verschillende ideeën uit te drukken. Terwijl de eerste prent
de waarden van het ridderideaal tot uitdrukking
poogt te brengen, gooit de tweede ze omver, door
een moreel oordeel over ze te vellen.[16]

¶ Net als bij het *Liefdespaar*, is de kijk van de kunstenaar op zijn onderwerp bij het *Vertrek voor de
jacht* [**72**; *afb. 50*], zo fris, dat men de prent vaak
heeft beschouwd als een tafereel uit het dagelijks
leven. Niet iedere schrijver over deze gravure is
echter tot deze conclusie gekomen. Ook is de
mogelijkheid geopperd dat de prent verwant is
met de voorstellingen van de maanden van het
jaar, zoals die tot ontwikkeling waren gekomen
in het calendarium van geïllumineerde getijdenboeken en almanakken.[17] De maand augustus bijvoorbeeld, werd vaak geïllustreerd door een
jachtscène van edelen met hun valken, zoals in
de *Très Riches Heures du Duc de Berry* (*afb. 51*).[18]
Hoe frappant de overeenkomsten tussen de twee
composities ook zijn, een nauwkeurige vergelijking roept toch een aantal vragen op. De Meester
heeft voor zover wij weten geen andere illustraties
gemaakt van de maanden. Omdat deze voorstelling daarom los staat van de gebruikelijke context, mogen wij haar niet voetstoots op de conventionele manier interpreteren, en moeten wij aannemen dat hij een andere bedoeling had toen hij

een dergelijke compositie als voorbeeld gebruikte. Dit op zich versterkt de indruk dat het werk
van de Meester het product is van zijn eigen vrije
fantasie.

¶ Wanneer wij willen doorgronden wat de culturele
betekenis van deze voorstelling was, is het
belangrijk om op te merken dat, hoewel de meeste
bezigheden die dienst doen als illustraties van de
maanden uit het boerenleven afkomstig zijn, de
maanden augustus, januari, april en mei soms
zijn geïllustreerd met voorstellingen uit het leven
van de adel. Niet alleen was de traditionele bezigheid voor augustus een nobele, maar bovendien
is het er een die duidelijk geassocieerd wordt met
de liefde. De jacht als tijdverdrijf voor verliefde
paren is een traditioneel gegeven in de ridderlijke
liefde. Het is dan ook niet verwonderlijk dat *Het
vertrek voor de jacht* een van de motieven is die voorkomen op veertiende-eeuwse Franse ivoren. Een
voorbeeld is de achterkant van een schrijftafeltje
in het British Museum (*afb. 52, 53*).[19] Het gebruik
van jachtvoorstellingen als 'emblemen' van de
ridderlijke liefde was afkomstig uit een rijke literaire traditie, waarin de jacht wordt vergeleken
met de manier waarop een minnaar zijn geliefde
uitkiest en verovert. Gedichten over dit onderwerp waren vaak in een allegorische vorm gegoten. Kwaliteiten als trouw en vastberadenheid,
die een jager moet hebben om zijn prooi te kunnen verschalken (soms 'gepersonifieerd' door een
koppel jachthonden) worden vergeleken met de
eigenschappen van de succesvolle minnaar.[20] Het
pendant van het schrijftafeltje toont een knielende man die op het punt staat een krans te
ontvangen van een vrouw – een tafereel dat niet
alleen het idee van ridderlijke, dienstbare liefde
en de beloning daarvoor in een notedop weergeeft, maar ook doet denken aan het beeld van
de met bloemenkransen getooide ridders op de
prent van de Meester. Zo roepen de ivoren pla-

Afb. 54
Anoniem, Zwitsers, ca. 1480-
90, *Allegorie van de trouw*,
tapisserie. Vroeger
P.W. French & Co.,
New York.

ques met *Het vertrek voor de jacht* en de *Bekransing
van de minnaar* de poëtische en erotische sfeer op
van de wereld der ridderromans.

¶ De jacht als zinnebeeld van de ridderlijke liefde
vindt men ook op Duitse tapisserieën uit de tijd
van de Meester zelf. Op een tapijt uit de Elzas
uit het laatste kwart van de vijftiende eeuw, waarvan de huidige verblijfplaats onbekend is (*afb.
54*)[21] jaagt een paartje een hert op in de richting
van een val, gemaakt van tussen bomen gespannen touwen. De woorden op de banderol zijn die
van de man, die zegt: 'Ik jaag naar trouw en vind
ik die, beleefde ik nooit een gelukkiger tijd'. Het
werk moet worden opgevat als een allegorie op
de trouw en dus als een gemoraliseerde versie
van het ridderlijke liefdesideaal. De prent van de
Meester bezit noch de 'emblematische' kant van
het ivoor, noch de allegorische van de tapisserie.
Het omkleedt het liefdesideaal daarentegen met
alle details van de geobserveerde werkelijkheid
en verhindert dat het hele weefsel van culturele
referenties vereenvoudigd wordt tot morele
grondbeginselen. Door bij de uitbeelding van een
cultuurideaal gebruik te maken van alle illusio-
nistische mogelijkheden van de laat vijftiende-
eeuwse kunst, geeft de Meester er nieuwe kracht
en vitaliteit aan.

¶ Op de gravure *De kaartspelers* [**73**; *afb. 55*], lijkt
de vrouw in het midden zojuist een spelletje te
hebben gewonnen. De kaart op haar schoot,
waarop ze wijst, heeft men geïdentificeerd als de
eikenaas, een van de kleuren van het Duitse
kaartspel.[22] Het tafereel is wat zijn iconografische
traditie betreft nauw verwant aan de liefdestuin,
waarop het spel vaak voorkomt als een tijdverdrijf van verliefde paren (zie *afb. 46*).[23] Mannen
en vrouwen die paarsgewijs een spel spelen
komen ook voor op veertiende-eeuwse Franse ivoren. Op een spiegeldeksel in het Louvre bijvoorbeeld (*afb. 56*),[24] staat een schaakspelend paar

Afb. 55
Kaartspelers [**73**], drogenaaldprent, ca. 1485.

afgebeeld. De vrouw heeft kennelijk net een van
de stukken van haar tegenstander buitgemaakt,
een zet waarop haar dienstmaagd de aandacht
vestigt. Aangezien deze een bloemenkrans in
haar andere hand heeft, lijkt het erop dat de
vrouw de winnares is.[25] Het feit dat niet alleen
hier, maar op alle voorstellingen van schaaksp-
lende paren op dergelijke ivoren de vrouw de winnares is, maakt het waarschijnlijk dat het motief
de nadruk legt op het belang van de rol van de
vrouw in het ridderlijke liefdesideaal.

¶ Het motief van een schaak- of kaartspelend paar
om de waarden van de ridderlijke liefde in beeld
te brengen vindt men ook op Zwitserse tapijten
uit het eind van de vijftiende eeuw. Op het Meyer
zum Pfeiltapijt in het Historisches Museum in
Bazel (*afb. 56*),[26] waarvan men aanneemt dat het
tussen 1471 en 1500 in die stad is vervaardigd,
zien wij een kaartspelend paar in een tent in het
midden van de compositie. Op de banderol boven

Afb. 56
Anoniem, Frans, ca. 1340,
Schaakspelend paar, ivoren
spiegeldeksel. Parijs, Musée
du Louvre.

Afb. 57
Anoniem, Zwitsers, ca. 1495,
Kaartspelend liefdespaar, tapisserie. Bazel, Kunsthistori-
sches Museum.

Afb. 58
Meester E.S., *Liefdestuin met schaakspelers*, gravure (L.214), ca. 1460. Berlijn, Staatliche Museen, Kupferstichkabinett.

Afb. 59
Wapenschild met op zijn hoofd staande boer [**89**], drogenaaldprent, ca. 1485.

de man staan de woorden: 'Die slag van u was wel bezonnen', en de vrouw antwoordt: 'Daarmee heb ik het spel gewonnen'. Op het tapijt komen twee andere paren voor, die elkaar trouw beloven. Dat plaatst de kaartspelers binnen de context van het ridderlijke liefdesideaal, waarin de vrouw op een voetstuk wordt geplaatst. De vrouw op de prent van de Meester staat zo, dat men de indruk krijgt dat zij de scheidsrechter is van het gezelschap om zich heen. De hofnar rechts achter de groep, een figuur die in deze periode vaak wordt gebruikt als verwijzing naar zonde en dwaasheid, lijkt hier deze betekenis niet te hebben. De nar is hier niet degene die commentaar levert op het gedrag van de groep, maar hij maakt er deel van uit.

¶ Een prent die wat betreft compositie en thema een zekere overeenkomst vertoont met de *Kaartspelers*, is de gravure *Jongeman en twee meisjes* [**66**]. Wat de drie figuren precies doen, is niet duidelijk. Misschien zingen zij of maken zij aanstalten daartoe, of misschien lezen zij een brief.[27] Beide bezigheden vinden wij ook terug in de iconografie van de liefdestuin uit die periode.[28] Maar in tegenstelling tot de andere hier besproken taferelen komt een dergelijke scène voor zover wij weten niet voor op Franse ivoren of tapisserieën uit de tijd van de Meester zelf. Het motief lijkt echter op min of meer dezelfde manier te zijn gebruikt als de andere hoofse onderwerpen. Evenals deze roept de prent een sfeer van intimiteit op, een wereld waarin men elkaars gevoelens deelt en waar gelijkheid heerst en respect.

¶ De opvallende plaats van de vrouw op taferelen met kaart- en schaakspelers leende zich uitstekend tot satire, toen men op een gegeven moment zijn twijfels kreeg over de idealen van de ridderlijkheid. Dat zien wij bv. gebeuren op een gravure van Meester E.S. uit de jaren zestig van de vijftiende eeuw (afb. 58),[29] waarop het schaakspel wordt gebruikt om de macht van de vrouw uit te beelden, die de mannen door hun begeerte tot haar slaaf maakt. Het moraliserende aspect wordt vooral benadrukt door de uil, achter de vrouw op het hek. De uil is het symbool van de zonde in het algemeen, maar wordt ook wel specifiek gebruikt als zinnebeeld van de begeerte.[30] Deze betekenis stamt van het gebruik dat men van de uil maakte als lokvogel bij de vogeljacht, een betekenis die wordt overgebracht op de vrouw door de plaatsing van de vogel in haar nabijheid. Ook zij is een lokster en verleidster van mannen, die niet in de gaten hebben dat haar bekoring leidt tot hun ondergang. De aanwezigheid van de nar, die avances maakt naar de vrouw rechts op de compositie, moet laten zien hoezeer begeerte en dwaasheid onafscheidelijk zijn. De nar dient om de sexuele kant van de verhouding tussen mannen en vrouwen te benadrukken – hij heeft zijn arm om het middel van de vrouw geslagen – en daarmee laat hij zien welke gevaren er schuilen in een schijnbaar onschuldig spelletje schaak.

¶ De belangstelling van de Meester voor de ridderlijke waarden blijkt ook uit zijn afbeeldingen van wapenschilden. Het schild waarop een boer op zijn hoofd staand is afgebeeld [89; afb. 59], wordt ca. 1485 gedateerd, dezelfde tijd waarin zijn zojuist besproken illustraties van het ridderideaal tot stand kwamen. Het schild wordt bekroond door een helm, en die op zijn beurt door een boer, wiens vrouw aanstalten maakt om op zijn rug te klimmen. Om zijn vernedering compleet te maken moet hij bovendien haar spinrokken vasthouden, terwijl zij doorgaat met spinnen. Een vrouw die op de rug van haar man rijdt, verwijst direct naar afbeeldingen van Aristoteles en Phyllis, een onderwerp dat de Meester zelf ook heeft gebruikt [54].[31] Volgens het verhaal was Aristoteles zo verzot op Phyllis, de minnares van Alexander de Grote, dat hij zich door haar als lastdier liet gebruiken in de hoop haar gunsten te winnen. De boer op de prent schreeuwt echter van pijn, in plaats van genoegen te scheppen in zijn perverse 'liefdesdienst'. Het visuele verband tussen het paar op de helm en de man die op zijn hoofd op het wapenschild is afgebeeld, moet de kijker

erop wijzen dat het niet de natuurlijke gang van zaken is, dat een man door zijn vrouw wordt overheerst.[32] Het beeld van een vrouw op de rug van haar man houdt verband met verscheidene andere thema's die populair waren in die periode, satirische onderwerpen als de 'ongetemde feeks' en de 'strijd om de broek', die lijken te slaan op huwelijken waarin de maatschappelijke hiërarchie op zijn kop is gezet.[33]

¶ Tegen de vijftiende eeuw was het gebruik van wapenschilden niet meer uitsluitend voorbehouden aan de adel. Zij kwamen binnen het bereik van gestudeerden, maar ook van handwerkslui, kooplieden en zelfs van rijke boeren.[34] De associatie met de adel en hun aanzien bleef echter bestaan, want de heraldiek bleef verwijzen naar het ideaal van militaire moed en dapperheid, van oudsher de traditionele rechtvaardiging voor het maatschappelijke aanzien en de politieke macht der 'wapendragers'. Militaire moed en dapperheid hadden een rituele uitdrukkingsvorm gevonden in militaire spektakels die aan rigoureuze regels waren onderworpen, de toernooien, die aan het eind van de Middeleeuwen hun grootste populariteit beleefden.[35] Het wapenschild kreeg door het gebruik bij dergelijke manifestaties een geheel nieuwe betekenis: een zo kleurrijk mogelijke identificatie van de deelnemers. In Duitsland waren de helmen die de bekroning vormden van het eigenlijke wapenschild afkomstig uit deze

Afb. 60
Meester b g, *Man onder de plak van zijn vrouw* [95], gravure, ca. 1480.

wereld van het steekspel. Gebruikt werden grofweg twee soorten helmen: de *Stechhelm*, voor het steekspel met lansen, en de *Kolbenhelm*, die dienst deed bij het knotsvechten. Aangezien de *Kolbenhelm* (die in de vijftiende eeuw zijn intrede deed) oorspronkelijk werd geassocieerd met adellijke wapenschilden, werd het feit dat de *Stechhelm* op de meeste (maar niet alle) satirische wapenschilden van de Meester verschijnt, opgevat als teken dat de satire leden van de gestudeerde en middenklasse gold. Met andere woorden, de spot was gericht op personen wier recht op het voeren van een wapen in twijfel getrokken kon worden.[36] Er zijn echter een aantal aanwijzingen te vinden voor de mogelijkheid dat de humor zich richtte tegen een andere maatschappelijke klasse dan de burgerij. Niet alleen zijn de meeste figuren op de wapenschilden van de Meester boeren, maar vaak worden de schilden gedragen door andere boeren, terwijl de voorwerpen die op de schilden prijken vaak afkomstig zijn uit het boerenmilieu. Het is niet zonder betekenis dat bv. de huwelijks-satire op het *Wapenschild met op zijn hoofd staande boer* verwijst naar boeren. De boerenklasse komt in vergelijkbare thema's voor op gravures van een leerling van de Meester, Meester b x g [**95, 102, 103**]. Op een van deze [**95**; *afb. 60*], staat een vrouw die haar man met slaag dwingt haar te helpen bij het spinnen.[37] Het zal geen toeval zijn dat de personages die het gebrek aan huwelijkse discipline uitbeelden, boeren zijn. De ongehoorzaamheid en opstandigheid die uit deze voorstellingen spreekt zal men zeker hebben gezien als een beeldspraak voor het latente gevaar van revolutie dat altijd aanwezig was onder de laagste klasse, in de ogen van hen die er zelf beter aan toe waren.

¶ De Meester vervaardigde ook lege wapenschilden, gedragen door boeren, wier suggestieve gebaren, plompe figuren en caricaturale uitdrukkingen de kijker niet in het ongewisse laten over het feit dat de stand waartoe zij behoren zich onderscheidt zowel door lichamelijke als door morele lompheid en laagheid.[38] Een paar pendantprenten van Meester b x g, waarvan sommigen menen dat zij naar verloren gegane werken van de Meester zelf zijn [**104**],[39] stellen een boerenpaar voor dat zich heeft neergezet om te gaan eten en drinken. De nogal zuur kijkende man heeft zijn hand in zijn buis gestoken, een gebaar dat luiheid moet verbeelden, zoals men ook op ander werk uit deze periode heeft vastgesteld.[40] De vrouw, met een wellustige grijns op haar allang niet meer jonge gezicht, tilt haar rokken omhoog, terwijl zij haar metgezel iets te drinken aanbiedt. Alsof het eerste gebaar al niet suggestief genoeg is, wordt ook het aanbieden van drank vaak gebruikt om sexuele toenadering uit te drukken, zowel in de beeldende kunst als in de literatuur.[41] Uit hoe de vrouw kijkt en wat ze doet valt op te maken dat dit tafereeltje uit het boerenleven een toespeling bevat op ongeoorloofde zinnelijke liefde.

¶ Satirische voorstellingen van een ander karakter zijn die, waarop voorwerpen uit het boerenbedrijf

op wapenschilden prijken. Op de *Boerenvrouw met wapenschild waarop een sikkel* [**81**], wordt het traditionele toonbeeld van adellijke trots besmeurd door de ongepaste verschijning van een boeren-werktuig, dat de laagste stand bij zijn nederige arbeid gebruikt, op de plaats die gereserveerd hoort te zijn voor een verheven symbool van heroïsche heldenmoed en dapperheid. Bossert en Storck hebben al geopperd dat het plaatsen van een sikkel op een wapenschild de visuele parallel zou kunnen zijn van het literaire genre, de boerensatire, gebruikt om de instellingen van de ridderstand bespottelijk te maken. In Heinrich Wittenweilers gedicht *Der Ring*, van ongeveer 1400, dragen boeren die meedoen aan een toernooi wapenschilden versierd met twee hooivorken op een mesthoop, een dode haas in een weiland, drie vliegen in een glas, etc.[42] Hoewel de boerin die het schild ondersteunt geen caricatuur lijkt, heeft Hutchison gesuggereerd dat de mand op haar hoofd misschien bedoeld is als een beeld-grap op het Duitse woord *Korb*, dat ook buik betekent. In dat geval zou de vrouw hier gekarakteriseerd zijn als embleem van de vraat- of hebzucht.[43]

¶ Ook graveerde de Meester pendants met wapens waarop een *Dame met radijzen op haar wapenschild* [**84**], en een *Jongeman met knoflook op zijn wapenschild* [**85**]. In deze gevallen worden de schilden met hun boerse etenswaren, juist gedragen door elegant geklede figuren die behoren tot de adel of de burgerij. Wat is de betekenis van dit curieuze huwelijk tussen elementen uit zulke uiteenliggende maatschappelijke kringen? Net als de andere satirische wapenschilden heeft men deze prenten ook wel geïnterpreteerd als een bespotting van burgerlijke pretenties. Men zou daaruit moeten concluderen dat de wapenschilden ons het geheim verklappen van de afkomst van het jonge paar, ondanks hun pogingen zich door hun kleding voor te doen als adellijke personages. Omdat de groenten op het schild echter specifiek verwijzen naar het boerse milieu, lijkt het waarschijnlijker dat het de bedoeling is om de boeren belachelijk te maken. Gemoraliseerde kritiek op boeren die de starre Middeleeuwse kledingscode doorbraken en zich boven hun stand kleedden, vinden wij bv. bij Sebastiaan Brandt, in diens *Narrenschip* (Bazel 1494): hoofdstuk 82, 'Van de opsmuk der boeren':

'Zij wensen damast, niet wol zoals vroeger
Toen boeren strooien hoeden droegen
Het moet Leidse of Mechelse kledingstof zijn
Met splitten, en opengewerkt, heel fijn,
Met alle kleuren wild over wild heen
En op de mouw een koekoeksembleem'.

¶ Deze analyse van een aantal wereldlijke onderwerpen van de Meester laat zien dat zijn werk allerlei verbanden heeft met een reeds bestaande beeldtraditie. Het feit dat er verbanden zijn, bewijst dat de prenten niet zomaar de neerslag zijn van wat de Meester her en der waarnam, maar dat zijn prenten bestaande culturele waarden in beeld brengen. Voordat wij kunnen begrijpen wat het zichtbaar maken van deze waarden betekende voor de maatschappij waarin deze prenten circuleerden, moeten wij eerst trachten een idee te krijgen van het soort mensen voor wie zij bestemd waren.

¶ De Meester koos de drogenaaldtechniek om zijn wereldlijke taferelen in uit te beelden, een bijzonder kwetsbaar grafisch procédé. Het hele esthetische effect hangt af van de staat van de metalen braam, die als gevolg van het inkrassen van de tekenlijn naast deze op het oppervlak van de metalen plaat komt te liggen. Dat metalen richeltje slijt al aanmerkelijk bij de eerste paar keren dat de plaat wordt afgedrukt, zodat het aantal goede prenten die ermee te maken zijn veel kleiner is dan bijvoorbeeld bij een gewone gegraveerde plaat. En inderdaad bevestigt het feit dat er maar heel weinig afdrukken bekend zijn, dat de oorspronkelijke oplagen zeer klein waren. Er zijn in totaal 123 bladen bekend, van 91 verschillende onderwerpen, waaronder niet minder dan 70 unica.[45] Aangezien het enige wat bekend is over de prijs van vroege gravures erop wijst dat ze niet goedkoop waren, heeft men altijd aangenomen dat ze gekocht en verzameld werden door op zijn minst welgestelde personen.[46] Deze overweging zet kracht bij aan de gevolgtrekking, dat het werk van de Meester bestemd was voor een kleine kring kieskeurige lieden, die behoorden tot de hoogste maatschappelijke standen. Ook het feit dat de onderwerpen vaak parallel lopen met die van ivoren en tapisserieën wijst in die richting. Beide waren dure gebruiksartikelen, van oudsher bij uitstek vervaardigd voor de adel en de stedelijke bourgoisie.[47]

¶ Tenslotte moet opgemerkt worden dat de Meester met zijn voorstellingen van het ridderideaal enerzijds en zijn boerensatires anderzijds visuele equivalenten produceerde van thema's die oude favorieten waren uit de aristocratische literatuur. De waardering voor zowel ridderromans als het genre van de boerensatire, waarmee datzelfde ideaal werd bespot, vond men in de hoogste sociale klassen.[48] Dat de boeren zo'n voorname plaats innamen in de Middeleeuwse humor lijkt, in elk geval ten dele, het gevolg te zijn geweest van het feit dat zij als klasse buiten de riddercultuur vielen. Als de buitenstaanders, op wier onbegrip van hoofse waarden de exclusiviteit van het ridderschap berustte, leenden ze zich uitstekend tot het soort visuele amusement dat zich richtte op een publiek van edelen en rijke burgers.[49]

¶ Als de manier waarop wij verscheidene van de prenten van de Meester geïnterpreteerd hebben correct is, namelijk dat zij een visuele vorm geven aan de ridderidealen, zoals die voor het eerst werden geformuleerd in de literatuur uit het hoogtij der Middeleeuwen, dan is het belangrijk om na te gaan welke rol deze voortbrengselen van de riddercultuur speelden voor de mensen die ze waardeerden en verzamelden. Al enige tijd is men er niet meer zo van overtuigd dat er in de veertiende en vijftiende eeuw een verval inzette van de macht en de invloed van de waarden van het ridderdom.[50]

¶ Gegevens uit de laatste historische onderzoeken wijzen erop, dat de riddercode in deze periode sterker was dan ooit tevoren: de belangstelling voor de ridderroman beleefde aan het eind van de Middeleeuwen een opleving, zo zelfs, dat de adel steeds meer de daarin beschreven rituelen en manieren in praktijk ging brengen, en met name de toernooien steeds geliefder werden.[51] Het levendige, creatieve karakter van dit vijftiende-eeuwse ridderconcept is vooral in Duitsland uitstekend gedocumenteerd. Aan het hof van Albrecht IV van Beieren in München bijvoorbeeld, kreeg de dichter-schilder Ulrich Füetrer de opdracht om een encyclopedische bloemlezing te maken van Arthur-legenden. Dit werk, bekend als *Das Buch der Abenteuer*, werd voltooid tussen 1473 en 1478.[52] Waarschijnlijk een soortgelijke belangstelling voor het doen herleven van 'klassieke' ridderverhalen lag ten grondslag aan de opdracht die Philips de Oprechte gaf aan Johann von Soest, voor het maken van een Duitse vertaling van de veertiende-eeuwse Hollandse roman *Die Kinder von Limbourg*.[53] De dedicatiepagina, 1480 gedateerd, met de knielende dichter die zijn manuscript aan de graaf aanbiedt, is van de hand van onze Meester [118].[54]

¶ Wat betekende deze herleefde belangstelling voor de ridderroman in sociaal opzicht, en hoe helpt dit feit ons de beeldtaal van de Meester beter te begrijpen? Een van de opmerkelijke kanten van Philips de Oprechte's patronaat van de ridderroman is, dat het vergezeld ging van een belangstelling voor de vroege Duitse humanisten. Philips was niet alleen de broodheer van Johann von Soest, maar ook de maecenas van Rudolf Agricola en Johannes Reuchlin.[55] Kurt Nyholm heeft de mogelijkheid geopperd dat deze beide facetten van het hofpatronaat gezien moeten worden als uitingen van een groeiend historisch besef. Zowel de ridderroman als de Grieks-Romeinse literatuur werden beschouwd als bronnen van historische kennis.[56] Deze stelling is verder ontwikkeld door Jan-Dirk Müller, die het *Buch der Abenteuer* interpreteerde als een middel waardoor Albrecht

IV zijn prestige als heerser van Beieren wilde wettigen en vergroten. Müllers redenering is aldus: aangezien de gebeurtenissen uit ridder-verhalen werden opgevat als historisch waar gebeurd, moet men Füetrers poging om aan te tonen dat Albrecht afstamde van de ridders van de Ronde Tafel niet zien als een extravagant staaltje van hoofse vleierij, maar moet het worden opgevat als de vaststelling van een historisch feit.[57] Philips de Oprechte's enthousiasme voor het ridderideaal beperkte zich niet tot zijn smaak in literaire zaken. Hij is ook een voorbeeld van een Middeleeuwse prins die graag de legendari-sche heldendaden uit de ridderromans wilde eve-naren, zo niet overtreffen. In 1481 organiseerde hij in Heidelberg een steekspel tussen de Rijnrid-ders en de ridders van de Zwabische Bond. Het toernooi duurde een week, en Philips zelf trad in het krijt tegen Hertog George van Beieren. In totaal deden er vijf prinsen aan mee, twintig graven, vier baronnen, negenenzestig ridders en driehonderdvijftig leden van de lagere adel. Gra-vin Mathilde, met een gevolg van honderdveer-tien adellijke dames, behoorde tot de toeschou-wers. Het steekspel werd gevolgd door een ban-ket, een prijsuitreiking en een bal.[58]

¶ Als wij de prenten van de Meester bekijken in het licht van de rol die de ridderroman speelde aan het Heidelbergse hof in de periode waarvan men aanneemt dat de Meester daarmee in con-tact was, komen hun culturele en sociale beteke-nis in een veel duidelijker licht te staan. Het werk blijkt veel meer dan alleen een blik te gunnen op de persoonlijke ervaringen van de Meester, een nieuwe en zeer gevoelige reactie te zijn op het belang dat in die kringen werd toegekend aan de mythe van het ridderschap. Op een prent als *Het liefdespaar* geeft de Meester een visuele interpreta-tie van het uit de literatuur afkomstige ideaal van ridderlijke liefde, gezien als een hoogstaande, inspirerende relatie tussen man en vrouw. De personages worden afgebeeld als jong en mooi, en bovendien zijn ze uiterst smaakvol gekleed. Hun gezichtsuitdrukking is beheerst en hun gebaren zijn ingetogen, zelfs formeel, en tegelijk gracieus. Het paar wordt niet alleen als bewonde-renswaardig voorgesteld, maar ook als deugd-zaam. Op prenten als het *Vertrek voor de jacht* en de *Jongeman met twee meisjes* zien wij eveneens dat de nadruk ligt op de schoonheid van de persona-ges en op de vreugdevolle innigheid van hun samenzijn. Het is het beeld van een ideale maat-schappij, ongedwongen en zorgeloos, waar gelie-ven zich kunnen vermeien in een luchtig tijdver-drijf, ver van de zorgen en plichten van het gewone leven. Frappant is de gevoeligheid die spreekt uit de stemming van de gelieven. Op het *Vertrek voor de jacht* kijkt een man om naar de vrouw die achter hem rijdt om de vreugde van het moment met haar te delen. Op dezelfde manier dient de onbevangenheid tussen mannen en vrou-wen zoals op de *Kaartspelers* en de *Jonge man met twee meisjes* om de bevoorrechte positie van de vrouw in de riddermythe te laten uitkomen.

¶ Net zoals bij de illustraties van het ridderideaal moeten wij ons bij de satirische wapenschilden afvragen welke betekenis ze hadden in de maat-schappij waarin ze zijn ontstaan. Opvallend is dat de Meester een visuele parallel heeft gescha-pen van het literaire genre van de boerensatire, op een moment dat onvrede onder de boeren wel-dra tot gewelddadigheden zou leiden. Aan het eind van de vijftiende eeuw kwamen er onder de boeren bewegingen op die de hele structuur van de Duitse maatschappij met de ondergang bedreigden.[59] Hoe gecompliceerd de redenen voor die onvrede ook geweest mogen zijn, in recent onderzoek is de nadruk vooral gelegd op twee belangrijke ontwikkelingen die samenwerk-ten om de spanningen tussen de boeren en de adel op de spits te drijven. De grootgrondbezit-ters – de adel en de kloosters – deden pogingen om 'hun' boeren sterker aan zich te binden en verzwaarden tegelijkertijd de pacht.[60] De ver-hoogde heffingen moesten de gevolgen van het krimpen van de boerenstand – zowel ten gevolge van de Zwarte Dood als door de aantrekkings-kracht van de grote steden op de plattelandsbe-volking – weer goedmaken.[61] De tijd dat de boe-ren goed hadden verdiend door een overvloed aan werkgelegenheid had plaatsgemaakt voor een periode van nood en gebrek.

¶ Wanneer men de satirische wapenschilden met hun bespotting van de boerenstand bekijkt tegen de achtergrond van de hierboven geschetste maatschappelijke omstandigheden, kan men misschien de volgende suggestie doen: de wapen-schilden ontlenen hun satirische pointe vooral aan het verwisselen van de rollen tussen de sexen en aan de caricaturale weergave van de figuren. Geen van beide zaken zijn nieuw in de literaire boerensatires, die een gevestigd genre zijn. Wat de voorstellingen van de Meester echter vooral doen, is deze bestaande en sociaal aanvaarde vorm van geestigheid in een nieuwe en frappante visuele vorm gieten. Gezien de sociale onrust uit die tijd is het niet onwaarschijnlijk dat het omke-ren van de sexuele hiërarchie zoals op het *Wapen-schild met op zijn hoofd staande boer* de mensen heeft doen denken aan de dreigende sociale omwente-lingen. Zo typeren de prenten de klasse die niet in staat is om de rollen tussen de sexen op orde te houden als dezelfde, die niet bij machte is om zich aan de maatschappelijke orde te houden. De boerensatires van de Meester vertegenwoordigen de keerzijde van de medaille waarop aan de goede kant het ridderideaal wordt bevestigd in zijn waarde. Door de mythes zichtbaar te maken waarop de sociale hiërarchie berust – de geestelijke adeldom van de ridder enerzijds, en anderzijds de morele laagheid van de boeren – bevestigden de wereldlijke voorstellingen van de Meester de juistheid van het wereldbeeld van de mensen voor wie zijn prenten bedoeld waren. Het frisse naturalisme, ontleend aan de religieuze kunst uit die tijd, gebruikte hij enerzijds om het beeld van het ridderlijke liefdesideaal nieuw leven in te blazen; het diende aan de andere kant ertoe om kracht bij te zetten aan een geestige, maar vernederende kijk op de boeren.

¶ Begrip van de ideologische waarden die de basis vormen van enkele wereldlijke thema's van de Meester, verschaft ons niet alleen een beter inzicht in de appreciatie van zijn kunst in de vijftiende eeuw, het draagt ook bij tot onze eigen esthetische waardering van zijn werk. Kennis van de historische plaats van het werk van de Meester vergroot en verrijkt de esthetische kracht ervan. Stange's gevoelsmatige reactie op het naturalisme van de Meester kunnen wij koppelen aan ons inzicht in de culturele en maatschappelijke effecten die zijn onderwerpen gehad moeten hebben op zijn tijdgenoten. Wij hoeven Stange's beschrijving van de manier waarop de Meester zich bezighield met de fenomenologische kanten van zijn vak niet te verwerpen, wij moeten die alleen opnieuw interpreteren. Eerder dan de pure neerslag van observatie, producten van een man die zich existentieel bewust is van de wereld om zich heen, moeten wij de scheppingen van de Meester zien als middelen tot een doel. Met andere woorden, de Meester gebruikte zijn observatievermogen niet in de eerste plaats om de natuur en de maatschappij, hoe belangrijk op zichzelf ook, in kaart te brengen, maar om traditionele cultuurwaarden weer te geven in een beeldtaal, die even opmerkelijk is als nieuw.

---

* Dit opstel is een uitgebreide versie van een lezing, gehouden tijdens een congres over ridderlijkheid in de literatuur en beeldende kunst van de late Middeleeuwen en de Renaissance, gesponsored door de Newberry Library en de Northwestern University, gehouden in maart 1984 in Chicago. Ik dank Larry Silver voor de gelegenheid om mijn ideeën over dit onderwerp voor dit congres op schrift te stellen en Sandra Hindman voor haar opmerkingen. De tekst kreeg zijn uiteindelijke vorm in het Zentralinstitut für Kunstgeschichte in München, met steun van de Humboldt Foundation in de vorm van een studiebeurs. Professor Willibald Sauerländer dank ik voor zijn ondersteuning en Dr. Thomas Berberich van de Humboldt Foundation voor zijn niet aflatende behulpzaamheid.
Mijn belangstelling voor het werk van de Meester werd gewekt toen een studiegroep voor doctoraalstudenten bijeenkwam aan de University of Virginia in 1981, en vooral door de uitstekende scriptie van Judith Thomas. Mijn grootste dank gaat echter uit naar William McDonald, wiens kennis van laat-Middeleeuwse Duitse literatuur een bijzonder grote steun is geweest. Tenslotte dank ik Jan Piet Filedt Kok voor zijn zorgvuldige lezing van dit manuscript.
1. Voor een overzicht van de stand van het onderzoek, zie de inleiding van Jane Campbell Hutchison, pp. 41-64.
2. De onderzoeksmethode die hier wordt gesuggereerd is gebaseerd op het respecteren van de historische 'horizon' waarbinnen het kunstwerk is ontstaan, die per definitie een andere is dan die waarbinnen de onderzoeker is gesitueerd. Voor een discussie van de theorie waarop deze stellingname berust, zie Hans Robert Jauss, *Towards an aesthetic of reception* (vert. Timothy Bahti), Minneapolis 1982. Jauss' theorie berust op zijn beurt weer op de verklarende analyse van Hans-Georg Gadamer, *Truth and method*, red. Garret Barden en John Cumming, New York 1975.
3. Stange 1958, p. 12: 'Mit unersättlichen Augen muss er um sich schaut haben. Das Leben zu erfahren und den Menschen zu erkennen, ist ihm viel mehr als Schongauer erste Aufgabe des Künstlers gewesen, und er hat das Leben und die Dinge sehr frisch und natürlich geschaut'.
4. *Ibid.*, p. 11: '...aber wenn wir sehen wie er mit zwei, drei, gar vier Strichen eine Form zu erfassen sich bemühte, wie ihm nicht ein Strich genügt hat, sondern mehrere ihm notwendig schienen, nur das Unsagbare, dem er Gestalt geben wollte,

anschaulich zu machen, da lässt er uns wohl ein wenig über die Schulter schauen, spüren wir den Schlag seines Pulses, die Spannung seiner Hand, ahnen wir die Gefühlswellen die sein Ich bei dieser Arbeit durchliefen, können wir andeutend verfolgen, wie er sich durchgekämpft hat'.
5. A.P. de Mirimonde, 'Jan Massys dans les musées de province français', *Gazette des Beaux-Arts* 60 (1961), pp. 543-564, p. 560, noot 42. De Mirimonde baseerde zich daarbij op een artikel van Fernand Mercier, 'La valeur symbolique de l'oeuillet dans la peinture du moyen-âge', *La Revue de l'Art* 41 (1937), pp. 233-36. Dit standpunt wordt gedeeld door Elisabeth Wolffhardt, 'Beiträge zur Pflanzensymbolik. Über die Pflanzen des Frankfurter Paradiesgärtleins', *Zeitschrift für Kunstwissenschaft* 8 (1954), pp. 177-96.
6. Zie bv. Ernst Buchner, *Das deutsche Bildnis der Spätgotik und der frühen Dürerzeit*, Berlin 1933, passim.
7. Ingvar Bergström, *Den symboliska nejlikan*, Malmö 1958, pp. 26-29. Zie ook de recensie van zijn boek door C.G. Stridbeck, 'Den gätfulla nejlikan', *Konsthistorisk Tidskrift* 29 (1960), pp. 81-87.
8. Deze uitleg werd gegeven door De Mirimonde (zie noot 5). Voor de gebroken kruik als symbool voor het verlies van maagdelijkheid, zie P.J. Vinken, 'Some observations on the symbolism of the broken pot in art and literature', *The American Imago* (1958), pp. 149-74.
9. Lehrs, deel 4, cat.nr. 21. De prent wordt ca. 1440 gedateerd door Roberta Favis, 'The Garden of Love in fifteenth-century Netherlandish and German engravings', onuitgegeven proefschrift, University of Pennsylvania, 1974. Voor andere voorbeelden van de aanwezigheid van wijn in liefdestuintaferelen, zie gravures van Meester E.S. (Lehrs, deel 2, nrs. 203, 207 en 215).
10. De Mirimonde, op.cit. (noot 5).
11. Raymond Koechlin, *Les ivoires gothiques français*, 3 dln., Parijs 1968 (eerste druk 1914), deel 2, p. 365, nr. 991; deel 3, pl. 175. Zie ook Julius von Schlosser, 'Elfenbeinsättel des ausgehenden Mittelalters', *Jahrbuch der Kunsthistorischen Sammlungen des Allerhöchsten Kaiserhauses*, Wien 15 (1894), pp. 260-94.
12. Koechlin, op.cit. (noot 11), deel 1, p. 374.
13. Heinrich Göbel, *Wandteppiche*, 3 dln., Leipzig/Berlijn 1923-24, part 3, deel 1, p. 51, pl. 30. De inscripties luiden: 'Ich soil mit uch in truwe'; 'Des sol uch niemer ruwen'. Voor andere voorbeelden, zie Betty Kurth, *Die deutschen Bildteppiche des Mit-*

telalters, 3 dln., Wenen 1926, deel 1, p. 123 en deel 2, pl. 32; deel 1, p. 222, en deel 2, pl. 71a.

14. Zie *Reallexikon zur deutschen Kunstgeschichte*, deel 4, red. E. Gall en L.H. Heydenreich, Stuttgart 1958, kol. 1504-44, vooral kol. 1528 en Margaret Freeman, *The unicorn tapestries*, New York 1956, pp. 42-56.

15. Zie Mira M. Friedman, 'Hunting scenes in the art of the middle ages and renaissance', 2 dln., onuitgegeven proefschrift, universiteit van Tel Aviv 1978, vooral deel 2, pp. 21-25 en 49-56 (mijn dank gaat uit naar William McDonald voor het feit dat hij mij zijn exemplaar van de Engelse summary heeft laten gebruiken).

16. Voor de satires van de ridderlijke liefde door Meester E.S., zie Keith Moxey, 'Master E.S. and the folly of love', *Simiolus* 11 (1980), pp. 125-48.

17. Hutchison 1972, p. 61.

18. Het manuscript werd waarschijnlijk tussen 1413 en 1415 in Parijs geïllustreerd door de gebroeders Van Limburg.

19. Koechlin, op.cit. (noot 11), deel 2, p. 417, nrs. 1165 en 1166; deel 3, pl. 196.

20. Zie Marcelle Thiebaux, *The stag of love: the chase in medieval literature*, Ithaca/Londen 1974. Voor Duitse voorbeelden, zie de literatuur geciteerd door David Dalby, *Lexicon of the medieval German hunt*, Berlijn 1965.

21. Kurth, op.cit. (noot 13), deel 1, pp. 131, 238; deel 3, pl. 140, 141a. Het tapijt was vroeger eigendom van de firma P.W. French & Co., New York. De tekst van de banderol luidt: 'Ich. iag. nach. truwen. find. ich. die. kein. lieber. zit. gelebt. ich. nie.' Het is misschien hetzelfde tapijt dat zich nu bevindt in de Burell Collection, Glasgow Art Gallery. Voor voorbeelden van het gebruik van de jacht als een allegorie van de ridderlijke liefde, op houten kistjes die in de vijftiende eeuw werden gemaakt in het Boven- en Midden-Rijngebied, zie Heinrich Kohlhausen, *Minnekästchen im Mittelalter*, Berlijn 1928, cat.nr. 79, pl. 57 en nr. 42, pl. 53. Zie ook, van dezelfde auteur, 'Eine höfische Minnekästchen Werkstatt zwischen Maas und Niederrhein von 1430', *Anzeiger des Germanischen Nationalmuseum* (1963), pp. 55-61. De echtheid van enkele van de kistjes die Kohlhausen heeft opgenomen wordt in twijfel getrokken door Horst Appuhn, 'Die schönste Minnekästchen aus Basel: Fälschungen aus der Zeit der Romantik', *Zeitschrift für Schweizerische Archäologie und Kunstgeschichte* 41 (1984), pp. 149-59 (Peter Diemer maakte mij op dit artikel opmerkzaam).

22. Hutchison 1972, p. 62.

23. Zie ook het liefdestuintapijt in het Historisches Museum, Bazel, dat waarschijnlijk aldaar werd gefabriceerd tussen 1460 en 1480 (Kurth, op.cit. (noot 13), deel 1, p. 223; deel 3, pl. 75-76).

24. Koechlin, op.cit. (noot 11), deel 2, nr. 1053; deel 3, pl. 80. Zie ook het spiegeldeksel in de Galleria Nazionale, Perugia, waar het schaakspel voorkomt in combinatie met een vertrek voor de jacht (ibid., deel 2, nr. 1056; deel 3, pl. 180).

25. Hoewel Koechlin beweert dat het de mannen zijn die meestal het spel winnen op dit soort voorstellingen, lijkt het tegendeel het geval te zijn. In de meeste gevallen is de overwinning van de vrouw aangegeven of door gebaren, of door het feit dat zij meer stukken buitgemaakt heeft dan haar tegenstander.

26. Kurth, op.cit. (noot 13), deel 1, p. 224; deel 3, pl. 78-79. De inscriptie boven de kaartspelers luidt: 'den. us. wurf. hand. ir. wol. besunnen.' and 'domit. han. ich. das. spil. gewunnen.' De woorden boven het linkerpaar (gedeeltelijk niet meer intact) luiden: 'ie. lenger. ie. lieber. stott...' en 'wergis. nit. min. wil. ich. ...krentzlin.' Boven het rechterpaar: 'zart. frou. in uweren. dienst. bin. ich. all. zit. berit.' and 'des. mach. ich. dich. ...mit. (ro)ssen. bekleit.' De wapens op het tapijt stellen ons in staat om het te identificeren als een huwelijkstapijt voor de Bazelse stadssecretaris Meyr zum Pfeil en Barbara zum Luft.

27. Voor de romantische connotaties in verband met de ontvangst van een brief in de latere kunst, zie E. de Jongh, *Zinne- en minnebeelden in de schilderkunst van de zeventiende eeuw*, Amsterdam/Antwerpen 1967, pp. 50-52; idem, *Tot lering en vermaak*, tent.cat., Amsterdam (Rijksmuseum) 1976, nrs. 25, 39 en 71; Albert Blankert, *Johannes Vermeer van Delft, 1632-1675*, Utrecht/Antwerpen 1975, pp. 78, 82 en nr. 22.

28. Zie afb. 46 en 57.

29. Lehrs, deel 2, nr. 214.

30. Zie Moxey, op.cit. (noot 16), pp. 132-37. De Hausbuch-meester maakte een dergelijk gebruik van de symboliek van de uil op zijn fantasie-wapenschild *Dame met uil en wapenschild met de letters AN* [86]. De uil als bekroning van de helm doet vermoeden dat de aantrekkelijke jongedame die het tafereel beheerst een verleidster is. Deze lezing wordt bevestigd door de aanwezigheid van de niet-beschreven banderol, want dergelijke banderollen komen zelden voor op de prenten van de Meester, die geen moraliserende betekenis hebben.

31. Hutchison 1966, pp. 73-78.

32. Zie David Kunzle, 'The world upside down: the iconography of a European broadsheet type', in *The reversible world, symbolic inversion in art and society*, red. Barbara Babcock, Ithaca, 1978, pp. 39-84. Het omdraaien van de mannen- en vrouwenrollen in het huwelijk was een thema uit de 'omgekeerde wereld'-prenten, die voor het eerst verschijnen in de zestiende eeuw. De op zijn hoofd staande man van de Meester is het eerste mij bekende voorbeeld daarvan (voor een ander, zie Caspar Utenhoven, *A la Modo Monsiers: die neue umgekehrte Welt*, planogravure, 1619 (Wolfenbüttel, Herzog August-Bibliothek, Aufschriften, Ethica, Nr. I E 1503).

33. Voor het thema van de ongetemde feeks, zie bijvoorbeeld Israel van Meckenems gravures (Lehrs, deel 9, nrs. 473 en 504). Voor de 'strijd om de broek', zie de gravure de Meester van de Banderollen (Lehrs, deel 4, nr. 89). Wat dergelijke thema's in cultureel opzicht betekenen is nog niet diepgaand bestudeerd, maar zie Lène Dresen-Coenders, 'De strijd om de broek: de verhouding man-vrouw in het begin van de moderne tijd (1450-1630),' *De Revisor* 4 (1977), pp. 29-37, 77.

34. Zie Walter Leonhard, *Das grosse Buch der Wappenkunst: Entwicklung, Elemente, Bildmotive, Gestaltung*, München 1978, pp. 21-24, 31-32.

35. Zie Arthur B. Ferguson, *The Indian summer of English chivalry*, Durham (North Carolina) 1960, pp. 13-15; Larry D. Benson, *Malory's Morte d'Arthur*, Cambridge (Massachusetts) 1976.

36. Bossert en Storck 1912, p. 20; Hutchison 1972, p. 68. De misvatting dat de satirische wapenschilden gericht zouden zijn tegen de burgerij, vanwege hun illegale streven naar deelname aan de cultuur van de adel, berust ten dele op een onjuist begrip van het laat-Middeleeuwse sociale stelsel. Recent historisch onderzoek maakt duidelijk dat adel en stedelijke bourgeoisie in het geheel geen verschillende waarden beleden maar dat zij juist in tegendeel dezelfde culturele identiteit deelden. Niet alleen bezat de rijke burgerij landerijen met inbegrip van kastelen, maar ook hun gewoonten en manier van kleden zijn niet te onderscheiden van die van de adel. Net als edelen konden zij zonder bezwaar titels vererven, verdienen en kopen. Zie Otto Brunner, 'Zwei Studien zum Verhältnis von Bürgertum und Adel', in zijn *Neue Wege der Verfassungs- und Sozialgeschichte*, Göttingen 1968, pp. 242-80. Voor een discussie van de overeenkomsten tussen de literaire smaak van adel en burgerij, zie Jan-Dirk Müller, 'Melusine in Bern: zum Problem der 'Verbürgerlichung' höfischer Epik im 15. Jahrhundert,' in *Literatur, Publikum, Historischer Kontext*, red. Joachim Bumke et al. Bern 1977, pp. 29-77. Dit betekent niet dat snobisme niet werd opgemerkt of bekritiseerd (zie Hutchison 1972, p. 66), maar wel dat de kritiek niet het gevolg was van een wederzijdse afkeer van de klassen.

37. Het is mogelijk dat het *Wapenschild met oude vrouw en spinnewiel* [87] gezien moet worden als een satire op heerszuchtige vrouwen. Dat de oude boerin gekarakteriseerd wordt als broodmager, met scherpe, heksachtige trekken, maakt haar niet bepaald sympathiek. Dat ze geplaatst is naast een enorme krijsende vogel op het wapenschild, maakt dat wij moeten denken aan Sebastiaan Brants vergelijking van een slechte vrouw met een ekster, die dag en nacht schettert (*Ship of fools*, red. Edwin Zeydel, New York 1944, p. 213).

38. Voor een bespreking van de literaire satires op de kleding der boeren, zie Paul Vandenbroeck, 'Verbeeck's peasant weddings: a study of iconography and social function', *Simiolus* 14 (1984), pp. 79-124, vooral pp. 93-95.

39. Zie ook **80, 81**, voor twee gelijksoortige ronde prenten waarop de satire is beperkt tot een caricatuur.

40. Susan Koslow, 'Frans Hals's fisherboys: exemplars of idleness', *Art Bulletin* 57 (1975), pp. 418-32.

41. See Moxey, op.cit. (noot 16), pp. 138-41.

42. Bossert en Storck 1912, p. 20, noot 1.

43. Hutchison 1972, p. 68.

44. Vertaling gebaseerd op Sebastian Brant, *Das Narrenschiff - Faksimile der Erstaufgabe von 1494*, Straatsburg 1913, p. 215.

45. Filedt Kok 1983, vooral p. 427.

46. Voor een schatting van de prijzen van vroege grafiek, zie Charles Talbot et al., *Dürer in America: his graphic work* (tent. cat. Washington (National Gallery of Art) 1971, pp. 14-15. Voor een peiling van de maatschappelijke samenstelling van de markt, zie Alan Shestack, tent.cat. *Master E.S.: five hundredth anniversary exhibition*, Philadelphia (Museum of Art) 1967, inleiding; Erwin Panofsky, *Albrecht Dürer*, 2 dln., Princeton 1949, deel 1, pp. 49-50 en 68-69.

47. Voor de prijs van de ivoren, zie Koechlin, op.cit. (noot 11), deel 1, p. 370. Veel van de tapisserieën dragen de familiewapens van de families die ze besteld hebben. Zie Kurth, op.cit. (noot 13), pp. 71-72.

48. Zie Werner Fechter, *Das Publikum der mittelhochdeutschen Dichtung*, Frankfurt 1935 en idem, 'Der Kundenkreis des Diebold Lauber', *Zentralblatt für Bibliothekwesen* 55 (1938), 121-46.

49. See Fritz Martini, *Das Bauerntum im deutschen Schrifttum*, Halle 1944; Erhard Jöst, *Bauernfeindlichkeit: die Historien des Ritters Neithart Fuchs*, Göttingen 1976. De gewoonte om de boer op te voeren als komische figuur in de context van ridderromans werd overgenomen door het vijftiende-eeuwse stedelijke toneel, waar hij de zedeloosheid van het boerenleven rondom de stad verbeeldde, als contrast met het aan strenge regels gebonden sociale leven in de stad. Kritiek op de boer werd zo een gelegenheid om stedelijke waarden te verstevigen. Zie Johannes Janota, 'Städter und Bauern in literarischen Quellen des Spätmittelalters', *Die alte Stadt* 6 (1979), pp. 225-42.

50. Dit gezichtspunt zal altijd verbonden blijven aan Johan Huizinga's beroemde *Herfsttij der Middeleeuwen*, Haarlem 1919. Als stelling is het geaccepteerd door latere schrijvers zoals R.L. Kilgour, *The decline of chivalry*, Cambridge (Massachusetts) 1937; Gustave Cohen, *Histoire de la chevalerie en France au moyenâge*, Parijs 1949; Richard Baker, *The knight and chivalry*, Londen 1970.

51. Zie bijvoorbeeld Ferguson, op.cit. (noot 35), Maurice Keen, 'Huizinga, Kilgour and the decline of chivalry', *Medievalia et Humanistica* 8 (1977), pp. 1-20; idem, *Chivalry*, New York 1984.

Voor de ontwikkeling van de stelling in literatuurstudies, zie Martin de Riquer, *Cavalleria fra realtà e letteratura nel Quattrocento*, Bari 1970; Benson, op.cit. (noot 35); idem, 'The tournament in the romances of Chrétien de Troyes' "l'Histoire de Guillaume le Maréchal"', in *Chivalric literature: essays on relations between literature and life in the late middle ages*, Kalamazoo 1980, pp. 1-24.

52. Zie Kurt Nyholm, 'Das höfische Epos im Zeitalter des Humanismus', *Neuphilologische Mitteilungen* 66 (1965), pp. 297-13; Klaus Grubmüller, 'Das Hof als städtisches Literaturzentrum', in *Befund und Deutung: zum Verhältnis von Empirie und Interpretation in Sprach- und Literaturwissenschaft*, red. Klaus Grubmüller et al. Tübingen 1979, pp. 414-21; Hellmut Rosenfeld, 'Der Münchner Maler und Dichter Ulrich Füetrer (1420-1496) in seiner Zeit und sein Name (eigentlich Furtter)', *Oberbayerisches Archiv* 90 (1968), pp. 128-40.

53. Wolfgang Stammler, red., *Die deutsche Literatur des Spätmittelalters: Verfasserlexikon*, deel 2, Berlijn/Leipzig 1938, kol. 629-34; Hans Rupprich, *Die deutsche Literatur vom späten Mittelalter bis zum Barock*, deel 1, München 1970, pp. 62-63.

54. Voor een bespreking van deze dedicatiepagina, zie Valentiner 1903.

55. Eckhard Bernstein, *Die Literatur des deutschen Frühhumanismus*, Stuttgart 1978, pp. 18-20; Wolfgang Stammler, *Von der Mystik zum Barock*, Stuttgart 1950, pp. 63-65.

56. Nyholm, op.cit. (noot 52).

57. Jan-Dirk Müller, *Gedechtnis. Literatur und Hofgesellschaft um Maximilian I*, München 1982, p. 192. Zie ook Christelrose Rischer, *Literarische Rezeption und kulturelles Selbstverständnis in der deutschen Literatur der 'Ritterrenaissance' des 15. Jahrhunderts*, Stuttgart 1973, die Füetrers boek ook uitlegt als een poging om het hof van Albrecht IV te begiftigen met dezelfde pracht en praal als dat van koning Arthur (p. 22).

58. Elizabeth Godfrey (pseud. Jessee Bedford), *Heidelberg, its princes and its palaces*, Londen, 1906, p. 102.

59. Günther Franz, *Der deutsche Bauernkrieg*, 2 dln., München/ Berlijn 1932, deel 1, delen B en C.

60. Peter Blickle, *Die Revolution von 1525*, München 1975, pp. 39-45.

61. *Ibidem*, pp. 120-21.

H ET MIDDEN- EN ZUID-WESTELIJKE RIJNGEBIED AAN HET EIND VAN DE VIJFTIENDE EEUW

Peter Moraw

¶ De Hausbuch-meester was werkzaam tijdens de laatste vijfentwintig of dertig jaar van de vijftiende eeuw. Het eind van de vijftiende eeuw was zonder twijfel een periode van snelle en diepgaande veranderingen. Ook al zijn er in de Reformatie en beslist ook in Martin Luther zelf, nog zuiver Middeleeuwse trekken aan te wijzen, moet men toch vaststellen dat op zeer essentiële punten al in de laatste decennia van de vijftiende eeuw de overgang van Middeleeuwen naar nieuwere geschiedenis had plaatsgevonden.

¶ Niet alleen was de periode waarin de Hausbuch-meester werkte een knooppunt, het gebied waar deze werkzaamheden zich afspeelden was dat ook. Voor zover wij weten was dat het Midden- en Zuid-Westelijke, ook wel Frankische Rijngebied, maar mogelijkerwijs heeft de kunstenaar ook de streek rond het Bodenmeer gekend, en ook de Elzas en het Zwabenland tot aan Augsburg, evenals het gebied ten oosten en westen van de Beneden-Rijn. Directe aanwijzingen bestaan er echter alleen voor zijn bekendheid met beide politieke centra in het Midden-Rijngebied, Mainz en Heidelberg. Maar in dat geval is het niet onwaarschijnlijk dat hij ook contact heeft gehad met de naburige bisschopssteden Worms en Spiers, en het economische centrum Frankfurt. Dat bestrijkt dan in grote lijnen een betrekkelijk hecht samenhangend gebied, in het noorden ongeveer vanaf de plaats waar de Moezel en de Lahn in de Rijn uitmonden, tot aan de Lauter in het zuiden; ten oosten en westen begrensd door bebost bergland, met name het Odenwald, de Hunsrück en de Taunus, met andere woorden, een streek die een natuurlijke, politieke en economische eenheid vormt.

¶ Vanwege de geografische gesteldheid zijn Boven- en Midden-Rijngebied gunstig gelegen wat betreft klimaat en transportmogelijkheden, het laatste in noord-zuid richting tenminste. Zoals overal bestonden ook hier van oudsher centra – de politiek belangrijke vanzelfsprekend dicht langs de rivier, terwijl de hoger gelegen gebieden pas later werden ontsloten. Bepalend was natuurlijk de loop van de Rijn, die ten noorden van de Lauter veel beter bevaarbaar is dan in Zuid-Duitsland. Het knelpunt bij de overgang naar het Beneden-Rijngebied, dat lange tijd moeilijkheden opleverde, lag tussen Bingen en St. Goar. Frankfurt was het knooppunt van verkeerswegen die de stad verbonden met een enorm achterland: centraal Duitsland, het noorden en noord-oosten en het hele Zuid-Duitse gebied. Het hele Midden- en Boven-Rijngebied was één enorme verkeersader, maar ook een streek met een eigen karakter en toch zo gevarieerd dat er, behalve in verkeerstechnische zin, verder maar weinig grote lijnen te trekken zijn.

¶ De streek neemt in de geschiedenis van Duitsland een bijzondere plaats in. Misschien kan men hem het best typeren als een gebied dat in menig opzicht een tweede positie innam, en dus vrijwel nooit de toon aangaf, maar desondanks vaak de aandacht op zich vestigde door het feit dat er zich veel belangrijke 'plekken' bevonden. Eenzelfde situatie neemt men ook waar bij andere laat-Middeleeuwse centra tijdens de overgang naar de moderne tijd, zoals bijvoorbeeld in Noord-Italië, en, in het noorden, het mondingsgebied van de Rijn met Keulen en Aken, Vlaanderen, Noord-Oost-Frankrijk en Zuid-Oost-Engeland; maar in tegenstelling tot deze gebieden was het Midden- en Boven-Rijngebied 'tweede garnituur'. Het was een in verhouding 'modern' gebied, dat echter vooral werd bepaald door het feit dat het gelegen was langs de belangrijkste route die deze andere centra met elkaar verbond: de Rijn, de eerste internationale Europese handelsroute. Opvallend is daarbij de wijdvertakte en rijkgeschakeerde politieke structuur van de streek, een situatie die duidelijk het gevolg is van een zeer lange ontwikkelingsperiode. In logische samenhang daarmee nemen ook de politieke machten in dat gebied een hoge plaats in op de ranglijst. Ook zij konden bogen op een oeroude traditie, maar op het moment waarover wij spreken waren de mogelijkheden om deze macht ook werkelijk uit te voeren daarmee niet meer in overeenstemming. Dat was intussen de taak geworden van jongere regionen in het rijk. Ook de staatsinrichting van het Duitse rijk keek als het ware achteruit – naar de oudere toestand toen de Rijnstreek nog het middelpunt was van het politieke leven. Nog altijd werd de koning gekozen in de sacristie van de Frankfurter Dom en gekroond in het Münster van Aken, hoewel zijn residentie intussen verplaatst was naar Wenen. Spanningen tussen een roemrijk verleden en een heden vol problemen zijn kenmerkend voor de positie van de Rijnstreek aan het eind van de Middeleeuwen en het begin van de nieuwere geschiedenis. Van de vijftiende tot de zeventiende eeuw gaf dat telkens weer aanleiding tot het uiteindelijk mislukken van bewegingen waarin geprobeerd werd pretentie en werkelijkheid samen te laten vallen. Dit alles was het resultaat van een overigens uiterst loffelijk streven naar evenwicht tussen oost en west, dat pas veel later in de Duitse geschiedenis een feit werd. De eerste aanzet daartoe werd echter al gegeven in de veertiende eeuw, toen bleek dat de grootmachten met hun concentrerend vermogen zich wel in het oosten, maar niet meer in het westen konden ontwikkelen. De eerste universiteiten werden dan ook, tegen alle verwachtingen in, niet gesticht langs de Rijn, maar in de vorstelijke centra van het Luxemburgse en Habsburgse huis, Praag (1348) en Wenen (1365). Het Rijnlandse Heidelberg volgde pas in 1386. Zelfs Erfurt, de Thüringse dochterstad van de oude, nog uit de tijd van Bonifatius stammende bisschopsstad Mainz, bezat eerder een hogeschool (1392) dan haar moederstad aan de Rijn (1477). Hetzelfde zien wij ook in andere Europese landen: de oude politieke centra in het zuiden en westen krijgen nieuwe, sterkere tegenwichten verder naar het noorden en oosten.

¶ Wat er zich dan ook aan activiteiten voordoet in de Rijnstreek, speelt zich buiten de politiek af, op religieus-kunstzinnig gebied, en dat van de technologie. De belangrijkste laat-Middeleeuwse uitvinding, die meer dan enige andere de wereld heeft veranderd, werd dan ook omstreeks 1450 gedaan in Mainz: het drukken met losse letters. Niet meteen, maar in de generatie van de Hausbuch-meester ontstond daaruit het eerste massamedium van de geschiedenis, en ook de aanzet tot de ontwikkeling van een nationaal bewustzijn. De verspreiding van het gedrukte woord ontketende krachten die voordien alleen door keizer en keizerrijk opgeroepen konden worden.

¶ In de tijd van de Hausbuch-meester werd het Rooms-Duitse keizerrijk geregeerd door de Oostenrijkse Habsburgs – van 1438 tot aan het begin van de negentiende eeuw. Ongeacht alle kortstondige crises, en ook ongeacht de vaak beperkende 'technische' begrenzingen van het voorafgaande tijdperk, die maakten dat een centrale regering nadelen bood ten opzichte van regionale vorsten, bleef de keizer altijd de belangrijkste politieke macht in het rijk. Hij was en bleef de enige verlener van wettig gezag aan vorsten en overheden. Over keizer Friedrich III denkt men tegenwoordig beter dan een aantal jaren geleden. Men stelt hem niet meer persoonlijk verantwoordelijk voor de externe remmende krachten die geen mens uit zijn tijd had kunnen overwinnen: het was nu eenmaal niet mogelijk om al het geld en de macht die nodig waren om een zo groot rijk te besturen, bijeen te brengen en langdurig onder zich te houden. Willen wij hem eerlijk beoordelen, dan zullen wij er o.a. rekening mee moeten houden dat bijvoorbeeld alleen al berichten en personen er een maand over deden om van de ene kant van het rijk benoorden de Alpen naar de andere kant te komen. Dit was het deel van het rijk waar zich juist in deze tijd enorme veranderingen voordeden. Voor Friedrichs zoon en opvolger Maximiliaan (gekozen 1486, regeerde 1493-1519), die naast de Bourgondische Nederlanden (1477) ook Tirool aan het rijk toevoegde (1490), was het alleen uit bestuurstechnisch oogpunt al noodzakelijk dat er een goed postsysteem kwam, en zo ontstond het eerste georganiseerde postverkeer in de moderne tijd. Ruiters die in een estafettedienst de postzak van het ene kantoor naar het volgende brachten, konden via het Midden-Rijngebied in vijf dagen van Innsbruck naar Brussel komen. Op dit gebied was hiermee de moderne tijd begonnen.

¶ Politiek gezien bevond het Duitse rijk zich in de tijd van de Hausbuch-meester in een van de opmerkelijkste ontwikkelingsfasen van zijn geschiedenis. Na het Interregnum (1254) – een tijd van anarchie die meer dan honderd jaar duurde, en die een verbrokkeling van het leenverband betekende waarin de keurvorsten zich opwierpen als zelfstandige heersers – zette omstreeks 1470 een centralisatie van de macht in. Een tijdperk was afgesloten waarin niemand verantwoordelijkheid had gedragen voor het geheel, de afzonderlijke vorsten zich hadden ontdaan van al hun verplichtingen jegens de keizer en zich uitsluitend hadden beziggehouden met hun eigen binnenlandse politiek. Aan deze centralisatie en aan een algemeen gevoel van saamhorigheid werkten een aantal vooral sociale en economische processen mee. Zo begon omstreeks 1450-70 na een lange stagnatie de bevolking weer te groeien, waarschijnlijk in samenhang met nieuwe landontginningen. Al eerder was het aantal studenten aan de universiteiten toegenomen, en daarmee het aantal ontwikkelde personen: in de vijftiende eeuw rekent men met een cijfer van ca. 200.000 studenten aan de uiteindelijk veertien universiteiten. Het aantal personen in de steden dat kon lezen en schrijven nam met forse schreden toe, tot ongeveer dertig procent van de bevolking. Na een vrij lange periode van trage ontwikkeling, versnelde het proces zich in de territoria. Tegelijk zien wij een conjunctuursverbetering optreden, die een eind maakt aan een jarenlange malaise. Er ontstaat een concentratie van kapitaal en een steeds vertakter en sneller werkend net voor de verspreiding van handelswaar. Dan volgen als een sneeuwbal grotere productie, betere productiemethoden, een rationelere economie en nieuwe technologische uitvindingen met name in de mijnbouw en de metaalnijverheid, dit laatste niet alleen met betrekking tot de boekdrukkunst.

¶ Een factor die wezenlijk bijdroeg aan de nationale saamhorigheid, was de oorlogsdreiging aan de grenzen. Daar waren in de eerste plaats de Turken, dan de Hertog van Bourgondië, van wie men nog niet kon vermoeden dat hij zijns ondanks tot een geweldige versterking van het Habsburgse huis zou bijdragen, en, tegen de eeuwwisseling, het ontwakende imperialisme van het Franse koningshuis. De keizer en alle vorsten stelden zich teweer tegen al deze uitdagingen en deden een beroep op hun onderdanen door te appeleren aan nationalistische gevoelens.

¶ Essentieel in deze ontwikkelingen waren de gebeurtenissen die zich langs de Rijn afspeelden. De gebieden aan de westelijke oever werden bedreigd door de Bourgondische expansiezucht en sloten zich aan bij de keizer, behalve het antagonistische keurvorstendom van de Palts, dat voor de hertog koos. Tot 1471 had de keizer zich niet in deze streken laten zien. Nu zocht hij in de Rijnstreek hulp tegen de Turken die vanuit het zuid-oosten oprukten, en dwongen de internationale belangen van het Habsburgse huis hem tot een stellingname vis à vis het Bourgondische gevaar. In 1474 kwam het bij Trier tot een opzienbarend treffen tussen de keizer en Karel de Stoute. Deze had het kennelijk voorzien op een regionaal koningschap binnen het rijk, naar het voorbeeld van Bohemen. Als tegenprestatie scheen hij de hand van zijn dochter en erfgename Maria te willen aanbieden aan Friedrichs zoon Maximiliaan. Het kwam echter niet tot een overeenkomst. Spoedig daarna mengde Karel zich in een conflict tussen de Keulse bisschop en diens domkapittel, en belegerde daarbij Neuss (1474). Kennelijk kwam dat voor de bewoners van het gebied te dicht bij hun grenzen, en ze stelden zich teweer tegen de heerszuchtige plannen van hun buurland. De centralisatie van het rijk bleek in wezen

al een eind gevorderd te zijn, want meer partijen dan in het verleden het geval geweest zou zijn voelden zich in dit geschil betrokken en dit gevoel uitte zich op een geheel nieuwe manier, als een nationaal bewustzijn.

¶ Zonder slag te leveren trok de hertog terug voor de keizer en diens rijksleger. Het keizerlijk legerkamp, wellicht voor Neuss, of verder zuidelijk op weg daarheen, werd door de Hausbuch-meester in een van zijn tekeningen afgebeeld [**117**, fol. 53r en 53r₁]. Karel gaf zijn zegen voor het huwelijk ook zonder daarvoor in ruil de koningskroon te ontvangen en kort daarna (1477) sneuvelde hij bij Nancy, in een slag tegen Zwitsers, Elzassers en Lotharingers.

¶ Het internationaal belangrijke huwelijk tussen Maximiliaan en Maria van Bourgondië werd nu voltrokken. Friedrich begiftigde zijn zoon onmiddellijk royaal met een aantal leengoederen, en als voogd over zijn vrouw heerste Maximiliaan bovendien over het voormalig Franse Vlaanderen, dat hij verdedigde bij Guinegate (1479). De rijkste landen ten noorden van de Alpen behoorden nu aan de Habsburgs, zij het dan in de voor die tijd gebruikelijke vorm van een zwakke souvereine vorst over sterke leenmannen. Toen de burgers van Brugge, aangespoord door Frankrijk, Maximiliaan gevangennamen, waren de voorwaarden voor zijn vrijlating zo vernederend dat de oude Friedrich zich gedwongen zag om nogmaals met het rijksleger op te rukken en de overeenkomsten nietig te verklaren. De Hausbuchmeester heeft twee taferelen uit de Brugse onderhandelingen in schetsen vastgelegd [**124**]. Pas bij de vrede van Senlis (1493) was het Bourgondische erfgoed voor lange tijd gewaarborgd.

¶ Uit deze korte situatieschets blijkt dat de politieke problemen in Duitsland onder Maximiliaan gecompliceerder waren dan ooit tevoren. Het maken van een grondwet voor het hele rijk werd bepaald urgent; het was een kwestie die Friedrich altijd op de lange baan had geschoven. Nogmaals werd het Midden-Rijngebied het toneel van de strijd, want hier lagen de Palts en Mainz, de belangrijkste vertegenwoordigers van het particularisme. Voor de andere deelnemers aan het politieke spel was het bovendien het oude geografische centrum van het rijk. De eerste algemene stedendag, een bijeenkomst van de vertegenwoordigers uit de vrije- en rijkssteden die sinds 1471 werd gehouden, vond dan ook in Frankfurt plaats. De ligging van het Midden-Rijngebied was geknipt als toneel voor wat men aanduidt als de 'Reichsreform', de rijksdag die in 1495 werd gehouden in het halverwege tussen Heidelberg en Mainz gelegen Worms. Hier probeerde Maximiliaan, terwijl de Turken en Fransen aan de grenzen stonden, te komen tot een breed opgezette overeenkomst met de belangrijkste rijksstanden: de keurvorsten, de vorsten en de vrije steden. Militaire ondernemingen waren een kostbare zaak geworden omdat de huursoldaten waaruit het rijksleger bestond nieuwe eisen over soldij stelden. De koning had de steun van de standen dus hard nodig. In Worms kwam een compromis tot stand waarvan beide partijen elk voor zich hoopten dat het een basis zou kunnen vormen voor gunstige uitbreidingen. Later in het spel tussen de machten zou blijken dat men het jaar 1495, het jaar van het nieuwe souvereiniteitsverdrag, beschouwde als het begin van een nieuw tijdperk. Woordvoerder van de 'constitutionelen' was – naast toonaangevende figuren aan de andere zijde van het dualisme, de standen – Berthold von Henneberg, van 1484 tot 1504 aartsbisschop van Mainz. Er bestonden geen moderne staatkundige plannen. Het was meer zo, dat men als tegenprestatie voor geldelijke hulp, probeerde te komen tot een nieuwe verdeling van een aantal van de koninklijke rechten, ten gunste van de sterkste rijksstanden.

¶ Onder de zaken die in Worms uit de bus kwamen waren de belangrijkste de instelling van de Eeuwige landvrede, die na een generatie ook werkelijk een feit werd, en waarmee de eenheid van het rijk werd bevestigd of eigenlijk zelfs in het leven werd geroepen; de reorganisatie van het koninklijke gerechtshof tot het Reichskammergericht, waarin voortaan de rijksstanden zitting hadden; de instelling van een algemene rijksbelasting (voorlopig voor vier jaar), en tenslotte de oprichting van een centraal staatsbelastingwezen, bestaande uit zeven rijksschatmeesters, gevestigd in Frankfurt. Misschien het belangrijkste was een nauwelijks zo bedoelde bijkomstigheid: de rijksdag werd de facto het wettelijke orgaan van een dualistische regeringsvorm die zich van dat moment af ontwikkelde met het rijksapparaat en de keizer enerzijds, tegenover de rijksstanden, en met name de territoriale vorsten. De rijksdag werd, naast het opnieuw georganiseerde keizerlijke hof, het tweede hoofdforum van de rijkspolitiek, de eerste, en al spoedig de grootste statenraad van Europa. Een institutioneel dualisme werd de toekomstige politieke basis van de Duitse federatie.

¶ Veel van deze ontwikkelingen deden zich ook elders in Europa voor. In Duitsland verliepen zij echter in een sfeer van algemene overeenstemming, waaraan zelfs geen noemenswaardige schade werd toegebracht door de Reformatie en het ontstaan van de verschillende kerkgenootschappen. Omdat geen van beide partijen in staat was de ander te overwinnen, kwam het in Duitsland niet zoals elders tot een annexatie van de afzonderlijke vorstendommen door de erfelijke centrale dynastie. Het ontwikkelingsproces was zeker niet simpel te noemen; het nam veel tijd en is ook nooit helemaal voltooid, maar zoals het in Duitsland verliep, waar zeer veel partners verspreid over een enorm gebied het toch met elkaar eens werden en bleven, was het een structureel complexer proces dan waar ook elders in Europa. Daarbij komt, dat het plaatsvond in een wereld die werd geregeerd door de adel, een klasse die slechts heel langzaam wennen kon aan zaken die zulke vérstrekkende veranderingen ten gevolge hadden, aan overeenkomsten waartoe men zich schriftelijk diende te verplichten en die ook nog een doelmatige omgang met geld vereisten. De rijksstanden waren er op uit om zoveel mogelijk medezeggenschap in de wacht te slepen in ruil voor een minimum aan verplichtingen, die zij graag aan de koning overlieten, een houding die al spoedig – door mantelovereenkomsten die zijzelf meebepaald hadden – een misrekening bleek.

¶ Terwijl het rijk, niet zonder grote moeilijkheden, steeds meer nationale karaktertrekken begon te krijgen, ontwikkelde de moderne staat zich in de territoria. Door bundeling van de vorstelijke rechten – uiteraard in de verschillende vorstendommen telkens naar eigen model en inzicht – ontstonden souvereine regeringen. Dat dit niet alleen langs juridische wegen verliep, maar vaak door daden, en soms gewelddaden, spreekt vanzelf. Kleinere staten bleven soms in het proces steken of werden ondergeschikt aan sterkere. De overwonnenen organiseerden zich, met hun prelaten en steden, tot zelfstandige eenheden binnen het grotere geheel. Zoals vooral de Rijnlandse territoria op de geschiedeniskaart zijn ingetekend, is misleidend, omdat er een niet-bestaande uniformiteit wordt gesuggereerd. Per dorp konden de verhoudingen verschillen. Het beoogde doel van de instelling van souvereine regeringen in elk vorstendom – de bewoners het gevoel geven dat ze burgers waren van een staat – werd vaak pas bereikt aan het begin van de moderne tijd. Naast de in rechte lijn verlopende 'moderne' ontwikkelingen, speelden lange tijd de factoren toeval en onberekenbaarheid een belangrijke rol.

¶ Toch vond er door het territoriale bestuur een concentratie plaats van de enorme takenlast die ontstond door verschillende moderniseringen. De vanouds gebruikelijke versplintering van de openbare macht werd geringer en de oude garantie van vrede en recht werd uitgebreid tot zij een groot aantal facetten van het leven omvatte in dienst van het geheel, maar natuurlijk wel volgens het goeddunken van de souvereine vorst. Het bestuurlijke net van ambtenaren dat zich over het land uitstrekte, werd het werktuig waarmee de vorst kleinere machtsdragers terugdrong en steeds minder macht toestond. De vorsten waren ook ten tijde van de Reformatie de grote politieke overwinnaars.

¶ Het effect van dergelijke machtsconcentraties liet zich ook buiten het eigen territorium gelden, zodat er politieke invloedssferen ontstonden, die op hun beurt ook weer konden rekenen op tegenstand. De op erfrecht berustende politieke veelvormigheid werd daardoor in praktijk steeds minder rijk geschakeerd. In heel Duitsland waren er nog maar enkele machtscentra die zich geheel politiek onafhankelijk konden bewegen. Toen werd ook duidelijk hoeveel macht de territoria langs de Rijn hadden verloren in vergelijking met de verder oostwaarts gelegen vorstendommen. Daaraan voorafgegaan was het feit dat de geestelijke keurvorsten een stap terug hadden moeten doen ten opzichte van de wereldlijke vorsten.

¶ Het gebied van de Midden-Rijn vormde samen met het hier niet besproken Hessische gebied een bestuurssysteem zoals er in het hele rijk ongeveer veertien waren, elk op zichzelf logische voortbrengselen van hun eigen interne krachtsverdeling. Het politieke conglomeraat van het rijk bleef bestaan uit sterk regionaal ingestelde structuren, die alleen door zeer grote externe uitdagingen en dan nog maar in zeer bepaalde periodes konden worden gepolariseerd en soms zelfs georganiseerd. Zo lag ten noorden ervan de bestuurlijke en politieke eenheid van het Beneden-Rijngebied, en kloksgewijs verder het gebied van de Midden-Elbe, het Frankenland, Zwaben-Elzas en Lotharingen en het keurvorstendom Trier. Het Midden-Rijngebied had twee polen, vertegenwoordigd door de centra Mainz en de Rijnpalts, twee van de belangrijkste keurvorstendommen. De polariteit tussen beide bestond al eeuwen en was een algemeen bekende constante factor in de geschiedenis van het rijk. Elk van beide had zijn eigen invloedssfeer. Aan de kant van de Palts stonden in elk geval de bisschopsdommen Worms en Spiers met hun gelijknamige steden, het Markgraafschap Baden, een aantal graafschappen en heerlijkheden en ook kerkelijke landerijen, enkele steden en een paar verspreide landadellijke goederen.

¶ De aartsbisschop van Mainz, die als de metropoliet van de grootste Duitse kerkprovincie ook de belangrijkste rijksvorst was, was het ondanks al zijn inspanningen niet gelukt om in het Midden-Rijngebied een staat uit één stuk op te bouwen, misschien juist omdat zijn rechten zo oud en uitgestrekt waren, maar ook vanwege zijn directe bemoeienis met zaken van de koning zowel als van de paus. Zijn daadwerkelijke invloed beperkte zich tot een aantal kleine gebieden die vooral in de Rijngouw lagen, en verder aan de Main om Aschaffenburg. Zelfs de bisschopsstad zelf onttrok zich tot 1462 aan zijn macht. Daarbij

lag de aartsbisschop vaak en langdurig overhoop met naburige concurrerende autoriteiten. Naast de Paltsgraaf was de Landgraaf van Hessen zijn gevaarlijkste tegenstander. De nederlagen die hij tegen deze laatste leed, maakten het keurvorstendom Mainz aan het begin van de vijftiende eeuw in machtspolitiek opzicht tot een territorium van het tweede plan. Aan deze bergafwaartse beweging droegen de vier Mainzer kapitteltwisten in niet geringe mate bij. Deze conflicten tussen twee kerkvorsten die gelijktijdig en min of meer rechtmatig in het ambt waren verheven, deden een zware aanslag op de aanwezige gelden. Tenslotte had ook het feit dat het bisdom de belangen van de graven van Nassau had gesteund, nadelen meegebracht. Aartsbisschop Adolf II van Nassau (1463-1472), die uit de laatste twist (1461-1463) als de grote overwinnaar tevoorschijn was gekomen, moest als kanselier in dienst treden van de keizer om het bisdom financieel te ontlasten. Zijn familiewapen is misschien afgebeeld in het Hausbuch. Zijn rivaal en latere opvolger Dieter II van Isenburg (1475-82), had in 1460 een zware nederlaag geleden tegen de Palts, met als gevolg verlies van grondgebied en zware schulden.

¶ De reeds genoemde Berthold von Henneberg geraakte bijna in oorlog met de Palts. Hij deed pogingen om het bijna failliete vorstendom er bovenop te helpen door middel van zijn invloed binnen de rijksdag in Worms, waar hij hervormingen van het 'constitutionele' type propageerde. Korte tijd in en na 1495 hadden deze pogingen enig succes.

¶ De tegenstander in het zuiden, de Palts, was na Bohemen het wereldlijke keurvorstendom met de hoogste rang. Sinds 1214 werd het geregeerd door het huis Wittelsbach. De Wittelsbachs waren niet vergeten dat zij in de tijd van Ludwig (1314-47) en Ruprecht (1400-10) de koningstitel hadden gevoerd. Na het uitsterven van de Luxemburgs in 1447 was hun familie, die ook regeerde over Beierse hertogdommen, na het keizershuis ongetwijfeld de aanzienlijkste en invloedrijkste van Duitsland. Daarbij bekleedden ze ook nog een aantal 'bovenvorstelijke' posities binnen de rijksregering, waaronder het plaatsvervangend koningschap voor het westelijke deel van het rijk. Paltsgraaf Friedrich der Siegreiche (1449-76) bereikte vrijwel het politieke hoogtepunt van soevereine macht, toen van 1463-75 een familielid ook nog aartsbisschop van Keulen was. Door een niets-ontziende machtspolitiek onderwierp Friedrich met geweld vrijwel alle adel uit de omstreken, of maakte deze aan zich dienstbaar. Hij schrok er zelfs niet voor terug een conflict met de keizer op de spits te drijven. In 1462 bracht hij zijn tegenstanders een smartelijke nederlaag toe bij Seckenheim. Tijdens zijn bewind leek de politieke kaart van het gebied van de Midden-Rijn, Frankische Boven-Rijn en Hessen meer dan ooit op een bestuurlijke eenheid. Men schat dat de Palts zich in de vijftiende eeuw ongeveer verdubbelde. Toen de Hausbuch-meester voor het paltsgrafelijke hof werkte, diende hij dus de machtigste dynastie uit de wijde omtrek. Toch was de Palts niet onkwetsbaar. Er bestond een discrepantie tussen de fundamenten van haar macht en datgene waarop haar gebieder aanspraak maakte. Het eigenlijke gebied was namelijk niet zo groot en erg versplinterd. Doorslaggevend was, hoe de leenrechtelijke 'maatschappelijke' of bestuurlijke posities van een groot aantal 'satellieten' lagen. Bovendien moest men als gevolg van het streven naar machtsuitbreiding rekening houden met een hele kring potentieel gevaarlijke vijanden, die alleen als alles optimaal ging onder de duim gehouden konden worden. Daar kwam nog bij dat Friedrichs rechtspositie aanvechtbaar was. Hij was de voogd van de rechtmatige erfgenaam, zijn onmondige neef, op grond van arrogatie, de manier van adoptie volgens romeins recht, en had zich daarmee onrechtmatig de keurvorstelijke waardigheid aangemeten. De keizer nam een afwijzende houding aan en sprak in 1474 de rijksban uit. Gezien de macht van de Palts kwam het niet tot een daadwerkelijke verbanning. Friedrichs opvolger Philip de Oprechte (1476-1506) kwam vanwege een pensioenovereenkomst met de Franse koning in 1492 weer in conflict met de keizer. Dat maakte dat hij op de rijksdag van Worms uit alle macht dwarslag. Pas bij het openvallen van de opvolging in Beieren-Landshut in 1503 greep de Palts te hoog en leed een zware nederlaag tegen een coalitie waaraan uiteindelijk ook de keizer deelnam. De buurlanden presenteerden nu de rekening van de jarenlange onderwerping. Toen tenslotte het debâcle van de laatste grootmacht aan de Rijn een feit was, kwam het zwaartepunt van de Duitse politiek voor de komende eeuwen in het oosten te liggen.

¶ De Hausbuch-meester zal zeker ook te maken hebben gehad met de kleinere, politiek afhankelijke territoria in het gebied waar hij werkte: de aartsbisdommen Worms en Spiers, met hun aartsbisschoppen die voortdurend overhoop lagen met de vrije steden van dezelfde naam; met de grafelijke families die na het uitsterven van de graven van Katzenelnbogen (1479) werden aangevoerd door die van Nassau; of met de Heren van Haman en Eppstein, wier wapens wellicht afgebeeld zijn in het Hausbuch, en tenslotte, in het Odenwald, met de keurvorstelijke erfschenker van Erbach. Lang steunde de koning de zwakken tegen de sterken, zodat zich langs de Rijn een opmerkelijk groot aantal kleinere heersers kon handhaven, tot zelfs ridders toe. In de zestiende

eeuw zien wij hoe enkelen van hen toegelaten worden tot de rijksridderschap. Toch was toen niet duidelijk wat de hedendaagse historicus weet: dat het afglijden van mindere machten naar politieke afhankelijkheid een niet te stuiten proces is. Nog steeds gold ook de adel als politieke macht en zelfs met onlustgevoelens van de 'gewone man' werd rekening gehouden. Onvrede kwam ten dele voort uit het feit dat een deel van de adel de vorsten en steden ongunstig gezind was. Pas met de Eeuwige landvrede van 1495 werd het onwettig om bij conflicten meteen naar het zwaard te grijpen. Ridderverenigingen bleken nog onder Friedrich III's voorganger, keizer Sigismund (1410-37), over een niet te verwaarlozen macht te beschikken. Zij konden bogen op een oude traditie, de vereniging 'mit dem Esel' was al in 1387 opgericht in de Palts. Erg goed ging het echter niet, en zeker niet alleen in deze kringen, hoewel men er voor op moet passen te spreken over een algemene malaise onder de lagere adel. Deze bestond, net als trouwens de stads- en dorpsbevolking, uit een mengsel van schatrijke geldschieters en straatarme sloebers, met alle schakeringen daartussen. Daarbij was de adel als stand onvervangbaar en onmisbaar, een gegeven dat door de traditie werd gedicteerd. Geen van de territoria kon het stellen zonder de diensten van de adel op alle mogelijke gebieden.

¶ De Hausbuch-meester had veel oog voor het leven aan het vorstenhof. Model voor deze instelling stond in cultureel opzicht natuurlijk dat van de keizer en zijn hoge adel, dat als een magneet werkte op de lagere adel en zelfs op de hogere burgerij, rechtsgeleerden, humanisten en bestuursambtenaren. De hoven waren behalve de fraaie façade van het vorstelijke leven, zeker ook het centrum van waaruit daadwerkelijk werd geregeerd over territoria die meer en meer de naam van staat waardig waren. Het eerst schijnt het hof in Heidelberg kunstenaars te hebben aangetrokken, later zeker ook de tijdelijke keizerlijke en koninklijke residenties aan de Rijn en in de Nederlanden. Het zou onjuist zijn om het hof te bestempelen als conservatief-ouderwets, of het te beschouwen als een instelling zonder inhoud. De integratie van de adel via het hof was zeker in de Palts een reële politieke noodzaak. Feesten, tournooien, jachtpartijen, banketten en bals, zoals ze afgebeeld staan in het werk van de Hausbuch-meester, waren echt niet alleen zomaar zorgeloze hoofse geneugten; zij waren in dezelfde mate tekenen van de macht van de vorst en diens centraliserend vermogen als burchten en belastingheffingen.

¶ In die zin laten de tekeningen zien dat de territoriale staat op weg was naar de moderne tijd, want iets nieuws kon pas dan ingang vinden wanneer het in de omgeving van de vorst geaccepteerd werd, en van daaruit verspreid. Hof en regerings-apparaat waren in de territoria onafscheidelijk. Daar en in het rijk werd de politiek nog altijd bedreven door de adel en slechts als aanvulling daarop kregen andere standen soms een rol toe-bedeeld, maar deze lieten zich op hun beurt sterk beïnvloeden door het adellijke milieu. Aan het eind van de Middeleeuwen zien wij hoe er inder-daad hier en daar in het groeiende bestuursappa-raat plaatsen vrijkomen voor figuren van buiten-af, maar de wig waarvan deze mensen zich bedienden, geld en vakkennis, werd vooralsnog geneutraliseerd door het maatschappelijk over-wicht van de adel. Ambtenaren van burgerlijke afkomst zoals men ze in het Hausbuch meent te herkennen, deden hun best zich zo adellijk moge-lijk voor te doen en zelfs op gelijke voet met de adel te komen. Juist aan het Heidelbergse hof zien wij aan het eind van de vijftiende eeuw hoe een kleine groep door de vorst geprotegeerde juri-disch onderlegde ambtenaren van burgerlijke afkomst, de adel tot zeer nabij benaderen. Vanaf 1470 krijgen ook humanisten toegang. Geprote-geerd door en onder leiding van kanselier Johann Kämmerer von Dalberg, die in 1482 bisschop van Worms werd, verbleven aan het hof van Heidel-berg o.a. hijzelf (sedert 1478), de Nederlander Rudolf Agricola (in 1483), Conrad Celtes, de 'aartshumanist' (1484-85 en 1490-91) en Johan-nes Reuchlin (1496-99). Een kader hiervoor werd verschaft door de in 1491 in Mainz opgerichte *Sodalitas literaria Rhenana*. De Hausbuch-meester, die minder Middeleeuws aandoet dan menig tijd-genoot, door zijn nauwkeurige observaties van de natuur en zijn impressies van mensen, zal iemand geweest zijn die een zekere affiniteit gevoeld heeft met een dergelijke 'moderne' ideeënwereld.

¶ Tot slot van dit overzicht zij opgemerkt dat de geschiedschrijver graag wat meer feitelijke gege-vens over leven en werk van de kunstenaar tot zijn beschikking zou willen hebben omdat niet ieder aspect van hem op de tekeningen en schilderijen die wij van hem kennen op diezelfde persoonlijke manier naar voren lijkt te komen. Dat geldt dan vooral voor zijn afbeeldingen betreffende de wereld van de kerk, de stad en het platteland.

¶ Bijzonder tegenstrijdig komt de verhouding tus-sen het kerkelijk-religieuze en het profane op ons over, en niet alleen in het werk van de Meester. Twee aan elkaar tegengestelde constateringen lij-ken beide waar te zijn. De eerste is: nooit was de Middeleeuwse vroomheid veelvormiger en inten-ser dan vlak voor de Reformatie en leek zij zo onlosmakelijk verbonden met het menselijk bestaan. De tweede: naast en tegenover de kerke-lijk-religieuze kwamen er krachtige en niet te stui-ten profane elementen naar voren. Het beste beeld van deze boeiende verhoudingen krijgt men wanneer in één kleurrijke en onoverzichtelijke generatie het nieuwe naast het oude te zien is – en er plaats voor beide blijkt te zijn. Een zelfde ambi-valentie ziet men ook in het doen en laten van de vorsten, vooral bij de Paltsgraaf, een man die zich lang vóór de Reformatie verantwoordelijk toonde voor het kerkelijk leven in zijn gebied, op een wijze die nauwelijks verschilt van de houding van een zestiende-eeuws vorst jegens de kerk van zijn vorstendom. Hij bemoeide zich persoonlijk en in details met kerkhervormingen en visitaties en voerde reorganisaties uit zonder dat er enige twij-fel kon bestaan aan zijn – katholieke – vroomheid. Verval en vernieuwing stonden – net als bij het ordewezen van zijn tijd – vaak zonder meer naast elkaar. Als men werkelijk had ingezien dat het afgelopen was met de concrete privileges van de kerk (belastingen, recht), en met de traditionele monopolies (lezen, schrijven), dan had men een programma van wenselijke herzieningen kunnen opstellen. Maar fundamentele hervormingen waren uitgesloten omdat een analytisch apparaat ontbrak – de vraag ernaar zou trouwens een anachronisme zijn – en omdat de totale structuur kennelijk te star was om zomaar te evolueren. De structuur van de kerk verschilde niet wezenlijk van die van de standenmaatschappij: de clerus kende dezelfde uitersten van rijk en arm, elk met belangen die niets met elkaar te maken hadden. De beslissing over succes of falen van hervormin-gen, over overwinnaars en overwonnenen, viel pas in de zestiende eeuw. Het daaraan vooraf-gaande tijdperk, de tijd van de Hausbuch-mees-ter, was een tijd van doorbraak en gisting; wat eruit tevoorschijn zou komen was nog niet te over-zien.

¶ De stad is een wereld die in het werk van de Mees-ter, ondanks zijn opmerkelijk 'realistische' kijk op de dingen, niet erg op de voorgrond treedt, behalve indien de technische tekeningen en gete-kende voorwerpen in het Hausbuch aan de Mees-ter zelf kunnen worden toegeschreven. Hij zou in dat geval een opmerkelijke belangstelling gehad hebben voor de mijnbouw, de modernste sector van de technologie van die tijd. Op de zoge-naamde *Planetenkinderen* in het Hausbuch staan een aantal vaak zeer gecompliceerde nijverheden afgebeeld (een edelsmid, klokkenmaker, beeld-snijder, orgelbouwer).

¶ Terwijl het politieke gewicht van de steden steeds kleiner werd, groeide hun economische rol. Dit geldt in elk geval voor de grote en middelgrote plaatsen, waar de opeenhoping van kapitaal al snel leidde tot een zeer zichtbare economische vooruitgang. Het was de eerste maal in de Duitse geschiedenis dat een dergelijke verandering als een probleem overkwam. De landadel was al enige tijd doende zich te distantiëren van de hogere burgerij, die zich bijna of geheel tot aan de adel had opgewerkt, terwijl de vorsten niet zonder de diensten konden van de rijke en goedonderlegde stedelingen. Vanaf 1470 kan men, zoals gezegd, spreken van een nieuwe, grootschalige en duurzame conjunctuurverbetering, zonder dat de oorzaken daarvoor helemaal duidelijk zijn.

¶ Het belangrijkste handels- en jaarbeurscentrum, ook voor het Heidelbergse hof, was Frankfurt. De jaarlijks tweemaal gehouden beurzen, met hun concentratie en dispersie van geld waren de levensadem van de monetaire handel van de gehele streek. Agrarische producten die van economisch belang waren in de Rijnstreek, waren wijn, graan en hout. De belangrijkste grondstof voor de nijverheid was wol, voor de lakenproductie daar en in Hessen, waarvoor ook de aanplant van verfstof-leverende gewassen noodzakelijk was. Spiers, en vooral natuurlijk Frankfurt, waren grote geldmarkten. Deze laatste stad was na Augsburg en Neurenberg het derde centrum in het weefsel van geld, techniek en arbeidskracht waaruit in de zestiende eeuw het Zuid-Duitse handelskapitalisme ontstond. In het laatste kwart van de vijftiende eeuw worden de contouren van deze structuur al zichtbaar.

¶ Verder is er sprake van een versnelde groei in het onderwijs, aanvankelijk vooral in de vorm van stadsscholen. Dat ook het studentencijfer aan de universiteiten steeg blijkt uit het overschot aan werkzoekenden dat optreedt en dat waarschijnlijk een zekere druk uitoefende op kerken, adel en steden. Kunstenaars kan men rekenen tot de nieuwe stedelijke intelligentsia, net als juristen, artsen, stadsklerken, hogere zakenemployés en 'ingenieurs'. Ook de debetzijde van de nieuwe economische vooruitgang wordt zichtbaar: de kloof tussen arm en rijk schijnt groter te zijn geworden. Het gros der arbeiders was niet of nauwelijks opgeleid, deed slecht betaald los werk, en was sterk afhankelijk van de werkgever.

¶ De boerenstand, waartoe ongeveer tachtig procent van de bevolking behoorde, bleef ook aan het eind van de Middeleeuwen de basis van economie en maatschappij. Zij komt zijdelings naar voren in het werk van de Meester. De boer zien wij optreden als komische figuur en werd met spot bekeken – of als het slachtoffer van geweld. In elk geval was zijn rol passief.

¶ De streek waar de Hausbuch-meester werkte was op het gebied van de landbouw hoog ontwikkeld, met gebieden waar men zich gespecialiseerd had in wijnbouw, groenteelt en industriegewassen, al naar gelang de natuurlijke geschiktheid of de vraag van de markt. Verder verbouwde men natuurlijk graan, het hoofdbestanddeel van het dagelijks voedsel. Ook de kleinere steden waren sterk agrarisch gericht. Hoe het precies zat met de bevolkingsgroei in dit gebied aan het eind van de vijftiende eeuw, is niet helemaal duidelijk. Van het Zwabenland en het Neder-Rijngebied is een groei van de boerenbevolking vastgesteld, maar in de Elzas schijnt die niet te hebben plaatsgevonden. Heeft er in het gebied van de Midden-Rijn en de zuidelijke Rijnstreek inderdaad een groei plaatsgevonden, dan was bij een gelijkblijven van de beschikbare hoeveelheid akkerland, het gevolg ongetwijfeld een stijging van het aantal kleine boeren en werkeloze boerenarbeiders, en daarmee van de sociale spanningen onder de plattelandsbevolking. Na 1470 trekken echter overal de graanprijzen weer wat aan, na een langdurige depressie; in de zestiende eeuw zelfs sneller dan de prijzen in de nijverheidssector. Ook dit was een vrij plotselinge omkering van de traditionele toestand. Dit alles, een bevolkingsgroei met alle gevolgen van dien en de reeds vermelde intensivering van de souvereine macht, heeft men in het boerenmilieu waarschijnlijk ervaren als een steeds groter wordende last. De vorst was nog steeds heer en meester van land en bodem, maar naast de eisen van vorst en tiendheer, waren er de traditionele of zelfs verhoogde aanspraken van de kant van de grondbezitter, de ambachtsheer of zelfs de bezitter van lijfeigenen – vooral wanneer dezen het zelf niet meer zo ruim hadden. Verder zuidelijk, in de Elzas, kwam het in 1493 tot een boerenopstand, en in 1503 tot de 'Bundschuh', de oproerpoging van Joss Fritz uit Untergrombach bij Bruchsal. Toch kan men dit niet met enige zekerheid op rekening schrijven van de economische toestand van de streek, noch op die van een langdurige, interregionale revolutionaire traditie. Elk van deze opstanden moet afzonderlijk en op zijn eigen merites bekeken worden. Voor een wijdverspreide opstand was één factor kennelijk nog niet aanwezig: de geloofshervormingen en de daarbij behorende verschijnselen.

¶ Misschien is wat er bij de boeren te zien was typerend: de Hausbuch-meester leefde in een opwindende, prikkelende tijd van spanning en grote diversiteit, en hier en daar ook van crisis, waardoor de beweging naar de moderne tijd toe zeker voelbaar was. Explosief was de situatie echter nog niet. Vaak zijn momenten van revolutie voor de kunst momenten van uitdaging tot iets nieuws, maar evengoed, en misschien in grotere mate, kunnen zij er toe leiden dat de doorwerking van tradities nauwkeuriger in beeld gebracht wordt. Zolang wij echter de naam en de persoonlijke gegevens van de Meester niet kennen, moeten wij ons tevreden stellen met een algemeen historisch 'coördinatensysteem' om zijn plaats in de geschiedenis te bepalen.

BELANGRIJKE LITERATUUR:

Abel, Wilhelm, *Agrarkrisen und Agrarkonjunktur*, deel 3: *Hamburg, Berlijn 1978.*

Alter, Willi, 'Das Hochstift Speyer links des Rheins um 1500', *Bulletin für pfälzische Kirchengeschichte und religiöse Volkskunde* 46 (1979), pp. 9-37.

Andermann, Kurt, *Studien zur Geschichte des pfälzischen Niederadels im späten Mittelalter*, Spiers 1982.

Beck, Hans-Georg et al., *Die mittelalterliche Kirche*, deel 2 (*Handbuch der Kirchengeschichte*, redactie Hubert Jedin, III, 2), Freiburg etc. 1968.

Blickle, Peter, 'Bäuerliche Erhebungen im spätmittelalterlichen deutschen Reich', *Zeitschrift für Agrargeschichte und Agrarsoziologie* 27 (1979), pp. 208-31.

Brockmann, Hartmut, 'Zu den geistigen und religiösen Voraussetzungen des Bauernkrieges', in *Bauernkriegs-Studien*, (Schriften des Vereins für Reformationsgeschichte, 189), Bernd Moeller, Gütersloh 1975, pp. 9-27.

Cohn, Henry J., *The government of the Rhine Palatinate in the fifteenth century*, Oxford 1965.

Der deutsche Bauernkrieg, redactie Horst Buszello, Peter Blickle en Rudolf Endres, Paderborn etc. 1984.

Deutsche Verwaltungsgeschichte, deel 1, Stuttgart 1983.

Drollinger, Kuno, *Kleine Städte Südwestdeutschlands* (Veröffentlichungen der Kommission für geschichtliche Landeskunde in Baden-Württemberg, 48), Stuttgart 1968.

Ennen, Edith en Walter Janssen, *Deutsche Agrargeschichte* (Wissenschaftliche Paperbacks, 12), Wiesbaden 1979.

Ernst, Fritz, 'Kurfürst Friedrich I., der Siegreiche von der Pfalz, 1425-1476', *Saarpfälzische Lebensbilder* 1 (1938), pp. 45-59.

Eulenburg, Franz, 'Zur Bevölkerungs- und Vermögensstatistik des 15. Jahrhunderts', *Vierteljahresschrift für Sozial- und Wirtschaftsgeschichte* 3 (1895), pp. 424-67.

Geschichte der deutschen Länder, vol. 1, *Territorien-Ploetz*, redactie Georg Wilhelm Sante en A.G. Ploetz-Verlag, Würzburg 1964.

Handbuch der historischen Stätten Deutschlands, deel 4, *Hessen*, redactie Georg Wilhelm Sante, deel 3 (Stuttgart 1975-76; *Rheinland-Pfalz und Saarland*, redactie Ludwig Petry, deel 3, Stuttgart 1976; deel 6, *Baden-Württemberg*, redactie Max Miller, deel 2, Stuttgart 1980.

Karst, Theodor, *Das kurpfälzische Oberamt Neustadt an der Haardt*, Spiers 1960.

Luther und die politische Welt (Akademie der Wissenschaften und der Literatur, Mainz, *Historische Forschungen*, 9), redactie Erwin Iserloh en Gerhard Müller, Wiesbaden en Stuttgart 1984.

Lutz, Heinrich, *Das Ringen um deutsche Einheit und kirchliche Erneuerung* (Propyläen Geschichte Deutschlands, 4), Berlijn 1983.

Martin Luther und die Reformation in Deutschland, Frankfurt am Main 1983.

Meuthen, Erich, *Das fünfzehnte Jahrhundert* (Oldenbourgs Grundriss der Geschichte, 9), München en Wenen 1980.

Moraw, Peter, 'Die kurfürstliche Politik der Pfalzgrafschaft im Spätmittelalter, vornehmlich im späten 14. und im frühen 15. Jahrhundert', *Jahrbuch für westdeutsche Landesgeschichte* 9 (1983), pp. 45-97.

—, *Offene Verfassung und Verdichtung: das Reich im späten Mittelalter, 1250-1490* (Propyläen Geschichte Deutschlands, 3), Berlijn 1985.

—, *Wahlreich und Territorien: Deutschland 1273-1500* (Neue Deutsche Geschichte, 3), München 1985.

Pabst, Hans, *Die ökonomische Landschaft am Mittelrhein vom Elsass bis zur Mosel im Mittelalter*, Frankfurt am Main 1930.

Pitz, Ernst, *Wirtschafts- und Sozialgeschichte Deutschlands im Mittelalter* (Wissenschaftliche Paperbacks, 15), Wiesbaden 1979.

Press, Volker, 'Der deutsche Bauernkrieg als Systemkrise', *Giessener Universitätsbulletin* 11 (1978), deel 2, pp. 114-35.

—, 'Führungsgruppen in der deutschen Gesellschaft im Übergang zur Neuzeit um 1500', in *Deutsche Führungsgruppen in der Neuzeit: ein Zwischenbilanz*, redactie Hanns Hubert Hofmann en Günther Franz, Boppard 1980, pp. 29-77.

—, 'Soziale Folgen der Reformation in Deutschland', in *Schichtung und Entwicklung der Gesellschaft in Polen und Deutschland im 16. und 17. Jahrhundert* (VSWG Beiheft 74), redactie Marian Biskup en Klaus Zernack, Wiesbaden 1983, pp. 196-243.

Protokolle des Mainzer Domkapittels, Die, deel 1, 1450-1484, ed. Fritz Hermann en Hans Knies, Darmstadt 1976.

Rapp, Francis, 'Die soziale und wirtschaftliche Vorgeschichte des Bauernkrieges im Unterelsass', in *Bauernkriegs-Studien* (Schriften des Vereins für Reformationsgeschichte, 189), redactie Bernd Moeller, Gütersloh 1975, pp. 29-45.

Rhein-Neckar Land, redactie Eugen Herwig, Mannheim 1968.

Schaab, Meinrad, 'Grundlagen und Grundzüge der pfälzischen Territorialentwicklung', *Geschichtliche Landeskunde* 10 (1974), pp. 1-21.

—, 'Bergstrasse und Odenwald', *Oberrheinische Studien* 3 (1975), pp. 237-65 en Peter Moraw, 'Territoriale Entwicklung der Kurpfalz (von 1156 bis 1792)', in *Pfalzatlas*, redactie Willi Alter, Spiers 1964, kaarten 50-53, tekstdeel 11, pp. 393-428.

Schindling, Anton, 'Kirchenfeindschaft, Reformation und Bauernkrieg', *Zeitschrift für historische Forschung* 4 (1977), pp. 429-37.

Schröcker, Alfred, *Unio atque concordia*, diss. Würzburg 1970.

Schulze, Winfried, 'Aufruhr und Empörung?', *Zeitschrift für historische Forschung* 9 (1982), pp. 63-72.

Spiess, Karl-Heinz, *Lehnsrecht, Lehnspolitik und Lehnsverwaltung der Pfalzgrafen bei Rhein im Spätmittelalter* (Geschichtliche Landeskunde, 18), Wiesbaden 1978.

Die Stadt am Ausgang des Mittelalters (Beiträge zur Geschichte der Städte Mitteleuropas, 3), redactie Wilhelm Rausch, Linz 1974.

Die Stadt an der Schwelle zur Neuzeit (Beiträge zur Geschichte der Städte Mitteleuropas, 4), redactie Wilhelm Rausch, Linz 1980.

Stromer von Reichenbach, Wolfgang Freiherr, 'Die oberdeutschen Geld- und Wechselmärkte', *Scripta Mercaturae* 1 (1976), pp. 23-49.

1000 Jahre Mainzer Dom (975-1975): Werden und Wandel, redactie Wilhelm Jung, Mainz 1975.

Vaughan, Richard, *Charles the Bold*, Londen 1973.

Volkert, Wilhelm, 'Pfälzische Zersplitterung', *Handbuch der bayerischen Geschichte*, redactie Max Spindler, deel 3-2, München 1971, pp. 1289-1349.

Wiesflecker, Hermann, *Kaiser Maximilian I.*, 4 delen, München 1971-81.

Zwischen Rhein und Mosel: der Kreis St. Goar, redactie Franz-Josef Heyen, Boppard 1966.

DE CATALOGUS

¶ De catalogus beschrijft alle kunstwerken die op redelijke gronden aan de Meester of aan zijn directe omgeving worden toegeschreven. De lijst in de kolom langs de bladrand bevat nadere gegevens over de behandelde kunstwerken.

¶ Alle in Amsterdam tentoongestelde catalogusnummers zijn met een * aangeduid, bijvoorbeeld 7.1*.

De volgende categorieën kunstwerken worden achtereenvolgens behandeld:

PRENTEN [1-116]

¶ Alle prenten zijn op ware grootte afgebeeld; de afbeeldingen van de in Amsterdam bewaarde afdrukken zijn rechtstreeks van de originele prenten gereproduceerd.

¶ Achter de titels van de prenten van de Meester van het Amsterdamse Kabinet (of van het Hausbuch) en van Meester b x g staan verwijzingen naar respectievelijk de catalogus van Lehrs uit 1893 (zie lijst van afkortingen van veelvuldig geciteerde literatuur, achter de catalogus: Lehrs 1893), aangeduid als *L*I en naar die van Lehrs uit 1932 (Lehrs, deel 8), aangeduid als *L*II.

¶ Een lijst van alle bekende afdrukken van de prenten is in de kolom langs de bladrand geplaatst. Is meer dan één afdruk van dezelfde prent bekend, dan worden de verschillende exemplaren aangeduid met een cijfer achter het catalogusnummer, bijvoorbeeld 75.1,75.2.

Bij de prenten van de Meester [1-91] wordt de herkomst, drukkwaliteit en toestand van de verschillende afdrukken zo nauwkeurig mogelijk beschreven (zie toelichting pp. 91-93), bij de prenten van andere kunstenaars heeft deze lijst een summier karakter.

¶ Naast de gegevens over de afdrukken van de beschreven prenten zijn in de kolom langs de bladrand korte vermeldingen opgenomen van copieën en werken van andere kunstenaars die met de betreffende prent in verband staan: zij zijn met letters achter het catalogusnummer aangegeven, bijvoorbeeld 7a, 7b, 51a.

MANUSCRIPTEN [117-20]

¶ Jane C. Hutchison behandelt het *Hausbuch* [117], dat niet door de samensteller van de tentoonstelling bestudeerd kon worden en waarvan de afbeeldingen in de catalogus grotendeels gebaseerd zijn op de facsimile-uitgave van 1912 (Bossert-Storck 1912). Behalve het *Hausbuch* worden drie manuscripten in de catalogus opgenomen, waarvan de illustraties aan de Meester worden toegeschreven.

TEKENINGEN [121-30]

¶ Uit de vrij grote groep tekeningen die aan de Meester wordt toegeschreven, worden tien van de meest belangrijke en interessante bladen behandeld en zo veel mogelijk op ware grootte gereproduceerd.

SCHILDERIJEN [131-33]

¶ Van de vele schilderijen die met de Meester in verband gebracht zijn, worden slechts die behandeld, waarvan de toeschrijvingen het meest overtuigend zijn: de panelen van het zogenaamde Spierse altaar [131], de panelen van het *Marialeven* in Mainz [132] en het *Liefdespaar* in Gotha.

In de tentoonstelling zijn enkele originele panelen opgenomen [131d en 132d-e], naast de fotografische documentatie van het onderzoek met infraroodreflectografie naar de ondertekening in de schilderijen.

GLASSCHILDERINGEN [134-39]

¶ Een groot aantal glasschilderingen wordt aan de Meester toegeschreven zonder dat over de eigenhandigheid van één van hiervan zekerheid bestaat. De in de tentoonstelling opgenomen en in de catalogus behandelde glasschilderingen staan op uiteenlopende wijzen in verband met het werk van de Meester.

MET HOUTSNEDEN GEÏLLUSTREERDE BOEKEN
[140-42]

¶ Er zijn illustraties van tientallen Duitse incunabelen (de oudste gedrukte boeken) met het werk van de Meester in verband gebracht. Omdat deze toeschrijvingen zelden erg overtuigend zijn, wordt slechts een enkel voorbeeld van deze houtsnede-illustraties getoond.

In de discussie over de mogelijke identificatie van de Meester met Erhard Reuwich staan twee boeken centraal, waarvan de illustraties door Reuwich ontworpen zijn [141-42].

DROGENAALDPRENTEN

Toelichting op de catalogus van de drogenaaldprenten

VOLGORDE

¶ De oeuvre-catalogus van Lehrs uit 1893 (zie p. 51), waarin de drogenaaldprenten van de Meester voor het eerst alle gereproduceerd werden, bevatte 89 prenten. De toeschrijving van deze prenten is na deze publicatie nimmer serieus bestreden en de nummering van de prenten bij Lehrs werd algemeen voor het aanduiden van de verschillende prenten gebruikt (hier bij de titel vermeld als *L.I*). Ongelukkigerwijs week Lehrs in 1932 zelf van deze nummering af in zijn nieuwe catalogus van de prenten van de Meester, die verscheen in deel 8 van zijn *Geschichte und kritischer Katalog des deutschen, niederländischen und französischen Kupferstichs im XV. Jahrhundert* (hier vermeld als *L.II*). De reden van die wijziging was onder meer dat hij twee prenten in de catalogus opnam, die in de uitgave van 1893 ontbraken. De toeschrijving hiervan is echter nooit algemeen aanvaard [zie **90, 91**]. Ook in andere opzichten is de nieuwe nummering minder bevredigend en verwarrend, reden waarom vrijwel niemand onder de latere specialisten de nieuwe nummering consequent heeft gebruikt. In deze catalogus worden bij de titels beide nummers gegeven, respectievelijk als *LI* en *LII*, maar is voor de volgorde van de prenten in grote lijnen de catalogus uit 1893 gevolgd.

TITELS

¶ Zo veel mogelijk zijn de traditionele (voornamelijk van Lehrs afkomstige) titels aangehouden; terwille van een consequente terminologie óf om iconografische redenen is in een aantal gevallen voor een iets afwijkende titel gekozen.

DATERING

¶ Elders (pp. 29-34) is uitvoerig op de chronologie in het werk van de Meester ingegaan. Zekerheid over de datering bestaat bij geen van de prenten. Slechts in enkele gevallen weet men door gedateerde copieën [**5a, 7a, 75a**] dat een prent vóór een bepaalde datum moet zijn ontstaan. In de catalogus heeft de datering die achter de titel is aangegeven dan ook een globaal en hypothetisch karakter.

VERZAMELINGEN VAN PRENTEN VAN DE MEESTER

¶ Van de 123 bekende afdrukken van de 91 aan de Meester toegeschreven prenten zijn liefst 80 het eigendom van het Rijksprentenkabinet van het Rijksmuseum te Amsterdam. Van de overige bladen bezitten slechts de prentenkabinetten in Coburg (6), Londen (6), Oxford (3), Parijs (6) en Wenen (8) meer dan één of twee afdrukken.
De herkomst van het merendeel van de bladen is te herleiden tot twee achttiende-eeuwse verzamelingen: de verzameling Brandes en de verzameling van P.C. baron van Leyden.

¶ De collectie van de Hofrat Brandes uit Hannover, die op 18 april 1795 door Weigel in Leipzig geveild werd, bevatte tenminste tien bladen van de Meester, die als werk van Schongauer gecatalogiseerd waren; deze bladen zijn bij die gelegenheid verdeeld tussen de Albertina in Wenen [**1**; **2**.1; **3**; **7**.2] en de Veste Coburg [**13**.3; **54**.2; **73**.2; **74**.2; **75**.1; **89**.2].[1]

¶ De grootste verzameling van drogenaaldprenten bevond zich evenwel in de achttiende eeuw in de omvangrijke grafiekverzameling van Pieter Cornelis baron van Leyden (1717-1788) te Leiden, die in 1807 voor de Koninklijke Bibliotheek in 's-Gravenhage verworven werd. Over de herkomst van deze grote groep prenten van de Meester in de verzameling Van Leyden is helaas niets bekend; vaak kocht Van Leyden samenhangende groepen prenten *en bloc* en het is niet denkbeeldig dat de prenten oorspronkelijk in een album geplakt zaten. Uit de tussen 1760 en 1780 samengestelde inventaris van de verzameling blijkt, dat de prenten zich bevonden in portefeuille 20 met de titel 'Onbekende Meesters-Kopersnee'. Uit potloodaantekeningen in de inventaris kan men afleiden, dat 84 van de prenten in deze portefeuille op 25

VOORBEELD

7.1*
Amsterdam, Rijksprenten-
kabinet (coll. Van Leyden,
port. 20, nr. 89, als 'David
die den Afgod aanbid', blad
25; Koninklijke Bibliotheek,
1807; Parijs, 1812-16, nr. 63;
inv. OB:871): zeer goede
druk, diameter 155 mm
(langs en ten dele door
omtreklijn afgeknipt; kleine
beschadigingen langs rand;
gerestaureerde scheur links
langs rand, deels door
opwapperende doek van
Salomo).

VOORBEELD UITGELEGD
nummer: **7**.1*
7: Catalogusnummer van de
prent **Salomo's afgoderij**.
1: Eerste van de drie
bewaarde exemplaren.
*: Tentoongesteld.
verzameling: Amsterdam,
Rijksprentenkabinet.
herkomst: coll. Van Leyden,
(volgens inventaris) portefeuille 20, nr. 89, als 'David
die den Afgod aanbid', (opgezet op) blad 25; (verworven door de) Koninklijke
Bibliotheek, 's-Gravenhage
(in) 1807; (overgebracht
naar) Parijs (tussen) 1812-16,
nr. 63 (van de inventarislijst
van de uit portefeuille 20
naar Parijs overgebrachte
prenten); inv(entarisnum-
mer) OB:871.
drukkwaliteit: zeer goede
druk.
afmetingen: diameter 155 mm.
toestand van de afdruk: (langs
en ten dele door omtreklijn
afgeknipt; kleine beschadigingen langs rand; gerestaureerde scheur links langs
rand, deels door opwappe-
rende doek van Salomo).

bladen carton opgezet waren.[2] Van deze prenten
bevinden er zich nog steeds 82 in Amsterdam;
twee daarvan zijn weliswaar in formaat en stijl
aan de prenten van de Meester verwant, maar
worden thans aan andere meesters toegeschreven.[3] De ontbrekende twee prenten worden thans
in de Biblithèque Nationale in Parijs bewaard. In
1812 brachten de toenmalige Franse overheersers
meer dan 10.000 prenten uit de collectie van
baron Van Leyden in de Koninklijke Bibliotheek
naar Parijs over; daaronder waren tenminste 65
van de prenten van de Meester uit portefeuille 20.
Toen de prenten voor hun terugkeer naar Nederland in november 1816 werden uitgezocht, kon
men de prent met Simson [**6**] niet vinden; deze
bleef in Parijs achter met het *Liefdespaar* [**75**] en
waarschijnlijk ook de door Van Leyden aan Hopfer toegeschreven prent van de *Madonna met de sterrenkroon en boek op een maansikkel* [**25**], die beide niet
op de lijst van meegenomen prenten waren vermeld.[4] Na terugkeer in Nederland werd de collectie Van Leyden ondergebracht in het Rijksmu-

seum in het Trippenhuis, waarmee de basis voor
het latere Rijksprentenkabinet gelegd werd.
¶ In de cataloguslijst is bij de prenten uit de collectie Van Leyden respectievelijk vermeld: het nummer van de prent op de inventarislijst van portefeuille 20, het blad waarop de prent was opgezet
en, indien van toepassing, het nummer van de
prent op de lijst van de uit portefeuille 20 naar
Parijs overgebrachte prenten. Ook bij de andere
prenten is de herkomst zo nauwkeurig mogelijk
vermeld; het jaartal achter de naam van de verzameling geeft aan wanneer de prent naar een
nieuwe eigenaar is gegaan.

AFMETINGEN VAN DE PRENTEN
¶ Indien één exemplaar van de prent bewaard is,
worden de maten daarvan gegeven; is er meer dan
één afdruk bewaard, dan worden bij de titel de
maten van het meest complete exemplaar gegeven; in de cataloguslijst zijn de afmetingen van
alle bekende afdrukken zo nauwkeurig mogelijk
in millimeters vermeld. Zelden is het mogelijk de

7.1

grootte van de plaat, waarvan de prent gedrukt is, vast te stellen. De meeste afdrukken zijn binnen de plaatrand afgeknipt, vaak zelfs tot binnen de omtreklijnen van de prent, en soms zelfs tot het beeld; in die gevallen is de plaatrand niet te zien.

DRUKKWALITEIT

¶ Zoals elders reeds vermeld (p. 34) loopt de drukkwaliteit van de verschillende drogenaaldprenten nogal uiteen. Zeer goed zijn de afdrukken met diepzwarte drogenaaldpartijen, die soms zo zwaar zijn dat de tekening in de prent daar enigszins onder lijdt [bijvoorbeeld bij **30**]. In de wat latere, goede afdrukken zijn de drogenaaldlijnen nog wel te zien, maar ontbreken de zware donkere partijen. Van enkele prenten [**9**.2; **26**.3; **49**; **55**; **60**] zijn betrekkelijk late grijze afdrukken bekend, waarin niet alleen de drogenaaldpartijen vrijwel geheel verdwenen zijn, maar ook een deel van de lijnen is versleten. Niet altijd, zelfs niet in de zeer goede afdrukken, zijn de lijnen en drogenaaldpartijen scherp afgedrukt, wellicht omdat de inkt niet altijd goed in de groeven van de plaat doordrong [**22**; **28**]; in een enkel geval is de plaat soms in de drukpers iets verschoven [**45**]. In de plaat bevinden zich vaak kleine putjes en puntjes [**9**; **50**; **54**; **75**], soms ook fijne krassen [**16**; **21**; **77**] en in enkele gevallen zelfs barsten [**45**; **49**], die in de afdruk goed te zien zijn.

TOESTAND

¶ Niet alleen zijn vele afdrukken binnen de plaatrand afgeknipt en beschadigd langs de randen, maar bovendien is er vaak sprake van verfvlekjes [onder meer bij **5**; **6**; **38**] en beschadigingen van het papieroppervlak. Een aantal van de in Amster-

dam aanwezige afdrukken is betrekkelijk sterk gerestaureerd, waarbij de verfvlekken en dergelijke vaak op mechanische wijze verwijderd zijn (weggekrabd of geradeerd); behalve retouches treft men ook aanvullingen met papierpap aan bij beschadigde of onregelmatig afgeknipte bladen [**41**; **76**; **78**]. Waarschijnlijk van oudere datum zijn retouches met de penseel die in een aantal van de prenten in de Amsterdamse verzameling zijn aangebracht. In een aantal gevallen zijn in de schaduwpartijen penseelwassingen [**18**; **19**; **32**], en soms is met penseel enige tekening in de prent aangebracht [**66**; **79-80**; **85**]. In één geval is een afdruk met dekverf beschilderd, bijna als een miniatuur [**29**.1] en in een andere prent zijn de contouren doorgeprikt [**45**].

WATERMERKEN

¶ De watermerken van het papier waarop de prenten gedrukt zijn, worden vermeld voor zover ze bekend zijn; waarschijnlijk omdat het formaat van de meeste prenten klein is, vertonen maar weinig bladen een watermerk. In BIJLAGE I, achter het catalogusgedeelte, wordt nader op die watermerken ingegaan.

LITERATUUR

¶ De literatuurverwijzingen in de noten zijn zeer beperkt gehouden. Over het algemeen wordt verwezen naar Jane C. Hutchison, *The Master of the Housebook*, New York 1972 (geciteerd als Hutchison 1972), waarin de literatuur tot 1972 consciëntieus is geanalyseerd en vermeld. Daarnaast worden alleen recentere publicaties en literatuur over het onderwerp vermeld.

---

1. Hutchison 1972, p. 21.
2. Filedt Kok 1983, p. 427.
3. Zie Filedt Kok 1983, p. 436, noot 11. De prenten zijn *Christushoofd met doornenkroon*, Lehrs, deel 4, p. 232, nr. 24, als ano-

nieme kunstenaar uit de school van Schongauer en van Wenzel van Olmütz, *Hoofd van oude man*, Lehrs, deel 6, p. 238, nr. 57.
4. Filedt Kok 1983, p. 436, noot 10 en 12.

1*
Wenen, Albertina (coll.
Brandes, 1796; inv. 309/
1928): zeer goede druk,
129 x 53 mm (met plaat-
rand).
2.1*
Wenen, Albertina (coll.
Brandes, 1796; inv. 310/
1928): zeer goede druk,
131 x 56 mm (met plaat-
rand).
2.2*
Amsterdam, Rijksprenten-
kabinet (coll. Van Leyden,
port. 20, no. 49: blad 10;
Koninklijke Bibliotheek,
1807; Parijs, 1812-16, nr. 35;
inv. OB:868): goede druk, 121
x 47 mm (afgeknipt tot
beeld, met sporen van rode
verfspatjes).
3*
Wenen, Albertina (coll.
Brandes, 1796; inv. 311/
1928): goede druk, 130 x 54
mm (met plaatrand).

1-4. Vier profeten
(LI en LII, 1-4), ca. 1475:

1. Eerste profeet
Drogenaald, unicum, 129 x 53 mm.

2. Tweede profeet
Drogenaald, twee exemplaren bewaard, 131 x 56 mm.

3. Derde profeet
Drogenaald, unicum, 130 x 54 mm.

4. Vierde profeet
Drogenaald, unicum, 120 x 41 mm.

¶ Profeten en sibillen (profetessen) zijn als verkondigers van de komst van Christus veelvuldig in de
Noordelijke Middeleeuwse kunst afgebeeld: als
beeldhouwwerk in een groter architecturaal
ensemble, maar ook in grisaille geschilderd op de
buitenzijden van vijftiende-eeuwse Vlaamse
vleugelaltaren. In de vijftiende-eeuwse grafiek
vindt men voor deze prenten met in een nis
staande profeten echter geen parallellen. Hoewel
geen directe voorbeelden voor deze bladen van de
Meester zijn gevonden, is gewezen op het verband met vergelijkbare figuren van profeten in de
vijftiende-eeuwse Zuid-Nederlandse schilderkunst.[1]

¶ Een copie in houtsnede van de vierde profeet met
een sibille ernaast [4a] werd lange tijd als vijftiende-eeuws Hollands werk beschouwd,[2] tot
bleek dat deze houtsnede in een in 1482 te Neurenberg uitgegeven boekje is afgedrukt, hetgeen
een Hollandse herkomst weinig aannemelijk
maakt.[3] Ook de sibille op deze houtsnede lijkt op
een prent van de Meester te zijn gebaseerd, vergelijk bijvoorbeeld Maria in het *Passie-wapen* [22][4];
daaruit zou men kunnen afleiden dat de afdrukken in Amsterdam en Wenen hoorden tot een,
slechts ten dele bewaarde, grotere reeks, waarin
de figuren van profeten en sibillen, zoals in de

1

2.1

2.2

houtsnede, paarsgewijs tegenover elkaar ston-
den.⁵

¶ *De vier profeten* worden over het algemeen tegen
het einde van de vroege periode in het werk van
de Meester gedateerd; de vrij sterk gevarieerde
arceringen suggereren effectief een licht- en scha-
duwverdeling, waardoor de figuren in de nis een
vrij sterke plastische werking krijgen (*afb. 24*).

¶ De drie afdrukken in Wenen tonen de complete
prenten, waarbij langs de randen de plaatrand
grotendeels zichtbaar is; de Amsterdamse afdrukken zijn daarentegen tot het beeld afgeknipt.

1. Schneider 1915, p. 56; Solms-Laubach 1935-36, p. 30; de
Nederlandse herkomst van het motief van een in een nis
geplaatste profeet, is voor veel specialisten een argument
geweest om de Nederlandse afkomst van de kunstenaar te
bepleiten of een verblijf van hem in de Nederlanden ca. 1475
te veronderstellen.
2. Schneider 1915, p. 57-59.
3. Fuchs 1958, p. 1199, noot 697.
4. Hutchison 1972, p. 22.
5. Schneider 1915, p. 58.

4a

4*
Amsterdam, Rijksprenten-
kabinet (coll. Van Leyden,
port. 20, nr. 52; Koninklijke
Bibliotheek, 1807; Parijs,
1812-16, nr. 38; inv. OB:869):
zeer goede druk, 120 X 41
mm (afgeknipt tot het beeld).

4a
Copie in houtsnede van de
vierde profeet, met de
staande figuur van profetes.
Houtsnede, 138 x 118 mm.
Amsterdam, Rijksprenten-
kabinet (coll. E. Bendeman,
Zürich, 1921; inv. 21:1199).
De houtsneden zijn gebruikt
als boekillustratie in *Spruch
von der Pestilenz*, uitgave 1482
door Hans Foltz te Neurenberg (H. 7220; Schramm deel
18, 364-65).

3   4

5*
Amsterdam, Rijksprenten-
kabinet (coll. Van Leyden,
port. 20, nr. 18: blad 6;
Koninklijke Bibliotheek,
1807; Parijs, 1812-1816, nr.
13; inv. OB:870): goede druk,
92 x 83 mm (waarschijnlijk
iets afgeknipt (vgl. **6**) aan
bovenzijde zwarte inktvlek,
nek en kin van Simson met
penseel en grijze verf gewassen; groene verfresten grotendeels verwijderd).

5a
Spiegelbeeldige copie in
houtsnede gebruikt als illustratie in *Spiegel menschlicher
Behaltnis* uitgegeven door
Peter Drach te Spiers uit
1478/9 (zie [**140**]).

6*
Parijs, Bibliothèque Nationale (coll. Van Leyden, port.
20, nr. 17: blad 6; Koninklijke
Bibliotheek 1807; Parijs,
1812-1816, nr. 12; in 1816 niet
teruggevonden, en achtergebleven; inv. Ec.N. 427; Ea 41
rés): goede druk, 95 x 84 mm
(langs de plaatrand afgesneden; vouwen; linker bene-
denhoekje ontbreekt; rode
en zwarte verfsporen grotendeels verwijderd).

5a

5-6. Geschiedenis van Simson
(L I en L II, 5-6), ca. 1470-75.

5. Simson overwint de leeuw
Drogenaald, unicum, 92 x 83 mm.

6. Delila knipt Simson's haar
Drogenaald, unicum, 95 x 84 mm.

¶ Al in zijn jeugd bleek hoe sterk Simson was, toen
hij met zijn blote handen een leeuw doodde
(Richteren 14:5-6). Later, toen hij streed tegen de
Filistijnen, mislukten daardoor alle pogingen om
hem gevangen te nemen. Door een list wist zijn
minnares Delila, daartoe aangezet door de Filistijnen, hem het geheim van zijn lichaamskracht
te ontfutselen. Nadat hij op haar knieën was inge-
slapen, week, met het afscheren van zijn nimmer
geknipte haarlokken, zijn kracht en konden de
Filistijnen hem gevangen nemen (Richteren
16:16-20). Op de prent zien we de soldaten achter
de rotsen dit moment afwachten.

¶ Beide bladen tonen op treffende wijze de tegenstelling tussen de lichamelijke kracht van
Simson en zijn geestelijke kwetsbaarheid.[1] *Simson
overwint de leeuw* wordt (net zoals *David verslaat
Goliath*) in de vijftiende-eeuwse *Biblia pauperum*,
een blokboek waarin gebeurtenissen uit het Oude
en Nieuwe Testament naast elkaar zijn geplaatst,
afgebeeld als een prefiguratie van *Christus die in de*

hel afdaalt; in deze context wordt de held gezien
als overwinnaar van het kwaad.[2] Hoewel het verraad van Simson door Delila in dezelfde zin als
een prefiguratie van het lijden van Christus kan
worden gezien, werd het in de late Middeleeuwen
vooral ook als één van de voorbeelden van 'Vrouwenlisten' beschouwd: historische voorbeelden
van mannen die door vrouwen in het verderf werden gestort, een thema dat later zeer expliciet in
het werk van de Meester terugkeert in *Aristoteles
en Phyllis* [**54**] en *Salomo's afgoderij* [**7**].[3]

¶ De simpele compositie, de wat gebrekkige ruimtewerking en anatomie en de eenvoudige arceringen wijzen erop dat de Simson-prenten tot het
vroege werk van de Meester behoren (*afb. 23*).
Ondanks de genoemde technische tekort-
komingen zijn de gebeurtenissen met een verrassende directheid en gevoel voor humor afgebeeld.
Een boekillustratie uit 1478-79 [**5a**], waarin Simson en de leeuw in grote lijnen aan de prent van
de Meester ontleend zijn, geeft een datum, waar-
vóór de prent in ieder geval gedateerd moet worden.[4]

1. Eerdere afbeeldingen van dezelfde thema's in de prentkunst
   bij Meester E.S.: Lehrs, deel 2, nrs. 2-5; afgebeeld bij Lehrs
   (Dover), 193-94.
2. Hutchison 1972, p. 22.
3. Ibid., p. 23; zie bovendien [**7**] noot 1.
4. Zie Naumann 1910, p. 21; de compositie van de prent herinnert ook aan een illustratie van de episode in de Nederlandse
   Biblia pauperum, ca. 1460, blad 28 van de facsimile uitgave
   Adam Pilinski, Parijs 1883.

5

6

7. Salomo's afgoderij *(L1 en L11, 7), ca. 1485.*
Drogenaald, drie exemplaren bewaard, diam. 154 mm.
Tegenhanger van de prent *Aristoteles en Phyllis* [**54**]

¶ De wijze koning Salomo had, naast zijn eigen vrouw, vele vrouwen lief, afkomstig uit alle windstreken. Op zijn oude dag liet de koning zich door deze vrouwen uit den vreemde overhalen om de goden uit hun land te eren. Hij bouwde cultusplaatsen voor hen en aanbad, op instigatie van zijn vrouwen, hun beelden. Zijn ontrouw aan God leidde tot tweespalt tussen de Israëlieten (1 Koningen 11).

¶ De prent vormt de tegenhanger van *Aristoteles en Phyllis* [**54**]. In beide gevallen vormt het afgebeelde verhaal een bewijs van de dwaasheid, waartoe men uit liefde voor een vrouw gebracht kan worden. Deze vergelijkbare voorbeelden van 'Vrouwenlisten' [zie ook **6**] zijn in laat-Middeleeuwse geschriften veelvuldig beschreven als waarschu-

wingen tegen de macht van de vrouw. Ook in de beeldende kunst komen we het thema tegen: al in de dertiende en veertiende eeuw worden 'Vrouwenlisten' op ivoren reliëfs en kistjes, op tapijten en dergelijke afgebeeld. In de vroege zestiende eeuw – wanneer de populariteit van het onderwerp een hoogtepunt bereikt – zijn prentreeksen aan het thema gewijd, waarin een aantal van zulke geschiedenissen uit de Bijbel of de Oudheid zijn weergegeven.[1]

¶ In tegenstelling tot de voorstelling van *Aristoteles en Phyllis*, die men al eerder op ivoren minnekistjes ziet, is deze prent een van de eerste afbeeldingen van Salomo's afgoderij. Zoals wel vaker gebeurt bij een niet eerder in beeld gebracht verhaal, is voor de houding van de figuren uitgegaan van een prent met een enigszins vergelijkbaar thema: *Keizer Augustus en de Tiburtijnse sibille* van Meester E.S. [**7b**]. De dwaasheid van de wijze koning wordt nog eens onderstreept doordat de aanbeden afgod een

7.1*
Amsterdam, Rijksprentenkabinet (coll. Van Leyden, port. 20, nr. 89, als 'David die den Afgod aanbid', blad 25; Koninklijke Bibliotheek, 1807; Parijs, 1812-16, nr. 63; inv. OB:871): zeer goede druk, diameter 155 mm (langs en ten dele door omtreklijn afgeknipt; kleine beschadigingen langs rand, gerestaureerde scheur links langs rand; deels door opwapperende doek van Salomo).
7.2
Wenen, Albertina (coll. Brandes, 1795; inv. 312/1928): zeer goede druk, diameter 160 mm (met randje rond omtreklijn; inktvlekken links en rechts van de hoofdfiguren; beperkte restauratie in onderhelft voet Salomo; watermerk: kleine ossekop met ster en stang).

7.1

7.3
Londen, British Museum
(coll. Hawkins, 1850; inv.
1850-5-25-13): zeer goede
druk; ca. 139 x 149 mm.
(links, rechts en onder afgesneden; in een oud hand-
schrift, dat vooral de boven-
helft van de prent ontsiert,
van een latijns opschrift
voorzien; in een aantal
details met de pen geretou-
cheerd).

7a
Vrije copie van Salomo in
houtsnede voorstellende
Koning Andreas II van
Hongarije, gebruikt als boekillustratie in Johannes Thurocz's *Chronica Hungarorum*,
fol. 69v, uitgegeven door
Erhard Ratdolt in Augsburg
in 1488. (H.C. 15518;
Schramm, deel 23, 291-339).

7b
Meester E.S., *Keizer Augustus
en de Tiburtijnse sibille*.
Gravure, 271 x 200 mm.
L.192. Wenen, Albertina.

7b

7a

vorst is; het opschrift onder zijn beeld 'O vere tu'
is vermoedelijk de aanhef van het gebed dat tot de
afgod gericht werd. De betekenis van het hondje
dat naast de vrouw zit, kan op tweeërlei wijze ver-

klaard worden: als symbool van toewijding tussen
echtelieden – een toewijding die zo sterk is dat de
wijze koning zich er toe laat brengen andere goden
te aanbidden[3], – òf als symbool van wellust en
onkuisheid, waardoor Salomo's hoofd op hol is
gebracht. De laatste verklaring verbindt de voorstelling met het thema van de 'Ongelijke liefde'
[55], waarin de dwaasheid van de oudere man, die
een jongere vrouw wil beminnen, bespottelijk
wordt gemaakt.

¶ Met de tegenhanger *Aristoteles en Phyllis* behoort de
prent tot de hoogtepunten in het rijpe werk van de
Meester. De figuren zijn uiterst levendig en elegant getekend; met behulp van een gevarieerd systeem van kruisarceringen, waarin de invloed van
Schongauers gravures te zien is, wordt de kleding
op een zeer rijke en verfijnde wijze weergegeven
(*afb. 28*). De prent moet kort vóór 1488 gedateerd
worden, want in dat jaar verschijnt als boekillustratie een copie in houtsnede van de figuur van
Salomo [7a].[4]

1. Zie tent.cat. *Lucas van Leyden-grafiek*, Amsterdam 1978, pp. 49-
   61; tent.cat. *The prints of Lucas van Leyden and his contemporaries*,
   Washington 1983, vooral pp. 102-06.
2. Hutchison 1966.
3. E. Panofsky, 'Jan van Eyck's Arnolfini Portrait', *Burlington
   Magazine* 64 (1934), pp. 117-27; zie ook Stewart 1977, p. 57.
4. Baer 1902, p. 153.

7.3

8. De Verkondiging

(LI en LII, 8), ca. 1480
Drogenaald, unicum, 127 x 87 mm.

¶ Sedert de vroege Middeleeuwen is de Verkondiging van de geboorte van Christus aan de maagd Maria door de engel Gabriël veelvuldig afgebeeld. In de vijftiende eeuw ontstaat in Vlaanderen een nieuw type afbeelding van dit thema, waarbij Maria in een huiselijk interieur is voorgesteld en door de deemoedig knielende engel onder het lezen van een gebedenboek wordt gestoord. De Heilige Geest die in haar daalt, vliegt in de vorm van een duif de kamer binnen. De eerste woorden die de engel, door de scepter als boodschapper Gods gekarakteriseerd, tot Maria spreekt – 'Ave Maria gratia plena': 'Gegroet Maria, vol van genade' – worden vaak in een spreukband weergegeven.

¶ De prent is zonder twijfel op Vlaamse voorbeelden geïnspireerd. Elementen van de voorstelling lijken aan twee schilderijen met een *Verkondiging* van Rogier van der Weyden te zijn ontleend; het is moeilijk vast te stellen of dit rechtstreeks gebeurd is of via copieën of andere versies van de composities.

¶ De compositie van het schilderij van Rogier met de *Verkondiging* in het Louvre [8a], is waarschijnlijk het voorbeeld voor de prent met dit onderwerp van de Vlaamse meester FVB [8b]; een gravure die kwalitatief het geschilderde werk van de Vlaamse primitieven evenaart. Naast die prent moet de Meester de *Verkondiging* in het Columba-altaar van Rogier van der Weyden dat destijds in Keulen was, hebben gekend (ook voor de *Aanbidding der Koningen* [10] vormt het Columba-altaar een voorbeeld); in de prent zijn verschillende elementen uit het schilderij overgenomen, zoals het tongewelf en de gesloten deur, een toespeling op de maagdelijkheid van Maria.[1]

¶ Ondanks de verwante details is de prent van de Meester anders van aard dan de genoemde voorbeelden, die alle een plechtige sfeer uitademen. In de prent ligt de nadruk op de intimiteit van het gebeuren; daarbij is de invloed voelbaar van mystieke religieuze stromingen, die ernaar streefden de geloofsbelevenis te intensiveren, door het religieuze gebeuren persoonlijker te maken en zo dicht mogelijk bij de dagelijkse realiteit te brengen.[2]

¶ In tegenstelling tot de andere voorbeelden knielt de engel voor Maria,[3] en volgt daarmee de beschrijving van het gebeuren in de *Meditationes Vitae Christi* van de Pseudo-Bonaventura.[4] De zel-

8*
Amsterdam, Rijksprentenkabinet (coll. Van Leyden, port. 20, nr. 68: blad 16; Koninklijk Bibliotheek, 1807; Parijs, 1812-16, nr. 51; inv. OB:872): zeer goede afdruk 127 x 87 mm (met randje om omtreklijn; resten van grijze wassing bij linker raam; met zwarte vlekken; linksonder wat mager gedrukt).

8

8a.
Rogier van der Weyden (of school?), *Verkondiging*, ca. 1435-40.
Paneel, 86 x 93 cm.
Parijs, Musée du Louvre (inv. 1982).
8b*
Meester FVB, *Verkondiging*, ca. 1480.
Gravure, 202 x 157 mm. B.3. L.4.
Düsseldorf, C.G. Boerner.
8c.
Rogier van der Weyden, *Verkondiging*, linker vleugel van Columba-altaar, ca. 1450-60.
Paneel, 138 x 70 cm.
München, Alte Pinakothek (inv. WAF 1190).

8a

8c

den bij een Verkondiging ontbrekende lelietak, die Maria's zuiverheid symboliseert, is hier vervangen door een brandende kaars, die men als een toespeling op Christus als het 'Licht der Wereld': ('Lux Mundi') kan zien.[5]

¶ De prent behoort tot het rijpe werk van de Meester. Wellicht aanmerkelijk later is de op de prent gebaseerde en 1505 gedateerde *Verkondiging* in de geschilderde Maria-cyclus in Mainz [**132**b]. In dit schilderij dat waarschijnlijk na de dood van de Meester door een assistent is vervaardigd, zijn wederom de traditionele iconografische details als de lelietak ingevoerd.[6]

8b

1. Zie Schneider 1915, p. 60; Hutchison 1972, pp. 24-25.
2. Zoals door Jane Hutchison, p. 61, is uiteengezet, is het mogelijk dat de *moderne devotie* in dit opzicht voor het werk van de Meester van belang is geweest; deze specifiek Nederlandse beweging was echter niet de enige laat-Middeleeuwse mystieke stroming, die zich bezighield met het intensiveren van de geloofsbeleving. Een van de meest invloedrijke teksten is in dit opzicht het laat veertiende-eeuwse geschrift *Meditationes Vitae Christi* van de Pseudo-Bonaventura, zie *Meditations on the life of Christ, an illustrated manuscript of the fourteenth century*, translated by Isa Ragusa, Princeton 1961.
3. Het knielen van de engel ziet men ook in prenten van Meester E.S. (L.8-13) en Schongauer (B.3).
4. *Meditations*, op.cit. (noot 2), pp. 16-18.
5. Zie over de iconografie van de *Verkondiging*: W. Braunfels, *Die Verkündigung*, Düsseldorf 11949; Kirschbaum, deel 6, vol. 422-37; over de brandende kaars, Hutchison 1964, p. 115 en Shestack 1966-7, nr. 41.
6. Hutchison 1964, pp. 112-21.

9. De Visitatie

(LI en LII, 9), ca. 1480-85
Drogenaald, twee exemplaren bewaard, 140 x 88 mm.

¶ Na de verkondiging van de geboorte van Christus bracht Maria een bezoek aan haar nicht Elisabeth, die – tot op hoge leeftijd kinderloos gebleven – nu eveneens een kind verwachtte: de latere Johannes de Doper. Sedert de vroege Middeleeuwen is de voorstelling van hun ontmoeting opgenomen in het *Leven van Maria*. Tot in de vijftiende eeuw zijn meestal slechts de twee vrouwen afgebeeld die elkaar omarmend begroeten, later worden ook de begeleidende dienstmaagden en soms ook Jozef in de voorstelling opgenomen.[1] In de prent vindt de Visitatie, waarbij Maria de buik van Elisabeth aanraakt, plaats in aanwezigheid van twee mannen: Zacharias, de bejaarde echtgenoot van Elisabeth en Jozef, die links bij de poort komt aansjokken. Hoewel de aanwezigheid van beide echtelieden bij de Visitatie beschreven wordt in de *Meditationes Vitae Christi*, is voor een dergelijke voorstelling geen direct visueel voorbeeld aan te wijzen.[2]

¶ Een interessant detail boven de boomgroep achter de muur is het summier aangeduide thema van de uil die door vogels wordt aangevallen en bespot. Deze aanval van de dagvogels, als vertegenwoordigers van het licht, op de uil, als de vogel van duisternis, komt herhaalde malen voor in deze tijd en kan gezien worden als een allegorische voorstelling van de strijd tussen goed en kwaad. Of dit detail in de context van de Visitatie, de zondige wereld vóór de komst van Christus karakteriseert, blijft de vraag; het motief zien we ook bij de *Wildemansfamilie* van Meester b x g [**93**].[3]

¶ Ook deze prent heeft als voorbeeld gediend voor een van de niet-eigenhandige panelen van het *Maria-leven* te Mainz [**132**c], die in het atelier van de Meester moeten zijn ontstaan. Het schilderij mist subtiele details als het aanraken van de buik van Elisabeth door Maria.[4]

¶ De *Visitatie* is een fraai voorbeeld van het latere werk van de Meester: de prent is met een zeer fijne stift in de plaat getekend; de zwaardere drogenaaldpartijen zijn alleen voor de diepe schaduwen gebruikt. Op beide bekende afdrukken zien we kleine zwarte stippen die wellicht veroorzaakt zijn door kleine putjes in het zachte metaal van de plaat, waarin de prent getekend is. De Weense afdruk is een latere afdruk van de plaat, waarbij de drogenaaldpartijen, maar ook een aantal fijne lijntjes grotendeels versleten zijn en nieuwe lijntjes in de kap van de H. Elisabeth zijn aangebracht.

1. Hutchison 1972, p. 25; Kirschbaum, deel 2, kol. 229-35.
2. *Meditations*, op.cit. (**8**, noot 2), p. 23-24.
3. Zie Jakob Rosenberg, 'On a meaning of a Bosch drawing', *De artibus opuscula XL: essays in honor of Erwin Panofsky*, New York 1961, pp. 422-26.
   Zie voor prenten met dit thema van Meester i.e. (Lehrs, deel 6, p. 27, nr. 5) en M. Schongauer (B.108), Shestack 1967-68, nrs. 116 en 109. Zie ook J.J.M. Timmers, *Christelijke symboliek en iconografie*, Haarlem 1978, nr. 299: uil symboliseert de Synagoge en het Jodendom.
4. Hutchison 1964, pp. 121-27.

9.2 (detail)

9.1*
Amsterdam, Rijksprentenkabinet (coll. Van Leyden, port. 20, nr. 55: blad 11; Koninklijke Bibliotheek, 1807 (L. 240); Parijs, 1812-16, nr. 41; inv. OB:873): zeer goede druk, 140 x 88 mm (langs omtreklijn afgeknipt; kleine restauraties langs de randen; watermerk: ossekop met uitstaande hoorns, stang en ster).
9.2
Wenen, Albertina (Hofbibliotheek; inv. 313-1928): wat magere grijze druk, 140 x 88 mm (aan boven- en rechterzijde is omtreklijn net afgesneden; kleine restauraties in benedenhelft).

9.1

10. Aanbidding der Koningen

(LI en LII, 10), ca. 1490
Drogenaald, unicum, 166 x 109 mm.

¶ Na de geboorte van Christus gaan de Wijzen of koningen uit het oosten, geleid door een ster, de nieuwgeboren 'Koning der Joden' eer bewijzen: door hem geschenken aan te bieden en hem te aanbidden (Mattheus 2). Dit thema behoort tot de meest populaire afbeeldingen in de laat-Middeleeuwse kunst. De *Legenda aurea* uit de dertiende eeuw beschrijft de gebeurtenis uitvoerig en de Middeleeuwse kunstenaars volgen deze tekst vrij nauwkeurig; de oudste koning Melchior wordt als grijsaard voorgesteld, die in aanbidding knielt voor het kind op de schoot van Maria, waarbij hij zijn kroon heeft afgezet; zijn geschenk is goud. De andere Wijzen hebben hun giften in de hand: Balthasar, die wierook schenkt en de jongste, de neger Kaspar, die myrrhe aanbiedt.[1]

¶ Voor de structuur van het gebouw waarin de gebeurtenis zich afspeelt moet het middenpaneel van het al eerder genoemde Columba-altaar van Rogier van der Weyden [10b] het voorbeeld zijn geweest. Ook de aanduiding van een grot op de voorgrond is hieraan ontleend: een verwijzing naar een veertiende-eeuwse bron, die verhaalt dat de Geboorte plaatsvond in de kelder van de ruïnes van het huis van David.[2]

¶ Het vervallen en met stro bedekte gebouw in Romaanse stijl verwijst naar het verval van de wereld op het moment van de geboorte van Chris-

10

tus, terwijl de kolom in het midden van de structuur een toespeling vormt op het lijden van Christus aan de geselpaal.[3] Een vergelijkbaar symmetrisch gebouw ziet men ook wanneer de twee centrale eigenhandige panelen van het Mainzer Maria-leven met elkaar gecombineerd worden: de *Geboorte van Christus* en de *Aanbidding der Koningen* [132d en e].[4] Ook de figuren op het schilderij van de *Aanbidding* zijn deels op de prent gebaseerd. Voor de prent zelf is Schongauers gravure van dit thema [10a] een belangrijk voorbeeld geweest, vooral voor de figuur van de knielende koning Melchior.

¶ De prent is typerend voor het late werk van de Meester. De tekening is tamelijk nerveus en bewegelijk: de contouren bestaan vaak uit meer-

dere naast elkaar geplaatste lijntjes. De weinig systematisch opgebouwde arceringen modelleren de volumes vooral in toonwaarden.

1. *Legenda aurea*, pp. 103-09; zie ook Kirschbaum, deel 1, kol. 539-49.
2. Panofsky 1953, p. 64, noot 4; zie ook Hutchison 1964, p. 94.
3. Panofsky 1953, p. 277, noot 3.
4. Een ongewoon motief in de prent vormt de bijl op het hakblok, een verwijzing naar een van de preken van Johannes de Doper, waarin hij kort voordat hij Christus doopt, tegenover de Farizeeërs wijst op de noodzaak om niet-vruchtdragende bomen met wortel en al uit te hakken en te verbranden (Mattheus 3:10; Lucas 3:9). Een motief dat eerder met de Doop van Christus verbonden wordt, dan met zijn jeugd, kan verklaard worden uit het feit dat in het liturgisch jaar het Doopfeest in dezelfde tijd als de viering van Driekoningen valt, zie Hutchison 1972, p. 26 en vooral Hutchison 1977, p. 102.

10a*
Martin Schongauer, *Aanbidding der Koningen*, ca. 1470-75. Gravure, 259 x 170 mm. B.6. Rotterdam, Museum Boymans-van Beuningen (inv. L. 1955-43).
10b
Rogier van der Weyden, *Aanbidding der Koningen*, middenpaneel Columba-altaar, ca. 1450-60. Paneel, 138 x 153 cm. München, Alte Pinakothek.

10a

10b

11. De Besnijdenis
(LI en LII, 11), ca. 1490
Drogenaald, unicum, 168 x 122 mm.

¶ De achtste dag na de geboorte werd Christus, zoals de Joodse wet dat voorschrijft, besneden en daarbij Jesus genoemd, zoals de engel Gabriël had bevolen (Lucas 2:21).

¶ Het bloed dat Christus bij deze gebeurtenis ver-liest, werd als een voor-aankondiging van zijn kruisiging gezien. In deze betekenis maakt de voorstelling dan ook wel eens deel uit van het *Marialeven* en later in de vijftiende eeuw van de *Zeven Smarten van Maria*.[1] Als zelfstandige voor-stelling komt het thema echter zelden voor en het lijkt dan ook niet ondenkbaar dat deze prent, samen met de *Aanbidding der Koningen* uit dezelfde jaren, het begin vormde van een nimmer vol-

tooide serie met gebeurtenissen uit het leven van Maria. De Maria-devotie, waarin dergelijke series passen, nam in de latere vijftiende eeuw een hoge vlucht.

¶ In een vrij gecompliceerde compositie heeft de Meester gepoogd de gebeurtenis een zo authen-tiek mogelijk aanzien te geven. De Romaanse architectuur met het houten tongewelf symboli-seert het Oude Verbond, maar lijkt tegelijkertijd en poging een synagoge zo getrouw mogelijk weer te geven: een onversierde ruimte waarin op de leestafel, de Ark des Verbonds, onder een balda-kijn staat, afgesloten door een traliehek. Merk-waardigerwijs is deze Heilige plaats door twee geopende zijdeuren direct met de straat verbon-den. De wat karikaturale gelaatstrekken van het merendeel van de figuren, suggereren dat het hier, net zoals bij het Mainzer paneel met *De twaalfjarige Jesus in de tempel*, [**132g**] om Joden gaat.

¶ In stijl en techniek sluit de prent, met hetzelfde type losse onsystematische arceringen, aan bij de *Aanbidding der Koningen* [**10**]. De enige bewaarde afdruk is nogal ongelijkmatig gedrukt; hoewel de drogenaaldpartijen links en in het midden tame-lijk sterk zijn, is de rechter helft vrij mager en nogal sterk beschadigd.

1. *Reallexikon zur Deutschen Kunstgeschichte*, deel 2, Stuttgart 1948, kol. 327-31.
2. De Joden werden in het Rijnland, met name in Mainz in de late vijftiende eeuw vrij tolerant behandeld; zie Hutchison 1972, p. 26, en vooral Hutchison 1977, pp. 102-06.

12. De Gevangenname van Christus,

(Lı en Lıı, 12), ca. 1470-75
Drogenaald, unicum, 64 x 43 mm.

¶ Toen Christus door de Romeinen en de Farizeeërs gevangen werd genomen, wees zijn discipel Judas Christus aan door hem te kussen. Petrus trok bij die gelegenheid zijn zwaard en sloeg daarmee het oor van het hoofd van een dienstknecht af. Volgens de legende plaatste Christus het oor weer terug aan het hoofd.[1]

¶ Van oudsher maakte de *Gevangenname van Christus* deel uit van series Passie-voorstellingen. Al omstreeks 1440-50 zijn in de Noordelijke prentkunst dergelijke series gemaakt in een betrekkelijk klein formaat (maximaal 100 x 80 mm, maar ook ca. 50 x 35 mm), waarschijnlijk bedoeld om in gebedenboeken te plakken.[2] Het ligt voor de

hand dat ook dit blad als onderdeel van een dergelijke serie is gemaakt, waarbij de rest van de serie mogelijk verloren is gegaan of misschien nooit is afgemaakt.

¶ Hoewel de compositie van het blad iets overtuigender is dan een vroegere versie van Meester E.S. [12a], is het toch aannemelijk dat onze prent op een dergelijk voorbeeld gebaseerd is.[3] Gezien de nog weinig ontwikkelde drogenaaldtechniek kan de prent vrij vroeg in het werk van de Meester geplaatst worden.

1. Johannes 18: 1-11; Lucas 22:47-53; Marcus 14:43-52; Mattheus 26:47-56.
2. Bijvoorbeeld, Meester E.S., Lehrs, deel 2, nrs. 37-48; Meester van de Berlijnse Passie, Lehrs, deel 3, nrs. 14-25 met een lange uitwijding over de series van het Leven van Christus, pp. 53-76; afgebeeld bij Lehrs (Dover), 142-53, 242-50.
3. Hutchison 1972, p. 27.

12*
Amsterdam, Rijksprentenkabinet (coll. Van Leyden, port. 20, nr. 41: blad 8; Koninklijke Bibliotheek, 1807; inv. oʙ:876): goede, vrij zware druk, 64 x 43 mm (langs omtreklijnen afgeknipt; links enige penlijnen in kleding).
12a
Meester E.S., *De Gevangenname*, ca. 1450.
Gravure, 93 x 75 mm. L. 38. Bremen, Kunsthalle (inv. 89:39).

12

12a

13. De Kruisdraging
(LI en LII, 13), ca. 1480
Drogenaald, drie exemplaren bewaard, 130 x 195 mm.

¶ De verschillende momenten van de Passie van Christus werden van de vroege Middeleeuwen af in beeld gebracht in een reeks van opeenvolgende voorstellingen – van zijn intocht in Jeruzalem tot zijn Opstanding – waarbij de *Kruisdraging* nooit ontbreekt. Alleen Johannes (19:17) schrijft dat Christus zelf het kruis draagt; de andere Evangelisten vertellen dat de boer Simon van Cyrene, een toevallige toeschouwer, hiertoe door de soldaten werd gedwongen. Laat-Middeleeuwse mystiek verbindt beide gebeurtenissen en beschrijft hoe Christus onder het gewicht van het kruis in zwijm valt en Simon van Cyrene gedwongen wordt het kruis mede te ondersteunen.[1]

¶ In de mogelijk iets eerdere prent van Schongauer wordt de *Kruisdraging* als een lange bonte stoet voorgesteld: te midden van de ruwe onverschilligheid van de soldaten, toeschouwers en hoogwaardigheidsbekleders te paard, vormt de waardigheid van Christus een opmerkelijk contrast.

Christus bezwijkt bijna onder het kruis en steunt met knieën en handen op de grond [**13**b].

¶ In de prent van de Meester is het bezwijken van Christus[2] onder het kruis op een zeer dramatische wijze voorgesteld. In deze prent wordt het grote gezelschap soldaten slechts aangeduid door de lans- en speerpunten, die uitsteken boven de heuvels, waarvoor de hoofdgebeurtenis zich afspeelt. Centraal staat het lijden van Christus en de ruwe wreedheid van de drie soldaten, die Christus en Simon van Cyrene dwingen verder te gaan. Met een voelbare fysieke inspanning poogt Christus zijn weg kruipend op handen en voeten te vervolgen. Als het ware weggedrukt in de linkerhoek staat de treurende Maria, ondersteund door Johannes.[3] Onverschillig voor het lijden van Christus staat rechts, met zijn rug naar de groep, een soldaat, wiens sierlijke houding doet vermoeden dat hij op een Italiaans voorbeeld terug gaat.

¶ De dramatische wijze, waarop het lijden van Christus op de prent is afgebeeld, sluit aan bij laat-Middeleeuwse mystieke literatuur, waarin het (mee)beleven van het lijden van Christus werd gestimuleerd door gedetailleerde beschrij-

13.1

vingen hiervan. Niet alleen in dramatisch opzicht
en wat de compositie betreft is de prent origineel,
maar ook in de suggestie van volume en ruimte,
mede veroorzaakt door de plastisch weergegeven
figuren.

¶ De variëteit in arceringen, soms krachtig, soms
zeer delicaat, gecombineerd met de drogenaaldpartijen, die een grijszwarte toon in de schaduwpartijen vormt, is karakteristiek voor het rijpe
werk van de Meester, ca. 1480 (zie *afb. 27*). In de
afdrukken in Coburg en Chicago is het fluwelige
effect van de braam in de drogenaaldpartijen
sterker aanwezig dan in het Amsterdamse exemplaar dat evenwel zeer scherp en gelijkmatig
gedrukt is.[4]

1. Hutchison 1972, p. 28; vooral noot 49.
2. Schneider 1915, p. 55 noot 81: analoge houding van Christus
   op een paneel in Schaffhausen, gedateerd 1449; Hutchison
   1972, p. 28, noot 48.
3. Bijvoorbeeld in de *Meditations*, op.cit. (**8**, noot 2), p. 332.
4. Van de exemplaren in Coburg en Chicago is het linker boven-
   hoekje onscherp gedrukt, zodat het poortbouw niet goed te
   zien is; bovendien is een vrij grote zwarte vlek onder de handen van Christus te zien.

13a

13b

13.3
Coburg, Veste Coburg (coll.
Brandes, 1795; inv. II, D.1):
zeer goede druk, 134 x 195
mm (complete afdruk op
papier met marges: 157 x
214 mm, op perkament
geplakt; zowel een horizontale als een verticale middenvouw, vooral langs verticale
vouw sterke beschadigin-
gen).
13a
Copie in spiegelbeeld, ca.
1500, met zeven i.p.v. tien
hoofdfiguren.
Gravure, 120 x 116 mm.
Lehrs, deel 8, p. 93, Dresden,
Kupferstichkabinett (inv. A.
568).
13b*
Martin Schongauer, De 'Grote' Kruisdraging, ca. 1480.
Gravure, 286 x 430 mm.
B.21, L.9.
Amsterdam, Rijksprenten-
kabinet (inv. OB:1015).

14*
Amsterdam, Rijksprenten-
kabinet (coll. Van Leyden,
port. 20, nr. 63: blad 12;
Koninklijke Bibliotheek,
1807; Parijs, 1812-16, nr. 47;
inv. OB:878): goede druk, 124
x 76 mm (afgeknipt langs
omtreklijnen; restauraties
ter linker- en rechterzijde
van lendedoek Christus en
scheur over gehele lichaam;
een driehoek van deze lendedoek ontbreekt).

15*
Amsterdam, Rijksprenten-
kabinet (coll. Van Leyden,
port. 20, nr. 61: blad 12;
Koninklijke Bibliotheek,
1807; inv. OB:879): goede,
wat grijzige druk, 157 x 102
mm (met randje om
omtreklijnen, langs plaatrand afgeknipt; gerestau-
reerde scheur in linkerhelft;
boven- en benedenhoekjes
aangevuld).

14. De Kruisiging
(Lı en Lıı, 14), ca. 1485
Drogenaald, unicum, 124 x 76 mm.

15. De Kruisiging met Maria en de H. Johannes en twee heilige vrouwen
(Lı en Lıı, 15), 1490
Drogenaald, unicum, 155 x 99 mm.

¶ De Kruisiging van Christus is als de beslissende gebeurtenis in het leven van Christus waarschijn-lijk het meest afgebeelde thema in de Christelijke kunst.[1] In de late Middeleeuwen wordt de gekrui-sigde als gestorvene met gesloten ogen voorge-steld, soms in een deerniswekkende houding, waardoor het fysieke lijden van de Heiland wordt geaccentueerd. De voorstelling van de gekrui-sigde kan zowel deel uitmaken van een omvang-rijke compositie met de gekruisigde moordenaars

en een menigte toeschouwers in grote altaarstuk-ken [**131a**], als van een beperkte compositie voor devotioneel gebruik, meestal met alleen Maria en Johannes.

¶ In de vijftiende-eeuwse Noordelijke prentkunst is er vrijwel altijd van een dergelijke beperking sprake, waarbij naast Johannes en de Maria's soms ook nog enkele soldaten of de drie heilige vrouwen in de compositie zijn opgenomen. De grote vraag naar dergelijke prenten blijkt uit het feit dat er van Schongauer, naast de *Kruisiging* in zijn *Passiereeks* liefst zes verschillende zelfstandige prenten met dit thema zijn, die wederom vele malen gecopiëerd zijn.[2]

¶ Zonder twijfel kende onze Meester deze prenten: hoewel hij ze niet copieert, neemt hij er in zijn beide versies verschillende elementen van over.[3] De weergave van het lichaam van Christus doet echter sterker denken aan de meer expressieve

14

stijl van een beeldhouwer als Nicolaas Gerhaerdt,[4] dan aan het serene karakter van Schongauers prenten. In de kleinere, wat vroegere prent is de gekruisigde zonder entourage in een landschap afgebeeld, hetgeen zijn deerniswekkende toestand accentueert; in de grotere, wat latere prent wordt het expressieve karakter van het lichaam van de gekruisigde versterkt door het ruwe kruis en zijn geopende ogen. Iconografisch ongewoon is dat naast Johannes en Maria, slechts twee van de drie heilige vrouwen zijn afgebeeld.

¶ De achtergrond van beide prenten toont Jeruzalem, waarbij het centrale ronde gebouw waarschijnlijk de Tempel van Salomo is. Beide zeer stereotiepe stadsgezichten tonen nauwelijks overeenkomst met het profiel van de stad dat Erhard Reuwich in 1483 tekende en in 1486 in houtsnede uitgaf als illustratie van Breydenbachs *Peregrinationes* [142]; maar dit kan nauwelijks een argument zijn in de discussie over de mogelijke identificatie van de Meester met Erhard Reuwich.[5]

¶ Wat de stijl en de aard van de zeer picturaal gebruikte drogenaaldtechniek betreft,[6] ligt een late datering ca. 1490 van de *Kruisiging* met figuren [14] voor de hand, terwijl de andere prent waarschijnlijk iets vroeger gedateerd kan worden.

1. Kirschbaum, deel 2, kol. 606-642.
2. Lehrs, deel 5, nrs. 10-14.
3. Het gladgeschaafde kruis, een vergelijkbaar Christustype en de opwapperende lendedoek, die teruggaat op Rogier van der Weyden, vindt men in Schongauers prenten: L.11 en L.12 (B.23); het ruwe kruishout vindt men in L.27 (B.17), en L.13 (B.24) terug.
4. Zie Hutchison, p. 59; vgl. Th. Müller, *Sculpture in the Netherlands, Germany, France and Spain*, Middlesex 1966, pl. 90B.
5. Zie Hutchison 1972, pp. 28-29, noot 52; zie verder **142**.
6. De fijne ongestructureerde arceringen van **15** herinneren aan de *Aanbidding der Koningen* [**10**].

14a*
Martin Schongauer, *De Kruisiging*.
Gravure, 286 x 430 mm.
L.11.
Amsterdam, Rijksprentenkabinet (inv. OB:1017).

14a

15

16*
Amsterdam, Rijksprenten-
kabinet (coll. Van Leyden,
port. 20, nr. 31: blad 4;
Koninklijke Bibliotheek,
1807; Parijs, 1812-16, nr. 21;
inv. OB:880): zeer goede druk
met plaattoon, 73 x 114 mm
(langs en rechts binnen de
omtreklijnen afgeknipt).
16a
Albert Bouts, *Hoofden van
Christus en Maria.*
Diptiek, beide ca. 34 x 24
cm.
Prüm (Eifel), Bischöfliches
Konvikt.

16. De hoofden van Christus en Maria

(LI en LII, 16), ca. 1490
Drogenaald, unicum, 73 x 114 mm.

¶ In de vorm van een tweeluik, komt de voorstelling van het frontaal geziene hoofd van een (zegenen-de) Christus met een à trois/quart gezien hoofd van Maria die hem aanbidt, in de Zuid-Neder-landse vijftiende-eeuwse schilderkunst, veelvul-dig voor.[1]

¶ Een dergelijke devotionele voorstelling moet het uitgangspunt voor dit blad zijn. Hoewel het zege-nende gebaar van Christus en de gevouwen han-den van Maria ontbreken, herkent men hier het stereotiepe 'vera-icon' gelaatstype van Christus en de neergeslagen blik van Maria. Ondanks het schetsmatige karakter kan men vermoeden dat de prent als een model voor een dergelijk *Andachtsbild* bedoeld is.[2]

¶ Net als de portretstudies [**76** en **77**] wordt het blad gewoonlijk tot het late werk gerekend. De droge-naald is uiterst fijn gebruikt: de drogenaaldpar-tijen met een verse braam vervloeien in de vrij

16a

sterke grijze toon, die bij het drukken op de plaat is achtergebleven. De vele fijne verticale krasjes in de plaat, die er mogelijk op wijzen dat de plaat eerder is gebruikt en schoongeschuurd werd, zijn nauwelijks storend en dragen bij tot de grijze toon in de afdruk.

1. Schneider 1915, p. 62; zie verder Hutchison 1964, pp. 143-44 en Hutchison 1972, p. 30, noot 59.
2. Over de iconografie en de betekenis van dergelijke *Andachtsbil-der*, zie Panofsky 1953, p. 174, noot 3 en p. 294, noot 15 en Ring-bom 1965, vooral p. 62.

16

17. Christus als de Goede Herder

(L1 en L11, 18), ca. 1475
Drogenaald, unicum, 113 x 83 mm.

¶ Een baardeloze Christus met een lam op de schouders behoort tot de vroegste afbeeldingen van Christus, ontstaan in de derde of vierde eeuw. Volgens de Evangelisten vergelijkt Christus zichzelf herhaaldelijk met de Goede Herder (Johannes 10:11: 'De Goede Herder geeft zijn leven voor zijn schapen'). In de gelijkenis van het verloren schaap (Lucas 15:4) vertelt Christus over de vreugde van de zorgzame herder, die het teruggevonden schaap blij over zijn schouders legt, en vergelijkt hij dit verloren schaap met de zondaar die zich bekeert.

¶ In de vijftiende-eeuwse kunst is het beeld van de Goede Herder zeldzamer.[1] Waarschijnlijk vormt een veel grotere Vlaamse houtsnede [17a] met hetzelfde thema[2] een voorbeeld voor deze drogenaaldprent. Zowel de houding als het gewaad van Christus komen vrij nauwkeurig overeen; alleen de wonden in zijn handen en voeten ontbreken. De tekst op de houtsnede vermeldt dat Christus door zijn 'diepe wonden' (zijn lijden aan het kruis) in staat was het verloren schaap terug te vinden.[3] Men zou kunnen vermoeden dat de lege spreukband op de prent bedoeld was voor een commentaar van die strekking.

¶ De prent behoort tot de vroegste bladen van de Meester: de compositie is eenvoudig en de tekening is aarzelend; de drogenaaldtechniek wordt nog niet ten volle beheerst. Binnen vrij zware contouren geven de eenvoudige parallelle- en kruisarceringen de figuur betrekkelijk weinig volume: het geheel werkt vrij vlak (zie *afb. 22*).

1. Kirschbaum, deel 2, kol. 289-99. In de prentkunst is een zeldzaam voorbeeld van Meester E.S., Lehrs, deel 2, 52 en de houtsneden Schreiber 838-40.
2. Zie Hutchison, p. 30, noot 64 en 66.
3. Jane C. Hutchison wees erop dat dit thema ook op het frontispice van het gebedenboek van Maarten Luther is afgebeeld (tentoonstelling *Luther*, 1982, Wolfenbüttel) en met de 'moderne devotie' verbonden is.

17
Amsterdam, Rijksprentenkabinet (coll. Van Leyden, port. 20, nr. 57: blad 18; Koninklijke Bibliotheek, 1807; Parijs, 1812-16, nr. 43; inv. OB:882): goede druk, 113 x 83 mm (langs omtreklijnen afgeknipt; watermerk: onderkant van gotische P).
17a
Zuidelijke Nederlanden, ca. 1470. *Christus als de goede herder*. Houtsnede, met de hand gekleurd, 373 x 247 mm.
Breslau, Stadtbibliothek (geplakt op het schutblad van een missaal).

17a

17

18*

Amsterdam, Rijksprenten-
kabinet (coll. Van Leyden,
port. 20, nr. 51: blad 9;
Koninklijke Bibliotheek,
1807; Parijs, 1812-16, nr. 37;
inv. OB:881): zeer goede
druk, 164 x 33 mm (geen
omtreklijnen; grijze wassingen in schaduwpartijen in de
nis).

19*

Amsterdam, Rijksprenten-
kabinet (coll. Van Leyden,
port. 20, nr. 50: blad 9;
Koninklijke Bibliotheek,
1807; Parijs, 1812-16, nr. 36;
inv. OB:883): zeer goede
druk, 165 x 33 mm (geen
omtreklijnen; grijze wassingen in schaduwpartijen in de
nis).

18. Het zegenend Christuskind

(LI en LII, 17), ca. 1490
Drogenaald, unicum, 164 x 33 mm.

19. Christus aan de geselpaal

(LI en LII, 19), ca. 1490
Drogenaald, unicum, 165 x 33 mm.
Tegenhangers.

¶ Zowel het *Christuskind* als *Christus aan de geselpaal* zijn in de vijftiende-eeuwse Duitse beeldhouw-kunst veelvuldig afgebeeld: het zijn zogenaamde *Andachtsbilder*, bedoeld voor devotioneel gebruik. Dit soort afbeeldingen benadrukten de emotio-nele inhoud van het thema en waren bedoeld om een intense geloofsbelevenis bij de toeschouwer te stimuleren. De plaatsing van de figuren op de prenten in een nis wijst erop dat aan dergelijke sculpturale *Andachtsbilder* gedacht is.

¶ Beeldjes van Christus als naakt knaapje waren in de late Middeleeuwen zeer populair; zij werden bij gelegenheid aangekleed en op den duur van een garderobe voor zon- en feestdagen voorzien. Christus wordt dan als kind van één jaar afge-beeld, de rechterhand zegenend opgeheven en in de linkerhand de wereldbol.[1] Met de omkering in prent heeft de Meester geen rekening gehouden: Christus zegent met de linkerhand. De letters INRI boven de nis, en het doodshoofd eronder, wijzen op de kruisdood van Christus en verbinden de prent met *Christus aan de geselpaal*.

¶ In deze pendant wordt de nadruk op het lijden van Christus gelegd: naakt, met slechts een len-dendoek om en staand tegen de geselpaal, met in zijn handen de roede en gesel waarmee zijn lichaam bewerkt is.[2] De woorden ECCE HOMO ('Zie de mens') verwijzen naar het moment dat Chris-tus, met doornen gekroond, aan het volk getoond wordt. De geseling van Christus gaat hier aan vooraf.

18

19

¶ *Christus aan de geselpaal* herinnert aan de 'Man van Smarten' waarin de lijdende Christus evenwel nà zijn kruisdood met de doornenkroon en met wonden in de handen, voeten en in de zijde is afgebeeld – en thema dat in deze tijd eveneens van grote betekenis is voor de devotie [zie **20**].[3]

¶ Het is de vraag in hoeverre dit soort prentjes op grond van hun smalle formaat geschikt waren om in de marge van gebedenboeken te plakken, of als model voor de decoratie daarvan zouden kunnen dienen; men vindt in de marge van het *Missaal van gravin Margaretha von Simmern* een vergelijkbaar Christuskind te midden van ranken afgebeeld [**120**, fol. 15].

¶ De uiterst picturaal gebruikte drogenaaldtechniek, wijst op een late datering; naast de zeer fijne subtiele modellering van de lichamen, zijn er zware fluwelige drogenaaldpartijen. De later toegevoegde donkergrijze penseelwassingen in de achtergrond van de nis versterken dit clair-obscur effect.

1. Hans Wentzel, 'Christkind', *Reallexikon zur deutschen Kunstgeschichte*, deel 3, Stuttgart 1954, kol. 590-602; een vroeg voorbeeld in de prentkunst bij Meester E.S., Lehrs, deel 2, nr. 49, afgebeeld b., Lehrs (Dover), 125, en wellicht daarop gebaseerd Schongauers B.67 (L.31).
2. Kirschbaum, deel 2, kol. 126-27.
3. Van oudsher is deze prent dan ook ten onrechte *Man van Smarten* genoemd. Dank aan Mevr. E. Verhaak, die mij hierop attendeerde.

20. Het lichaam van Christus ondersteund door twee engelen
(L1 en L11, 20), ca. 1475
Drogenaald, unicum, 100 x 71 mm.

¶ Het lichaam van de gestorven Christus wordt ondersteund door twee engelen. De lijdenswerktuigen op de achtergrond, het kruis, lans en spons getuigen van zijn lijdensdood. In tegenstelling tot de voorstelling van het ontzielde lichaam van Christus in de schoot van Maria, de Pietà, is deze in Italië ontwikkelde devotievoorstelling van de door twee engelen ondersteunde 'Man van Smarten' (de 'Engelenpietà' of de 'Christ de Pietà') in het Noorden zeldzaam; in de vijftiende-eeuwse Franse kunst is het meestal één engel die Christus ondersteunt.[1]

¶ De zware plooien in draperie, de wat rommelige arceringen en de hoekige proporties van de figuren wijzen op een vroege datering; de druk is wat ongelijk, niet alle lijnen zijn scherp afgedrukt.

1. Hutchison, 1972, p. 31, noot 70; Erwin Panofsky, 'Imago pietatis': ein Beitrag zur Typengeschichte des 'Schmerzensmanns' und der 'Maria Mediatrix', *Festschrift für Max Friedländer*, Leipzig 1927, pp. 261-308, vooral p. 282; zie ook R. Berliner, 'Bemerkungen zu einigen Darstellungen des Erlösers als Schmerzensmann', *Münster* 9 (1956), pp. 97-117; Georg Swarzenski, 'Insinuationes divinae pietatis', *Festschrift für Adolph Goldschmidt*, Leipzig 1923, pp. 65-74, vooral pp. 66-68.

20*
Amsterdam, Rijksprentenkabinet (coll. Van Leyden, port. 20, nr. 40: blad 8; Koninklijke Bibliotheek, 1807; Parijs, 1812-16, nr. 26; inv. OB:884): redelijke, wat grijze druk, 100 x 71 mm (langs en door de omtreklijnen afgeknipt, alleen aan de bovenzijde is de omtreklijn helemaal zichtbaar; restauraties in kleed van Christus, zowel rechts als links van de knieën).

20

21*
Amsterdam, Rijksprenten-
kabinet (coll. Van Leyden,
port. 20, nr. 62; blad 14;
Koninklijke Bibliotheek,
1807; Parijs, 1812-16, nr. 46;
inv. ob:911): zeer goede
druk, met horizontale krassen in de plaat, 127 x 92 mm.
21a
Meester van Flemalle,
H. Drieëenheid.
Paneel, grisaille, 144 x 53 cm.
Frankfurt am Main, Städelsches Kunstinstitut (inv.
939B).

21. Aanbidding van de Heilige Drieëenheid door Maria, Johannes en engelen

(Li, 21; Lii, 50), ca. 1490
Drogenaald, unicum, 127 x 92 mm.

¶ Het begrip Heilige Drieëenheid geeft aan dat God zich in drie gestalten manifesteert: God de Vader, zijn zoon Christus en de Heilige Geest. Volgens de traditie wordt dit thema afgebeeld door een tronende God de Vader, die een Crucifix toont, waarbij de Heilige Geest als duif is weergegeven (de zogenaamde *Genadestoel*). Een nieuw type voorstelling, waarin het lichaam van de dode Christus door God de Vader wordt getoond, ont-stond, wellicht naar analogie van de 'Engelen Pietà' [zie **20**], omstreeks 1400 in Frankrijk en verspreidde zich spoedig over Noord-Europa.[1]

¶ Een indrukwekkende uitbeelding van dit thema is een grisaille van de Meester van Flémalle in Frankfurt [**21a**][2] die, gezien de zeldzaamheid van het onderwerp in de Duitse kunst, mogelijk het voorbeeld voor de prent vormde. De voorstelling van de Heilige Drieëenheid is in het schilderij een *Andachtsbild* geworden, waarbij God de Vader zich over de dode Christus ontfermt. In de prent

zijn hieraan toegevoegd, de knielende Maria en Johannes, die met een schare engelen op de ach-tergrond de Heilige Drieëenheid aanbidden.

¶ De ornamentale versiering met bloemmotieven aan de bovenzijde van de prent keert nog enkele malen in gevarieerde vorm terug in andere late prenten [**27, 50, 75, 88**], en geeft de suggestie van een geschilderde of gebeeldhouwde omlijsting.

¶ Bijna even fijn als de horizontale krassen op de plaat, zijn de wat kriebelige drogenaaldlijnen waaruit de figuren zijn opgebouwd, met een sterke nadruk op de clair-obscur-werking. Deze drogenaaldtechniek en de wat langgerekte pro-porties van de figuren wijzen op een vrij late date-ring van de prent.

1. Rudolf Berliner, 'Die Rechtfertigung der Menschen', Mün-ster 20 (1967), pp. 227-38; Panofsky 1927, op.cit. [**20** noot 1], pp. 284-292, zie ook Hutchison 1972, p. 32, noot 74 en Ring-bom 1965, pp. 117-18.
2. In het werk van de Meester van Flémalle is het thema her-haalde malen afgebeeld (zie Friedländer, deel 2, afb. 65, 71); de Frankfurtse versie is evenwel het meest verwant aan de prent.

21a

21

22. Wapenschild met de Arma Christi
(LI, 22 ; LII, 51), ca. 1475-80
Drogenaald, unicum, 121 x 103 mm.

¶ De lijdenswerktuigen van Christus zijn hier in een merkwaardige heraldische compositie verwerkt als de Wapens van Christus – de *Arma Christi* – waarin het met het gelaat van Christus bekroonde wapenschild geflankeerd wordt door de treurende Maria en Johannes. Op het wapenschild zijn behalve het lege graf en het kruis met gesel en roede ook de berg Tabor en de Olijfberg afgebeeld.

¶ De beschrijving van Christus als een ridder, die door zijn lijden strijdt voor het menselijk heil, komt herhaaldelijk voor in de laat-Middeleeuwse mystieke literatuur. Een vroege afbeelding van dit wapen met de lijdenswerktuigen verschijnt in het *Passionale* van de Abdis Kunegunde (ca. 1320), waarin de Passie wordt beschreven als de strijd die de ridder Christus voert voor de redding van de menselijke ziel. Zowel in Nederlandse handschriften als op leren boekomslagen is het een veelgebruikt embleem.[1] Later in de veertiende eeuw werd het wapenschild van Christus volgens de regels van de heraldiek afgebeeld, met op het schild de lijdenswerktuigen, en een helm als bekroning, waaruit een arm met een zegenende hand van God steekt.[2]

¶ Dit beeld geeft ook de herhaaldelijk gecopieerde gravure van Meester E.S. [**22a**], waarin het wapenschild bovendien geflankeerd wordt door Maria en Christus als Man van Smarten en omringd door de symbolen van de vier Evangelisten. Waarschijnlijk vormt deze afbeelding het uitgangspunt voor de drogenaald van de Meester: Johannes neemt de plaats van Christus naast het wapenschild in en het met doornen bekroonde gelaat van Christus vervangt de helm, waardoor de prent een merkwaardig illusionistisch karakter krijgt.

¶ Gezien de voorzichtige arceringen, de niet overal heldere plooival en de wat gedrongen figuren van Maria en Johannes, kan de prent waarschijnlijk tegen het eind van de vroege periode worden gedateerd.

1. Rudolf Berliner, 'Arma Christi', *Münchner Jahrbuch* 3e Folge, 6 (1955), pp. 35-152; Hutchison 1972, p. 32; Kirschbaum, deel 1, kol. 183-87.
2. Berliner, p. 62.

22*
Amsterdam, Rijksprentenkabinet (coll. Van Leyden, port. 20, nr. 30: blad 8; Koninklijke Bibliotheek, 1807; Parijs, 1812-16, nr. 20; inv. OB:912): goede druk (inkt pakt niet helemaal: rechts en boven in het midden), 121 x 103 mm (omtreklijnen boven, rechts en links zichtbaar; rechts wat vlekkig).
22a*
Meester E.S., *Passiewapen*, ca. 1450-60.
Gravure, 144 x 102 mm.
B.89, L.188.
Wenen, Albertina (inv. 1926-776).

22

22a

23*
Amsterdam, Rijksprentenkabinet (coll. Van Leyden, port. 20, nr. 43: blad 8; Koninklijke Bibliotheek, 1807; Parijs, 1812-16, nr. 29; inv. OB:885): zeer goede druk, 94 x 45 mm (omtreklijn aan bovenzijde ontbreekt; verder gedeeltelijk door en langs de omtreklijnen afgeknipt; restauraties rechts en links in achtergrond op de hoogte van hand van kind).

24*
Amsterdam, Rijksprentenkabinet (coll. Van Leyden, port. 20, nr. 45: blad 8; Koninklijke Bibliotheek, 1807; Parijs, 1812-16, nr. 31; inv. OB:886): zeer goede druk, 88 x 51 mm (met randje langs omtreklijnen).

25*
Parijs, Bibliothèque Nationale (? coll. Van Leyden, port. 20, nr. 73 (als 'David Hopfer'); naar Parijs in 1812?; inv. Ec.N.428; Ea 41 rés): zeer goede druk met enige plaattoon, 189 x 123 mm (aan rechterzijde zeer onregelmatig afgeknipt, ten dele aangevuld, waarschijnlijk ontbreekt hier een strook van ca. 8 mm.; elders omtreklijn zichtbaar).

23-25. Madonna's op de maansikkel

23. Madonna op de maansikkel
(Li, 23 ; Lii, 22), ca. 1480
Drogenaald, unicum, 95 x 45 mm.

24. Madonna met sterrenkroon en rozenkrans op de maansikkel
(Li, 24 ; Lii, 21), ca. 1490
Drogenaald, unicum, 88 x 51 mm.

25. Madonna met sterrenkroon en boek op de maansikkel
(Li, 27 ; Lii, 26), ca. 1490
Drogenaald, unicum, 189 x 123 mm.

¶ In de *Openbaring van Johannes* (12:1) wordt de verschijning van Maria beschreven als 'eene vrouw, bekleed met de zon; en de maan aan haar voeten, met op haar hoofd een kroon van twaalf sterren'. Dit beeld wordt in de latere Middeleeuwen verbonden met het dogma van de 'Onbevlekte Ontvangenis', de opvatting dat Maria, als enige van de stervelingen, ter wereld is gekomen zonder de last der erfzonde: 'Zij daalde, staande op een halve maan, uit de hemel neer'.[1] Hoewel deze verschijning van Maria vooraf gaat aan de geboorte van Christus, is *Maria met het kind* in de vijftiende-eeuwse Noordelijke kunst zeer veelvuldig op de beschreven wijze afgebeeld: staande op een maansikkel, met een kroon van sterren en met de vlammende zon achter zich: *Maria in sole*.

¶ In de laat-Middeleeuwse Mariadevotie, waar ook de rozenkransdevotie uit is voortgekomen, speelt deze afbeelding van de *Madonna op de maansikkel* een grote rol: het lezen van reeksen Mariagebeden voor zulke afbeeldingen werd met aflaat – kwijtschelding van straf voor de begane zonden – beloond.[2] Zowel in devotieprenten als op paneelschilderijen en in vrijstaande beeldhouwkunst is het thema veel afgebeeld, vooral in de latere vijftiende- en vroeg-zestiende-eeuwse kunst. In de sculpturale voorbeelden ontbreken de sterrenkroon en stralenkrans soms en is alleen de maansikkel overgebleven.

¶ De eerste prent van de Meester [23], die wellicht tot het rijpe werk behoort, sluit bij dergelijke beeldhouwwerken aan. De twee andere prenten zijn meer picturale verwerkingen van het thema, waarin de vlammende zon en de sterren niet ontbreken.

¶ In de kleine versie [24] heeft het Christuskind, in plaats van een appel, zoals op de andere prenten, een rozenkrans in de hand. Op het gebedssnoer – 'de rozenkrans' – werden de reeksen tot Maria gerichte gebeden afgeteld die in de rozenkransdevotie zo'n grote rol spelen. Pas aan het eind van de jaren '70 van de vijftiende eeuw werd deze bijzondere vorm van Mariadevotie door het stichten van lekenbroederschappen bijzonder populair; dit resulteerde in afbeeldingen van Maria en kind, waarin het Christuskind als het ware de rozenkrans aan de gelovige beschouwer aanbiedt.[3] De late datering op stilistische gronden

23

24

van het schetsmatig opgezette prentje wordt in dit geval door de iconografie bevestigd.

¶ Ook de grote prent [25] moet betrekkelijk laat in het werk van de Meester geplaatst worden: de overeenkomsten met Schongauers late *Madonna van De Verkondiging* [25a] maken dat de prent moeilijk eerder dan 1490 gedateerd kan worden, terwijl de drogenaald al in 1497 gecopieerd werd op een altaarstuk, thans in Darmstadt.[4]

¶ Waar door een verfijnd systeem van arceringen in Schongauers *Madonna* de plooival helder en sierlijk is, is die in deze *Madonna met het boek* onrustig en vrij zwaar, door de sterke clair-obscur-wer-

king van diepe schaduwen. In deze schitterende vroege druk wordt de licht-donker werking niet alleen door de fluwelige diep-zwarte drogenaald-partijen bereikt, maar ook door de lichte plaat-toon.

1. Mirella Levi d'Ancona, *The iconography of the Immaculate Conception in the Middle Ages and the early Renaissance*, New york 1957, vooral pp. 24-26.
2. S. Ringbom, 'Maria in Sole and the Virgin of the Rosary', *The Journal of the Warburg and Courtauld Institutes* 25 (1962), pp. 326-30.
3. Hutchison 1972, p. 33, noot 85; zie ook Ringbom 1962, op.cit. (noot 2) en Kirschbaum, deel 4, kol. 568.
4. Hutchison 1972, p. 35.

25

26. Staande Madonna en kind met appel
(LI, 26 ; LII, 25), ca. 1475-80
Drogenaald, drie exemplaren bewaard, 177 x 96 mm.

¶ Deze vrij simpele voorstelling van *Maria met kind*
herinnert wat de compositie betreft aan de vijftiende-eeuwse Vlaamse geschilderde voorstellingen, zonder dat een direct voorbeeld kan worden
aangewezen.[1]

¶ Sterker zijn de overeenkomsten met Schongauers
prent met hetzelfde thema, die meestal ca. 1475
gedateerd wordt. Aan Schongauers prent herinneren: de appel in de hand van het kind (een verwijzing naar Christus als de nieuwe Adam), de
plooival van het kleed van Maria en het heuveltje
waarop zij staat. Het naakte Christuskindje, dat
doet denken aan de prentjes met spelende kinderen [59-61], is in een levendige en intieme relatie

26.1

met zijn moeder weergegeven, heel anders dan bij Schongauer [**26**a]. Hoewel de plooien, door minder rigide arceringen, niet zo helder zijn als in Schongauers prent, hebben zij een vrij sterk volume gekregen, wat er op wijst dat de prent aan het begin van de middenperiode gedateerd moet worden.

¶ Een vergelijking van de vroege afdruk in Düsseldorf [**26**.1] met de late in Amsterdam [**26**.3] laat zien hoe door de slijtage van de braam in de drogenaaldpartijen, de plastische werking van de arceringen in de plooien vrijwel geheel verloren gaat.

1. Schneider, p. 61. Zoals Hutchison 1972, p. 34, al opmerkte, zijn de door Schneider gesuggereerde overeenkomsten met de aan Van Eyck toegeschreven *Madonna van Maelbeke* niet erg overtuigend.

26.3*
Amsterdam, Rijksprentenkabinet (coll. Van Leyden, port. 20, nr. 72: blad 18; Koninklijke Bibliotheek, 1807; Parijs, 1812-16, nr. 55; inv. OB:888): magere druk, 150 x 84 mm (links schuin en rechts onregelmatig afgeknipt; aan beide zijden aangevuld; vrij smoezelige afdruk).
26a*
Martin Schongauer, *Madonna met Kind*, ca. 1475.
Gravure, 174 x 115 mm.
B.28. L.39.
Frankfurt, Städelsches Kunstinstitut (inv. 33728).

26.3

26a

27. Tronende Madonna door engelen aanbeden

(LI, 25 ; LII, 23), ca. 1490
Drogenaald, unicum, 129 x 77 mm.

¶ In de voorstelling van Maria, die Christus de borst geeft (*Madonna Lactans*), wordt het intiemste moment van haar moederschap getoond. De late Middeleeuwen zag Maria niet alleen als voedster van Christus maar als 'voedster' van de hele mensheid (*nutrix omnium*). In de Italiaanse kunst is zij in deze rol vaak op de grond zittend afge-beeld als *Madonna van de Nederigheid*.[1] De tronende *Madonna Lactans* werd geschilderd door Van Eyck in de *Lucca Madonna* in Frankfurt en door Rogier van der Weyden in de kleine *Tronende Madonna* in Lugano.[2] Wellicht is de prent op een dergelijk schilderij gebaseerd.

¶ Door de aanbiddende engelen wordt benadrukt dat het om een *Andachtsbild* gaat, vergelijkbaar met de *Heilige Drieëenheid* [21], waarmee de prent ook in stilistisch opzicht verwant is.

¶ De decoratieve omlijsting met bladwerk aan de bovenzijde, die men eveneens ziet bij de *H. Drieëenheid* [21], en bij de *Hemelvaart van Maria Magdalena* [50], vindt men in twee- of drie-dimen-sionale vorm ook in de lijsten van Midden-Rijnse altaarstukken.[3]

¶ Aan de onderzijde is de prent afgeknipt; waar-schijnlijk heeft de tegelvloer daar wat verder doorgelopen; een zwarte onregelmatige lijn in het kleed van Maria, die door een barst in de plaat is ontstaan, is met dekwit afgedekt.

1. Zie Millard Meiss, *Painting in Florence and Siena after the Black Death*, Princeton 1951, pp. 132-56.
2. Panofsky 1953, pl. 252 en pl. 306.
3. Stange, deel 7, afb. 184, 214, 257, 265.

27

28. Heilige Familie bij de rozenstruik

(LI, 28 ; LII, 27), ca. 1490
Drogenaald, unicum, 142 x 115 mm.

¶ In een verrassend originele compositie zien we Maria, het Christuskind en de (pleeg)vader Jozef in de intimiteit van een afgesloten tuin. In de vijftiende-eeuwse Rijnlandse kunst is Maria met kind vaak afgebeeld in zo'n *hortus conclusus* – de gesloten tuin, een symbool voor de Onbevlekte Ontvangenis – vaak met een rozenhaag, een ander Mariasymbool.[1] In de prent staan deze Mariasymbolen niet alleen, maar men kan vrijwel alle elementen in het landschap interpreteren als Mariasymbolen zoals deze beschreven worden in de laat-Middeleeuwse Mariahymnen: de kerk op de achtergrond is Maria als verpersoonlijking van de moederkerk (de *Maria ecclesia*), de

versterkte toren, als de toren van David (*turris David*); de poort uiterst links de hemelpoort, (*porta coeli*); de rivier en de haven op de achtergrond kan men verbinden met Maria als de veilige haven (*portus naufragantium*). De appelboom naast de rozenstruik kan gezien worden als een toespeling op de erfzonde en de verlossende rol daarbij van Maria als nieuwe Eva en van Christus als nieuwe Adam.[2]

¶ Verrassend in de prent is de rol die Jozef, half achter de bank verscholen, toegemeten heeft gekregen: hij amuseert het kind op een vertederende wijze met twee appels. Juist in de late vijftiende eeuw was sprake van een groeiende waardering voor Jozef, die tot dan toe maar al te vaak als oude dwaas werd gezien.[3] Al in de laat veertiende-eeuwse *Meditationes Vitae Christi* van de Pseudo-Bonaventura wordt beschreven hoe Jozef het

28*
Amsterdam, Rijksprentenkabinet (coll. Van Leyden, port. 20, nr. 64: blad 20; Koninklijke Bibliotheek, 1807; Parijs, 1812-16, nr. 48; inv. OB:889): redelijke, wat grijze druk, niet overal scherp gedrukt, 142 x 115 mm (langs omtreklijnen afgeknipt; vrij sterke slijtage vooral in linker benedenhoek, vooral hier gerestaureerd).

28

28a*
Albrecht Dürer, *Heilige Familie met sprinkhaan*, ca. 1495.
Gravure, 236 x 187 mm.
B.44, M. 42.
Amsterdam, Rijksprentenkabinet (inv. OB:1204).

28b
Albrecht Dürer, *De H. Familie met de H. Johannes, H. Maria Magdalena en H. Nicodemus*, 1512.
Drogenaald, 216 x 190 mm.
B.43, M.44.
Amsterdam, Rijksprentenkabinet (inv. OB:1202).

kind aan het lachen maakt en met hem speelt.[4]

¶ Ook in de sterk op de prent van onze Meester gebaseerde gravure van Dürer [28a] en de daaraan voorafgaande tekeningen, speelt Jozef een belangrijke rol; in de prent is hij slapend afgebeeld, wellicht een toespeling op het moment, waarin hij in zijn droom tot de vlucht naar Egypte wordt opgeroepen.[5]

¶ Dürers prent – een van zijn vroegste gravures – is helderder opgebouwd en monumentaler, maar mist de intimiteit van de drogenaaldprent, die tot het late werk van de Meester moet worden gerekend. De zeer subtiele lichtwerking in de sfu-

mato-achtige drogenaaldpartijen heeft in Dürers prent plaats gemaakt voor een sterke grafische zwart-wit werking.

¶ Hoewel het om een redelijke, wat grijze afdruk van de drogenaald gaat, is deze niet overal scherp gedrukt (*afb. 32*) en heeft de afdruk door slijtage van het oppervlak wat geleden.

1. Ewald M. Vetter, *Maria im Rosenhaag*, Düsseldorf 1956.
2. Hutchison 1972, p. 36, noot 98 en 100.
3. Hutchison 1972, p. 36, noot 101 en 102; Kirschbaum, deel 2, kol. 4-7.
4. Ringbom 1965, pp. 94-95; *Meditations*, op.cit. [8, noot 2] p. 55.
5. Tent. cat. *Albrecht Dürer*, Neurenberg 1971, nr. 144.

28b

28a

29. Heilige Familie in een gewelfde ruimte
(L1, 29 ; L11, 28), ca. 1490
Drogenaald, twee exemplaren bewaard, 154 x 100 mm.

¶ Maria, het Christuskind en zijn grootmoeder, de H. Anna – vormen de centrale groep in de voorstelling; achter hen staan de echtelieden van Maria en Anna, respectievelijk Jozef en Joachim. De duif die komt aanvliegen – de Heilige Geest – wijst waarschijnlijk op de Onbevlekte Ontvangenis; de ontluikende boomstronk voor het open raam staat wellicht voor het kruis waaraan Christus sterft.

¶ De centrale groep, St.-Anna-te-Drieën genoemd, een onderwerp dat vaak in de vijftiende-eeuwse Noordelijke sculptuur en schilderkunst is afgebeeld, wordt in de late Middeleeuwen ook in verband gebracht met de Onbevlekte Ontvangenis; de nadruk valt daarbij op de geboorte van Jezus uit Maria en van Maria uit Anna; hierdoor groeit in deze tijd de verering voor de H. Anna. Het is denkbaar dat de beperking van de Heilige Familie tot de voorgestelde personen een verwerping betekent van de legende over de twee latere huwelijken van Anna.[1]

29.1*
Amsterdam, Rijksprenten-kabinet (coll. Van Leyden, port. 20, nr. 67: blad 17; Koninklijke Bibliotheek, 1807; inv. OB:890): goede druk, 148 x 95 mm (langs plaatrand afgesneden, aan de onderzijde ontbreekt een strook; figuren en architectuur met geelbruine waterverf gekleurd en met witte, deels geoxideerde hoogsels).

29.1

29.2*
Hamburg, Kunsthalle (coll.
Lloyd, 1820; Woodburn; inv.
3712): goede druk, 154 x 100
mm (met randje rondom de
omtreklijn; met kleine vlekjes
en restauraties; watermerk:
onderkant van gothische P).
29a
Omgeving van de Meester,
H. Anna-te-Drieën.
Paneel, 136 x 105 cm.
Oldenburg, Landesmuseum.

¶ In een schilderij te Oldenburg [**29**a], dat waarschijnlijk in de directe omgeving van de Meester is ontstaan en dat zonder twijfel grotendeels op de prent gebaseerd is, ontbreken Jozef en Joachim. Niet alleen stemmen de handelingen van Maria, het kind en de H. Anna overeen, maar ook het motief van het geven van de appel, wellicht symbool van de overwonnen erfzonde. Evenals de andere Maria-leven voorstellingen [**10, 11**], kan de prent tot het late werk van de Meester gerekend worden.

¶ Bij de Amsterdamse afdruk ontbreekt aan de onderzijde een smalle strook; bovendien is deze afdruk, als een soort miniatuur, opgewerkt met geelbruine en witte dekverf. De Hamburgse afdruk heeft weliswaar wat minder sterke drogenaaldpartijen, maar is helderder en scherper dan de sterk opgewerkte druk in Amsterdam.

1. Deze legende verhaalt dat Anna, na Joachims dood, opnieuw huwt met Cleophas en na diens dood met Solomas; uit elk van deze huwelijken werd een dochter geboren, die elk op hun beurt ook weer kinderen baren. Uit deze legende vloeit de laat-Middeleeuwse voorstelling van de Heilige Maagschap voort: Anna omringd door echtgenoten, kinderen en verwanten, zoals afgebeeld op het schilderij van Geertgen tot St. Jans in het Rijksmuseum. Zie Hutchison 1972, p. 37, noot 110-13.

29a

29.2

30. H. Anna-te-Drieën
(Lı, 30 ; Lıı, 29), ca. 1490
Drogenaald, unicum, 85 x 76 mm.

¶ Meer dan in de schilderkunst, is in de vijftiende-eeuwse houtsculptuur de *H. Anna-te-Drieën* als *Andachtsbild* afgebeeld, waarbij Anna is voorgesteld met op schoot Maria, die het Christuskind vasthoudt.

¶ Hoewel op de prent Maria niet op de schoot van Anna zit, maar op de drempel van haar troon, hangt de compositie direct met zulke sculpturale voorbeelden samen. De voorstelling van de H. Anna-te-Drieën is, zoals we reeds zagen [bij **29**], verbonden met de Onbevlekte Ontvangenis: uit Anna is Maria geboren, uit Maria, Christus, hetgeen in de prent geaccentueerd wordt door de 'gesloten tuin': *hortus conclusus*, een ander symbool voor de Onbevlekte Ontvangenis, die achter de troon zichtbaar is. Als Moeder van Barmhartigheid omvat Anna hier Maria die haar kind voedt als 'de moeder en de voedster van allen', *Mater et nutrix omnium*.[1]

¶ Over het algemeen wordt de prent laat gedateerd. De diepzwarte drogenaaldpartijen zijn in deze unieke afdruk zo zwaar en daardoor ongenuanceerd gedrukt, dat die niet erg succesvol kan worden genoemd. De schetsmatige techniek en het experimentele karakter van de afdruk, wijzen er niet op dat de prent bedoeld was om op bredere schaal verspreid te worden, maar eerder om als model voor een dergelijke voorstelling te dienen.

1. Hutchison 1964, pp. 142-44; Hutchison 1972, p. 38, noot 114-16.

30*
Amsterdam, Rijksprentenkabinet (coll. Van Leyden, port. 20, nr. 44: blad 9; Koninklijke Bibliotheek, 1807; Parijs, 1812-16, nr. 30; inv. OB:891): goede, zeer zwarte druk, 85 x 76 mm (links en aan bovenzijde, langs de omtreklijn en elders vermoedelijk iets meer afgeknipt; met zwarte en rode verfvlekjes).

30

31*
Amsterdam, Rijksprenten-
kabinet (coll. Van Leyden,
port. 20, nr. 71: blad 21;
Koninklijke Bibliotheek,
1807; Parijs, 1812-16, nr. 54;
inv. OB:895): zeer goede
druk, met lichte plaattoon,
166 x 105 mm (langs
omtreklijnen afgeknipt; rode
olievlekken grotendeels verwijderd).
31a
Spiegelbeeldige copie door
Israhel van Meckenem (met
toevoeging van orbis mundi
met kruisvaantje).
Gravure, 165 x 106 mm.
L.328. Wenen, Albertina
(inv. 1926/1047).

31-32. H. Christoffel

31. H. Christoffel ('grote versie')

(LI, 32 ; LII, 33), ca. 1480-85
Drogenaald, unicum, 166 x 105 mm.

32. H. Christoffel ('kleine versie')

(LI, 31 ; LII, 32), ca. 1490
Drogenaald, unicum, 123 x 72 mm.

¶ De H. Christoffel was als beschermheilige van
pelgrims en reizigers en als beschermer 'tegen de
plotselinge dood' een van de meest populaire heiligen. De *Legenda aurea* vertelt hoe deze reus de
machtigste heer op aarde wenste te dienen. Na
verschillende teleurstellingen – hij diende achter-

eenvolgens een koning en zelfs de duivel – advi-
seerde een kluizenaar hem om Christus te dienen
door reizigers op zijn rug over de snelstromende
rivier te dragen, hetgeen hem gezien zijn lengte
geen moeite kostte. Op een nacht verscheen een
kind met het verzoek om naar de overkant van de
rivier gedragen te worden. Bijgelicht door de lan-
taarn van de kluizenaar, die aan de rivier woonde, bereikte de reus slechts met de grootst mogelijke krachtsinspanning de overkant van de rivier,
want het kind 'dat de last van de wereld droeg',
werd met elke stap zwaarder. Pas de volgende
dag besefte Christoffel wie zijn passagier was
geweest, toen uit zijn staf, die hij op verzoek van
het kind in de grond geplaatst had, een dadel-
palm groeide.[1]

31a

31

¶ In een veertiende-eeuwse berijmde Duitse versie van het leven van Christoffel ontspruiten de groene bladeren al uit zijn staf tijdens de overtocht van de rivier,[2] een motief dat van dat ogenblik af vaak afgebeeld werd. De ontspruitende staf werd door de Meester verwerkt in beide versies die hij van dit thema in prent bracht.

¶ De eerste versie [31] is een prachtig voorbeeld van zijn rijpere stijl, bewaard in een unieke afdruk met frisse, krachtige drogenaaldpartijen. De compositie is waarschijnlijk in grote lijnen gebaseerd op de vroege prent van Schongauer met dit thema [31b].[3] In de drogenaaldprent is het gewicht van het kind veel overtuigender over de benen van de reus en de staf verdeeld dan bij Schongauer. Hoe moeilijk Christoffel zich staande kan houden onder het gewicht van het kind, blijkt uit een merkwaardig detail: hij heeft zijn hand in de ruwe stof van zijn mantel gewikkeld om zo goed mogelijk op de staf te kunnen leunen.

¶ De irissen (of zwaardlelies), symbolen van het lijden van Christus, die we op de voorgrond van Schongauers prent [31b] zien, komen in bloeiende vorm pas in de tweede drogenaaldversie van dit thema [32] terug. De Meester volgt daarin nauwkeuriger de legende; de last van de wereld die Christus met zich draagt, is gesymboliseerd door de wereldbol, de kerk rechts wijst op Christoffels dienst aan Christus; de reus zelf is als pelgrim gekleed, met een grote geldzak.[4]

¶ De regelmatige arceringen van de eerste prent, waarin Schongauers invloed nog zichtbaar is, hebben in de tweede prent plaatsgemaakt voor een levendige, meer piturale behandeling van licht en schaduw, die door de zware grijs-zwarte wassingen, die later op de prent met de penseel zijn aangebracht, wel wat verstoord worden. Opmerkelijk in beide prenten is de wijze, waarop de beweging in het water is weergegeven.

1. Kirschbaum, deel 5, kol. 496-508. Hutchison 1972, p. 38, noot 118; Ernst-Konrad Stahl, *Die Legende des Hl. Riesen Christophorus in der Graphik des 15. und 16. Jahrhunderts*, München 1920.
2. Hutchison 1972, p. 38, noot 119.
3. Shestack 1967-68, nr. 81.
4. Hutchison 1972, p. 39.

31c

31b*
Martin Schongauer,
H. Christoffel, ca. 1475.
Gravure, 160 x 112 mm.
B.48, L.56.
Amsterdam, Rijksprentenkabinet (inv. 1039).
31c
Midden-Rijnse anonieme
Meester ca. 1500,
H. Christoffel.
Paneel, 101 x 46 cm.
Frankfurt am Main, Historisches Museum (inv. B.307).
32*
Amsterdam, Rijksprentenkabinet (coll. Van Leyden, port. 20, nr. 58: blad 11; Koninklijke Bibliotheek, 1807; Parijs, 1812-16, nr. 44; inv. OB:894): zeer goede zwarte druk, 123 x 72 mm (nauw langs omtreklijnen afgeknipt, rechter bovenhoek aangezet, kleine restauraties langs rand; bijgewerkt in de schaduwen met penseelwassingen in grijszwart).

31b

32

33*
Londen, British Museum
(coll. Buckingham?, 1834;
coll. Palmer, 1868; inv. 1868-
8-8-3205): goede druk (inkt
pakt niet helemaal in alle
gedeelten met vrij zware
droge naaldpartijen), 145 x
105 mm (langs omtreklijn
afgeknipt).

33-34. H. Joris

33. De H. Joris te paard
(LI, 34 ; LII, 35), ca. 1475
Drogenaald, unicum, 145 x 105 mm.

34. De H. Joris te voet
(LI, 33 ; LII, 34), ca. 1490
Drogenaald, twee exemplaren bewaard, 141 x 114 mm.

¶ De H. Joris was een uit christelijke ouders gebo-ren Romeinse tribuun van Kappadocië. In de aangrenzende provincie Lybië lag de stad Silene die in die tijd geterroriseerd werd door een ver-schrikkelijke draak. Deze moest dagelijks gesust worden met twee schapen. Toen de schapen schaars werden, gaf men hem dagelijks een schaap en een kind, dat daartoe door het lot werd aangewezen. Op een dag viel dit lot op de dochter van de koning, prinses Cleodelinde, die na lang aarzelen van de koning werd achtergelaten in het moerasgebied, waar de draak zich ophield. Op het beslissende moment verscheen de H. Joris, die het kruisteken maakte. Hij versloeg de draak in een gevecht, en redde de prinses.[1]

¶ De legende, een allegorie van de strijd tussen goed en kwaad, kreeg pas in de elfde eeuw een plaats in het leven van de H. Joris en is in de late Middel-eeuwen zeer populair geworden. Als bescherm-heilige van de ridders is de H. Joris meestal te paard, in eigentijdse wapenuitrusting, afgebeeld, terwijl hij de draak met een lans doorsteekt of met een zwaard doodt.[2]

¶ Op deze wijze is de H. Joris in de eerste vroege drogenaald [33] afgebeeld: als ridder te paard doorsteekt hij de draak[3] met zijn lans; op de ach-tergrond wacht, tussen de rotsen, prinses Cleode-linde met het schaap.

¶ Het is een voorbeeld van het vroege werk van de Meester, al wijzen de fijne, vrij effectief gebruikte kruisarceringen er op dat het niet tot het aller-vroegste werk gerekend moet worden. Ondanks

33

de beperkte ruimte, de gedrongen figuren en de weinig individuele gelaatstrekken, zijn de figuren van de heilige en het paard zeer direct, levendig en krachtig weergegeven.

¶ In de late prent met de *H. Joris te voet* [**34**] is een grotere rol toebedeeld aan het landschap – met het meer waarin de draak zich volgens de *Legenda aurea* ophoudt en het kasteel van de vorst en vorstin. Wat het overige deel van de voorstelling betreft is de prent vrij uitzonderlijk: terwijl de lange, gracieuze prinses Cleodelinde het paard van de in harnas gestoken ridder vasthoudt, grijpt deze de draak bij de oren om hem met zijn zwaard de genadeslag toe te brengen.

¶ Deze wijze van doden, die niet in de legende beschreven wordt, is verklaarbaar uit de praktijk van de Middeleeuwse jacht. Het hert werd, nadat het in het nauw was gedreven, door een van zijn paard geklommen ruiter op de rug geworpen en gedood door een mes- of zwaardsteek in de nek.[4] Deze unieke voorstelling van de H. Joris te voet

kan alleen verklaard worden uit een nauwkeurige kennis van de aristocratische jachtgewoonten, wat erop wijst – zoals ook profane prenten van de Meester aantonen – dat de kunstenaar in aristocratische kringen verkeerde.

¶ De prent is een karakteristiek voorbeeld van de late stijl van de Meester. De ruimtewerking is versterkt, de figuren zijn lang en soepel. De drogenaaldtechniek is op een zeer verfijnde, bijna picturale wijze gebruikt: met fijne kriebelige lijntjes, soms verschillende lagen arcering over elkaar is een subtiele licht-schaduwwerking opgebouwd.

1. *Legenda aurea*, pp. 300-06; Kirschbaum, deel 6, kol. 366-90.
2. Zie onder meer op prenten van Martin Schongauer (L.58) en Meester FVB (L.42), beide afgebeeld bij Shestack 1967-68, nrs. 43-128.
3. Vergelijkbaar met de monsters van de Meester van de H. Sebastiaan (L.6), afgebeeld bij Lehrs (Dover), 349.
4. Hutchison 1972, p. 40; verwijst naar Marcelle Thiébaux, 'The mediaeval chase', *Speculum* 42 (1967), p. 271.

34.1*
Amsterdam, Rijksprentenkabinet (coll. Van Leyden, port. 20, nr. 82: blad 20; Koninklijke Bibliotheek, 1807; Parijs, 1812-16, nr. 61; inv. OB:896): goede druk (iets minder gelijkmatig bewaard dan **34**.2), 141 x 114 mm (langs en ten dele door omtreklijnen afgeknipt).
34.2
Parijs, Bibliothèque Nationale (inv. Ec. N. 429; Ea 41 rés.): zeer goede druk, met lichte plaattoon, 141 x 114 mm (langs omtreklijn afgeknipt).

34

35-37. H. Johannes de Doper

35. Johannes de Doper, staande figuur in nis
(LI, 35 ; LII, 38), ca. 1485-90
Drogenaald, unicum, 120 x 20 mm.

36. Het hoofd van Johannes de Doper op een schotel
(LI en LII, 37), ca. 1485-90
Drogenaald, unicum, 83 x 89 mm.

37. Het hoofd van Johannes de Doper of van Goliath
(LI en LII, 36), ca. 1485
Drogenaald, unicum, 52 x 50 mm.

¶ Johannes de Doper was als geloofsverkondiger de directe voorloper van Christus. Hij trad als boete-prediker op in de wildernis van het Jordaandal en doopte de gelovigen in de rivier de Jordaan. Christus liet zich door Johannes dopen en deze noemde Hem 'het Lam Gods dat de zonden van de wereld wegneemt'. Kort na de doop van Chris-tus wordt Johannes door koning Herodes gevan-gen genomen en op aandringen van diens echtge-note Herodias onthoofd.

¶ Johannes de Doper wordt gewoonlijk voorgesteld als asceet en boeteprediker, gehuld in een kameel-haren kleed, met een kruisstaf of een lam.[1] Zo is hij ook op de drogenaaldprent weergegeven [35]: met het lam in zijn arm waar hij, volgens de bij-beltekst (*Ecce agnus dei*) op wijst.[2]

¶ Net als bij de *Vier profeten* [1-4] is de staande figuur in een nis geplaatst, waardoor de suggestie van een beeldhouwwerk gewekt wordt. Ondanks de formele overeenkomsten met de profeten moet de *H. Johannes in de nis* aanzienlijk later gedateerd worden. Niet alleen is de figuur slanker van pro-porties, maar ook de drogenaald is op een veel meer gedetailleerde wijze gebruikt; er is zelfs met zó'n fijne stift in het metaal getekend, dat de groe-ven de inkt nauwelijks konden bevatten en de afdruk vlekkerig is.

¶ In de late Middeleeuwen werd het afgehakte hoofd van Johannes liggend op een schaal of scho-tel, veelvuldig als beeldhouwwerk uitgevoerd. In

35

36a

deze zogenaamde Johannesschotels is het hoofd van Johannes vaak met een smartelijke gelaatsuitdrukking in hoogreliëf afgebeeld [36a].[3] Op de dag van het martelaarschap van de heilige (29 augustus) werden zulke sculpturen in processies meegevoerd óf als reliquiarium op het altaar opgesteld.

¶ Hoewel er ook geschilderde versies van de *Johannesschotel* zijn, met name uit de school van Dirk Bouts,[4] ligt het meer voor de hand dat de drogenaaldprent met het hoofd van Johannes op een schotel [36] teruggaat op een sculptuur. De uitdrukking van het dode gelaat van Johannes is met de realistische halfgeopende ogen en mond zeer expressief. Deze subtiel getekende prent vormt een prachtig voorbeeld van het late werk van de Meester.

¶ Veel moeilijker dan in het voorgaande geval, is het, om het andere afgehouwen hoofd [37], dat tussen twee pollen gras ligt, te duiden als het hoofd van Johannes de Doper, dat nimmer zonder de schaal is afgebeeld. Doordat het hoofd in verhouding tot de grassprietjes tamelijk groot

lijkt, is de suggestie dat het hier om het door David afgehouwen hoofd van Goliath gaat, aannemelijk, zij het dat hiervoor een iconografische traditie ontbreekt. In stilistisch opzicht is de prent waarschijnlijk iets vroeger te dateren dan de andere twee hier beschreven prenten.

1. Kirschbaum, deel 7, kol. 164-90.
2. De overeenkomsten met Vlaamse kunstwerken die Schneider 1915, pp. 58-60 noemt, zijn niet zo groot dat zij onmiskenbaar een voorbeeld voor de prent moeten hebben gevormd; evenmin erg nauw verwant is de prent van Schongauer (B.43, L.59) die het voorbeeld voor een glasruitje in het Schnütgenmuseum in Keulen moet hebben gevormd, dat ons inziens ten onrechte aan de Meester werd toegeschreven (Zie L. Behling, 'Eine Hausbuchmeisterscheibe im Kölner Schnütgenmuseum', *Festschrift für Friedrich Winkler*, Berlijn 1959, pp. 141-48).
3. De analogie met de Johannesschotels is voor het eerst opgemerkt door Schneider 1915, p. 62; zie verder Hutchison 1964, pp. 144-45 en idem, 1972, p. 41. Zie over de Johannesschotels: H. Arndt und R. Kroos, 'Zur Ikonographie der Johannesschüssel', *Aachener Kunstblätter* 38 (1969), pp. 293-328.
4. De geschilderde Johannesschotels uit de school van Dirk Bouts en zijn tijd, tonen over het algemeen Johannes met een serene uitdrukking (zie tent.cat. *Dirk Bouts en zijn tijd*, Leuven 1975, pp. 323-29).

36*
Amsterdam, Rijksprentenkabinet (coll. Van Leyden, port. 20, nr. 32: blad 4; Koninklijke Bibliotheek, 1807; Parijs, 1812-16, nr. 22; inv. OB:898): zeer goede druk, 83 x 89 mm (aan linkerzijde en onder plaatrand zichtbaar, boven en rechts waarschijnlijk onregelmatig afgeknipt, rechtsboven hoekje aangezet).
36a
Anoniem, Duits, laat vijftiende eeuw, Johannes-schotel (*Johannesschüssel*). Kalksteen, diameter 42 cm. Keulen, Schnütgenmuseum (inv. K 156).
37*
Amsterdam, Rijksprentenkabinet (coll. Van Leyden, port. 20, nr. 36?: blad 4; Koninklijke Bibliotheek, 1807; Parijs, 1812-16, nr. 24?; inv. OB:897): goede druk, 52 x 50 mm (langs beeld afgeknipt; gele vlekken, vuil deels verwijderd).

37

36

38*
Amsterdam, Rijksprenten-
kabinet (coll. Van Leyden,
port. 20, nr. 75: blad 21;
Koninklijke Bibliotheek,
1807; Parijs, 1812-16, nr. 56;
inv. OB:900): goede, niet
overal scherpe druk, 190 x
130 mm (onregelmatig afgeknipt, omtreklijnen slechts
ten dele zichtbaar; aanzienlijk aantal rode, groene en
zwarte vlekken grotendeels
mechanisch verwijderd;
beschadigingen in hoeken en
langs de randen kleine lacu-
nes).

38

38. H. Maarten te paard

(LI, 38 ; LII, 39), ca. 1475-80
Drogenaald, unicum, 190 x 130 mm.

¶ De H. Maarten groeide als zoon van een heidens legerofficier aan het begin van de vierde eeuw in Italië op. Als jongeman van vijftien werd hij als soldaat naar Frankrijk gezonden, en zo naderde hij op een koude winteravond de stadspoort van Amiens, toen hij een in lompen gehulde bedelaar zag, die hem om een aalmoes vroeg. Daar de H. Maarten niets bij zich had om hem te geven, nam hij zijn zwaard en sneed zijn mantel in tweeën, om deze met de arme man te delen. Kort daarna verscheen Christus aan hem in een droom, om hem mee te delen dat hij met dit gebaar niet alleen de arme man gekleed had, maar ook Christus zelf gediend had. De H. Maarten verlaat daarna de krijgsdienst, laat zich dopen en wijdt de rest van zijn leven aan het geloof, in latere jaren zelfs als bisschop van Tours.[1]

¶ Overeenkomsten in kleding en andere details en vooral in de wijze waarop de kruisarceringen zijn toegepast wijzen erop dat de Meester, Schongauers versie [38a] van het thema kende, toen hij de drogenaald maakte. Bij Schongauer zit de heilige niet op een paard – hij staat op de grond – en deelt de mantel, waarbij de kreupele bedelaar eerder als attribuut van de heilige optreedt, dan als dramatisch onderdeel van de gebeurtenis. De prent van de Meester komt dichter bij het oorspronkelijke verhaal. Waarschijnlijk heeft deze wijze van voorstellen te maken met de sculpturale traditie waarin de H. Maarten veelvuldig te paard wordt afgebeeld. Met name in Utrecht van welke stad de H. Maarten de beschermheilige is, zijn vergelijkbare beeldhouwwerken gemaakt.[2]

¶ De prent is waarschijnlijk één van de eerste waarbij de kunstenaar zich waagt aan een, voor zijn doen, groot formaat. Hoewel de ruimte voor de kop van het paard wat krap is gemeten, is de prent als geheel geslaagd, wellicht dankzij het plastische gebruik van verschillende combinaties van kruisarceringen (zie *afb. 26*), dat de Meester met name aan Schongauer te danken heeft.

¶ De vergelijking van de prent met de twee glasruitjes met hetzelfde thema, *H. Maarten te voet* te Amborch [136] en *H. Maarten te paard* [137] in Aschaffenburg, is interessant, omdat beide met het werk van de Meester in verband staan.

38a

38a*
Martin Schongauer,
H. Maarten, ca. 1475.
Gravure, 154 x 93 mm.
B.57, L.62.
Amsterdam, Rijksprentenkabinet (inv. OB:1044).

1. *Legenda aurea*, pp. 860-72; Kirschbaum, deel 7, kol. 572-79.
2. Hutchison 1972, p. 42, noot 134; tent.cat. *Middeleeuwse Kunst der Noordelijke Nederlanden*, Amsterdam, Rijksmuseum 1958, nrs. 293a, 300, en 302.

39. H. Michael

(LI, 39 ; LII, 40), ca. 1490
Drogenaald, unicum, 139 x 88 mm.

¶ De aartsengel Michael is de aanvoerder van Gods leger, dat de legers van de duivel bestrijdt.[1] Michael is bovendien de engel, die bij het *Laatste Oordeel* de zielen weegt en de uitverkorenen naar de hemel geleidt. Het gevecht van Michael met de duivel – dat de strijd tussen goed en kwaad symboliseert – is een bekend thema.

¶ Verschillende details wijzen er op dat de Meester Schongauers prent van de *H. Michael* [**39a**] als uitgangspunt moet hebben genomen. De vergelijking van beide prenten laat evenwel goed het verschil in temperament tussen beide kunstenaars zien.

¶ In Schongauers prent ontbreekt iedere dramatische handeling; de triomferende aartsengel heeft het kreeftachtige monster, dat onder zijn voeten ligt, stevig in bedwang. Net als de bedelaar in Schongauers prent van de H. Maarten [**38a**], lijkt

39

de duivel als een soort attribuut aan het beeld van Michael te zijn toegevoegd.

¶ Bij de drogenaald [39] ligt de nadruk op het gevecht, dat tussen hemel en aarde plaatsvindt, waarbij het duivelse monster zich hevig, maar tevergeefs tegen de aartsengel verzet. De strijd vindt plaats onder het goedkeurende oog van God die als zon van de gerechtigheid (*sol justitiae*) is voorgesteld, temidden van biddende engelen die op de rand van wolkjes leunen, waarmee de hemel gesymboliseerd wordt.[2]

¶ Binnen de beperkte ruimte, die aan de onderzijde door de aarde begrensd wordt, is het gevecht overtuigend weergegeven. Dit is één van de meest geslaagde late bladen van de Meester (zie *afb. 31*).

1. *Legenda aurea*, pp. 743-56; Kirschbaum, deel 3, kol. 255-65.
2. Hutchison 1972, pp. 42-43.

39a*
Martin Schongauer,
H. Michael, ca. 1480-90.
Gravure, 161 x 112 mm.
B.58, L.63.
Amsterdam, Rijksprenten-kabinet (inv. OB:1045).

39a

40*
Amsterdam, Rijksprenten-
kabinet (coll. Van Leyden,
port. 20, nr. 59: blad 16;
Koninklijke Bibliotheek,
1807; Parijs, 1812-16, nr. 45;
OB:893): zeer goede druk,
136 x 76 mm (langs
omtreklijnen afgeknipt).
40a*
Copie van ontwerpteke-
ning(?). Pentekening, 202 x
135 mm.
Erlangen, Graphische
Sammlung der Universität
Erlangen-Nürnberg (B.32).

40-41. H. Paulus

40. De bekering van de H. Paulus

(LI, 41 ; LII, 31), ca. 1475
Drogenaald, unicum, 136 x 76 mm.

41. H. Paulus, staande figuur op console

(LI, 40 ; LII, 30), ca. 1485-90
Drogenaald, unicum, 116 x 49 mm.

¶ Paulus, die oorspronkelijk Saulus heette, werd
aan het begin van de jaartelling in een strenge
Joodse familie geboren en was in zijn jeugd een
fanatiek vervolger van de eerste Christenen. Terwijl hij op weg was naar Damascus, om daar de
Christenen uit te roeien, werd hij door een licht-
flits uit de hemel verblind en op de grond gewor-

pen, waarna de stem van Christus tot hem sprak
(Handelingen 9:3-9). Daarna werd hij één van de
vurigste verkondigers van het Christelijke geloof.
Hij predikte in alle grote steden van Griekenland
en Klein Azië en verspreidde daar het Christelijke geloof. Hij wordt tenslotte door de Romeinen
gevangen genomen en in 69 in Rome onthoofd.[1]
¶ Meestal wordt zijn bekering afgebeeld op een
wijze die in allerlei details afwijkt van de beschrijving in de Handelingen; in de bijbel is er geen
sprake van een paard noch van een verschijning
van Christus: Paulus hoort slechts zijn stem, als
hij ten val komt. In de drogenaaldprent [40] is
het duidelijk dat Paulus door het licht verblind is.
Hij ziet de verschijning van Christus niet, maar
hoort alleen zijn woorden: 'Saul, Saul, waarom
vervolgt gij mij'. Voor de toeschouwer wordt door

40

40a

de verschijning van Christus in ieder geval wel duidelijk gemaakt waarom het gaat.

¶ Het is mogelijk dat met de stralen uit de hemel ook hagelstenen op Paulus neervallen, zoals dit op verschillende vijftiende-eeuwse afbeeldingen het geval is. Op de tekening in Erlangen [40a], die het spiegelbeeld van de prent vormt, en waarschijnlijk een latere copie is van een voorstudie voor de prent, is de regen van hagelstenen heel duidelijk.[2]

¶ De prent behoort tot het vroege werk van de Meester; evenals bij de *St. Joris te paard* [33] en de waarschijnlijk iets latere *St. Maarten* [38], heeft de compositie een zekere compactheid, en een grote directheid.

¶ Tot het late werk behoort de staande figuur van de H. Paulus [41]; slank van proporties en op

uiterst subtiele wijze met een zeer fijne drogenaald getekend. De afbeelding volgt de traditie, waarin Paulus gewoonlijk is afgebeeld met een lange baard en een kalend hoofd, terwijl hij een zwaard en een boek draagt. Het zwaard kan zowel geassocieerd worden met zijn onthoofding als met zijn vervolgingswoede, terwijl het boek met zijn bekering en het uitdragen van het geloof samenhangt.

¶ Hoewel de heilige niet in een nis geplaatst is, zoals de andere staande heiligen en de profeten op de prenten van de Meester, wordt ook in deze prent gesuggereerd dat het om een beeld gaat, dat op een console staat, in de vorm van een hurkende engel.

1. Kirschbaum, deel 8, kol. 128-147.
2. Hutchison 1972, pp. 43-44.

41*
Amsterdam, Rijksprentenkabinet (coll. Van Leyden, port. 20, nr. 54: blad 18 (als Petrus); Koninklijke Bibliotheek, 1807; Parijs, 1812-16, nr. 40; inv. OB:892): zeer goede druk, 115 x 47 mm (rechts, links en onder langs plaatrand afgeknipt; aan de bovenzijden zijn de hoeken schuin langs de figuur afgeknipt, bij een latere restauratie is dit aangevuld).

41

42-44. H. Sebastiaan

42. H. Sebastiaan met boogschutters

(LI, 44 ; LII, 43), ca. 1475-80
Drogenaald, unicum, 129 x 192 mm.

43. H. Sebastiaan aan de geselpaal, met rechter en beulsknecht

(LI, 42 ; LII, 41), ca. 1490
Drogenaald, unicum, 87 x 51 mm.

44. H. Sebastiaan in nis

(LI, 43 ; LII, 42), ca. 1490
Drogenaald, unicum, 95 x 40 mm.

¶ Sebastiaan was officier van de lijfwacht onder de Romeinse keizer Diocletianus (245-313). Op een dag kwam Diocletianus erachter dat Sebastiaan Christen was. De keizer eiste van hem dat hij dit geloof afzwoer; toen Sebastiaan dit weigerde, werd hij ter dood veroordeeld: in het Colosseum werd hij met pijlen doorschoten. Volgens één van de versies van de legende bleek, toen men zijn lichaam van de martelpaal losmaakte, dat hij de terechtstelling overleefd had. Niet lang nadat hij dankzij goede verpleging hersteld was, ontmoette hij de keizer en verweet hem zijn wreedheid als vervolger van het Christendom; Sebastiaan werd daarop gegrepen en doodgeknuppeld.[1]

¶ In de Middeleeuwen werd Sebastiaan, door zijn opmerkelijke genezing van de pijlwonden, een van de belangrijkste beschermheiligen tegen de pest. In de vijftiende-eeuwse Italiaanse schilder-kunst gaf de H. Sebastiaan kunstenaars de gele-genheid, de schoonheid van het mannelijk naakt, weliswaar met pijlen doorboord, weer te geven. Schongauers gravure [42a] is zeker het vroegste voorbeeld in het Noorden van een Sebastiaan die als een mooie naakte jongeman is afgebeeld. Het is goed mogelijk dat de Meester Schongauers prent kende, toen hij Sebastiaan met de twee boogschutters [42] maakte.[2]

¶ Opmerkelijk genoeg toont de drogenaald de naakte Sebastiaan, voordat hij door pijlen getrof-

42

fen wordt; de boogschutters beginnen juist met hun beulswerk. De tegenstelling tussen de serene lijdzame houding van de H. Sebastiaan en de drukke wreedheid van de beulsknechten is opmerkelijk direct weergegeven in een compositie, waarin iedere indicatie van een achtergrond ontbreekt. De beperking van het gebeuren tot drie figuren, zonder het aangeven van de achtergrond, vindt men ook in de veel primitiever devotionele houtsneden van dit onderwerp.[3]

¶ Wat het formaat en de stijl betreft behoort de grotere prent, net zoals de *H. Maarten*, tot het eerste rijpe werk van de Meester. Het blad wordt gewoonlijk aan het begin van de middenperiode geplaatst. De twee kleinere drogenaaldprenten met de H. Sebastiaan, beide met vrij zware drogenaaldpartijen, worden betrekkelijk laat gedateerd.

¶ De voorstelling van Sebastiaan met twee figuren, een toekijkende rechter, waarschijnlijk Keizer Diocletianus en een beulsknecht die de pijlen verwijdert [43], is uitzonderlijk. In hoeverre de aan-

wezigen zich ervan bewust zijn, dat de H. Sebastiaan het martelaarschap overleefd heeft, is niet helemaal duidelijk, al wijst de voorzichtige wijze waarop de beulsknecht de pijlen verwijdert daar wel op.

¶ De afbeelding van de met pijlen doorboorde *H. Sebastiaan in de nis* [44], is net als Schongauers prent [42a] een devotionele afbeelding, die bedoeld was om religieuze en vrome gevoelens te stimuleren. Het lijden van Sebastiaan is in deze prent sterker benadrukt door de wijze waarop zijn lichaam is weergegeven.

¶ De nis is op de prent net zo aangegeven als bij de bladen met de *H. Barbara* en de *H. Catharina* [46, 47], waardoor het voor de hand ligt, dat ook *Sebastiaan* een andere heilige in nis als tegenhanger heeft gehad, die niet bewaard is gebleven. Ook in deze gevallen denkt men aan afbeeldingen van óf voorbeelden voor beeldhouwwerken.

1. *Legenda aurea*, pp. 127-32; Kirschbaum, deel 8, kol. 318-323.
2. Hutchison, 1972, pp. 45-46.
3. Schreiber, nr. 1677.

42a
Martin Schongauer, *H. Sebastiaan*, ca. 1480-90. Gravure, 115 x 113 mm. B.59, L.65.

43*
Amsterdam, Rijksprentenkabinet (coll. Van Leyden, port. 20, nr. 23: blad 9; Koninklijke Bibliotheek, 1807; Parijs, 1812-16, nr. 18; inv. OB:902): zeer goede druk, 87 x 51 mm (langs omtreklijnen afgeknipt; rechter omtreklijn met zwarte inkt versterkt).

44*
Amsterdam, Rijksprentenkabinet (coll. Van Leyden, port. 20, nr. 42: blad 9; Koninklijke Bibliotheek, 1807; Parijs, 1812-16, nr. 27; inv. OB:903): zeer goede druk, 95 x 40 mm (langs omtreklijnen afgeknipt, afdruk iets afgewreven).

42a

43

44

45. H. Barbara (grote versie)

(LI, 46 ; LII, 45), ca. 1470-75
Drogenaald, unicum, 125 x 82 mm.

¶ Volgens de legende leefde Barbara in de derde eeuw als beeldschone dochter van een rijke hei-den die haar, om haar ver te houden van alle slechte invloeden van de wereld, opsloot in een toren. Barbara slaagde er toch in om zich regel-matig te laten opzoeken door een aanhanger van het Christelijk geloof en liet zich na enige tijd daartoe bekeren. Haar vader kwam daar achter toen zij verlangde dat de toren, ter ere van de Heilige Drieëenheid, drie vensters zou krijgen. Vertoornd over de halsstarrigheid van zijn doch-ter die haar geloof niet wenste af te zweren, greep hij het zwaard en onthoofdde haar.[1]

¶ De H. Barbara is gewoonlijk afgebeeld met de martelaarspalm en een toren die meestal drie vensters heeft. De drogenaaldprent behoort tot de vroegste werken van de Meester;[2] de compositie is eenvoudig, de gelaatstrekken zijn simpel en het kleed van de heilige heeft weinig volume; een technische onvolkomenheid is bovendien de brede barst in de plaat, die door het kleed van de heilige loopt.

¶ De contouren van de prent zijn doorgeprikt met de bedoeling om op deze wijze de voorstelling te kunnen overbrengen; waarvoor de doorgetrok-ken tekening gebruikt is, is niet bekend – men zou aan borduurwerk kunnen denken. Dit is in ieder geval een bewijs dat sommige prenten als model gebruikt werden.

1. Kirschbaum, deel 5, kol. 306-11. S. Peine, *St. Barbara und Ihre Darstellung in der Kunst*, Leipzig 1896.
2. Het is mogelijk dat de prent beïnvloed is door een verloren voorbeeld van Meester E.S., dat bekend is door copieën van de Meester van de Banderollen (L.72; afgebeeld bij Lehrs (Dover), 337) en de Meester van het Martelaarschap van de tienduizend (L.80; afgebeeld bij Hollstein, deel 12, p. 55).

46-47. H. Barbara en H. Catharina

46. H. Barbara (kleine versie)
(L_I, 45 ; L_{II}, 44), ca. 1485-90
Drogenaald, unicum, 120 x 40 mm.

47. H. Catharina in nis
(L_I, 47 ; L_{II}, 47), ca. 1485-90
Drogenaald, unicum, 119 x 38 mm.
Tegenhangers.

¶ De twee figuren van vrouwelijke heiligen, die met hun attributen op een console in een nis staan, zijn zeker als tegenhangers bedoeld, hoewel de consoles niet vanuit hetzelfde gezichtspunt zijn gezien. De H. Barbara is vaak samen met de H. Catharina afgebeeld; Barbara vertegenwoordigt daarbij het actieve leven en Catharina het beschouwelijke, contemplatieve leven.[1]

¶ De H. Catharina van Alexandrië leefde volgens de overlevering aan het begin van de vierde eeuw als een tot het Christendom bekeerde prinses in Alexandrië, die haar leven wijdde aan het prediken van het Christelijke geloof. Volgens de *Legenda aurea* had keizer Maxentius vijftig heidense wijsgeren bijeengebracht om de geloofsopvattingen van Catharina te weerleggen. Zij verdedigde tegenover hen het Christelijke geloof echter zo briljant dat zij hen allen overtuigde en tot het Christendom bekeerde. De keizer veroordeelde de wijsgeren tot de brandstapel en Catharina zou ter dood gebracht worden door een martelwerktuig dat bestond uit een met scherpe messen en tanden bezet rad. Een engel verhinderde het ten uitvoer brengen van het vonnis door de wielen te vernietigen, waarna de heilige onthoofd werd. De H. Catharina wordt daarom afgebeeld met het attribuut van martelaarschap, de palmtak, het zwaard waarmee zij onthoofd werd en met het rad.

¶ Boven de deur van de toren van de H. Barbara is als klein detail een ander attribuut, de miskelk met een hostie, afgebeeld; Barbara werd onder meer aangeroepen om te voorkomen dat men onvoorbereid – zonder de sacramenten – zou sterven.

¶ Beide afdrukken zijn bijzonder fraai, met diepzwarte drogenaaldpartijen. In stilistisch opzicht kunnen beide bladen laat in de ontwikkeling van de Meester worden geplaatst; zij behoren tot de late fase in het rijpe werk van de Meester (de zogenaamde 'hofstijl').

1. *Legenda aurea*, pp. 917-27; Kirschbaum, deel 7, kol. 289-96. De combinatie van beide heiligen komt ook al eerder in de prentkunst voor, onder meer bij Meester E.S. (L 160, 165) en bij Schongauer (B.63 en B.64; L.68 en L.69).
2. E. Klostermann und E. Seeberg, *Die Apologie der H. Katharina*, 1924.

48. H. Dorothea
(L_I, 48 ; L_{II}, 46), ca. 1485-90
Drogenaald, unicum, 98 x 48 mm.

¶ Volgens de *Legenda aurea* was Dorothea, tijdens de Christenvervolgingen onder Diocletianus, veroordeeld om onthoofd te worden. Op weg naar haar terechtstelling vroeg de gerechtsgriffier Theophilus aan haar op spottende toon om hem vanuit het Paradijs bloemen en vruchten te zenden, waarmee Dorothea instemde. Toen zij op het schavot neerknielde om een laatste gebed uit te spreken, stond er plotseling een knaapje naast haar, dat haar een mandje met vruchten en bloeiende rozen aanbood, ondanks het feit dat het midden in de winter was. Dorothea vroeg hem dit aan Theophilus te geven; deze bekeerde zich na haar terechtstelling tot het Christendom en werd eveneens martelaar.[1] Van de veertiende tot de zestiende eeuw wordt Dorothea vooral in Duitsland vereerd.

¶ De *H. Dorothea* is, volgens de traditie, afgebeeld als martelares met een palmtak en een bloemenkrans in het haar; zij neemt van een kindje een korfje met bloemen en appels aan. Zoals de hierboven beschreven pendanten met vrouwelijke heiligen [46-47] behoort de *H. Dorothea*, die op een zeer verfijnde en subtiele wijze getekend is, tot het latere werk van de Meester.[2]

1. *Legenda aurea*, uitgave *Der heiligen Leben und Leiden*, 2 delen, Leipzig 1913, deel 1, p. 365; Kirschbaum, deel 6, kol. 89-92.
2. Hutchison 1972, p. 47, merkt op dat het haar van het kind op dezelfde wijze in de plaat getekend is als bij het zegenend *Christuskind* (18): door kleine gaten in de plaat te boren, en hieromheen de krullen te tekenen.

48

49*
Amsterdam, Rijksprenten-
kabinet (coll. Van Leyden,
port. 20, nr. 70: blad 14;
Koninklijke Bibliotheek,
1807; Parijs, 1812-16, nr. 53;
inv. OB:910): magere druk,
194 x 135 mm (barst in plaat
loopt door tot onderste engelen rechts; geen omtrek-
lijnen; afdruk heeft door
beschadigingen, onder meer
langs horizontale midden-
vouw en door slijtage van
het oppervlak vrij sterk geleden; watermerk: gothische P
met bloem).
49a
Meester E.S., *De elevatie van
Maria Magdalena.*
Gravure, 165 x 127 mm.
L.169.
Berlijn-Dahlem, Staatliche
Museen Preussischer
Kulturbesitz.

49a

49-50. De elevatie van de H. Maria Magdalena

49. De elevatie van de H. Maria Magdalena met vijf engelen
*(Li, 50 ; Lii, 49), ca. 1480
Drogenaald, unicum, 194 x 135 mm.*

50. De elevatie van de H. Maria Magdalena met vier engelen
*(Li, 49 ; Lii, 48), ca. 1490
Drogenaald, unicum, 123 x 89 mm.*

¶ Volgens de *Legenda aurea* heeft Maria Magdalena, die na een aanvankelijk zondig leven tot Christus bekeerd was, zich gedurende dertig jaar als kluizenares in de barre wildernis teruggetrokken. Zij leefde in een grot en had afstand gedaan van alle wereldse behoeften als kleding en voedsel. Haar lichaam werd alleen door haar lange weelderige haar bedekt en iedere dag werd zij, zeven maal, door engelen in de hemel omhooggetild en door hemelse muziek gevoed.[1]

¶ Deze elevatie van de H. Maria Magdalena is in

49

de laat-Middeleeuwse Duitse kunst veelvuldig afgebeeld. In de vijftiende eeuw is daarbij haar lichaam met haar begroeid, zoals bij de 'Wildemannen' [zie **51-52**].

¶ Ook in de prent van Meester E.S. [**49a**] waarop de eerste grote versie van de Meester waarschijnlijk gebaseerd is, wordt Maria Magdalena zo afgebeeld.[2] In de drogenaald [**49**] is alleen de figuurgroep overgenomen en heeft het vruchtbare rotslandschap van Meester E.S. plaatsgemaakt voor een kaal, onherbergzaam bergland, dat beter bij de beschrijvingen van haar leven past.

¶ De drogenaaldprent is een van de grootste van de Meester. Helaas is de enig bewaarde afdruk gemaakt van de al tamelijk versleten plaat; bovendien heeft deze afdruk nogal geleden en is sterk gerestaureerd. Ook zonder dat was de prent in technisch opzicht nog verre van volmaakt, want blijkens de afdruk had de plaat twee sterke verticale barsten in het midden van het beeld. De gehavende staat waarin de afdruk tot ons gekomen is, wijst er wel op dat het blad als voorbeeld is gebruikt.[3]

¶ Veel fraaier is de afdruk van de latere versie van het thema [**50**], waarop de heilige met gevouwen handen door de vier engelen in de hemel wordt getild. Het ornamentale lijstwerk [zoals bij **21, 27, 75**], de schetsmatige tekening en de sterke drogenaaldpartijen, wijzen alle op een late datering. Waarschijnlijk is deze prent weer het voorbeeld geweest voor Dürers tekening van dit onderwerp in Coburg; Dürer heeft evenwel het lichaam van de heilige onbehaard getekend [**49b**].

1. *Legenda aurea*, pp. 470-82; Kirschbaum, deel 7, kol. 516-44; Husband 1980-81, pp. 100-11; Hutchison 1972, p. 48, noot 162-63.
2. Bernheimer 1952, p. 199, noot 29.
3. Hutchison 1972, pp. 48-49.
4. Tent. cat. *Albrecht Dürer*, Neurenberg 1971, nr. 139.

49b
Albrecht Dürer, *De elevatie van Maria Magdalena.*
Pentekening, 243 x 178 mm.
Winkler 38.
Coburg, Veste Coburg (inv. 2.97).
50*
Amsterdam, Rijksprentenkabinet (coll. Van Leyden, port. 20, nr. 70: blad 14; Koninklijke Bibliotheek, 1807; Parijs, 1812-16, nr. 53; inv. OB:909): goede, niet helemaal scherpe druk, met fijne inktvlekjes, 123 x 89 mm (langs omtreklijnen afgeknipt).

49b

50

51. Wildemans-vrouw met kinderen op een hert

(LI, 51 ; LII, 54), ca. 1475
Drogenaald, unicum, 106 x 78 mm.

52. Wildeman op een eenhoorn

(LI, 52 ; LII, 55), ca. 1475
Drogenaald, unicum, 92 x 84 mm.
Tegenhangers

¶ De mythe van de wildeman, een uit de verbeelding geboren persoonlijkheid, is typerend voor
het denken in de late Middeleeuwen: mensen
wier lichaam met haar begroeid was (soms ook
met bladeren) en die volgens hun instinct in de
vrije natuur leefden, spelen in tal van verhalen
een rol. De wildeman was enerzijds de personificatie van de zonde: primitief, gewelddadig en seksueel onverzadigbaar, maar vertegenwoordigde
anderzijds de vrije en gelukkige mensheid, die
ongehinderd door de beschaving in harmonie met
de natuur leefde. Hij boezemde de Middeleeuwer
weliswaar vrees in, maar wekte tegelijkertijd door
zijn ongebonden leefwijze in de natuur een zekere
jaloezie op bij de stedelingen.[1]

¶ De betekenis van de laat-Middeleeuwse afbeeldingen van wildemannen, die gedeeltelijk op de
mythische verhalen gebaseerd zijn, is door de
bovengenoemde dubbelzinnige houding niet
altijd even makkelijk te begrijpen. Men krijgt de
indruk dat in de late vijftiende eeuw het positieve
beeld van de vrije, in harmonie met de natuur
levende wildeman gaat overheersen.

¶ In de prent van de *Wildemansfamilie* [93] van
Meester b x g, die waarschijnlijk op een verloren
voorbeeld van onze Meester gebaseerd is, lijkt
een dergelijke positieve interpretatie voor de
hand te liggen.[2] Ook in de twee pendanten van de
Meester berijden de figuren op ontspannen wijze
hun rijdieren in complete harmonie met de
natuur.[3] Op de vijftiende-eeuwse speelkaarten
van bijvoorbeeld de Meester van de Speelkaarten
en Meester E.S. zijn de wildemannen veelvuldig
afgebeeld. Bij een kaartspel van de Meester van
de Speelkaarten zijn de verschillende reeksen
kaarten aangeduid met wilde bloemen, vogels,

51

52

herten, leeuwen en tenslotte wildemannen van twee typen; het ene begroeid met haar, het andere met bladeren. Dit wijst erop dat de maker hen eerder in verband bracht met de andere bewoners van het woud, dan met de leden van de maatschappelijke hiërarchie, die op de kaarten de hoofdfiguren vormen.

¶ Bij Meester E.S. vervullen wildemannen wel een hoofdrol op de speelkaarten. Op de lagere Knecht van de Vogels rijdt een wildeman op een eenhoorn, die hij aan staart en manen vasthoudt [52a].⁴ Waarschijnlijk heeft de Meester zich op deze gravure gebaseerd. Het lichaam van zijn wildeman is met bladeren bedekt en zijn hoofd met een kroon van takken; deze krans doet denken aan de verlovingskransen, die we bij jongelingen op verschillende prenten van de Meester [67, 70, 72] zien. De beide prenten van de Meester laten de nauwe band tussen wildemannen en wilde dieren zien: zonder zadel en leidsels berijden de figuren probleemloos hun dieren. De wildemans-vrouw zit met twee kinderen op een hert, symbool van trouw en eer en de wildeman rijdt op een eenhoorn, van oudsher zowel het symbool van maagdelijkheid, als van de onkuisheid, maar ook van getemde gewelddadigheid en vrouwenmacht.⁵ Volgens de legende kan de eenhoorn alleen gevangen worden door een maagd, omdat hij zijn legendarische kracht verliest wanneer hij het hoofd in de schoot van een vrouw legt. Zoals de eenhoorn op deze wijze getemd werd, zo zou de wildeman zijn ongeremde passie in het liefdesspel verliezen, waarna hij tot een trouwe minnaar werd.⁶

¶ Over het algemeen worden de beide prenten, op grond van hun eenvoudige opbouw en beperkte modellering, als vroeg werk beschouwd. De breedte van de contouren is zeer onregelmatig, wat er op wijst dat eerder de scherpe kant van een mes dan een fijne stift voor het graveren is gebruikt.

1. Hutchison 1972, p. 50; Husband 1980-81, nr. 35; Bernheimer 1952, pp. 47-48.
2. Husband 1980-81, pp. 138-39.
3. Bernheimer 1952, pp. 65-66.
4. Husband 1980-81, p. 139.

52a*
Meester E.S., *Wildeman op eenhoorn met vogel, Vogel unter*, ca. 1450, uit *Grote Kaartspel*. Gravure, 131 x 87 mm. L.269. Berlijn, Kupferstichkabinett (inv. 97:1891).

52a

53. Het gevecht tussen twee wildemannen te paard

(LI, 53 ; LII, 56), ca. 1475-80
Drogenaald, twee exemplaren bekend, 125 x 92 mm.

¶ De twee ruiters, die elkaar met uit de grond gerukte bomen te lijf gaan, zijn op uiterst potsier-lijke wijze weergegeven: hun 'harnas' bestaat, evenals het kleed van de paarden, uit een sierlijk ornamentaal bladwerk, waarvan nauwelijks enige bescherming verwacht kan worden, temeer daar het handen, armen en voeten onbedekt laat. Even curieus zijn de helmen, die in plaats van met een heraldisch helmteken, respectievelijk met een bosje knoflookknollen en met een bosje radijzen bekroond zijn. Dezelfde groente-attributen vinden we als bekroning op de helmen van een paar heraldische wapenschilden van de Meester uit dezelfde periode, die waarschijnlijk ook satirisch bedoeld zijn [**84, 85**].

¶ In al deze details lijkt de prent een parodie op het ridderlijk toernooi: niet alleen is de wapenrusting overdreven druk, hij is ook volledig ineffectief; de linker ruiter slaagt er zelfs niet in om zijn lans, een uit de grond gerukte boomstam, op de vereiste hoogte te brengen. Het overtollige heraldische ornament van de wapenrusting en de uit groente bestaande helmtekens vormen, in combinatie met de wildeman-attributen, een satire op ridder-lijke ambities.[1] Zulke parodieën, waarin wilde-mannen als tegenhanger van de Christelijke rid-der een hoofdrol speelden, treft men ook aan in miniaturen en op tapijten.[2]

¶ Het lijkt moeilijker de prent te verbinden met het dertiende-eeuwse verhaal over Hellekin en zijn wilde horde, die een golf van destructie op het Franse platteland aanrichtten en waarvan ver-teld wordt dat deze woestelingen een toernooi in het woud organiseerden, waarbij zij elkaar bevochten met bomen, die met wortel en al de grond uit waren gerukt. De wildemannen op de prent zijn niet zo afzichtelijk lelijk als Hellekin en

53.1

zijn volgelingen, van wie ook de gezichten met haar begroeid zijn.[3]

¶ De prent wordt gewoonlijk vroeg in de midden-periode van het werk van de Meester geplaatst en behoort tot de eerste prenten van een redelijk groot formaat. Het sierlijke ornamentale karakter van de 'kleding' van wildemannen en paarden is succesvol in de drogenaald getekend; zelfs de vacht van het hondje heeft opmerkelijke krullen gekregen. Helaas is geen van beide afdrukken erg goed bewaard; de Amsterdamse afdruk is verticaal doormidden gescheurd en langs de scheur sterk beschadigd en gerestaureerd; ook de Hamburgse afdruk [53-2] is vuil en beschadigd, maar geeft wel een beter beeld van de oorspronkelijke complete afdruk.

¶ In de spiegelbeeldige copie van Israhel van Meckenem [53a] is de hond weggelaten en de grond slechts met enkele lijnen aangegeven. De strijdende ruiters zijn ruimer en evenwichtiger in het midden van de compositie geplaatst en het ornamentale karakter van de kleding van de figuren is mede door de koelere graveerstijl geaccentueerd.[4]

1. Fundamenteel is de studie van Bernheimer 1952, waar ook vrij diep op literaire achtergronden wordt ingegaan. Afbeeldingen van de wildemannen in de beeldende kunst zijn aan de orde gekomen in twee tentoonstellingscatalogi: (Lise Lotte Möller) tent.cat., *Die Wilden Leute des Mittelalters*, Hamburg (Museum für Kunst und Gewerbe) 1963 en (Timothy Husband with assistance of Gloria Gilmore-House), tent.cat. *The Wild man: medieval myth and symbolism*, New York (The Metropolitan Museum of Art) 1980-81, geciteerd als Husband 1980-81.
2. Zie Bernheimer 1952, p. 115 en Husband 1980-81, pp. 13, nrs. 32-33.
3. Zie Bernheimer 1952, p. 6; Husband 1980-81, nr. 47, afb. 113.
4. Zie Hutchison 1972, p. 50; Husband 1980-81, nr. 47.
5. Zie Bernheimer 1952, p. 161; Husband 1980-81, nr. 28 en nr. 36; zie ook Hutchison 1972, p. 49, die het hert als symbool van lust ziet, en daarmee pleit voor het idee van Kaiser, dat de beide prenten respectievelijk de kuisheid (man) en onkuisheid (vrouw met kinderen) uitbeelden.
6. Zie Bernheimer 1952, p. 136; Husband 1980-81, nr. 15.
7. Zie Hutchison 1972, p. 49.

53.2
Hamburg, Kunsthalle (coll. Ottley, Londen, 1837; inv. 3711): goede, grijze afdruk, 125 x 192 mm (langs plaatrand afgeknipt, kleinere en grotere beschadigingen, restauraties en vlekken; watermerk: kleine ossekop met stang en ster).
53a*
Spiegelbeeldige copie door Israhel van Meckenem, zonder hondje, ca. 1480. Gravure, 155 x 220 mm. B.200, L.491. Amsterdam, Rijksprentenkabinet (inv. OB:1140).

53.2

53a

54.1*
Amsterdam, Rijksprenten-
kabinet (coll. Van Leyden,
port. 20, nr. 90: blad 25, als
'Socrates en Xantippe';
Koninklijke Bibliotheek,
1807; Parijs, 1812-16, nr. 64;
inv. OB:917): zeer goede
scherpe druk (fijne zwarte
vlekjes in de plaat, zijn in
andere afdrukken minder
sterk aanwezig), diameter
158 mm (met randje om
omtreklijn; aan bovenzijde
ontbrak strook van ca. 15
mm; deze is aangevuld, de
voorstelling is daar helemaal
niet door aangetast; kleine
beschadiging bij mond Aristoteles en enkele vlekken aan
de onderzijde; watermerk:
ossekop met stang en ster).

54. Aristoteles en Phyllis
(LI, 54 ; LII, 57), ca. 1485
Drogenaald, vier exemplaren bewaard, diam. 155 mm.
Tegenhanger van de prent *Salomo's afgoderij* [7]

¶ Deze prent toont, als tegenhanger van *Salomo's
afgoderij*, een ander voorbeeld van de dwaas-
heden, waartoe een wijs man onder invloed van
een vrouw kan vervallen. Het verhaal over Aristoteles – de grote filosoof uit de Oudheid – die zich
als paard, kruipend op handen en voeten, laat
berijden door de schone Phyllis, is niet gebaseerd
op een historische gebeurtenis, maar wordt in de
dertiende eeuw beschreven door een geestelijke,
Jacques de Vitry, die er op uit is de klassieke filosofie in discrediet te brengen. De geschiedenis is
in de late Middeleeuwen zeer populair en bestaat
in vele, vaak sterk uiteenlopende versies.

¶ De twee toeschouwers op de prent van de Meester
wijzen er op dat de prent gebaseerd is op het vijftiende-eeuwse Duitse Vastenavondspel *Ain spil
von Maiser Aristoteles*, waarin Aristoteles, een
naamloze koning en koningin, en een klerk, een
rol spelen. Nadat de koning Aristoteles heeft
geprezen, omdat hij totaal ongevoelig zou zijn
voor mooie vrouwen, besluit de koningin om hem
te verleiden. Aristoteles is inderdaad diep getroffen door haar charmes en biedt aan haar te onder-
wijzen. Zij geeft er echter de voorkeur aan om zich
op zijn rug te laten rondrijden; sarcastisch merkt
zij daarbij op hoe prettig het is om een paard vol
met kennis te berijden. De koning, die met de

54.1

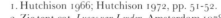

klerk dit schouwspel gadeslaat, wijst de wijsgeer er tenslotte op hoe zeer hij zich heeft laten vernederen door een vrouw.[1]

¶ Evenals bij *Salomo's afgoderij* is in de prent gebruik gemaakt van het ronde formaat (waarschijnlijk afgeleid van de ronde glasruitjes, zie **136-37**), waarbinnen de gebeurtenis op levendige en geestige wijze is afgebeeld; anders dan in verschillende vroeg zestiende-eeuwse prenten, waarop Phyllis als een soort feeks met harde hand de zweep over de wijsgeer legt,[2] is zij hier als een charmante, speelse jonge vrouw weergegeven, die Aristoteles weliswaar belachelijk maakt, maar niet diep kwetst.

¶ Deze prent en zijn tegenhanger *Salomo's afgoderij* [7] tonen hoe twee mannen uit de Oudheid, die tijdens de Middeleeuwen het meest bewonderd werden – de wijze vorst Salomo uit de bijbel en de heidense filosoof en geleerde Aristoteles – zichzelf door hun toewijding aan een vrouw belachelijk maken. Zoals elders (p. 61) uiteen wordt gezet, is het mogelijk dat hiermee tevens een aanval wordt gedaan op de aanhangers van de filosofie van Thomas van Aquino, waarin de opvattingen van Aristoteles zo'n grote rol spelen. Evenals *Salomo's afgoderij* [7] is de prent een hoogtepunt in het rijpe werk van de Meester en moet zij waarschijnlijk kort vóór 1488 gedateerd worden.

1. Hutchison 1966; Hutchison 1972, pp. 51-52.
2. Zie tent.cat. *Lucas van Leyden*, Amsterdam 1978, pp. 56-57; van de tijdgenoten van de Meester, heeft alleen Meester BR het thema afgebeeld, zie Lehrs, deel 6, p. 308, nr. 13, afgebeeld bij Lehrs (Dover), 436.

54.2
Coburg, Veste Coburg, (coll. Brandes, 1796; inv. K.530): zeer goede druk, diameter 156 mm (aan linker- en rechterzijde iets van beeld afgesneden, verder langs omtreklijn afgeknipt; met monogram M+S(*chongauer*).

54.3
Oxford, Ashmolean Museum (Bodleian Library, Douce bequest, 1834; inv. S 24-2): goede, wat ongelijkmatige, niet overal scherpe druk, met sterke zwarte drogenaaldpartijen, diameter ca. 160 mm (langs plaatrand afgeknipt, best bewaarde afdruk).

54.4
Wenen, Albertina (Hofbibliotheek; inv. 314/1928): goede druk, diameter 153 mm (iets binnen omtreklijn afgeknipt).

54.2

54.3

54.4

55*
Amsterdam, Rijksprenten-
kabinet (coll. Van Leyden,
port. 20, nr. 21: blad 3;
Koninklijke Bibliotheek,
1807; Parijs, 1812-16, nr. 16;
inv. OB:932): magere druk,
111 x 94 mm (aan bovenzijde
afgeknipt; vlekkerig met
kleine verspreide restauraties).
55a
Spiegelbeeldige copie door
Israhel van Meckenem.
Gravure, 146 x 114 mm.
L.489.

55-56. Ongelijke liefdesparen
(L1, 55 en 56; L11, 74 en 73), ca. 1475-80

55. Jonge vrouw en oude man
Drogenaald, unicum, 111 x 94 mm.

56. Jongeman en oude vrouw
Drogenaald, unicum, 125 x 98 mm.

¶ Het thema van de 'ongelijke liefde', waarin een jonge, mooie vrouw (of man), een oude, rijke man (of vrouw) trouwt, omwille van het geld, heeft een lange literaire traditie, die teruggaat tot de Oud-heid. Een dergelijke verbintenis werd gezien als iets dat tot mislukken gedoemd was en waarin beide betrokkenen zichzelf belachelijk maakten: de oudere is niet in staat aan de behoeften van de jongere te voldoen en de jongere ontbeert de 'ware liefde'.[1]

¶ Hoewel het thema enkele malen in randversierin-gen van handschriften is afgebeeld, zijn dit de vroegste prenten met dit onderwerp. De ongelijke liefdesparen van de Meester vormen het begin van een lange reeks van voorstellingen met dit thema, die in de zestiende-eeuwse prent- en schil-derkunst, in het bijzonder in het werk van Bal-dung Grien en Cranach, een hoogtepunt bereikt.[2] De moraliserende betekenis van de ongelijke lief-

desparen is onmiskenbaar en wordt hier geaccen-tueerd door de spreukbanden boven de figuren, die suggereren dat tussen beide partners een dia-loog plaatsvindt.

¶ De bruidskrans van de jonge vrouw geeft aan dat zij met de oude man gaat trouwen; de man lijkt betoverd door haar schoonheid en zij accepteert, met gretige blik op zijn geld, zijn toenadering met een hautaine terughoudendheid. Tussen de jongeman en de oude vrouw is van een emotionele band nog minder sprake; hoewel de jongeman zijn armen om haar heen heeft geslagen schijnen zij meer door geldzaken dan door tedere gevoe-lens verbonden te worden.[3] Men wordt hier her-innerd aan de *Jongeman* die Dürer afbeeldt en door Sebastiaan Brandt beschreven is in het *Narren-schip* uit 1494; hij is een dwaas omdat hij een oude vrouw trouwt om geld, want geld is nauwelijks een troost voor het leven met een oude feeks [**56b**].[4] Het is de vraag of beide prenten van de Meester tegelijkertijd als tegenhangers van elkaar zijn gemaakt. De drogenaaldtechniek en vooral het type arceringen van de *Jonge vrouw en de oude man* lijken wat eenvoudiger en daardoor wat vroeger dan die in het tweede paar. Men kan zich afvragen of de versleten toestand van de plaat, waarvan de enige bewaarde afdruk van de *Jonge vrouw en oude man* is gemaakt, niet de voornaamste

55

55a

reden van deze verschillen is. Ondanks het ontbreken van sterke drogenaaldpartijen, van zware contouren en van een zekere variatie in de arceringen, zijn er toch genoeg formele parallellen, waardoor een ontstaan in dezelfde tijd, in de middenperiode ca. 1475-80, te verdedigen is.

¶ Er is gesuggereerd dat de 'ongelijke liefde' van de *Jonge vrouw en oude man*, oorspronkelijk een 'gelijk' ('jong') liefdespaar als tegenhanger heeft gehad, dat alleen bekend is uit een copie van Meester b x g [105]. Deze gedachte is aantrekkelijk, maar afgezien van verwantschap in de gelaatstypen tussen beide vrouwen ontbreken in de compositie verdere formele overeenkomsten. In de spiegelbeeldige copieën van Israhel van Meckenem zijn de twee 'ongelijke liefdesparen' in ieder geval tegenhangers geworden. Het is waarschijnlijk vooral te danken aan deze copieën, waarvan tientallen afdrukken bewaard zijn, dat het thema een zo brede verspreiding heeft gevonden.

1. Stewart 1977, pp. 13-34.
2. Stewart 1977, pp. 139-161.
3. Hutchison 1972, pp. 52-53.
4. Stewart 1977, pp. 58-59.
5. Hutchison 1972, pp. 52-53, heeft voor het eerst uit de verschillen tussen beide prenten geconcludeerd, dat **55** eerder en zelfstandig is ontstaan, wellicht als tegenhanger van een verloren gegane prent van de Meester [zie **105**].

56b

56*
Amsterdam, Rijksprentenkabinet (coll. Van Leyden, port. 20, nr. 22: blad 3; Koninklijke Bibliotheek, 1807; Parijs, 1812-16, nr. 17; inv. OB:933): zeer goede druk, 125 x 98 mm (langs omtreklijnen afgeknipt; in rechter bovenhoek ontbreekt hoekje).
56a
Spiegelbeeldige copie door Israhel van Meckenem. Gravure, 147 x 115 cm. L.488.
56b.
Albrecht Dürer, *Oude vrouw en jonge dwaas*, 1494. Houtsnede in Sebastian Brandt, *Narrenschiff*, hoofdstuk 52.

56a

56

57. De drie levende en de drie dode koningen
*(L*I*, 57 ; L*II*, 52), ca. 1485-90*
Drogenaald, twee exemplaren bewaard, 124 x 185 mm.

¶ De geschiedenis van de *Drie levenden en de drie doden*
wordt voor het eerst in de dertiende-eeuwse
Franse minstreelpoëzie beschreven; er bestaan
uiteenlopende Franse, Engelse en Italiaanse versies van, waarin de dialoog tussen de levenden en
doden steeds centraal staat. Het verhaal vertelt
dat drie jonge edellieden in een eenzame streek op
jacht zijn en daarbij een oud kerkhof passeren.
Opeens staan drie doden voor hen; hun uitgeteerde, door wormen aangevreten, lichamen boeze-
men de levenden schrik in. Op dat moment beginnen de doden te spreken over hun vroegere aardse
leven, vol overmoed, ijdelheid en genotzucht. Zij
manen de levenden hun zondig leven te laten
varen, omdat zij daar later voor moeten boeten:
'Wat jullie nu zijn, zijn wij geweest; wat wij zijn,
zullen jullie worden.' Het is een vermaning om in
het leven reeds aan de dood te denken, om het
ijdele wereldse leven de rug toe te keren en door
het geloof in God tot inkeer te komen.[1]

¶ De geschiedenis is typerend voor de laat-Middeleeuwse denkwereld, waarin wereldse en religieuze elementen samenkomen: de vergankelijkheid van wereldse pracht en genotzucht wordt
gesteld tegenover het heil van de verlossing door
Christus.[2] In één van de vroegste berijmde versies
van het verhaal wordt de verschijning van de
doden ook als een spiegel voorgesteld, die door
God aan de drie levenden wordt getoond als
waarschuwing tegen een ijdel en hoogmoedig
leven.[3] Het onderwerp is vanaf de veertiende
eeuw vaak afgebeeld, niet alleen in miniaturen als
illustratie bij de gebeden voor doden en sterven-
den in Getijdenboeken (zie *afb. 5*), maar ook,
vooral in Italië, in muurschilderingen bij kerk-
hoven en dergelijke.

¶ De meeste vroegere voorstellingen hebben een
tamelijk statisch karakter: de doden staan (óf liggen in grafkisten) tegenover de edellieden, die te
voet of te paard zijn afgebeeld; weliswaar tonen
deze zich soms wat geschrokken van het huive-
ringwekkende uiterlijk van de doden, maar van
een dramatische schrikreactie als in de prent van
de Meester is zelden sprake. De paarden en honden maken duidelijk dat de ontmoeting tijdens de
jacht plaats vindt; de botten op de grond bij de
doden suggereren dat dit in de nabijheid van een
begraafplaats gebeurt. De doden zijn niet als ske-

57.1

letten voorgesteld maar als uitgeteerde menselijke wezens. De levenden zijn door hun kronen
gekarakteriseerd als keizer,[4] koning en hertog;
hoewel de kronen van de doden niet helemaal
identiek zijn, ligt het voor de hand, dat zij
dezelfde maatschappelijke standen belichamen.

¶ Op een ongewoon dramatische wijze is de ontmoeting voorgesteld: als door de bliksem getroffen stuiven de levenden uiteen, het paard van de
keizer steigert, achter hem vlucht een levende
koning weg, die wordt vastgehouden door zijn
dode evenbeeld. De Meester is er op verrassende
wijze in geslaagd door gelaatsuitdrukking en
gebaar de individuele emotionele reacties van de
zes hoofdfiguren te karakteriseren. Het is mogelijk om zwakke kanten in tekening en compositie
aan te wijzen (met name het linker paard is sterk
verkort om het op de plaat te laten passen), maar
de prent blijft de meest uitzonderlijke en overtuigende afbeelding van dit thema in de grafiek.[5]

¶ De prent is met zo'n dunne naald of stift in de
plaat getekend, dat de drukinkt in de fijne lijnen
niet erg goed heeft gepakt en beide bewaarde
afdrukken grijs en enigszins onscherp gedrukt
zijn. De fijne, zeer subtiele tekening en arceringen
wijzen er op dat het blad tot het late werk van de

57a

Meester moet worden gerekend. Dürers tekening
van het ruitergezelschap te paard [57a] uit 1489
is wat opbouw en compositie betreft zo verwant
aan de drogenaaldprent, dat men moet aannemen, dat Dürer de prent kende.[6]

1. De meest recente behandeling van dit thema, W. Rotzler, *Die
   Begegnung der drei Lebenden und der drei Toten*, Winterthur 1961.
2. Johan Huizinga, *Herfsttij der Middeleeuwen*, Leiden 1919, hoofdstuk XI.
3. Zie Rotzler, pp. 22-25.
4. Het merk op de flank van het steigerende paard waarop de
   keizer zit, is het symbool van de keizerlijke macht nog als een
   extra aanwijzing getekend.
5. Hutchison 1972, p. 54.
6. E. Panofsky, *Albrecht Dürer*, Princeton 1943, p. 20.

57.2
Stuttgart, Graphische
Sammlung (inv. A 8700):
goede, grijze, niet overal
scherpe druk, 124 x 192 mm
(omtreklijn boven ontbreekt,
plaatrand rechtsonder en
links zichtbaar; met ver-
spreide vlekken en beschadigingen).
57a.
Albrecht Dürer, *Gezelschap te
paard*, 1489.
Tekening, 201 x 309 mm.
W. 16.
Vroeger Bremen, Kunsthalle
(verloren in 1945).

57.2

58. Jongeman en de Dood
(LI, 58 ; LII, 53), ca. 1485-90
Drogenaald, twee exemplaren bewaard, 141 x 87 mm.

¶ De confrontatie van de Jeugd met de Dood is een centraal motief in de laat-Middeleeuwse literatuur.[1] In deze prent is daarvoor een zeer overtuigende visuele vorm gevonden. De jongeman, wiens uiterlijk alles toont wat vergankelijk is: schoonheid, sensualiteit, weelderige kleding, staat oog in oog met de Dood, die zijn evenbeeld schijnt te zijn. De jongeman heeft lang krullend haar dat op het hoofd wordt bijeengehouden door een (metalen) haarband en is gekleed in een wambuis met daarover een kort manteltje, lange hozen (een strak om de benen gespannen broek) en zeer lange spitse tootschoenen ('schnabelschuhe'). Aan zijn gordel hangen een beurs en een dolk (als een phallus-symbool?). De Dood is kalend, mager en uitgeteerd en zijn naakte lichaam is slechts gedeeltelijk met een doek bedekt. De bloemen naast de jongeman symboli-

seren de lente en zijn jeugd, het gras bij de Dood de vergankelijkheid. De pad en de slang zijn zowel symbolen van de wellust als van het verval en de dood die daarop volgt.[2]

¶ Evenals in de *Drie levende en de drie dode koningen* [57] schijnt de Dood de jongeman te wijzen op de kortstondigheid van de wereldse genoegens en te herinneren aan de noodzaak om voor het zieleheil te zorgen door God te dienen. De vergankelijkheid van het leven, kreeg omstreeks 1470 eveneens in het Rijnland treffend gestalte in een geschilderd *Portret van een staand bruidspaar* [58c], waar op de achterzijde een 'dood' echtpaar is afgebeeld, dat door slangen, padden en dergelijke, verteerd wordt.[3] Waar bij het schilderij de dood en het verval de keerzijde vormen van het teder geportretteerde paar, dat in de bloei van hun leven is, verbeeldt de prent de ontmoeting van beide uitersten.

¶ Visueel minder sterk is de prent van Meester BR van de *Jongeman en de Dood*, waarop de Dood met één voet in de doodskist staat en de jongeling bij

58.1

zijn cape vastgrijpt [58d]. Deze afbeelding is verbonden met eerdere voorstellingen van *Luxuria* of *Voluptas* (wellust), waarvan de kortstondigheid nog eens door de dood benadrukt wordt.[4]

¶ Ook wat de toepassing van de drogenaaldtechniek betreft is deze prent van de Meester zeer geslaagd, blijkens de twee bewaard gebleven diepzwarte afdrukken. De kruisarceringen, die in de vroegere prenten voor de modellering zorgden, hebben plaats gemaakt voor een stelsel van zeer fijne naast elkaar geplaatste lijntjes, die de vormen volgen en voor diepzwarte schaduwen zorgen (*afb. 21*).

¶ Dezelfde verzameling, waaruit de prenten van de Meester in Amsterdam afkomstig zijn, bevatte ook een met de pen getekende, waarschijnlijk laat vijftiende-eeuwse copie van de prent [58b]. In twee vroege gravures van Dürer komt het motief van de Jeugd en de Dood terug. In de *Wandeling: het jonge paar en de Dood* [58f] herinnert de Dood, die achter een boom staat, de geliefden aan de vergankelijkheid van het leven. In de *Jonge vrouw*

58c

58a.*
Getekende copie in pen, 124 x 76 mm.
Amsterdam, Rijksprentenkabinet (coll. Van Leyden, port. 20, nr. 78a: blad 23; inv. 00:515).
58b.
Copie van Jongeman, met zwaard in plaats van mes en geldbuidel.
Gravure, 92 x 68 mm, gemonogrammeerd IMG en getekend Heinrich. L.53a.
Dresden, Kupferstichkabinett (inv. 14819).
58c.
Ulmse Meester, ca. 1460-70, *Staand bruidspaar.*
Paneel, 64,5 x 39 cm.
Cleveland (Ohio), Cleveland Museum of Art.
Vroeger op de achterzijde: *Staand dodenpaar.*
Straatsburg, Museum.
58d.*
Monogrammist B R, *Jongeling en de Dood.*
Gravure, 167 x 144 mm.
L.15.
Wenen, Albertina (inv. 1928:247).

58d

58b   58a

58e.*
Albrecht Dürer, *Jonge vrouw bedreigd door de Dood*, ca. 1494.
Gravure, 113 x 120 mm.
B.92. M.76.
Amsterdam, Rijksprentenkabinet (inv. OB:1260).

58f.*
Albrecht Dürer, *Het jonge paar en de Dood*, ca. 1496.
Gravure, 192 x 120 mm.
B.94. M.83.
Amsterdam, Rijksprentenkabinet (inv. OB:1264).

bedreigd door de Dood of *de Verkrachter* [**58e**] is het, zoals uit de twee verschillende titels blijkt, niet zo zeker of het om de Dood of een duivels monster gaat, die de jonge vrouw bedreigt. De nerveuze graveerstijl en de dramatische wijze, waarop de gebeurtenis is weergegeven, herinneren sterk aan de prenten van de Meester, zonder dat daarmee een direct inhoudelijk verband bestaat.

1. Johan Huizinga, *Herfsttij der Middeleeuwen*, Leiden 1919, hoofdstuk IX.
2. Hutchison 1972, p. 55.
3. Zie Ernst Buchner, *Das deutsche Bildnis der Spätgotik und der frühen Dürerzeit*, Berlijn 1953, pp. 170-75, vergelijk ook pp. 58-60.
4. Horst W. Janson, 'A Memento Mori among Early Italian Prints', *Journal of the Warburg and Courtauld Institute* 3 (1939), pp. 243-248.
5. Tent. cat. *Albrecht Dürer*, Neurenberg 1971, nr. 143.

58f

58e

59-61. Spelende kinderen
(Li, 59-61; Lii, 61-63), ca. 1470-75

59. Zittend kind
Drogenaald, unicum, 48 x 44 mm.

60. Twee spelende kinderen
Drogenaald, unicum, 74 x 64 mm.

61. Twee spelende kinderen
Drogenaald, unicum, 51 x 70 mm.

¶ De spelende kinderen behoren tot de meest ver-rassende prenten van de Meester. In de kleine bladen zijn de peuters met grote tederheid en humor in hun spel geobserveerd. Het spel bestaat uit het ontdekken van de wereld om hen heen en van de mogelijkheden van hun eigen lijfjes; zitten, staan, iets aangeven, op je hoofd staan, de wereld op z'n kop zien, op je rug liggen, je voeten over elkaar zetten: de eerste ervaringen van het kind in de wereld.

¶ Twee van de drie prentjes van de Meester zijn gecopiëerd door Meester b x g [**60**a, **61**a]; ook van de andere prentjes met spelende kinderen van Meester b x g mag men aannemen dat deze teruggaan op verloren werk van de Meester. Zij tonen hetzelfde directe observatievermogen en één ervan laat het jongetje dat op zijn hoofd staat [**61**] van de andere kant zien [**61**c]. Uit de bewaarde prenten van de Meester blijkt dat Meester b x g in zijn copieën hier en daar wat gras en een rots heeft toegevoegd om de ruimte rond de figuren wat te vergroten. Maar de kinder-tjes zelf heeft hij zeer letterlijk gecopieerd.

¶ Elf van de twaalf kindertjes die op de prenten van Meester b x g zijn afgebeeld, vinden we als op een modelblad geordend terug in een gravure die als jeugdwerk van Israhel van Meckenem wordt gezien [**61**g].[1]

¶ In de prentjes van de Meester zijn de kindertjes op zo'n treffende directe wijze afgebeeld, dat men zich afvraagt of daarbij nog sprake is van een diepere, verborgen betekenis. Ook de vraag naar de mogelijke functie van de bladen laat zich moei-lijk beantwoorden. Het ligt het meest voor de hand dat zij zijn gemaakt als modellen voor marge-illustraties bij het verluchten van Getij-denboeken. Net als honden, poezen, apen en der-gelijke werden zo nu en dan kleine kindertjes op een directe levensechte wijze in de randen van geïllustreerde Getijdenboeken afgebeeld (zie *afb. 44*).[2] Er is tenminste één geval bekend, waarin één van de kinderen via een spiegelbeeldige copie

59

60

61

59a.
Getijdenboek van Hertog Eberhard, randillustratie fol. 42r.
Stuttgart, Landesbibliothek, Brev. Q.I.

60a.
Spiegelbeeldige copie van Meester b x g.
Gravure, 87 x 76 mm. *L.II (b x g), 11.*
Dresden, Kupferstichkabinett (inv. A 444).

61a.
Spiegelbeeldige copie van Meester b x g.
Gravure, 84 x 75 mm. *L.II (b x g), 13.*

61b.
Meester b x g, *Twee spelende kinderen.*
Gravure, 84 x 76 mm. *L.I, 95; L.II (b x g), 10.*
Dresden, Kupferstichkabinett (inv. A 443).

61c.1
Meester b x g, *Twee spelende kinderen.*
Gravure, 85 x 77 mm. *L.I, 96; L.II (b x g), 12.*
Dresden, Kupferstichkabinett (inv. A 433).

van Meester b x g voor een marge-illustratie is gebruikt [**59**a].

¶ De drie bewaarde prentjes van de Meester behoren tot zijn vroege werk: de tekening is eenvoudig, de modellering van de lichamen beperkt zich tot smalle banen arceringen en de pupillen van de ogen van de kinderen zijn met een eenvoudige stip aangegeven.

¶ Van de twee andere prenten met spelende kinderen door Israhel van Meckenem [**61**h,i] is in het verleden wel aangenomen dat zij teruggaan op verloren bladen van de Meester, maar het ligt meer voor de hand dat het hier Van Meckenems eigen inventie betreft, weliswaar zonder twijfel

geïnspireerd door de prentjes van de Meester. De twee prenten, waarin de figuren tegen een donkere gearceerde achtergrond zijn geplaatst, behoren tot Van Meckenems late werk. Zij tonen wat oudere kinderen, die zich met allerhande speelgoed amuseren. Ook hier is de betekenis van de voorstellingen moeilijk te duiden, al is het in deze gevallen goed mogelijk dat het om allegorieën of illustraties van spreekwoorden gaat.

1. Lehrs, deel 8, pp. 139-141; Hutchison 1972, p. 56.
2. In het *Getijdenboek* van de Meester van Catharina van Cleef in Den Haag (zie p. 14), is in de rand van fol. 35v een lezend kindje afgebeeld.

59a

60a

61a

61b

61c

61d

61e

61f

61g

61c.2*
München, Graphische
Sammlung (inv. 10932):
59 x 78 mm (aan bovenzijde
afgeknipt).
61d.*
Meester b x g, *Kind met
pappot zittend in het gras.*
Gravure, diameter 62 mm.
L.I, 92; L.II (b x g), 7.
Wenen, Albertina (inv.
1928:329).
61e.*
Meester b x g, *Kind in het bad.*
Gravure, diameter 77 x 66
mm. *L.I, 935; L.II (b x g), 8.*
Wenen, Albertina (inv.
1928:327).
61f.*
Meester b x g, *Kind zittend in
het gras.*
Gravure, 74 x 64 mm. *L.I,
945; L.II (b x g), 9.*
Wenen, Albertina (inv.
1928:328).
61g.*
Israhel van Meckenem, *Elf
kinderen in verschillende
houdingen.*
Gravure, 149 x 98 mm.
L.490.
Wenen, Albertina (inv.
1930:1842).
61h.*
Israhel van Meckenem,
Het kinderbad.
Gravure, 110 x 142 mm.
L. 478.
Wenen, Albertina (inv.
1928:1242).
61i*
Israhel van Meckenem,
Spelende kinderen.
Gravure, 109 x 139 mm.
L. 479.
Wenen, Albertina (inv.
1926:1244).

61h

61i

62. Doedelzakspeler

(LI, 62 ; LII, 65), ca. 1470-75
Drogenaald, unicum, 78 x 53 mm.

¶ De in een lange mantel gehulde man zit op een rots en bespeelt zijn instrument. Zijn kleding en kale hoofd doen vermoeden dat het om een hofnar gaat, een type dat vaker als doedelzakspeler werd afgebeeld.

¶ De doedelzak heeft, zeker wanneer hij door een nar bespeeld wordt, een obscene betekenis.[1] Het is echter de vraag of zo'n interpretatie bij dit prentje voorop moet staan. Doedelzakspelers behoren van de dertiende tot laat in de vijftiende eeuw tot het vaste repertoire van marge-illustraties in Getijdenboeken en dergelijke.[2] De weinig directe en schematische wijze waarop de figuur is afgebeeld wijst erop dat de drogenaald op een dergelijk voorbeeld gebaseerd is. Mogelijk is de prent gemaakt als model voor marge-illustraties.

¶ Het prentje behoort tot het vroegste werk van de Meester: de arceringen zijn enigszins mechanisch toegepast en geven nauwelijks een suggestie van volume en ruimte.

1. Zie Keith P.F. Moxey, 'Master E S and the folly of love', *Simiolus* 11 (1980), pp. 125-148, speciaal 128-131.
2. Lilian M.C. Randall, *Images in the margins of gothic manuscripts*, Berkeley/Los Angeles 1966, p. 174. Een doedelzakspelende man vindt men ook in de marge van het Haagse *Getijdenboek* afgebeeld op fol. 52v. Hutchison 1972, p. 57, noot 213 wijst ook op het voorkomen van dergelijke figuren in het houtsnij-werk op koorbanken, waarop men vaker dezelfde thema's als in de marge illustraties ziet afgebeeld.

62

63.1

63. Twee worstelende boeren
(L1, 63 ; L11, 64), ca. 1475-80
Drogenaald, twee exemplaren bewaard, 76 x 69 mm.

¶ Twee in korte tunieken geklede boeren (of schaapherders?) meten hun krachten zo te zien op een vriendschappelijke wijze. Hun bezittingen – jas, muts, een knots en een (herders)staf – liggen naast hen op de grond. Het schijnbaar goedmoedige karakter van de worstelpartij ontbreekt in de prent met *de Twee vechtende boeren* van Meester FVB [**63**a]; daarop gaan de twee haveloos geklede mannen elkaar op agressieve wijze te lijf. Zoals op de achtergrond van de prent wordt aangegeven, is een ruzie bij het kegelen en drankgebruik de oorzaak van de vechtpartij. Hun afzakkende broeken benadrukken nog eens hoe belachelijk zij zichzelf maken.

¶ In de prent van de Meester ontbreekt een dergelijk anecdotisch element; de worstelpartij lijkt een uit het leven gegrepen gebeurtenis.[1] Toch betreft het ook hier een motief dat geregeld tussen de marge-illustraties voorkomt.[2] In tegenstelling tot de *Doedelzakspeler* [**62**] is het prentje waarschijnlijk niet op een boekverluchting gebaseerd; daarvoor is de voorstelling te levensecht. Maar het is wel mogelijk dat het blad met de gedachte aan een dergelijke toepassing is gemaakt.

¶ De prent kan in de middenperiode gedateerd worden: met de directe tekenwijze en een gevarieerd gebruik van arceringen wordt een overtuigende bewegelijkheid en ruimtesuggestie bereikt, die in de beide nog bewaarde diepzwarte afdrukken bijzonder goed tot hun recht komen.

1. Hutchison 1972, p. 57.
2. Randall 1966, op.cit. [**62**, noot 2], p. 235.

63.1*
Amsterdam, Rijksprentenkabinet (coll. Van Leyden, port. 20, nr. 24: blad 7; Koninklijke Bibliotheek 1807; inv. OB:923): zeer goede druk, 76 x 69 mm (vermoedelijk langs de plaatranden afgesneden; sporen van verfvlekjes; omvangrijke scheur en lacune in midden, aan de onderzijde gerestaureerd).
63.2
Washington, National Gallery (coll. Lloyd (veiling Wilson), Londen 1828; White, Londen 1830; coll. Perry, Rumpf e.a. (veiling Gutekunst), Stuttgart, 1907; coll. Gustav von Rath, Krefeld 1929; coll. Lessing J. Rosenwald, Jenkintown; inv. B 11/144): zeer goede druk, 72 x 66 mm (iets meer afgesneden langs beeld dan **63**, omtreklijn met de pen getrokken; watermerk: deel van ossekop met stang en ster).
63a.*
Meester FVB, *Twee vechtende boeren.*
Gravure, 139 x 103 mm.
L.51.
Hamburg, Kunsthalle (inv. 10448).

63.2

63a

64.*
Amsterdam, Rijksprenten-kabinet (coll. Van Leyden, port. 20, nr. 25: blad 7; Koninklijke Bibliotheek, 1807; inv. OB: 925): redelijke, wat grijze druk, 79 x 57 mm (langs plaatrand afgeknipt; aan achterzijde met de pen doorgetrokken).

64a.
Spiegelbeeldige copie door Meester b x g.
Gravure, 82 x 60 mm.
LII, 15.
Berlijn, Staatliche Museen Preussischer Kulturbesitz, Kupferstichkabinett (2e staat met monogram).

64b.
Spiegelbeeldige copie door Wenzel van Olmütz.
Gravure, 77 x 57 mm. L.58.
Washington D.C., National Gallery (Rosenwald coll.).

64c.
Martin Schongauer, *Boeren-familie op weg naar de markt.*
Gravure, 163 x 163 mm.
B.88; L. 90.
Berlijn, Staatliche Museen Preussischer Kulturbesitz, Kupferstichkabinett.

64a

64b

64. Boerenpaar

(LI, 64 ; LII, 66), ca. 1470-75
Drogenaald, unicum, 97 x 57 mm.

¶ Een wat oudere boer en boerin zijn met hun koop-waar op weg, wellicht naar de markt: de vrouw met een gans onder de arm en de man met een mand met eieren, die over zijn schouder aan een knots hangt. Zij zien er armoedig en weinig sma-kelijk uit: de man heeft een grote bult op het voor-hoofd en een gezwel onder de kin, zijn kleding is gescheurd en hangt open, de veters van de 'Bund-schuhe' van beiden zijn los. De vrouw heeft de lei-ding, zij heeft de man stevig onder de arm vast.

¶ Er is gesuggereerd dat de prent op een klucht of iets dergelijks is gebaseerd, zonder dat een literair voorbeeld werd aangegeven.[1] Gezien de weinig positieve manier waarop de boeren zijn afge-beeld, ligt een satirische bedoeling voor de hand. De prent maakt deel uit van een reeks voorstellin-gen in de laat vijftiende-eeuwse en vroeg zes-tiende-eeuwse grafiek, waarbij wat oudere boe-renparen met hun koopwaar op pad zijn: de vrouw met één of meer vogels en de man met een mand of zak met eieren.

¶ Eén van de vroegste afbeeldingen vinden we bij Schongauer [64c], waar een oudere man met een zak eieren (?) over de schouders, sjokkend een paard langs de weg voert; op het paard een heks-achtige oude vrouw (met een dorre dak over de schouder) en een dwergachtig kind; ook hier ont-breken de vogels niet. In een prent van Meester b x g [109] zien we een wat grotesk, armoedig uit-ziend paar oude lieden dat op pad is: de man met een mand eieren in de hand, de vrouw met een mand vol jonge eenden (?) op het hoofd. Ook bij H.S. Beham en Dürer vindt men boerenparen met deze koopwaar.[2]

¶ Het is mogelijk een obscene verklaring voor hun koopwaar te geven: waar eieren de mannelijke vruchtbaarheid symboliseren, staan (water)vo-gels vaak voor seksuele activiteit. In dat geval zou men de prent van de Meester en die van Meester b x g interpreteren als een satire op de dwaze wel-lust van de armoedige en onnozele oudere lieden.[3] Of men, naar analogie van de zeventiende-eeuwse genreschilderkunst, zover moet gaan, blijft de vraag. Ook wanneer men, wat waar-schijnlijk evenzeer voor de hand ligt, de gans als het symbool van domheid interpreteert,[4] is het beeld dat de prent van de boeren geeft weinig positief. Uit de copieën van de prent en ook uit de andere versie van het thema door Meester b x g, blijkt de populariteit van het onderwerp.

¶ De drogenaaldprent kan waarschijnlijk nog tot het vroege werk van de Meester gerekend wor-den: de opbouw en de arceersystemen zijn een-voudig, de figuren maken een vrij vlakke indruk.

1. Hutchison 1972, p. 58.
2. Zie onder meer Ernst Ullmann, 'Die Gestalt des Bauern in der Kunst zur Zeit der frühbürgerlichen Revolution in Deutschland', in tent. cat. *Der Bauer und seine Befreiung*, Dres-den 1975, pp. 26-31; zie bovendien tent.cat. *Albrecht Dürer*, Neurenberg 1971, nr. 427 en Hans-Ernst Mittig, *Dürers Bauernsäule*, Frankurt am Main 1984, pp. 32-47.
3. Zie Stewart 1977, pp. 53-54.
4. D. Bax, *Ontcijfering van Jeroen Bosch*, 's-Gravenhage 1949, pp. 68, 185 (editie Rotterdam 1979, pp. 86, 88).

64c

64

65. Zigeunerfamilie

(LI, 65 ; LII, 67), ca. 1475-80
Drogenaald, twee exemplaren bewaard, 82 x 61 mm.

¶ In het verleden werd de prent ten onrechte beschouwd als een tegenhanger van *Boerenpaar* [**64**]; afgezien van kleine verschillen in afmetingen, schaal van de figuren en de stijl, ontbreekt in de voorstelling een satirische benadering. Het oosters geklede echtpaar is op weg met twee jonge kinderen; de man met een boog in de hand en met een plunjezak over de schouder. De vroegere titel van de prent – *Landlopers* ('Die Landstreicher')[1] – is in zoverre juist, dat zij aangeeft dat de afgebeelde familie behoort tot het gezelschap van 'varende luyden' (rondtrekkende lieden), een ongeregeld gezelschap van pelgrims, bedelaars, zigeuners, kunstemakers, muzikanten en dergelijke die zonder een vaste woonplaats hun brood langs de weg moesten zien te verdienen.

¶ Waarschijnlijk is hier een zigeunerfamilie afgebeeld; dezelfde of een dergelijke zigeunerfamilie zien we als wapenschildhouders in twee prenten van de Meester [**82-83**]. Zigeuners, oorspronkelijk afkomstig uit Noord-India, kwamen in de elfde eeuw via Perzië in Turkije en werden enkele eeuwen later door de Turken gedwongen Europa in te trekken. Vanaf het begin van de vijftiende eeuw, worden kleine groepen rondtrekkende zigeuners op allerlei plaatsen in de Nederlanden, Duitsland en Frankrijk gesignaleerd. In het begin deden zij zich voor als pelgrims en werden zij vriendelijk ontvangen, maar op den duur kregen zij als waarzeggers, paardenhandelaars en door kleine diefstallen een negatieve reputatie; vooral in Duitsland werden ze soms op gruwelijke wijze vervolgd.

¶ Bij hun komst in Europa baarde hun oosterse kleding opzien: de vrouwen droegen een soort tulband op hun hoofd die met een band onder de kin werd vastgehouden en de mannen vaak een breed gerande hoed. In de vijftiende-eeuwse Vlaamse en Duitse schilderkunst werden bijbelse figuren vaak in die kleding, die als typerend voor de oosterling werd gezien, afgebeeld.

¶ In Dürers vroege prent van een *Oriëntaalse familie* [**65c**] is de waardigheid van de vader en het oosterse karakter van de familie benadrukt, maar ook dáár ligt het voor de hand dat een zigeunerfamilie is voorgesteld. De prent van de Meester kan wat later gedateerd worden dan het *Boerenpaar* [**64**]; de arceringen zijn zeer fijn en schetsmatig.

1. Lehrs, deel 8, p. 143, nr. 67; zie ook p. 160, noot 1, waaruit blijkt dat ook Lehrs oorspronkelijk meende dat hier zigeuners waren afgebeeld.
2. Zie Hutchison 1972, pp. 58-59, noot 221; zie verder Charles D. Cuttler, 'Exotics in 15th Century Netherlandish Art; comments on oriental and gypsy costume', *Liber amicorum Herman Liebaers* 1984, pp. 419-434.

65.1*
Amsterdam, Rijksprentenkabinet (coll. Van Leyden, port. 20, nr. 26: blad 7; Koninklijke Bibliotheek, 1807; inv. OB:926): goede zwarte, wat ongelijkmatige druk, 82 x 61 mm (langs plaatrand afgesneden; vlek op rug van kind grotendeels mechanisch verwijderd).
65.2
Parijs, Bibliothèque Nationale (inv. Ec.N. 431, Ea. 41 rés.): zeer goede druk met lichte plaattoon, 82 x 61 mm (aan onder- en bovenzijde afdruk plaatrand zichtbaar; kleine restauraties).
65a
Spiegelbeeldige copie door Meester b x g.
Gravure, 82 x 59 mm.
L.II, 15.
Parijs, Musée du Louvre, Ed. de Rothschild coll. (uit Bologna; inv. 300 LR).
65b
Spiegelbeeldige copie door Wenzel van Olmütz.
Gravure, 80 x 60 mm. L.59.
Wenen, Albertina (1928/219).
65c*
Albrecht Dürer, *Oriëntaalse familie*, ca. 1496.
Gravure, 108 x 77 mm. B.85. M. 80.
Amsterdam, Rijksprentenkabinet (inv. OB:1251).
Niet afgebeeld.

65.1

65.2

65a

65b

66.*
Amsterdam, Rijksprenten-
kabinet (coll. Van Leyden,
port. 20, nr. 27: blad 7;
Koninklijke Bibliotheek,
1807; inv. OB:927): goede,
wat grijze druk, 93 x 83 mm
(geen omtreklijnen; boven-
hoekjes iets aangevuld; met
penseel zijn in grijze inkt
wolkjes getekend en een
schaduwpartij achter het
meisje rechts (een oude
toevoeging); zwarte en rode
verfvlekken bij linkerknie
deels mechanisch verwij-
derd, waardoor het opper-
vlak hier en op andere plaatsen beschadigd is).

66. Jongeman en twee meisjes
(LI, 66 ; LII, 68), ca. 1480
Drogenaald, unicum, 93 x 83 mm.

¶ Een modieus geklede jongeman zit op een krukje
tussen twee hem toegewijde jonge vrouwen; het
meisje rechts van hem houdt zijn hand vast en hij
leunt tegen het andere meisje, dat hem een strook
papier, waarop iets geschreven is voorhoudt; of ze
samen een brief lezen of dat op het papier een
liedje staat, is niet vast te stellen.

¶ Zoals elders wordt betoogd (p. 72) roept de prent
een sfeer van zorgeloze intimiteit en ontspanning
op, die men ook in voorstellingen van de *Liefdestuin* vindt. Wat dat betreft zou de voorstelling eerder een weerspiegeling kunnen zijn van het hoofse
ideaal van het ridderleven, dan een afbeelding

van het hofleven uit de tijd; het specifieke verhalende element in de prent doet evenwel vermoeden dat aan een concretere betekenis is gedacht.[1]

¶ De datering van de prent geeft ook enige problemen omdat de kleding, stijl en het thema weliswaar aansluiten bij de prenten uit de rijpe 'hofperiode', maar in de plooival en de arceringen de
technische verfijning van dit rijpere werk ontbreekt. Wellicht is dat laatste ten dele het gevolg
van de slechte toestand van de enig bewaarde
afdruk: het oppervlak van de toch al vrij grijze
afdruk is beschadigd en gesleten; met penseel
zijn, wellicht op een later tijdstip, wolkjes boven
de figuren en schaduw achter de vrouw rechts
aangebracht.

1. Hutchison 1972, p. 53.

66

67. Hertenjacht

(L₁, 67 ; L₁₁, 69), ca. 1485-90
Drogenaald, unicum, 172 x 93 mm.

¶ Het weidse landschap met jagers, jachthonden en wegvluchtend wild is waarschijnlijk het vroegste en nog steeds één van de meest verrassende beelden van het buitenleven. Weliswaar voorafgegaan door een *Hertenjacht* in de rand-illustraties van manuscripten (*afb. 3*), krijgt het thema hier een schaal en levensechtheid, die vergelijkbaar is met voorstellingen van de 'maanden' door de gebroeders van Limburg (*afb. 51*).

¶ In de compositie spelen relaties tussen licht en schaduw een belangrijke rol in de ruimtelijke suggestie; met name in het vergezicht op de achtergrond wordt een overtuigend atmosferisch verloop gecreëerd. Het blazen op de hoorn door een staande jager geeft het moment aan waarop de achtervolging van de herten wordt ingezet; links vluchten een hert en een hinde weg, achtervolgd door de honden die hun prooi vooral met hun neus volgen, rechts verdwijnt een konijn.

¶ Terwijl het jeugdige hoofse gezelschap in de prent *Vertrek voor de jacht* [72] meer in de liefde dan in de jacht geïnteresseerd lijkt, ziet men in deze prent een wat ruwer slag 'echte' jagers. Of men de bladerkrans om de muts van de ruiter ook hier kan interpreteren als een verlovingskrans, of dat eerder aan een soort camouflage moet worden gedacht, valt moeilijk vast te stellen. Is men tot het eerste geneigd, dan ligt het voor de hand ook hier de afbeelding van de jacht te zien als een zinnebeeld van de ridderlijke liefde (zie pp. 69-71; **72**). Hoewel het nauwelijks aan te nemen is dat de dode boom met het vogelnest, het grafkruis langs de weg, het kapelletje en de eenzame reiziger (marskramer?) op de achtergrond zonder betekenis zijn, is de interpretatie niet verder gekomen, dan de observatie dat het hier om motieven gaat, die de mens aan de dood herinneren: *memento mori*.[1]

¶ Op zichzelf raak getroffen zijn de jachthonden, die we in een aantal prenten van de Meester [**57, 70-73**] vrij letterlijk in zeer verwante houdingen tegenkomen: er zijn twee soorten: een langharig type met brede oren (drijfhonden) en een type met spitse snuit en -oren (windhonden). De eerste jaagt met de neus, de tweede op het gezicht.[2]

¶ De prent behoort tot het latere werk van de Meester, waarbij deze in een vrijere, meer picturale stijl een overtuigender ruimtesuggestie bereikt. De drogenaaldtechniek, waarbij van een uiterst spitse naald gebruik gemaakt is, is door de grote mate van variatie zowel zeer effectief voor de weergave van de kleding van de jagers en de vacht van de dieren, als voor de weergave van de landschappelijke elementen. In de zeer goed bewaarde diepzwarte afdruk komen deze kwaliteiten zeer goed tot hun recht.

1. Hutchison 1972, p. 59.
2. P.M.C. Toepol, *Onze honden*, Amsterdam 1937, p. 183.

67.*
Amsterdam, Rijksprentenkabinet (coll. Van Leyden, port. 20, nr. 86, blad 23; Koninklijke Bibliotheek, 1807; Parijs, 1812-16, nr. 62; inv. OB:928): zeer goede druk, 172 x 93 mm (langs omtreklijnen afgeknipt; ondanks enkele kleine vlekken uitzonderlijk goed bewaard; watermerk: ossekop met stang en ster).

67

68.*
Amsterdam, Rijksprenten-
kabinet (coll. Van Leyden,
port. 20, nr. 19: blad 6;
Koninklijke Bibliotheek,
1807; Parijs, 1812-16, nr. 14;
inv. OB:929): goede druk,
95 x 78 mm (aan onderzijde
onregelmatig afgeknipt;
verder langs de omtreklijnen
afgeknipt; kleine vlekjes en
oppervlakbeschadigingen).
69.*
Amsterdam, Rijksprenten-
kabinet (coll. Van Leyden,
port. 20, nr. 20: blad 6;
Koninklijke Bibliotheek,
1807; Parijs, 1812-16, nr. 15;
inv. OB:830): goede druk,
99 x 79 mm (langs omtreklijnen afgeknipt; vlekjes en
oppervlaktebeschadigingen).

68. Twee monniken
(L1, 68 ; L11, 70), ca. 1480
Drogenaald, unicum, 95 x 78 mm.

69. Twee nonnen
(L1, 69 ; L11, 71), ca. 1480
Drogenaald, unicum, 99 x 79 mm.

¶ In beide prenten zitten de twee hoofdfiguren op de grond in een vrij nauwe ruimte, waarschijnlijk een kloostercel. Eén van hen lijkt, gezien de gelaatsuitdrukking en het handgebaar, iets te zeggen over het missaal of gebedenboek, waaruit hij of zij leest, de ander luistert toe. Ook de spreekbanden boven de figuren suggereren dat het om een gesprek gaat. Verder moet men naar de inhoud van dit, ongetwijfeld devote, gesprek gissen. Er zijn verschillen tussen beide prenten; de schaal van de (Augustijner?) monniken is gro-ter dan die van de nonnen en bij de nonnen sugge-reert een muurtje en het gras dat ervoor groeit dat de cel aan een tuin grenst; desondanks zijn er zoveel overeenkomsten in thema en uitvoering dat men er niet aan kan twijfelen dat het om tegenhangers gaat.

¶ Zoals als de diepere betekenis van de prenten ver-borgen blijft, is ook de functie van de prenten niet duidelijk. Zowel wat de maat van de prentjes als wat het motief betreft, is het denkbaar dat ze bedoeld zijn om in gebedenboeken te plakken, maar voorbeelden van een dergelijke toepassing zijn niet bekend.[1] Wel is elders opgemerkt hoe zulke lezende of mediterende monniken of non-nen als motief in marge-illustraties van een Getij-denboek gebruikt zijn *(afb. 4)*.

¶ Beide bladen, waarin een vrij overtuigende ruim-tesuggestie en zeer effectief en gevarieerd ge-bruikte arceringen opvallen, kunnen tot het rij-pere werk van de Meester worden gerekend.

1. Hutchison 1972, p. 60.

68

69

70. Valkenier en metgezel

(LI, 70 ; LII, 75), ca. 1485
Drogenaald, unicum, 124 x 72 mm.

¶ De jachthonden en de valk suggereren dat de modieus geklede heren op jacht zijn. De kordate wijze waarop de wat oudere man de jongere valkenier aan zijn manteltje vasthoudt en de veer in de hand van de valkenier geven de voorstelling iets raadselachtigs. De oudere man heeft kortgeknipt haar, draagt een korte keerle met siermouwen, strakke 'hozen' en een zwaard. De valkenier heeft wat weelderiger kleren: lange tootschoenen en een wambuis met opengewerkte mouwen, met daarover een kort manteltje;[1] het touw waaraan de honden zijn vastgebonden is om zijn rechterbovenarm gebonden.

¶ Zowel door zijn kleding als door de verlovingskrans van bladeren in zijn lang krullend haar wordt de valkenier als een jongeling gekarakteriseerd. Een jeugdige valkenier is vaak afgebeeld als een personificatie van het sanguinische temperament, het meest aangename van de vier temperamenten, die bepalend zijn voor het karakter van de mens. We vinden de valkenier ook onder de sanguinische Planetenkinderen van Jupiter en Sol in het *Hausbuch* [**117**, fol. 12a, 14a]. In beide gevallen is de voorstelling ook met de jeugd, de jacht en de liefde verbonden. De valkenjacht was in de late Middeleeuwen een tijdverdrijf voorbehouden aan de aristocratie; de ontspannen 'hoofse' sfeer waarin deze jacht plaatsvindt blijkt ook uit het vertrek voor de jacht [**72**]; evenals dat blad, behoort deze, met een fijne spitse naald getekende prent, tot het rijpere werk van de Meester.

1. Met veel dank aan mevrouw M.J.H. Madou voor haar hulp bij het beschrijven van de kleding, zie verder *bijlage II, 'Costuumhistorische aantekeningen'* van haar hand.
2. Hutchison 1972, p. 60.

70.*
Amsterdam, Rijksprentenkabinet (coll. Van Leyden, port. 20, nr. 79; blad 23; Koninklijke Bibliotheek, 1807; Parijs, 1812-16, nr. 60; inv. OB:934): grijze druk, 124 x 72 mm (waarschijnlijk aan de onderzijde en mogelijk ook rechts afgeknipt; kleine beschadigingen van oppervlak).

70

71. Twee pratende jagers

(LI, 71 ; LII, 76), ca. 1480
Drogenaald, unicum, 128 x 92 mm.

¶ De twee pratende mannen, waarvan één een snuf-felende hond vasthoudt, kan men als jagers zien; zij zijn wat minder modieus gekleed dan de *Valke-nier* [70], maar met hun grote zwaarden, pauwen-veren op hun mutsen en lange schoenen lijkt hun kleding evenmin erg doelmatig voor de jacht. Door de manier waarop de op dezelfde wijze geklede figuren tegenover elkaar staan, lijken ze elkaars spiegelbeeld.[1] Toch zijn er kleine verschil-len in kleding: de van voren geziene man draagt omgeslagen beenstukken, terwijl de man die van achteren gezien wordt, een dubbelgeslagen sjaal voor zijn mond schijnt te hebben, waarvan de ein-

den over zijn schouders zijn geslagen. De mannen dragen berenmutsen met struisvogelveren, korte keerle's met opengewerkte mouwen, strakke hozen, en lange tootschoenen.

¶ Herhaaldelijk is de prent beschreven als een tegenhanger van de *Valkenier en metgezel* [70], maar verschillen in schaal van de figuren, stijl en tech-niek maken dit minder waarschijnlijk. Hoewel het gebruik van de drogenaald in de prent wat minder verfijnd is dan in de *Valkenier* [70], kan men zich, gezien de thematiek, moeilijk voorstel-len dat deze prent aanzienlijk vroeger is ontstaan dan de andere met de jacht verbonden prenten [67, 70, 72].

1. Hutchison 1972, p. 61.

71

72. Vertrek voor de jacht

(Li, 72 ; Lii, 77), ca. 1485-90
Drogenaald, twee exemplaren bewaard, 125 x 92 mm.

¶ Een modieus gekleed aristocratisch gezelschap is op weg naar het jachtgebied, zoals de rennende honden, de 'geblinddoekte' valken en het weg-vluchtende hert op de achtergrond aangeven. Het kan niet meer zijn dan een luchtig tijdverdrijf waaraan, naast edellieden, ook jonkvrouwen meedoen; de bladerkransen suggereren dat twee van de deelnemers verloofd zijn. In één van de miniaturen van de Maanden in de *Très Riches Heures* van de Gebroeders van Limburg, uit 1413-1417, is voor de maand augustus een dergelijk aristocratisch gezelschap op de valkenjacht afge-beeld *(fig. 51)*.[1] Een vergelijkbaar miniatuur kan wel van invloed op de prent zijn geweest, maar men kan vermoeden dat het bij deze prent méér gaat om het afbeelden van een gebeurtenis uit het hofleven, dan om een serieuze jachtpartij. Zoals elders uiteen wordt gezet (pp. 70-71) is de jacht van oudsher verbonden met het idee van de rid-derlijke liefde. In de literatuur van die tijd wordt de jacht vaak vergeleken met de manier waarop de minnaar zijn geliefde verovert; trouw en vol-harding spelen daarbij een grote rol. In een schijnbaar uit het leven gegrepen gebeurtenis wordt in deze prent door allerlei details de beteke-nis van de jacht in symbolische zin gesuggereerd; de verlovingskransen en de sierlijke kleding van de jongelingen lijken meer op hun plaats in het 'liefdestuin' (zie pp. 66-67, *afb. 46*), dan in een serieuze jacht; jachthonden kunnen trouw en vol-harding symboliseren; het hert op de achtergrond van de prent kan tenslotte een toespeling zijn op de trouwe liefde. In het *Hausbuch* is een liefdespaar op valkenjacht onder de Planetenkinderen van Jupiter afgebeeld [117, fol. 12a].

¶ Onder de prenten uit de rijpe perioden is dit één van de meest verfijnde bladen, die op een klein formaat – de atmosfeer van het hofleven al dan niet geïdealiseerd – op treffende wijze weergeeft. Van de overigens prachtige afdruk in Amsterdam [72.1] ontbreekt door een beschadiging de kruin van een boom, die de prent rechtsboven als repoussoir afsluit; in de veel slechter bewaarde Berlijnse afdruk [72.2] is deze wel te zien.

1. Hutchison 1972, p. 61.

72.1*
Amsterdam, Rijksprenten-kabinet (coll. Van Leyden, port. 20, nr. 85, blad 22; Koninklijke Bibliotheek, 1807; inv. OB:936): zeer goede druk, 125 x 92 mm (langs omtreklijnen afge-knipt; rechter bovenhoek: kruin van boom ontbreekt en neutraal aangevuld (ver-gelijk **72**.2); kleine verfvlek-jes en beschadigingen van oppervlak).
72.2
Berlijn, Staatliche Museen Preussischer Kulturbesitz, Kupferstichkabinett (coll. Nagler?; inv. 328-1): matige, grijze druk (van plaat waarin de drogenaaldpartijen gro-tendeels versleten zijn), 124 x 90 mm (rode verf-sporen, aantal verfvlekken en beschadigingen).

72.2

72.1

73.1*
Amsterdam, Rijksprenten-
kabinet (coll. Van Leyden,
port. 20, nr. 83: blad 22;
Koninklijke Bibliotheek,
1807; inv. OB:937): zeer
goede druk, 130 x 120 mm
(langs omtreklijnen afge-
knipt; zeer goed bewaard,
kleine vlekjes; vuil oppervlak
rechter benedenhoek bij
restauratie van 1938 vermin-
derd.
73.2
Coburg, Veste Coburg (coll.
Brandes, 1796; inv. K 531):
magere, niet overal scherpe
druk, 126 x 118 mm (aan
bovenzijde iets afgesneden;
vlekken, beschadigingen,
slijtage oppervlak).
73.3
München, Graphische
Sammlung (coll. A. Schmidt,
München, 1957; inv.
1957:87): goede, slecht
bewaarde druk, 128 x 118
mm (met vlekken en vrij
sterke slijtage vooral aan
bovenzijde; watermerk:
ossekop met naar buiten
gekromde hoorns, stang en
ster).
73.4
Oxford, Ashmolean Museum
(Bodleian Library, Douce
Bequest, 1834; inv. S.24-1):
zeer goede druk, 132 x 120
mm (met omtreklijnen;
kleine beschadigingen).

73. Kaartspelers

(L1, 73 ; L11, 78), ca. 1485
Drogenaald, vier exemplaren bewaard, 132 x 120 mm.

¶ Omringd door drie jongemannen, die met haar op het gras zitten en een nar die toekijkt, heeft de jonge vrouw zo juist de beslissende kaart (een eikenaas) uitgespeeld. De toegewijde gelaatsuit-drukkingen van de modieus geklede jongens om haar heen bewijzen hoe zeer zij hen in haar ban heeft; zelfs de nar, wiens rol het gewoonlijk is om op de dwaze en zondige handelswijze van de aan-wezigen te wijzen, lijkt een verlegen toeschou-wer.[1] De aanwezigheid van de nar en de fontein rechts doen vermoeden dat het gaat om een voor-stelling van de *Liefdestuin* (zie pp. 71-77), waar de geliefden zich in spelletjes zoals schaken en kaar-ten [zie ook **99**] met elkaar meten.

¶ De dominerende rol van de vrouw bij het kaart-spel valt ook in andere afbeeldingen van dit thema uit die tijd op, zonder dat dit echter een directe verklaring voor de prent geeft. Mogelijk wordt de afloop van de geschiedenis gesuggereerd door het liefdespaar te paard dat op de achter-grond in het bos verdwijnt. Men zou kunnen ver-moeden dat de uitkomst van het kaartspel de jonge vrouw één van de jongeheren doet kiezen; twijfel over de onbetrouwbaarheid van die uit-komst, zou dan door de aanwezigheid van de nar benadrukt worden.[2]

¶ De luxueuze en modieuze kleding van de jonge-mannen en de vrouw wijkt nauwelijks af van wat we op andere prenten met hoofse thema's van de Meester zien. Ook wat de drogenaaldtechniek betreft, die met een fijne stift in de plaat getekend is, sluit de prent aan bij de bladen met 'hoofse' thema's uit de rijpe periode.

1. Hutchison 1972, p. 62, noot 236; zie ook F. Koreny, tent.cat. *Speelkaarten*, Wenen (Albertina) 1974, nr. 175.
2. Zie over de betekenis van voorstellingen van het kaartspel bij Lucas van Leyden, Rik Vos, *Lucas van Leyden*, Bentveld-Maarssen 1978, pp. 106-11.

73.1

74. Turkse ruiter

(Li, 74 ; Lii, 79), ca. 1490
Drogenaald, vier exemplaren bewaard, 163 x 108 mm.

¶ Tegen een weids landschap, dat men eerder in Zuid-Duitsland dan in het Oosten zou localiseren, is een oosterling te paard afgebeeld. Aan zijn zijde draagt hij een zwaard, een boog in een fraai bewerkte koker en een bos pijlen. Bij zijn schoot is een kleine trom aan het zadel bevestigd. De tulband, die bestaat uit een doek die om een geribbelde kap is gebonden, wijst er op dat de ruiter tot de Ottomaanse Turken behoort.[1] Hoewel het zeer de vraag is óf men dergelijke Turkse krijgslieden in de vijftiende eeuw in Duitsland tegenkwam, bewijst de nauwkeurige wijze waarop de kleding en de attributen zijn weergegeven, dat de

kunstenaar zich op een studie naar het leven gebaseerd moet hebben.

¶ Op een vroege prent van Albrecht Dürer, *Vijf lansknechten en een oosterling* [74a] is een vergelijkbare ruiter afgebeeld, en ook in andere vroege gravures, houtsneden en tekeningen van Dürer vinden we Turken en Turkse costuums.[2] Dürer lijkt gefascineerd door het exotische karakter van de Turkse kledij, waarmee hij tijdens zijn bezoek aan Venetië omstreeks 1495 kennis heeft kunnen maken. In Venetië waren er niet alleen veel contacten met de Islamitische wereld en kon men oosterlingen ook in levende lijve ontmoeten, maar bovendien ontstond er een sterk oriëntaalse mode in de schilderkunst als gevolg van het verblijf van Gentile Bellini in 1479-80 aan het hof van de Ottomaanse vorst Mohammed II in Constantinopel.[3]

74.1*
Amsterdam, Rijksprentenkabinet (coll. Van Leyden, port. 20, nr. 81: blad 24; Koninklijke Bibliotheek, 1807; inv. OB:938): goede grijze druk met sterke drogenaaldpartijen, 168 x 108 mm (binnen omtreklijn breedte 106 mm; randje langs omtreklijn; goed bewaard; kleine beschadigingen oppervlakte boven hoofd van de ruiter en onder diens voet).

74.1

74.2
Coburg, Veste Coburg (coll.
Brandes, 1796; inv. K 582):
matige, onscherpe druk met
lichtgrijze plaattoon,
167 x 108 mm (zekere mate
van slijtage van het oppervlak; drukvouw in midden?
monogram M+S met de
hand toegevoegd).
74.3
Londen, British Museum
(coll. Lloyd, 1820; coll.
Woodburn; inv. 1845-8-9-
134): goede grijze druk, 159
x 104 mm (aan bovenzijde
en linkerzijde afgeknipt).
74.4
Wenen, Albertina (Albertina; inv. 316-108): matig
grijze, niet helemaal scherpe
druk, 166 x 108 mm (aan
bovenzijde iets afgeknipt;
met watermerk; klein hart
zonder kruis).

¶ Daar andere contacten met Venetië in werk van
de Meester ontbreken, moet men aannemen dat
zijn kennis van de Turken langs een andere weg
tot stand is gekomen. Elders (pp. 18-19) is er al
op gewezen, dat er een nauw verband bestaat tussen deze drogenaaldprenten en een houtsnede
van een groep musicerende Turkse ruiters in
Breydenbachs *Peregrinationes in Terram Sanctam*
[**142**, *afb. 15*]; op grond van deze verwantschap
kan men vermoeden dat beide afbeeldingen uit
eenzelfde bron stammen. Aangezien de illustraties van de *Peregrinationes* door Erhard Reuwich
zijn ontworpen, ligt het voor de hand dat ook de
prent op een tekening van Reuwich gebaseerd is.
Men kan dan in het midden laten of deze kunstenaar dezelfde is als de Meester óf dat de Meester
naar Reuwichs voorbeeld gewerkt heeft. In beide
gevallen moet de prent na 1484 gedateerd worden.
¶ Ook op stilistische gronden is een late datering

waarschijnlijk; het weidse landschap vertoont
een atmosferisch verloop in de diepte, dat men in
het latere werk van Dürer zal terugzien. Er is een
zeer fijne drogenaald gebruikt, waarmee het
zachte sfumato in de schaduwpartijen uit kleine
streepjes is opgebouwd. Het tonale resultaat van
de techniek is in de bewaard gebleven afdrukken
nog versterkt doordat de inkt in de fijne lijntjes
niet erg goed heeft gepakt en de afdrukken daardoor tamelijk grijs van toon zijn.

1. Zie Julian Raby, *Venice, Dürer and the oriental mode*, Londen
1982, vooral pp. 19, 21.
2. Behalve in B.88 ziet men ook Turkse tulbanden in Dürers gravures B.85, *Oosterse familie* (65a) en M.91, *Tronende oriëntaalse
vorst*; ook in de houtsneden van de *Apocalyps* (M.164, 175, 177)
en in de vroege bladen van de *Grote Passie* (M.117, M.118,
M.119) ziet men vele Turken. Oriëntaalse figuren op zijn tekeningen (w.77-w.81) worden met zijn verblijf in Venetië verbonden.
3. Zie Raby, op.cit. (noot 1).

74a

74.4

74a.
Albrecht Dürer, *Vijf lans-
knechten en een oosterling*, ca.
1495.
Gravure, 132 x 147 mm.
B.88, M.81.

75. Liefdespaar

(LI, 75 ; LII, 80), ca. 1485
Drogenaald, twee exemplaren bewaard, 168 x 108 mm.

¶ Een van de meest geliefde prenten van de Meester beeldt een jong paar af: zij zitten op een stenen muurtje, met links een bloempot met anjers en rechts op de grond een koelvat met een wijnkan en een beker. Een eenvoudig weergegeven portaal met een boog van bladertakken in de ronding omlijst het paar. De tedere gevoelens van de geliefden zijn op intieme wijze weergegeven: de jonge vrouw die een hondje, het symbool van trouw, op haar schoot heeft, houdt teder de hand van de jongeman op haar knie vast; de modieus geklede jongeman, die dromerig voor zich uit kijkt, heeft behoedzaam zijn arm om haar middel gelegd. De bloempot met anjers – bloemen die vaak een symbool voor de verloving zijn – geeft aan dat het gebeuren zich buiten in een tuin afspeelt.

¶ Daarin sluit de voorstelling aan bij de 'Liefdestuin' zoals deze vaak in de laat-Middeleeuwse grafiek en decoratieve kunst is afgebeeld. Elders (pp. 66-70) wordt duidelijk gemaakt hoe sterk de prent aansluit bij de voorstellingen van jonge liefdesparen die met elkaar praten, musiceren, schaken e.d. [zie ook **99-102**]. Ook het drinken van wijn, waarop de wijnkoeler op de drogenaald-prent een toespeling vormt, behoort tot de gebruikelijke geneugten van de 'Liefdestuin'.[1] De prent verbeeldt de idealen van de hoofse liefde, waarin trouw en toewijding van de beide partners ten opzichte van elkaar centraal staan.

¶ Hierin verschilt de prent van die van Meester E.S. [**75e**] met hetzelfde thema: hierin zijn de avances van de jongeman, die de jonge vrouw op onduidelijke wijze tracht te weerstaan, vrij hand-

75.1
Coburg, Veste Coburg (coll. Brandes, 1796; inv. K 533): redelijke, enigszins onscherpe druk, 167 x 107 mm (langs omtreklijn afgeknipt; enige slijtage boven en rechter benedenhoek).
75.2*
Parijs, Bibliothèque Nationale (? coll. Van Leyden, port. 20, nr. 87: blad 24; Koninklijke Bibliotheek, 1807; naar Parijs in 1812; inv. Ec. N.430; Ea.41 rés.): zeer goede, wat ongelijkmatige druk (fijne puntjes in de plaat), 168 x 108 mm (langs omtreklijn afgeknipt).

75.2

75a.*
Spiegelbeeldige copie, door
Meester b x g.
Gravure, 168 x 108 mm. *L.II,
32.*
Frankfurt, Städelsches
Kunstinstitut (inv. 3368.7).
75b.
Copie door Wenzel van
Olmütz.
Gravure, 168 x 110 mm.
L.67.
Wenen, Albertina.
75c.
Spiegelbeeldige copie door
Israhel van Meckenem.
Gravure, 167 x 134 mm.
L.493, 1e staat.
Wenen, Albertina.
75d.
Vrije copie van jonge vrouw
in houtsnede, voorstellende
Koningin Maria, gebruikt
als boekillustratie in Johannes Thurocz's *Chronica
Hungarorum,* fol. 96v, uitgegeven door Erhard Ratdolt, Augsburg in 1488.
75e.*
Meester E.S., *Liefdespaar op
grasbankje,* ca. 1460.
Gravure, 134 x 164 mm.
L.211.
Wenen, Albertina (inv.
784/1926).

tastelijk; binnen de context van de 'Liefdestuin'
heeft de relatie tussen beide geliefden een erotisch
karakter gekregen.[2] Ondanks alle verschillen
heeft de prent van Meester E.S. waarschijnlijk
toch een voorbeeld voor de drogenaaldprent
gevormd. De vergelijking laat intussen zien hoe
sterk de uitdrukkingsmogelijkheden van de
prentkunst zich in ruim dertig jaar ontwikkeld
hebben. Hoewel beide prenten tot de meesterwerken van de vijftiende-eeuwse grafiek behoren, is
de prent van Meester E.S. stijf en gestileerd en is
de ruimtesuggestie weinig succesvol; niet alleen
is de drogenaaldprent in deze opzichten geslaagder, zij toont ook een subtiel scala aan menselijke
gevoelens dat bij Meester E.S. ontbreekt.

¶ Ondanks de hierboven aangegeven historische
context, belichaamt het *Liefdespaar* van onze
Meester op zo'n directe en pure wijze het liefdesideaal van alle tijden, dat de prent ook de hedendaagse beschouwer als levensecht kan aanspreken. Zonder twijfel was de prent in de tijd van
ontstaan ook zeer populair. Liefst drie gegraveerde copieën zijn van de prent vervaardigd
[**75a-c**]. Ondanks kleine verschillen, die iets vertellen over de persoonlijke graveerstijl van de

copiisten, geven zij alle de prent zeer getrouw
weer. Zoals vaker het geval is bij de copieën van
Wenzel van Olmütz heeft zijn copie van de drogenaald [**75b**] dezelfde richting als het origineel. De
conclusie dat deze daarom gebaseerd moet zijn
op één van de twee andere spiegelbeeldige
copieën [**75a** en **c**] is niet gerechtvaardigd: de
gebruikte arceringen zijn aanzienlijk subtieler
dan in deze beide copieën en volgen nauwkeuriger de drogenaald.[3]

¶ Het liefdespaar in de ornamentprent van Israhel
van Meckenem [**75e**] laat zien hoe lang de invloed
van het *Liefdespaar* van de Meester voortduurt;
opmerkelijk is dat de hoofddeksels van de geliefden in Van Meckenems prent wat ouderwetser
zijn. Het liefdespaar in deze tegen 1500 te dateren
prent van Van Meckenem is opgenomen in een
fraai en levendig ornament van bloeiende wingerd dat bevolkt wordt door vogels, honden en
wildemannen. Een dergelijk ornamentaal ontwerp zou het model voor een huwelijkskistje kunnen zijn geweest.[4]

¶ De jonge vrouw van het paar in de drogenaaldprent is gecopieerd in een houtsnede, die als illustratie in een in 1488 verschenen boek is opgeno-

75a

75b

75c

men [**75**d]. Daaruit kan men afleiden dat de prent voor deze datum gemaakt moet zijn.

¶ Het blad vormt een hoogtepunt in de zogenaamde hoofse stijlperiode van de Meester (zie pp. 31-33). De prenten uit deze periode zijn met zo'n fijne stift getekend dat ze aan zilverstifttekeningen doen denken. In het *Liefdespaar* zijn de levendige arceringen uit zeer fijne, regelmatige lijntjes opgebouwd, waarmee een subtiele lichtschaduwwerking bereikt wordt. De lijntjes zijn zo fijn dat de inkt er waarschijnlijk niet goed in bleef zitten, getuige de afdruk in Coburg [**75**.1], die wat wazig en vrij onscherp is. Ook de Parijse afdruk [**75**.2] is wat onregelmatig, maar wel scherp gedrukt; de kleine inktvlekjes op de afdruk wijzen erop dat er fijne putjes in de plaat zaten.

1. Zie Douglas Percy Bliss, 'Love-Gardens in early German engravings and woodcuts', *Print Collector's Quarterly* 15 (1928), pp. 90-109, en verder pp. 66-69, noot 9; Thea Vignau Wilberg-Schuurman, *Hoofse minne en burgerlijke liefde in de prentkunst rond 1500*, Leiden 1983, pp. 7-11.
2. Zie (Alan Shestack) tent.cat. *Master E.S.*, Philadelphia (Museum of Art) 1967, nr. 17.
3. Zie voor een niello-copie en andere op de prent gebaseerde kunstwerken, Lehrs, deel 8, pp. 154-56.
4. Shestack 1967-68, nr. 245.

75f.
Israhel van Meckenem,
Ornamentprent met liefdespaar,
ca. 1490.
Gravure, 162 x 240 mm.
B.205; L.619.
Amsterdam, Rijksprentenkabinet (inv. OB:1144).

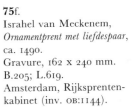

75f

75d

75e

76.*
Amsterdam, Rijksprenten-
kabinet (coll. Van Leyden,
port. 20, nr. 35, blad 6;
Koninklijke Bibliotheek,
1807; Parijs, 1812-16, nr. 23):
goede druk, 56 x 46 mm (in
silhouet langs hoofd en
schouders afgeknipt; zwarte
verfvlek op baard).
77.1*
Amsterdam, Rijksprenten-
kabinet (coll. Van Leyden,
port. 20, nr. 37: blad 4;
Koninklijke Bibliotheek,
1807; Parijs, 1812-16, nr. 25):
zeer goede druk (zeer fijn
patroon van fijne horizontale
lijntjes in de plaat), 84 x 29
mm (waarschijnlijk links iets
afgesneden, aan de andere
zijden is plaatrand zichtbaar).

76-77. Studiekoppen

76. Hoofd van een oude man
(LI, 76 ; LII, 59), ca. 1485-90
Drogenaald, unicum, 56 x 46 mm.

77. Studie van twee hoofden
(LI, 77 ; LII, 60), ca. 1485-90
Drogenaald, unicum, 84 x 29 mm.

¶ Het is de vraag of men de drie schetsmatig opgezette koppen als naar het leven getekende portretten moet beschouwen.[1] De vergelijkbare wijze
waarop telkens de neus, mond en ogen zijn getekend wijst er eerder op dat het om uit het hoofd
getekende typen gezichten gaat.[2]

¶ De bladen doen denken aan laat-Middeleeuwse
modelboeken (zie pp. 24, 36) waarin dergelijke
gezichtstypen als (teken)voorbeelden bedoeld
waren. Of de Meester de drie koppen, die drie
leeftijdstypen vertegenwoordigen, als voorbeelden heeft gemaakt of voor zijn eigen plezier heeft

getekend, laat zich evenwel niet vaststellen.

¶ De twee bladen zijn zeer verwant aan de *Hoofden
van Christus en Maria* [16], waarvan de modelfunc-
tie nog meer voor de hand ligt, omdat deze prent
een type *Andachtsbild* weergeeft.

¶ De drie prenten behoren alle tot het late werk van
de Meester: met een dunne drogenaaldstift zijn
de gezichten en haren vrij sterk plastisch gemodelleerd. Net als bij de *Hoofden van Christus en
Maria* vertoonde de plaat van *Studie van twee
hoofden* [77] een zeer fijn patroon van krasjes, die
een lichte toon op de plaat geven.

1. Ernstotto Graf zu Solms-Laubach, 'Nachtrag zu Erhard Reuwich', *Beiträge für Georg Swarzenski*, Berlijn 1951, pp. 111-13,
   identificeerde de twee personen op de *Studie van de twee hoofden*
   [77] respectievelijk als een jeugdportret van Graaf Philipp zu
   Solms Lich, en als een portret van zijn oudere broef Graaf
   Johann zu Solms Lich. Uit de documenten (Fuchs 1958, p.
   1165) is bekend dat Erhard Reuwich in 1483, kort voor het vertrek naar het Heilige Land met Breydenbach, te Lich verblijft
   om een geschilderd portret van deze Graaf Johann zu Solms
   te schilderen, die tijdens dezelfde pelgrimstocht overleed [zie
   142].
2. Hutchison 1972, p. 65.

76

77

78. Krabbende hond

(LI, 78 ; LII, 72), ca. 1475
Drogenaald, unicum, 113 x 112 mm.

¶ Eén van de meest verrassende en originele prenten van de Meester is deze studie van een zich krabbende jonge drijfhond [zie **67**]. De zeer rake en directe observatie van de houding van de hond vindt in de vijftiende-eeuwse kunst slechts een parallel in de randversieringen van verluchte manuscripten.[1] Zoals elders (p. 14) is getoond, vindt men hetzelfde motief terug in een aan het atelier van de Meester van Catharina van Cleef toegeschreven Getijdenboek in Den Haag (*afb. 6*).

¶ Hoewel het motief van de prent waarschijnlijk aan een dergelijke randillustratie is ontleend, is de in de plaat getekende hond zonder twijfel gebaseerd op een studie naar het leven, zo overtuigend is de weergave van het lichaam, de vacht en de houding van het dier. Het vrij grote formaat maakt het minder waarschijnlijk dat dit blad als model voor miniaturisten bedoeld was, eerder kan men het als een op zichzelf staande studie beschouwen. Pas in de getekende dierstudies van Dürer vindt men weer zo'n intense aandacht voor

het dier. Ook de kleine zestiende-eeuwse Duitse bronzen van honden, toegeschreven aan Peter Visscher, tonen een dergelijke belangstelling, zonder dat de prent van de Meester hier overigens het voorbeeld voor hoeft te zijn geweest.[2]

¶ De prent wordt gewoonlijk geplaatst aan het begin van de middenperiode van het werk van de Meester. Binnen brede contouren zijn de arceringen met een vrij brede stift uit korte komma-achtige gebogen lijntjes opgebouwd, die in de donkere partijen in enkele lagen over elkaar zijn geplaatst; met deze techniek bereikt de Meester een zeer overtuigende plastische werking (*afb. 25*).

¶ In het verleden is de figuur van de hond in silhouet uit een waarschijnlijk oorspronkelijk vierkant blad geknipt en op een tweede blad papier geplakt. Bij een latere restauratie is het oorspronkelijke blad weer tot een vierkant aangevuld.

1. Hutchison 1972, p. 65, noot 262.
2. Lehrs, deel 8, nr. 72, p. 147, noot 2. Lehrs wijst er ook op, dat de drogenaald waarschijnlijk het voorbeeld moet zijn geweest voor het motief van de krabbende hond op twee prenten, die laat in de zestiende eeuw in Antwerpen zijn gemaakt (Hutchison 1972, p. 66).

78.*
Amsterdam, Rijksprentenkabinet (coll. Van Leyden, port. 20, nr. 1: blad 5; Koninklijke Bibliotheek, 1807): zeer goede druk, ca .113 x 112 mm (rondom als silhouet uitgeknipt, bij restauratie in 1938 aangevuld tot vierkant, ca. 122 x 123 mm; geringe mate van slijtage oppervlak).

78 (voor restauratie)

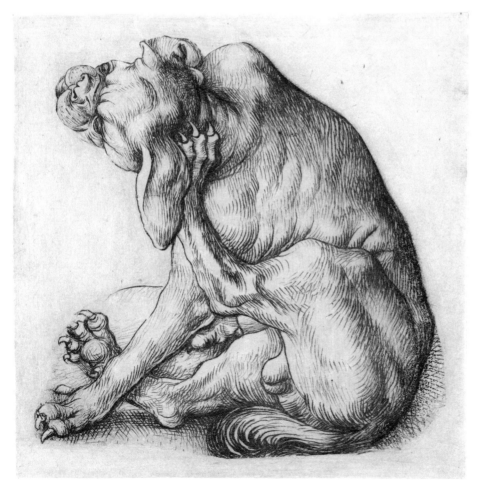

78

79.*
Amsterdam, Rijksprenten-
kabinet (coll. Van Leyden,
port. 20, nr. 2: blad 1;
Koninklijke Bibliotheek,
1807; Parijs, 1812-16, nr. 1;
inv. 939): goede druk, diameter 78 mm (langs buitenste
omtreklijn afgeknipt; leeg
wapenschild met de penseel
ingetekend).
80.1*
Amsterdam, Rijksprenten-
kabinet (coll. Van Leyden,
port. 20, nr. 3: blad 1;
Koninklijke Bibliotheek,
1807; Parijs, 1812-16, nr. 2):
zeer goede druk, rond, diameter 79 mm (buitenste
omtreklijn ten dele afgeknipt;
slijtage oppervlak papier
blanco schild, wellicht als
gevolg van het verwijderen
van een tekening, zoals in
79).
80.2
Oxford, Ashmolean Museum
(coll. Lloyd, sold to Woodburn; Douce Bequest, 1834;
Bodleian Library).

79. Boer met blank wapenschild
(L1, 79 ; L11, 81), ca. 1475-80
Drogenaald, unicum, diameter 78 mm.

80. Spinnende boerin met blank wapenschild
(L1, 80 ; L11, 82), ca. 1475-80
Drogenaald, unicum, diameter 79 mm.

¶ Binnen de prenten van de Meester nemen de bladen met wapenschilden een aparte plaats in [**79-89**]. Als schildhouders treden onder meer boeren en zigeuners op, en hun schilden zijn blank of hebben een blazoen met bijvoorbeeld een sikkel, uien en knoflook, dat men moeilijk met een aristocratische afkomst kan verbinden.

¶ Al in de vijftiende eeuw was het gebruik van familiewapens niet meer voorbehouden aan de aristocratie, maar kwam dit binnen het bereik van de burgerij (zie p. 73, noot 34). Van de groep ronde prenten met wapenschilden van Schongauer [**80 a-e**] wordt aangenomen dat ze in opdracht van rijke, burgerlijke families zijn gemaakt, die hun nieuw verworven maatschappelijke status wensten te bevestigen door een familiewapen, waarmee zij zich met de aristocratie konden meten.

De prenten zouden daarbij als een soort visitekaartje kunnen zijn gebruikt.[1] In de vijftiende eeuw was het gebruikelijk dat wapenschilden op afbeeldingen door een engel of een ridder werden vastgehouden, maar ook 'wildemannen' [zie **51-53**] konden deze rol vervullen; door hun bovenmenselijke kracht konden ze fungeren als beschermer en verdediger van het wapenschild. Aan de gegraveerde prenten met wapenschilden van Schongauer danken we enkele schitterende afbeeldingen van 'wildemannen', wier zorgenvrije bestaan in de natuur benadrukt wordt door de kransen van bloemen en takken in hun haar.[2]

¶ Of de prenten met wapenschilden van Schongauer inderdaad voor specifieke families zijn gemaakt, of dat zij als modellen voor dergelijke wapenschilden in andere media (bijvoorbeeld goudsmeedwerk) bedoeld waren, waarbij het blazoen op het schild vervangen kon worden door dat van de opdrachtgever, is niet met zekerheid vast te stellen. Terwijl de engel en de wildeman als schilddrager beiden in de traditie passen, is het veel moeilijker een slapende boer [**80**b] als een daadwerkelijke beschermer van een wapenschild te zien.

79

80

¶ Hetzelfde geldt voor de boeren en zigeuners die optreden als schilddragers in de prenten van de Meester. Het ligt in deze gevallen voor de hand de prenten te beschouwen als een satire op de pretenties van lieden die door wapenschilden een maatschappelijke status nastreefden, die zij door hun afkomst niet waar konden maken. In het *Narrenschip* van Sebastiaan Brandt uit 1495 wordt op een spitse manier de draak gestoken met dergelijke ambities en de belachelijkheid van zulke wapenschilden beschreven.[3] Daar in vier prenten van de Meester de schilden niet van een in de plaat getekend blazoen voorzien zijn, had een ieder de gelegenheid dit naar eigen behoefte in te vullen. In het geval van het wapenschild van de boer [79] is met de penseel een blazoen met een leeuw in het schild getekend.

¶ Elders (pp. 73-77) wordt uiteengezet dat deze wapenschilden niet zozeer gezien moeten worden als een satire op de pretenties van de burgerij, maar bedoeld waren om de boeren belachelijk te maken. In deze prenten is het boerenpaar op een rake, karakteristieke wijze getekend, waarbij de boer met afzakkende hozen en losse veters een wat onnozele indruk maakt in tegenstelling tot de boerin. Net zoals in de andere afbeeldingen van boeren van de Meester en zijn compaan Meester b x g [64, 98, 103, 104, 109 en 110] is de spinnende vrouw als de meest zelfbewuste en actieve van het stel gezien.

¶ Op stilistische gronden worden de prenten tot het werk uit de middenperiode – ca. 1475-80 – gerekend. De overeenkomsten met Schongauers ronde prenten van wapenschilden [80a-e], die over het algemeen na 1480 gedateerd worden, zijn echter zo frappant, dat, tenzij de prenten van de Meester het voorbeeld voor Schongauer zijn geweest, een latere datering waarschijnlijk is. Niet alleen is het formaat van de prenten van beide kunstenaars vrijwel hetzelfde en wordt de rand bij beiden door concentrische cirkels gevormd, maar ook zijn de compositie en de wijze waarop de figuren in het landschap zijn geplaatst zeer verwant.[4]

1. Shestack 1967-68, nrs. 90-97.
2. Bernheimer 1952, pp. 176-180; Husband 1980-81, pp. 185-189.
3. Hutchison 1972, p. 66.
4. Hutchison 1972, p. 67.

80a.*
Martin Schongauer, *Wapenschild met leeuwekop, vastgehouden door een Wildemansvrouw*, ca. 1480-90.
Gravure, diameter 78 mm.
B.100, L.99.
Rotterdam, Museum Boymans-van Beuningen (inv. 1933-44).

80b.*
Martin Schongauer, *Wapenschild met vleugels, vastgehouden door een boer*, ca. 1480-90.
Gravure, diameter 77 mm.
B.102, L.101.
Amsterdam, Rijksprentenkabinet (inv. OB:1072).

80c.*
Martin Schongauer, *Wapenschild met hazewindhond, vastgehouden door een Wildeman*, ca. 1480-90.
Gravure, diameter 78 mm.
B.103, L.102.
Amsterdam, Rijksprentenkabinet (inv. 55:103).

80d.*
Martin Schongauer, *Wapenschild met hert, vastgehouden door een Wildeman*, ca. 1480-90.
Gravure, diameter 78 mm.
B.104, L.103.
Amsterdam, Rijksprentenkabinet (inv. 52:573).

80e.*
Martin Schongauer, *Wapenschilden met Morenkop en haas*, ca. 1480-90.
Gravure, diameter 78 mm.
B.105, L.104.
Amsterdam, Rijksprentenkabinet (inv. OB:1074).

80a

80b

80c

80d

80e

81. Boerenvrouw met een sikkel op haar wapenschild

(Li, 81 ; Lii, 83), ca. 1475
Drogenaald, unicum, 81 x 82 mm.

¶ Zoals in de traditionele heraldiek gebruikelijk is, wordt dit wapenschild met een sikkel bekroond door een helm en een bewegelijk bladornament: een gestileerd dekkleed. De helm is een zogenaamde *Stechhelm*, die als bescherming tegen lansstoten alleen bij toernooien gebruikt werd. Juist de burgerij, die ook zelf toernooien organiseerde [zie **135**] koos dit type helm vaak als bekroning voor een nieuw verworven wapenschild.[1] Men kan de prent daarom zien als een satire op deze burgerlijke *nouveau riche*, die haar boerenafkomst niet kan verhullen. Alle attributen zijn met het werk op het land verbonden: de sikkel voor het maaien, takjes en grassprieten die uit de helm steken en de mand die de vrouw over het hoofd draagt. Indien de mand [*korb*, zie ook **105**][2] als een symbool van gulzigheid wordt geïnterpreteerd, is de visie op de boerin wel heel negatief. Afgaande op het goedmoedige beeld dat de prent van de boerin geeft, lijkt dat minder waarschijnlijk.

¶ Het is echter mogelijk dat bovengenoemde attributen gebruikt zijn om de ridderlijke ambities belachelijk te maken. Al in een vroeg vijftiende-eeuws episch gedicht wordt een door boeren gehouden toernooi, waarbij wapenschilden gesierd waren met hooivorken en dergelijke, op spottende wijze beschreven (zie p. 74). Naar analogie van de prent met het *Gevecht van de twee wildemannen* [**53**] kan men zich afvragen of daarin niet indirect het ridderlijke toernooi belachelijk wordt gemaakt.

¶ Met *Christus als Goede Herder* [**17**] behoort de prent tot de vroegste bladen van de Meester: de opbouw is eenvoudig, het lichaam van de boerenvrouw is vrij gedrongen, en de drogenaaldtechniek is aarzelend en weinig effectief gebruikt; doordat de inkt niet erg goed in de lijnen heeft gepakt, is de afdruk vrij onregelmatig.

1. Hutchison 1972, p. 68.
2. Ibid.; zie ook p. 74.

81

82. Zigeunerin met haar twee kinderen en een blank wapenschild

(LI, 82 ; LII, 84), ca. 1475-80
Drogenaald, unicum, 92 x 72 mm.

83. Zigeuner met baard en blank wapenschild

(LI, 83 ; LII, 85), ca. 1475-80
Drogenaald, vijf exemplaren bewaard, 93 x 72 mm.
Tegenhangers.

¶ Het zigeunerpaar dat in de tegenhangers als schildhouders fungeert is op een levendige wijze afgebeeld. Duidelijker dan in de prent met de *Zigeunerfamilie* [65], waar we al eerder dezelfde of een dergelijke familie met twee kinderen zijn tegengekomen, is het oosterse karakter van hun kleding benadrukt: de tulband en het wijde hemdkleed van de vrouw met bloezende mouwen en de breedgerande hoed met een sieraad van de man. Wat de functie is van de hamer met de lange steel, die op de voorgrond bij de man ligt, is niet duidelijk.[1]

¶ Even zelfbewust als de *Wildemansvrouw* op de prent van Schongauer [80a] is de zigeunerin met haar kinderen afgebeeld. Hoewel zigeuners als 'varende luyden' [zie 65] geen positieve reputatie hadden, wordt deze niet, evenmin als bij het boe-renpaar met de blanke wapenschilden [79-80], benadrukt.

¶ Merkwaardigerwijs zijn van de man van het stel liefst vijf afdrukken bewaard, terwijl van de zigeunervrouw met kinderen slechts één afdruk bekend is. Het enige complete stel afdrukken, dat uit de al in de zeventiende eeuw gevormde Malt-zan-verzameling afkomstig is en thans in Boston bewaard wordt, is fraai van druk en heeft zeer brede marges.[2]

¶ De prenten behoren tot het rijpere werk van de Meester. De levendige en gevarieerde arceringen, die met zekere hand direct in de plaat zijn getekend, geven aan de figuren en hun kleding een overtuigend volume.

1. Lehrs, deel 8, p. 159, noot 1; zie ook Hutchison 1972, p. 69.
2. Meestal zijn vroege, maar ook zestiende- en zeventiende-eeuwse prenten tot de plaatrand of tot de omtreklijn uitge-knipt om in albums geplakt te worden. Bij een groot deel van de bladen die afkomstig zijn uit de verzameling Maltzan is dit echter niet het geval. Het is mogelijk dat deze verzameling, die vrijwel uitsluitend vijftiende- en vroeg zestiende-eeuwse grafiek bevatte, een oude verzameltraditie vertegenwoordigt. Zie over deze verzameling Max Lehrs, 'Der deutsche und niederländische Kupferstich des fünfzehnten Jahrhunderts in den kleineren Sammlungen: Militsch (Graf Maltzan)', *Repertorium für Kunstwissenschaft* 16 (1893), pp. 328-30; zie ook R.-M. Muthmann, *Von Israhel van Meckenem bis Albrecht Dürer – Deutsche Graphik 1470-1530 aus Sammlung Graf Maltzan*, C.G. Boerner, Düsseldorf 1983.

82.*
Boston, Museum of Fine Arts (coll. Maltzan, Militsch, Silezië; verworven in 1966 uit het Katherina Eliot Bullard Fund; inv. 1966:375): zeer goede druk met plaattoon, 92 x 72 mm (met zeer brede marge, 180 x 129 mm).
83.1*
Boston, Museum of Fine Arts (coll. Maltzan, Militsch, Silezië; verworven in 1966 uit het Katherine Eliot Bullard Fund; inv. 1966:376): zeer goede druk met lichte plaattoon, 93 x 72 mm (met zeer brede marge, 180 x 129 mm; met enkele gerestaureerde gaatjes).

82

83.1

83.2*
Amsterdam, Rijksprenten-
kabinet (coll. Van Leyden,
port. 20, nr. 28: blad 7;
Koninklijke Bibliotheek,
1807; inv. OB:942): zeer
goede druk, 93 x 72 mm
(beschadigingen en restauraties in de hoeken en aan de
onderzijde).
83.3
Berlijn, Kupferstichkabinett
(coll. Nagler; inv. 327-1):
zeer goede druk, 93 x 72 mm
(met marges 108 x 93 mm).
83.4
Stuttgart, Kunsthalle
(Klebeband Stimmer, hout-
sneden; inv. 8701): wat
magere grijze druk, 88 x 71
mm (afgeknipt, met vlekjes).
83.5
Wenen, Albertina (Hofbi-
bliothek; inv. 317-1928):
goede druk in slechte staat,
93 x 72 mm (gekreukeld).
82a.
Spiegelbeeldige copie van
Meester b x g.
Gravure, 95 x 80 mm. *L.II,
38.*
Parijs, Musée du Louvre,
coll. Ed. de Rothschild.
83a.
Spiegelbeeldige copie van
Meester b x g.
Gravure, 94 x 77 mm. *L.II,
39.*
Wenen, Albertina.

83.2

83a

82a

84. Dame met radijzen op haar wapenschild

(Lı, 84 ; Lıı, 86), ca. 1475
Drogenaald, unicum, 96 x 78 mm.

85. Jongeman met knoflook op zijn wapenschild

(Lı, 85 ; Lıı, 87), ca. 1475
Drogenaald, unicum, 121 x 85 mm.

¶ Op deze prenten zijn de schilddragers geen boeren, maar modieus geklede jongelieden. Op het wapen van de jongeman zien we knoflookknollen en het helmteken bestaat uit een bos uien; bij de vrouw zijn waarschijnlijk radijzen afgebeeld en wordt het helmteken door een bos radijzen ('rettich') gevormd.[1]

¶ Dezelfde bosjes groenten die op deze prenten de helmtekens van de *Stechhelm* vormen, bekronen de fantasiehelmen van de wildemannen in het *Gevecht tussen twee wildemannen* [53], een voorstelling die waarschijnlijk een parodie op het ridderlijke toernooi is.

¶ Hoewel aan de satirische bedoeling niet getwijfeld kan worden, blijft het ook bij deze prenten de vraag of deze zich richt tegen de rijke burgerij, die zijn nederige afkomst niet kan verloochenen[2] of tegen de boeren. Zoals elders uiteen wordt gezet (p. 74) is het waarschijnlijker dat hier de boeren, die zich boven hun stand overdreven modieus en kleurig kleedden, belachelijk worden gemaakt.

¶ Beide prenten kunnen vrij vroeg gedateerd worden: binnen brede contouren zijn de arceringen simpel; de kunstenaar beheerst de drogenaaldtechniek nog niet erg goed; de inkt pakt slecht in de dunne lijnen die onscherp gedrukt zijn, terwijl de bredere lijnen er vlekkerig uitzien.

¶ Daarbij komt dat geen van beide afdrukken erg goed bewaard is. De enige afdruk van de *Dame* in Dresden [84], helaas de enige prent van de Meester die niet in het origineel tentoongesteld kan worden, is vrij onscherp gedrukt en sterk schoongemaakt. De eveneens unieke druk van de *Jongeman* [85] in Amsterdam is niet alleen vrij grijs van druk, maar bovendien zeer vlekkerig en gesleten; de ornamentjes in de hoeken zijn er met een penseel bij getekend.

1. Zie Lottlisa Behling, 'Der Hausbuchmeister - Erhard Reuwich', *Zeitschrift für Kunstwissenschaft* 5 (1951), pp. 179-190, in het bijzonder pp. 188-190, waar zij opmerkt dat de afbeeldingen van de uien (*allium cepa*), de radijs of ramenas (*rettich: raphanus sativus*) en de biet (*brassica rapa*) in de *Hortus Sanitatis* (Mainz, 1485; zie 141) sterk aan die op de prenten herinneren.
2. Hutchison 1972, p. 70.

84.
Dresden, Kupferstichkabinett: goede, maar vrij onscherpe druk, 96 x 78 mm (geen omtreklijnen).
85.*
Amsterdam, Rijksprentenkabinet (coll. Van Leyden, port. 20, nr. 5: blad 1; Koninklijke Bibliotheek, 1807; Parijs, 1812-16, nr. 4; inv. OB:943): redelijke grijze druk, 121 x 85 mm (met penseel in grijze inkt zijn de ornamentale hoekvullingen getekend; de afdruk is zeer vlekkerig).

84

85

86.1*
Amsterdam, Rijksprenten-
kabinet (coll. Van Leyden,
port. 20, nr. 8: blad 2 (?));
Koninklijke Bibliotheek,
1807; Parijs 1812-16, nr. 7;
inv. OB:944): zeer goede
druk, 125 x 85 mm (langs
omtreklijnen afgeknipt;
kleine vlekjes op de prent).
86.2
Dresden, Kupferstichkabi-
nett (inv. 1968.46): redelijk
scherpe druk, 121 x 85 mm
(links nog 2 mm bij de
omtreklijn, aan bovenzijde
afgeknipt; sporen van verfvlekken, die bij restauratie
grotendeels verwijderd zijn).
86.3
Londen, British Museum
(coll. De Vindé; coll.
Buckingham, 1834; inv.
1834-8-4-71): zeer goede
druk,
122 x 81 mm (binnen
omtreklijnen afgeknipt; enige
vlekken op de afdruk).

86. Dame met uil en wapenschild met de letters AN

(LI, 86 ; LII, 88), ca. 1485
Drogenaald, drie exemplaren bewaard, 125 x 85 mm.

¶ Onder de prenten met wapenschilden is deze drogenaald in technisch en stilistisch opzicht één van
de meest verfijnde bladen, maar wat het onderwerp betreft blijft het vrij raadselachtig. De elegante en charmante jonge vrouw herinnert in kleding, haardracht en gelaatstrekken zowel aan de
dames in het *Kaartspel* [**73**] en het *Liefdespaar* [**75**]
als aan Phyllis, die Aristoteles berijdt [**54**], alleen
vinden we de muts met kwasten meestal bij jongemannen.

¶ De betekenis van de letters AN op haar schild is
niet duidelijk, terwijl ook de relatie tussen de
vrouw en de uil moeilijk te duiden is. Zoals elders
is opgemerkt (p. 73) is de uil over het algemeen
een symbool van de zonde en in deze context wellicht van de wellust; de jonge vrouw zou hierdoor
in deze prent als verleidster worden gekarakteriseerd: zoals de uil als lokvogel bij de jacht fungeert, zo worden mannen door de bekoring van

een vrouw in het verderf gestort. De aanwezige
lege spreukband wijst wel op een dergelijke moraliserende bedoeling, maar in de context van de
vrouw als wapendraagster blijft dit een onzekere
interpretatie.

¶ De helm, een *Spangenhelm*, gedragen bij een steekspel dat met knotsen in plaats van lansen wordt
uitgevochten, wordt tot in de zestiende eeuw uitsluitend als bekroning voor wapenschilden van
de aristocratie gebruikt.[1] Of men daarmee de
prent in het hoofse milieu kan plaatsen, waarmee
het werk in de 'hofperiode' (zie pp. 32-33) verbonden wordt, is de vraag, want ook het waarschijnlijk satirisch bedoelde *Wapenschild met een garen-
spinnende vrouw* [**87**] heeft een dergelijke helm.

¶ Wat de drogenaaldtechniek betreft is dit een van
de meest verfijnde en zorgvuldig getekende prenten: de plooien zijn opgebouwd uit fijne transparante arceringen, die zeer licht en delicaat zijn
gebruikt (*afb. 29*); net zoals in de andere prenten
uit deze groep is een zeer fijne drogenaaldstift
gebruikt.

1. Hutchison 1972, p. 71.

86

87. Wapenschild met oude garenspinnende vrouw

(Li, 87 ; Lii, 89), ca. 1490
Drogenaald, unicum, 115 x 78 mm.

¶ In deze prent en de twee volgende ontbreekt de wapendrager (of draagster) en staat het wapenschild op de grond in het gras, steunend tegen een houten helmstandaard; de helm, waaruit een weelderig ornamentaal bladwerk (dekkleed) 'groeit', wordt bekroond door een fantastische vogel. Met half uitgespreide vleugels, een ferme kuif en een scherpe, wijd geopende snavel maakt de vogel een uitgesproken agressieve indruk.[1]

¶ Het is mogelijk dat de krijsende vogel bedoeld is om de vrouw te karakteriseren als een kijvende kletskous en een intrigante (zie p. 79, noot 37).[2] Hoewel de broodmagere oude vrouw geen sympathiek uiterlijk heeft, kunnen haar werkzaamheden nauwelijks negatief geïnterpreteerd worden: zij is zelfs heel nijver bezig met garenklossen. Het afgebeelde wiel is een voorloper van het spinnewiel, dat in het Hausbuch [117, fol. 34r] voorkomt; dit type wiel kon zowel voor het spinnen als

voor het klossen van garen gebruikt worden. De op het wapenschild voorgestelde vrouw voert de reeds gesponnen draad met de hand uit de naast haar staande stenen pot naar een spoel die met behulp van het wiel, dat de vrouw met de hand in beweging zet, wordt rondgedraaid. Daarbij steunt het andere eind van de spoel tussen de tenen van de blote voet van de vrouw.[3] Deze gecompliceerde handeling is raak en met humor weergegeven. Of in de schoot van de vrouw appels (?) of klossen garen liggen is niet duidelijk.

¶ Al met al laat de preciese betekenis van dit met de aristocratische *Spangenhelm* [zie **86**] bekroonde wapenschild zich moeilijk achterhalen, al lijkt ook dit wapenschild satirisch bedoeld. De met een spitse drogenaald getekende prent behoort tot het latere werk van de Meester. In de prachtige diepzwarte druk komen de drogenaald-effecten goed tot hun recht, met name in de tekening van de vogel.

1. Zoals Lehrs, deel 8, p. 163, heeft opgemerkt, herinnert de fantasievol voorgestelde vogel aan de vogel op de prenten van de Meester van de Speelkaarten (L.67 en L.68; vergelijk afbeeldingen bij Lehrs (Dover), 15 en 17).
2. Hutchison 1972, p. 71.

87.*
Amsterdam, Rijksprentenkabinet (coll. Van Leyden, port. 20, nr. 9: blad 2 (?)); Koninklijke Bibliotheek, 1807; Parijs, 1812-16, nr. 8; inv. OB:945): zeer goede druk, 115 x 78 mm (geen omtreklijn; geen plaatrand).

87

88. Wapenschild met acrobaten en zwaardvechters

(L1, 88 ; L11, 90), ca. 1490
Drogenaald, unicum, 135 x 74 mm.

¶ Wat de betekenis betreft is dit wapenschild nog raadselachtiger dan het voorgaande. De op zijn kop staande jongeman, die het wapenschild bekroont, kan, zoals in de volgende prent, de 'omgekeerde wereld' betekenen. Daar is de afbeelding van de vrouw die de man berijdt een duidelijk bewijs voor het 'verkeerde' van deze 'omgekeerde' blik op de wereld. Deze prent kan men zien als een satire op het populaire amuse-ment dat rondtrekkende kunstemakers boden. Deze voorlopers van de acrobaten in het latere circus, die met hun sportieve kunsten het brood verdienden, behoorden tot de 'varende luyden' [zie **65**], die door de burgerij sterk gewantrouwd werden. Middeleeuwse moralisten zagen hen als een moreel gevaar omdat hun zinloos amusement de mens afleidde van hogere zaken.[1]

¶ De modieus geklede jongelingen op het schild, die met dolken (of korte zwaarden) een vriend-schappelijk tweegevecht schijnen te voeren, her-inneren aan de jeugdige worstelaars en zwaard-vechters, die als kinderen van *Sol* in het *Hausbuch* [**117**, fol. 14] zijn afgebeeld; in beide gevallen denkt men aan een onschuldige sportieve tijdsbe-steding van aristocratische jongeren.[2] De buite-lende figuren op de voorgrond maken het echter aannemelijker dat de zwaardvechters ook tot de kunstemakers gerekend kunnen worden. Men kan zich afvragen in hoeverre de prent een paro-die vormt op het aristocratische tijdverdrijf, het toernooi, waarvan zowel de lansen op de voor-grond voor het wapenschild als de *Stechhelm* de attributen zijn.

¶ Deze uiterst levendig getekende prent is waar-schijnlijk in dezelfde tijd als de vorige prent ont-staan. Doordat de inkt niet erg goed in de groeven van de plaat gepakt heeft, is het blad minder krachtig en vrij onscherp gedrukt.

1. Hutchison 1972, p. 72.
2. Met dank aan Keith P. Moxey voor zijn hulp bij de interpre-tatie van de prent. Hij wees mij in dit verband op Werner Danckert, *Unehrliche Leute*, Bern 1979, pp. 214-235.

89. Wapenschild met een op zijn kop staande boer

(Li, 89 ; Lii, 91), ca. 1485-90
Drogenaald, drie exemplaren bewaard, 137 x 85 mm.

¶ De op zijn kop staande boer (of boerenjongen) is van achteren gezien op het wapenschild afgebeeld. Hij steunt met beide handen op twee rotsblokken. De *Stechhelm* van het schild wordt 'bekroond' door een boer, die letterlijk gebukt gaat onder zijn vrouw, die op zijn rug zit. Met behulp van een spinrokken, dat de man vasthoudt, spint zij garen. Anders dan Aristoteles, die lijdzaam Phyllis op zijn rug draagt [54], schreeuwt de man het uit. De betekenis van de voorstelling is duidelijk: zoals de man die op z'n kop staat, een omgekeerde, 'verkeerde' kijk op de wereld heeft, zo vertegenwoordigt het boerenpaar een omkering van de natuurlijke sociale orde, die zowel verwerpelijk als potsierlijk is (zie p. 73).[1] Het thema van de man die onder de plak van zijn vrouw zit en door haar, onder de dreiging van haar spinrokken, tot onderdanigheid gedwongen wordt, komt zowel voor in het werk van Meester b x g [zie **95**] als van Israhel van Meckenem.[2]

¶ Het beeld van de 'verkeerde' (omgekeerde) wereld als een op z'n kop staande figuur, dat in deze prent waarschijnlijk voor het eerst gebruikt is, heeft tot ver in de negentiende eeuw vooral in de volksprenten een grote populariteit gekend.[3]

¶ Zoals elders (pp. 74-77) aannemelijk is gemaakt, vertegenwoordigt deze prent (met andere satirische prenten van de Meester en Meester b x g) een uitgesproken negatieve visie op de boerenbevolking: in een aantal prenten zijn zij op een vernederende en lachwekkende wijze voorgesteld. De omkering van maatschappelijke waarden, waarbij de vrouw de boventoon voert, wordt in deze prent als typerend voor morele domheid van de boeren voorgesteld.

¶ De met een wat bredere stift en op een wat grotere schaal dan in de vorige bladen uitgevoerde prent behoort ook tot het latere werk van de Meester. Ook hier valt op hoe levendig en karakteristiek de figuren getekend zijn. In de spiegelbeeldige copie van Israhel van Meckenem is de prent breder geworden, doordat het ornamentale bladwerk verder is 'uitgegroeid'.

1. Hutchison 1972, p. 72.
2. Zie Lehrs, deel 9, nr. 473 (afgebeeld bij Lehrs (Dover), 649) en nr. 504 (afgebeeld bij Shestack 1967-68, nr. 237).
3. Zie onder meer tent.cat. *Centsprenten*, Amsterdam 1976, pp. 115-16; zie verder p. 78, noot 32.

89.1*
Amsterdam, Rijksprentenkabinet (coll. Van Leyden, port. 20, nr. 6: blad 2; Koninklijke Bibliotheek, 1807; Parijs 1812-16, nr. 5; inv. OB:947): zeer goede druk, 137 x 84 mm (langs omtreklijnen afgeknipt; aan bovenzijde ontbreekt omtreklijn; wat smoezelige vlekkerige afdruk; watermerk: ossekop met ster en stang).

89.2
Coburg, Veste Coburg (coll. Brandes, 1795; inv. K 534): zeer goede druk, 135 x 84 mm (langs omtreklijn afgeknipt; aan bovenzijde iets afgeknipt; kleinere beschadigingen en reparaties; watermerk: ossekop met ster en stang).

89.3
Londen, British Museum (inv. E I - 138): goede druk in slechte staat, 137 x 85 mm (sterk aangevuld en gerestaureerd langs de randen, ook oppervlak sterk beschadigd).

89a.
Copie in spiegelbeeld door Israhel van Meckenem. Gravure, 145 x 118 mm. L.521.
Wenen, Albertina (inv. 1926, 1291).

89.1

89a

*T*EN ONRECHTE

AAN DE MEESTER TOEGESCHREVEN PRENTEN

90. Madonna en Kind met een rozenkrans in een maansikkel, met twee engelen

(LII, 24), ca. 1485
Gravure, sterk met pen en penseel opgewerkt, unicum,
158 x 117 mm.

¶ Op drie drogenaaldprenten van de Meester is de *Madonna op de maansikkel* afgebeeld [23-25]. Hier is de Madonna, omsloten door een bijna ronde maansikkel, ten halve lijve weergegeven met aan weerszijden twee engelen. In grote lijnen gaat het blad waarschijnlijk terug op de gravure van Martin Schongauer [90a] waar de twee engelen Maria de sterrenkroon op het hoofd plaatsen. In het aan de Meester toegeschreven blad ligt de nadruk op de 'rozenkransdevotie': het Christuskind speelt met een rozenkrans en de maansikkel met de stralenkrans wordt omgeven door een grotere rozenkrans.

¶ De toeschrijving van het blad aan de Meester is gebaseerd op een aantal oppervlakkige overeenkomsten met Madonna's [26, 27] en engelen [49, 50] in de prenten van de Meester,[1] maar niet op overeenkomsten in techniek. Nu is de techniek een probleem, omdat het blad sterk is opgewerkt met pen en penseel, zó sterk dat het moeilijk is nog enig origineel graveerwerk in de prent te herkennen: alleen in de sterrenkroon en de rechter engel ziet men gedrukte lijnen, verder uitsluitend getekende lijnen.[2] Om verschillende redenen lijkt het onwaarschijnlijk dat de afdruk in de vijftiende eeuw is gemaakt: zo wijst het schetsmatig doorlopen van de engelenvleugels onder de omtreklijn erop dat de gravure onvoltooid is gebleven. Waarschijnlijk is de prent, wellicht in de negentiende eeuw, op oud papier gedrukt van een onvoltooid gebleven koperplaatje, waarbij de ontbrekende en/of slecht leesbare gedeelten met pen en penseel zijn bijgewerkt. Dit moet met een behoorlijke kennis van de vijftiende-eeuwse graveerkunst gedaan zijn, zó groot dat een van de eerste specialisten op dit gebied, Weigel, het blad in 1866 als onderdeel van zijn verzameling en als een van de vroegste voorbeelden van de graveerkunst publiceerde en afbeeldde.[3] Het glasruitje met hetzelfde thema in het westelijke raam van de noordelijke zijbeuk van de St. Leonardskerk in Frankfurt am Main, gesigneerd A. Linneman en gedateerd (18)81, zal wel op deze afbeelding of zelfs op die in de veilingcatalogus van 1872 gebaseerd zijn.[4]

¶ Terwijl Weigel de prent met de Keulse kunst in verband bracht en dateerde in de jaren zeventig van de vijftiende eeuw nam baron Ed. de Rothschild het blad als 'Primitif français du XVe siècle' in zijn verzameling op. Lehrs, die eerst aan een vervalsing dacht, aanvaardde de prent in 1912 als werk van de Meester,[5] en daarna schijnt aan deze toeschrijving nauwelijks meer getwijfeld te zijn.

¶ Solms-Laubach wees op de overeenkomsten in compositie tussen de prent en het reliëf met de *Bedevaart-Madonna (afb. 39)* in de kruisgang van de Dom te Mainz, dat Breydenbach in 1484 als dank voor zijn behouden terugkomst van de bedevaart naar het Heilige Land [zie 142] had geschonken. Voor Solms-Laubach is de prent een belangrijk argument om dit reliëf en andere monumentale sculptuur toe te schrijven aan Erhard Reuwich, die hij met de Meester identificeert.[6]

¶ De opgemerkte verwantschap maakt het wel

waarschijnlijk dat de voorstelling verbonden is met de Midden-Rijnse kunst uit die tijd, maar vormt geen argument voor de toeschrijving aan de Meester.

1. Lehrs, deel 8, p. 102.
2. Met dank aan de conservatrice van de collectie Ed. de Roth-schild in het Musée du Louvre, Parijs, mevrouw Pierrette Jean-Richard, die een zorgvuldige bestudering van het blad mogelijk maakte.
3. T.O. Weigel en Dr. Ad. Zestermann, *Die Anfänge der Drucker-kunst in Bild und Schrift. An deren frühesten Erzeugnissen in der Wei-gelschen Sammlung erläutet*, Leipzig 1866, 2 delen, deel 2, p. 355, pl. 424.
4. Husband 1985, noot 66.
5. Max Lehrs, 'Neue Funde zum Werk des Meisters E.S.', *Jahr-buch der königlich preussischen Kunstsammlungen* 33 (1912), pp. 275-283, speciaal p. 275.
6. Solms-Laubach 1935-36, p. 56.

90.
Parijs, Musée du Louvre, coll. Ed. de Rothschild, (coll. T.O. Weigel, Leipzig, 1872; inv. 69 LR als 'Primitif français du XVe siècle'): gravure (?), 158 x 117 mm (zeer sterk met pen en pen-seel in grijze inkt opgewerkt, zodat van de gegraveerde lijnen weinig of niets zicht-baar is).

90a.
Martin Schongauer, *Madonna op maansikkel*, ca. 1480. Gravure, 173 x 109 mm. B.31; L.40. Berlijn, Kupferstichkabinett Staatliche Museen Preussi-scher Kulturbesitz (inv. 33730).

90

90a

91. Boccaccio schrijft de geschiedenis van Adam en Eva

(L11, 58), kort voor 1476

Gravure, fragment, unicum, 128 x 138 mm.

¶ De fragmentarisch bewaarde prent toont de schrijver Boccaccio terwijl hij de geschiedenis van de Zondeval beschrijft. Hij zit achter een lezenaar; voor hem staan Adam en Eva en op de achtergrond is de Schepping, de Zondeval en de Verdrijving uit het Paradijs afgebeeld.

¶ Een copie van de prent [91b] is met acht andere Boccacio-illustraties opgenomen in het eerste gedrukte boek dat met gravures geïllustreerd is: een Franse vertaling van Boccaccio's *De casibus illustrium virorum et mulierum: De la Ruine des nobles hommes et femmes*, dat in 1476 door Colard Mansion in Brugge is uitgegeven. Van dit werk bestaan vier verschillende uitgaven, die laten zien dat het idee om het boek te illustreren langzaam is gegroeid: de eerste uitgave biedt geen ruimte voor gravures, de tweede slechts voor een illustratie in de proloog, en de derde en vierde uitgave voor respectievelijk acht en negen gravures.[1]

¶ Er zijn slechts enkele met ingeplakte gravures geïllustreerde exemplaren bewaard; het meest complete exemplaar is in Boston, de derde uitgave met acht met de hand gekleurde gravures.[2] Zij zijn alle gegraveerd door dezelfde Meester van de Boccacio-illustraties, die de copie van het in Parijs bewaarde fragment [91] maakte.

¶ Van dezelfde voorstelling is nog een derde versie: een gravure, waarvan de enige afdruk in Wenen bewaard wordt [91a]. Deze is niet alleen groter van formaat en verschilt in veel details sterk van de andere twee versies, maar vertoont bovendien een andere, met name sterk op Hugo van der Goes geïnspireerde stijl.

¶ Toen Lehrs in 1902 het Parijse fragment [91] en de Weense versie [91a] publiceerde, vermoedde hij dat de drie versies het resultaat waren van een prijsvraag, die door de uitgever van het boek was uitgeschreven, om te bepalen wie het meest geschikt was om het boek te illustreren. Kort na Lehrs' publicatie werd duidelijk dat het Parijse fragment het voorbeeld voor de prent van de Meester van de Boccaccio-illustraties moet zijn geweest en mogelijk was bedoeld om als illustratie van de proloog in de tweede uitgave te worden opgenomen;[3] bovendien werd opgemerkt dat de Weense gravure te groot was om in het boek te passen.

¶ In ieder geval blijkt uit de graveerstijl van zowel het Parijse fragment als van de Weense versie dat geen van beide door ervaren graveurs gemaakt zijn, en dat zal wel de reden zijn dat de uiteindelijke illustraties aan een derde, meer geroutineerde graveur zijn toevertrouwd.

¶ Anzelewsky merkte de sterke verwantschap op van het Weense blad met de miniaturen van de Meester van Maria van Bourgondië (die hij met Sanders Bening identificeert) en vermoedde dat alle drie de versies teruggaan op een miniatuur, dat zich mogelijkerwijs als dedicatiepagina in de eerste gedrukte Boccaccio-uitgave van Mansion bevond. Naar zijn mening is de Weense versie [**91a**] de meest getrouwe copie van de miniatuur; daarom schreef Anzelewsky die eveneens aan Sanders Bening toe, terwijl hij, evenals Boon, de definitieve gegraveerde illustraties van het boek aan een andere miniaturist gaf: de Meester van het Dresdense Gebedenboek.[4]

¶ Geen van beide kunsthistorici twijfelde overigens aan de toeschrijving van het Parijse fragment aan de Meester, die door hen met de als miniaturist in de Nederlanden gevormde Erhard Reuwich geïdentificeerd werd. Het Parijse fragment vormt in dit opzicht een sleutelstuk voor de relatie tussen het werk van de Meester en de Vlaamse kunst in die tijd. Zoals Glaser reeds heeft opgemerkt verschilt de prent wat de modellering en de fysionomie van de figuren, de ruimtelijke opzet en het rijke gotische ornament betreft nogal sterk van de drogenaaldprenten van de Meester.[5]

¶ De graveertechniek lijkt, ondanks het aarzelende en schetsmatige karakter, wezenlijk verschillend van de drogenaaldtechniek in de vroege prenten van de Meester (vergelijk pp. 29-31).

¶ Het ligt daarom meer voor de hand om als maker van de prent te denken aan een Brugse of Gentse miniaturist, die evenmin als de maker van de Weense prent een ervaren graveur was. Door de nauwe relatie tussen de Brugse miniatuurkunst en vroege, gedrukte illustraties is de betekenis van deze prenten, ook wanneer een relatie tot het werk van de Meester ontbreekt, van wezenlijk belang.

1. Max Lehrs, 'Der Meister der Boccaccio-Bilder', *Jahrbuch der königlich preussischen Kunstsammlungen* 23 (1902), pp. 124-41.
2. Henry P. Rossiter, 'Colard Mansion's Boccaccio of 1476', *Beiträge für Georg Swarzenski*, New York 1951, pp. 103-11.
3. Baer 1903, p. 137; Max Geisberg, 'Der Hausbuchmeister in den Niederlanden?', *Cicerone* 1 (1909), toonde aan dat de figuur van Eva in de prent in Parijs gebaseerd is op het zogenaamde Kortrijkse altaar dat in het atelier van Rogier van der Weyden moet zijn ontstaan (thans in het Prado); de merkwaardige houding van Eva's hand die het gevolg is van het feit dat in het voorbeeld de hand een appel vasthield, is in de prent van de Meester van de Boccaccio-illustraties gecorrigeerd.
4. Fedya Anzeleswky, 'Die drei Boccaccio-Stiche von 1476 und ihre Meister', *Festschrift für Friedrich Winkler*, Berlin 1959, pp. 114-25; K.G. Boon, 'Was Colard Mansion de illustrator van 'Le Livre de la Ruyne des nobles hommes et femmes'?', *Amor Librorum: a tribute to Abraham Horodisch*, Amsterdam 1958, pp. 85-88.
5. Glaser 1910, p. 154.

91a.*
Zelfde thema door anonieme meester, ca. 1475.
Gravure, unicum, met de pen opgewerkt, 290 x 169 mm. Lehrs, deel 4, p. 270, nr. 82.
Wenen, Albertina (inv. 1926:905).
91b.*
Zelfde thema door de Meester van de Boccaccio-illustraties, 1476.
Gravure, 186 x 167 mm. Lehrs, deel 4, p. 174, nr. 3.
Parijs, Bibliothèque Nationale (inv. EdN 795).

91a

91b

Prenten

VAN MEESTER bɑ8

¶ Het werk van de gravures met het monogram b x g is van oudsher met dat van de Meester in verband gebracht. In de negentiende eeuw meende Harzen zelfs dat de gravures die dit monogram en dat met de letters W B droegen (zie p. 45) van dezelfde hand waren als de droge-naaldprenten van de Meester. Doordat hij de laatste letter van het monogram b x g als een s las, identificeerde hij de maker van dit veelzijdige œuvre met Bartholomeus Zeitblom, een theorie die nooit veel aanhang heeft gekregen. Dat de laatste letter van het monogram niet een s maar een g was, bleek aan het begin van deze eeuw uit een vergelijking van het letterbeeld met dat in handschriften en vroege drukken. Al in de zeventiende eeuw werd het monogram verkeerd gelezen en als dat van Barthel Schoen geïdentificeerd, die een broer van Martin Schongauer zou zijn. Hoewel deze vier broers had, blijkt daar geen Bartholomeus bij te zijn. Toch is deze fantastische identificatie tot in deze eeuw blijven voortleven.

¶ Met de ontdekking in 1856 van het koperplaatje van de prent met het wapenschild van de families Von Rohrbach en Holzhausen [111] werd het duidelijk dat de monogrammist in Frankfurt am Main gewerkt moet hebben. Flechsig, die zich in 1911 vrij diepgaand met deze kunstenaar heeft beziggehouden, vermoedde dat de maker een Frankfurtse goudsmid was en suggereerde de naam Bartholomeus Gobel, over wie verder niets bekend is.[1]

¶ Door Lehrs worden vier en veertig bladen van Meester b x g beschreven, waarvan het merendeel van het monogram is voorzien; vijf prenten daarvan zijn copieën naar Schongauer. Hoewel slechts voor zeven van de andere gravures voorbeelden in de vorm van drogenaaldprenten van de Meester aan te wijzen zijn, wordt het merendeel van de prenten van Meester b x g met het werk van de Meester in verband gebracht. In zijn œuvrecatalogus uit 1893-94 nam Lehrs een lijst van dertig prenten van Meester b x g als copieën naar verloren drogenaaldprenten van de Meester op.

¶ Thematisch is deze groep bijzonder interessant omdat het vrijwel allemaal prenten met profane voorstellingen zijn. Of de genoemde dertig prenten inderdaad alle gebaseerd zijn op voorbeelden van de Meester of dat men ook een zekere originaliteit bij de monogrammist mag vermoeden, is een vraag waarop we hier niet diep willen ingaan. Zeker lijkt dat de gravures wat stijl en inhoud betreft zeer verwant zijn aan het werk van de Meester en in deze context op zinvolle wijze tentoongesteld en beschreven kunnen worden.

¶ Opmerkelijk is dat het merendeel van de prenten van Meester b x g bij het vroegere werk van onze Meester, omstreeks 1475-80, aansluiten; diens rijpere werk schijnt alleen weerklank te vinden in enkele prenten met hoofse thema's [98-101, 104-106] en in een copie van het *Liefdespaar* [75a]. Tussen de prenten met het monogram b x g zijn nogal sterke kwaliteitsverschillen op te merken: in de slechtste gevallen zijn de prenten vrij grof, in de beste gevallen [92, 93, 107] zijn ze op een fraaie, levendige en gevarieerde wijze gegraveerd. Al in het verleden is op grond van zijn graveertrant gesuggereerd, dat de Meester van beroep een goudsmid was.

¶ De prenten van Meester b x g zijn nauwelijks minder zeldzaam dan die van de Meester. De grootste verzameling ervan, twintig bladen, bevindt zich in de collectie Ed. de Rothschild in het Louvre (Parijs). Veertien van deze bladen zijn afkomstig uit de achttiende-eeuwse verzameling van Lambertini (de latere paus Benedictus XIV), die zich in de Universiteitsbibliotheek in Bologna bevond.[2] Doordat de Rothschild-collectie nimmer uitleent, ontbreken in de tentoonstelling een aantal unieke prenten. Wel in de expositie opgenomen is een prent met een liefdespaar, die na de verschijning van de catalogus van Lehrs in 1932 is ontdekt [106].

¶ In de catalogus [**92** t/m **112**] is bij de beschrijving van 23 prenten van Meester b x g de volgorde van de catalogus van Lehrs uit 1893-94 (hier aangeduid als: *LI*) aangehouden; daarnaast zijn vijf bladen met kinderen (*LI, 92 t/m 96; LII, 7 t/m 10, 12*) in samenhang met de drogenaaldprenten met hetzelfde onderwerp van de Meester [**59-61**] beschreven. Enkele bij Lehrs beschreven prenten (*LI, 109, 113; LII (b x g), 26, 28, 31*) vertonen zo weinig overeenkomst met het werk van de Meester dat het weinig zinvol leek deze op te nemen.

¶ Hoewel de catalogus van de prenten van Meester b x g van Lehrs uit 1932 (hier aangeduid als: *LII (b x g)*) de prenten en de verschillende bewaarde afdrukken zorgvuldig beschrijft, is er sindsdien weinig aan de inhoudelijke interpretatie van de prenten gedaan. De samensteller is Keith P. Moxey dan ook dankbaar voor zijn talrijke suggesties op dit gebied.[3]

1. Flechsig, zie **111**, noot 1; verder Lehrs, deel 8, pp. 165-179.
2. Lehrs, deel 8, p. 169, noot 1.
3. De referenties in de noten bij **94**, noot 1; **96**, noot 1; **107**, noot 2; **109**, noot 2, zijn aan hem te danken.

92. De H. Antonius op bezoek bij de H. kluizenaar Paulus

(LI, 90 ; LII (b x g), 6), ca. 1475-80
Gravure, vier exemplaren bewaard, 159 x 107 mm.

¶ De H. Paulus van Thebe leefde in de derde eeuw na Christus. Om aan de Christenvervolgingen te ontkomen had hij zich in de woestijn teruggetrokken, waar hij zestig jaar lang als kluizenaar leefde. Hij kleedde zich met palmbladeren en dagelijks bracht een raaf hem een stuk brood. Kort voor zijn dood werd hij bezocht door een andere kluizenaar, de H. Antonius-abt die hem pas na lange omzwervingen gevonden had. Toen het tijd werd om te eten, kwam de raaf aanvliegen met een dubbele portie brood.

¶ Dat moment is hier afgebeeld: de twee bejaarde kluizenaars zitten bij een bron genoeglijk met elkaar te praten: de H. Paulus zit onder een strooien afdakje voor de grot waarin hij leeft en de H. Antonius onder een boom. Het gebeuren is met zo'n opmerkelijk, enigszins naïef gevoel voor humor voorgesteld, dat men er niet aan kan twijfelen dat aan de prent een voorbeeld van de Meester, wellicht uit zijn vroege periode, ten grondslag ligt. Hoewel de burijn de verfijning van de drogenaald mist, wordt vooral in de schaduwpartijen een fraai scala van nuances bereikt.

1. *Legenda aurea*, pp. 111-12.

92.1*
Berlijn, Staatliche Museen Preussischer Kulturbesitz, Kupferstichkabinett (coll. Murray, 1888; inv. 126.1891): zeer goede druk, 157 x 106 mm (langs omtreklijn afgeknipt).
92.2
Dresden, Kupferstichkabinett: goede druk, 158 x 106 mm (met randje om omtreklijn).
92.3
New York, Metropolitan Museum: zeer goede zwarte druk, 158 x 108 mm.
92.4
Particuliere verzameling, Verenigde Staten (coll. Friedrich August, Dresden, 1926; coll. G. Ronald): goede druk met marge (watermerk: brede gotische P met klaverblad).

92

93.1
Parijs, Musée du Louvre, coll. Ed. de Rothschild (inv. 288 LR): zeer goede druk met plaattoon en droge-naaldpartijen, 156 x 95 mm (met randje langs omtreklijn).
93.2
Pavia, Museo Civico, Malaspina coll. (coll. Wilson, 1828): 145 x 88 mm.
93.3*
Wenen, Albertina (inv. 1928-332): fraaie druk, 147 x 90 mm.

93. Wildemansfamilie

*(L*I*, 91 ; L*II *(b x g), 27), ca. 1480*
Gravure, drie exemplaren bewaard, 147 x 90 mm.

¶ Uiterst idyllisch is deze wildemansfamilie in de vrije natuur voorgesteld. De behaarde ouders zitten rondom een uit de grond opwellende bron en spelen met hun kinderen. Het is niet onbegrijpelijk dat negentiende-eeuwse prentkenners de voorstelling als Adam en Eva met hun kinderen interpreteerden.[1] Naast de negatieve associaties die de wildeman bij de Middeleeuwer opriep [zie **51, 52**] vertegenwoordigde hij ook de vrije mens, die ongehinderd door de beschaving in harmonie met de natuur leefde. Dat is het beeld dat deze prent oproept: tevreden zit de wildemansfamilie bij een frisse bron, die het enige schijnt te zijn dat zij nodig hebben. Toch bevat het landschap met rotsen en bomen op de achtergrond minder

vreedzame details: een haas wordt door een roofvogel achtervolgd en een op de rotsen gezeten uil wordt door vogels aangevallen of bespot [zie ook **9**].

¶ Het blijft de vraag of men zulke details moet zien als negatieve toespelingen op de natuur, of als een toespeling op de aard van de wildeman zelf. Ook deze prent staat wat stijl, opbouw en stemming betreft zeer dicht bij het werk van de Meester; zonder twijfel is het blad op een voorbeeld van zijn hand gebaseerd. Ook in technisch opzicht herinnert deze met de burijn gemaakte gravure aan de drogenaaldtechniek van de Meester. De vroege, prachtige afdruk met plaattoon van de prent in Parijs [**93**.1] vertoont diepzwarte drogenaaldpartijen, die in de andere afdrukken ontbreken.

1. Lehrs, deel 8, p. 200.
2. Zie Husband 1980-81, pp. 11-16, en vooral nr. 32.

93.1

94

94. Jongeman ontvangt geld van een oudere vrouw

(L1, 97 ; L11 (b x g), 16), ca. 1475
Gravure, twee exemplaren bewaard, 83 x 59 mm.

¶ Tot dusver is deze prent steeds beschreven als 'De rover en de oude vrouw'.[1] Het contact tussen beiden lijkt evenwel anders van aard: de oude vrouw schijnt niet door de jongere man beroofd te worden, maar hem uit eigen beweging haar beurs te geven. Hiermee koopt zij zijn liefde. Het seksuele karakter van deze transactie wordt benadrukt door de wijze waarop zij de jongeman onder de kin kietelt,[2] terwijl hij op zijn beurt naar haar borst tast.

¶ Zonder twijfel wordt hier de 'ongelijke liefde' tussen een oudere vrouw en een jongere man, een thema met een lange traditie [zie **55-56**], als belachelijk voorgesteld. De fysieke lelijkheid van de partners en hun armoedige kleding geven aan dat een dergelijke onnatuurlijke relatie tussen man en vrouw alleen bij de moreel inferieur geachte boeren mogelijk is (zie pp. 74-76).

¶ Indien deze kwalitatief vrij zwakke prent gebaseerd is op een voorbeeld van de Meester, moet deze in dezelfde tijd zijn ontstaan als het *Boerenpaar* [**64**], waarmee de figuren verwantschap vertonen, hoewel in dit ongelijke paar de karikaturale gelaatstrekken wel wat versterkt zijn. De prent heeft als voorbeeld gediend voor een houtsnede die een Straatsburgse uitgave van 1483 van de dialoog tussen Salomo en Marcolf [zie **107**] illustreert.[3]

1. Lehrs, deel 8, pp. 190-91, nr. 16; zoals Lehrs vermeldt, noemde Passavant in 1860 de prent reeds 'Le vieil amoureux'.
2. Zie voor de betekenis van dit gebaar in de middeleeuwse kunst en literatuur, Leo Steinberg, *The sexuality of Christ in renaissance art and in modern oblivion*, New York 1984, pp. 110-15.
3. Zie Lehrs, deel 8, p. 191, nr. 16a; op deze houtsnede is in een initiaal S het gesprek tussen Salomo en de nar Marcolf [zie **107-08**] voorgesteld; beide gesprekspartners grijpen daar elkaar bij de keel, terwijl Salomo de beurs vasthoudt. Marcolf is door een baard en narrenkop als nar gekarakteriseerd.

95. Man die onder de plak van zijn vrouw zit

(L1, 98 ; L11 (b x g), 17), ca. 1475-80
Gravure, unicum, 85 x 78 mm.

¶ Hetzelfde thema van de pantoffelheld zagen we al op treffende wijze uitgebeeld in de drogenaaldprent *Wapenschild met een op zijn kop staande boer* [**89**], waar de man letterlijk onder zijn spinnende vrouw gebukt gaat. Op deze gravure wordt de man door zijn vrouw gedwongen haar te helpen bij het spinnen, een typisch vrouwelijke bezigheid. Op hardhandige wijze maakt de vrouw, die op een krukje zit, duidelijk dat zij de baas is: zij trapt de op de grond zittende man tegen zijn rug en bedreigt hem met haar spinrokken. In twee andere laat-vijftiende-eeuwse prenten met dit onderwerp wordt de onnatuurlijke dominerende positie van de vrouw aangegeven doordat zij een (onder)broek aantrekt: 'de vrouw met de broek'.[1] Tot in de achttiende eeuw bleef 'de strijd om de broek' in de grafiek een geliefd thema, dat de strijd om de macht in het huwelijk symboliseerde.[2]

¶ In deze prent is van zo'n strijd geen sprake; de man is volledig ondergeschikt aan de vrouw. Wederom zijn de partners als lelijke, domme boeren afgebeeld, hetgeen lijkt te impliceren dat deze onnatuurlijke relatie tussen man en vrouw alleen in dat milieu denkbaar is.

1. Zie Meester van de Dutuit Olijfberg, Lehrs, deel 3, nr. 101 (unicum, Parijs, Bibliothèque Nationale, inv. EdN 183) en bij Israhel van Meckenem, Lehrs, deel 9, nr. 473, afgebeeld bij Lehrs (Dover), 649; zie ook Meckenems prent met dit thema in de serie van twaalf paren (L. 504), afgebeeld bij Shestack, 1966-67, nr. 238.
2. Zie over dit thema, p. 78 noot 33. Zie verder Vignau-Wilberg, op.cit. (**75**, noot 1), pp. 24-25.

94.1
Ie staat zonder monogram:
Parijs, Bibliothèque Nationale (inc. Ec.N. 435): wat grijze magere druk, 83 x 59 mm.
94.2
IIe staat met monogram:
Vroeger coll. Graf York von Wartenburg, Klein Oels (coll. Chilpin, 1864).
95.
Parijs, Musée du Louvre, coll. Ed. de Rothschild (uit Bologna; inv. 301 LR).

95

96.1*
Ie staat zonder monogram:
Berlijn, Staatliche Museen
Preussischer Kulturbesitz,
Kupferstichkabinett (coll.
Nagler; inv. 673.1): redelijke
druk (met krassen in de
plaat), 94 x 67 mm (met
plaatrand in marge).
96.2-5
IIe staat met monogram:
96.2
Oxford, Ashmolean
Museum: magere druk,
85 x 57 mm.
96.3
Londen, British Museum
(Malcolm coll. 1934): goede
zwarte druk, 83 x 59 mm.
96.4
Parijs, Musée du Louvre,
coll. Ed. de Rothschild (uit
Bologna): ongelijkmatige
druk, 85 x 59 mm.
96.5
Veiling Boerner, Leipzig,
14/5/1934, nr. 392 (expl. uit
Wolfegg?).
97.1*
München, Staatliche
Graphische Sammlung (inv.
10930): zeer goede zwarte
druk, 86 x 74 mm (met
plaatrand).
97.2
Parijs, Musée du Louvre,
coll. Ed. de Rothschild (uit
Bologna): goede druk,
86 x 76 mm (met plaatrand).

96. Oude vrouw en nar
(L1, 99 ; L11 (b x g), 18), ca. 1475-80
Gravure, vier exemplaren bewaard, 86 x 59 mm.

¶ Naar alle waarschijnlijkheid is ook deze prent, die vroeger 'De nar en de keukenmeid' werd genoemd, een variant op het thema van de 'ongelijke liefde' [zie **55-56, 94**]. Uit een aantal details blijkt, dat de oude vrouw seksueel toenadering tot de jongere nar zoekt: de pot die zij draagt, de luit die de nar bespeelt,[1] diens uitgestoken tong,[2] moeten als vrij duidelijke toespelingen opgevat worden. Tegelijkertijd wordt met de situatie de spot gedreven. Het Duitse woord voor de (pol)lepel, *Löffel*, die de vrouw in de hand heeft terwijl zij de nar omarmt, werd in die tijd ook gebruikt voor 'dwaas'.[3] De nar zelf werd vaker in situaties getoond (zie *afb. 58*),[4] waaruit blijkt dat begeerte en dwaasheid samengaan. In de prent wordt zo de toenadering tussen de ongelijke partners niet alleen als een dwaze aangelegenheid voorgesteld, maar ook expliciet als zot en zondig veroordeeld. Zoals al in de vorige eeuw is gesuggereerd, is het mogelijk dat hier de nar Marcolf en zijn oude vrouw Polikana zijn afgebeeld, die we waarschijnlijk ook in twee andere prenten van Meester b x g tegenkomen; in die gevallen ziet de nar er evenwel aanzienlijk ouder uit.

1. Zie Karl Filzeck, *Metaphorische Bildungen im alteren deutschen Fastnachtsspiel*, Würzburg 1933, p. 46.
2. Zie tekening van Dürer met boerenliefdespaar, tent.cat. *Albrecht Dürer*, Neurenberg 1971, nr. 424.
3. Zie Filzeck, p. 22; Stewart 1977, p. 52.
4. Zie p. 72, zie ook noot 16.

97. Bedelaarspaar
(L1, 100 ; L11 (b x g), 19), ca. 1475-80
Gravure, twee exemplaren bewaard, 87 x 76 mm.

¶ Het is de vraag of, zoals de titel suggereert, hier bedelaars zijn voorgesteld. Weliswaar is de man kreupel, maar de mand met brood op de rug van de oude vrouw kan men nauwelijks als attribuut van een bedelaar beschouwen. De voorstelling herinnert aan het *Boerenpaar* van de Meester [**64**]: ook daar wordt de man door een oudere vrouw geleid. Zowel de kruik, die de man draagt, als het brood kunnen in die tijd toespelingen op wellust en seksualiteit zijn.[1] Ook het décolleté van de vrouw wijst in die richting. Het is niet geheel duidelijk of er een groot leeftijdsverschil tussen de manke man en de oude vrouw bestaat, maar ook hier kan men vermoeden dat de dwaze wellust van het paar op de hak genomen wordt.

¶ Bij deze en de vorige prenten is het moeilijk vast te stellen of zij op prenten van de Meester gebaseerd zijn. Sterker dan in het werk van de Meester wordt in deze prenten de karikaturale lelijkheid van de boeren benadrukt; hetzelfde vrij stereotype gelaat van de vrouw vindt men in een aantal prenten van Meester b x g terug [**98, 107, 108**].

1. Stewart 1977, pp. 52-53.

96.1

97.1

98-101. Liefdesparen in minnetuin

(Lɪ, 101-104 ; Lɪɪ, 20-23), ca. 1480
Gravure, unicum, diameter 89 mm.

98. Liefdespaar bij een bron

Gravure, unicum, diameter 89 mm.

99. Twee kaartspelers

Gravure, unicum, diameter 89 mm.

100. Maaltijd in de tuin

Gravure, unicum, diameter 90 mm.

101. Musicerend paar

Gravure, twee exemplaren bewaard, diameter 89 mm.

¶ In de vier ronde prentjes zijn motieven uit de iconografie van de 'liefdestuin' afgebeeld (zie pp. 66-70); op elke prent zien we een liefdespaar dat zich in een omheinde tuin op aangename wijze met elkaar verpoost.

¶ Bij een frisse bron zit een jong paar op de grond in het gras [98]. De bron kan hier gebruikt zijn als een beeld voor de zuivere stroom van emoties die beide geliefden verbindt. De jongeman, die een verlovingskrans draagt en zijn geliefde omarmt, biedt haar een drinkbeker aan, iets dat als een liefdesaanbod kan worden gezien.[1] Hun intieme relatie wordt benadrukt doordat hij de trippen van zijn tootschoenen heeft uitgedaan en zij haar mantel op het gras heeft neergelegd.

¶ Het kaartspel [99] behoort eveneens tot de favoriete bezigheden van jonge geliefden, als een spel waarin zij hun krachten meten en de vrouw vaak overwint (zie pp. 71-72). Aan weerszijden van een tafel zit een paar te kaarten, waarbij de jonge vrouw schijnt te gebaren dat haar partner aan de beurt is en de jongeman bedachtzaam lijkt te overwegen welke kaart hij zal uitleggen. Terwijl meestal de vrouw de winnaar van het spel blijkt te zijn (zie 74) is het in deze prent niet duidelijk wie wint. Net als bij het beroemde *Liefdespaar* van de Meester [75] wijst de wijnkoeler erop dat het samen drinken van wijn tot de geneugten van de 'liefdestuin' behoort.

¶ Ook in de *Maaltijd in de tuin* [100] staat een wijnkoeler in het gras. Het aanbod van een beker wijn door de staande jonkvrouw aan de jongeman heeft hier een wat plechtiger karakter dan in de eerste prent. In dat opzicht herinnert de prent het meest aan de *Grote liefdestuin* van de Meester van de Liefdestuinen (*afb. 46*).

¶ Samen musiceren behoort eveneens tot de genoegens van de 'liefdestuin' [101]. Hoewel de luit een seksuele bijbetekenis kan hebben, ligt het in dit geval meer voor de hand dat het samenspel de

98.*
Wenen, Albertina (inv. 1928-335): zeer goede druk, diameter 89 mm (langs omtreklijn afgeknipt).
99.*
München, Staatliche Graphische Sammlung (inv. 10931): zeer goede druk, diameter 88 mm (met marge 92 x 91 mm).

98

99

100.
Parijs, Bibliothèque Nationale (inv. Ec.N. 436): matte
druk, diameter 90 mm (langs
omtreklijn afgeknipt).
101.1*
Oxford, Ashmolean Museum
(Douce Bequest; inv. S.
20-15): zeer goede druk,
diameter 89 mm (langs
omtreklijn afgeknipt).
101.2
Vroeger coll. Graaf York von
Wartenburg, Klein Oels
(coll. von Praun; coll. Fries;
coll. Wilson; coll. W. Esdaile; coll. Arozarena, 1861).

harmonie in de liefde en het huwelijk symboliseert.[2] De luitspelende jongeman geeft de toon
aan, de jonge vrouw begeleidt zijn spel op een
snaarinstrument, de citer, dat zij met twee
hamertjes bespeelt.

¶ Alle vier de prenten verbeelden een hoofs liefdesideaal zoals we dat ook uit het werk van de Meester kennen (pp. 66-72); ook de kleding van de
geliefden wijst erop dat zij tot dezelfde geprivile-
geerde groep behoren als de jongeren in de hoofse
prenten van de Meester. Dat hoeft echter niet in
te houden dat de gravures op voorbeelden van de

Meester gebaseerd zijn. De prenten, die vrij eenvoudig van opbouw zijn, kunnen heel goed door
de monogrammist zelf ontworpen zijn.

¶ Dezelfde liefdestuinmotieven die we op de vier
prentjes zien, vinden we terug in een aantal vierpasglasruitjes met profane voorstellingen (zie **127**,
139),[3] die vaak met het werk van de Meester verbonden zijn. Of de prentjes als model voor dergelijke glasruitjes gemaakt zijn, blijft de vraag.

1. Zie Moxey 1980, op.cit. (62, noot 1), pp. 138-41.
2. Zie tent.cat. *Lucas van Leyden*, Amsterdam 1978, p. 72.
3. Schmitz 1913, deel 1, pp. 101-16; deel 2, pl. 30-31.

100

101.1

102. Boer die zijn vrouw in een mand voorttrekt

Li, 105 ; Lii (b x g), 24), ca. 1475-80
Gravure, unicum, 84 x 126 mm.

103. Bedelaar, die zijn vrouw in kruiwagen voortduwt

Li, 106 ; Lii (b x g), 25), ca. 1475-80
Gravure, vijf exemplaren bewaard, 98 x 157 mm.

¶ In beide prenten wordt een oude vrouw in een primitief vehikel door een boer (?) in versleten kleren vervoerd. In de ene prent [102] trekt de man aan een touw een mand voort, waarin de vrouw zit te kijven. In de andere prent is de oude vrouw met een strooien hoed op het hoofd, een dode twijg in de ene hand en een fles in de andere, in een kruiwagen gezeten die door een boer wordt voortgeduwd. In beide gevallen is de satirische inhoud duidelijk: de man zit onder de plak van zijn vrouw en is dus een 'pantoffelheld' die tot slaafs gedrag gedwongen wordt.

¶ Bij de prent met de oude vrouw in de kruiwagen kan men op grond van de wijnfles in haar hand vermoeden dat zij dronken is. De dode twijg, die we ook bij de oude vrouw op Schongauers prent met *Boeren op weg naar de markt* [64c] tegenkwamen, is een attribuut voor pretmakers bij het carnaval, maar kan ook een symbool voor dwaasheid zijn.[1] Er zijn verschillende voorbeelden van een dronken man, die op een kruiwagen of slede door vrouwen vervoerd wordt.[2] Hier zijn de rollen weliswaar omgedraaid, maar de situatie is even vernederend.

¶ Ook in deze prenten zijn de boeren als dom en lelijk voorgesteld en benadrukken alle details het

102.
Parijs, Musée du Louvre, coll. Ed. de Rothschild (uit Bologna, inv. 303 LR): zeer goede druk, 84 x 126 mm (met marges 95 x 131 mm; watermerk: gotische P met bloem).

102

103.1
Dresden, Kupferstichkabi-
nett (inv. A 442): zeer goede
druk, 95 x 155 mm.
103.2*
Londen, British Museum
(inv. 1945-8-9-218): goede
druk, 95 x 154 mm (opschrift
op wiel van kruiwagen).
103.3
Parijs, Musée du Louvre,
coll. Ed. de Rothschild (uit
Bologna): zeer goede druk,
97 x 156 mm.
103.4
Braunschweig, Herzog
Anton Ulrich-museum (coll.
Von Praun; coll. Fries; coll.
Wilson; coll. W. Esdaile;
coll. Arozarena): zeer goede
druk (watermerk; brede
gotische P met bloem).

ridicule en potsierlijke van het gebeuren, waarmee inbreuk wordt gemaakt op de 'natuurlijke'
maatschappelijke hiërarchie. De populariteit van
het thema blijkt uit verschillende copieën. Beide
prenten zijn vrij nagevolgd op een fries aan de
zuidelijke gevel van het stadhuis in Breslau.[3]

1. Bax 1949, op.cit. (**64**, noot 4), pp. 11-12, ed. 1979, pp. 16-17.
2. Paul Vandebroeck, Antwerpen, was zo vriendelijk mij hierop
   te wijzen; zo is er een uiterst merkwaardige houtsnede in
   Wenen (Schreiber 1960), waarop nonnen een dronken mon-
   nik in een soort slede over het ijs voeren.
3. Zie Lehrs, deel 8, pp. 197-99; zie voor Meckenems copie van
   102, Lehrs, deel 9, p. 368, nr. 472.

103.1

104. Liefdespaar te paard

(LI, 107 ; LII (b x g), 29), ca. 1480
Gravure, drie exemplaren bewaard, 143 x 166 mm.

¶ Op een paard dat in galop door een weids land-schap rijdt, zitten een jongeman met een verlo-vingskrans om het hoofd en zijn geliefde. Hun ele-gante en modieuze kleding maakt duidelijk dat zij tot de 'jeunesse dorée' behoren, die ook in de hoofse prenten van de Meester [66, 70-73, 75] is afgebeeld. De voorstelling kan in verband gebracht worden met het thema 'Vertrek voor de jacht' (zie pp. 70-71), dat eveneens ridderlijke liefdesidealen verbeeldt. Hoewel niets erop wijst dat het paar op jacht is, heeft de prent eenzelfde idyllische stemming als het *Vertrek voor de jacht* [72].

¶ Op een zeer vergelijkbare wijze is een liefdespaar te paard in een vroege Dürer-tekening in Berlijn afgebeeld.[1] Of Dürer zich daarbij baseerde op deze prent of dat een drogenaaldprent van de Meester het voorbeeld voor beide afbeeldingen geweest is laat zich niet vaststellen.

1. Winkler 54; zie F. Anzelewsky en H. Mielke, *Albrecht Dürer, Kritischer Katalog der Zeichnungen im Berliner Kupferstichkabinett*, Berlijn 1984, nr. 8.

104.1
Dresden, Kupferstichkabi-nett (inv. A 471): zeer goede druk, 143 x 165 mm (bescha-digingen in hoeken).
104.2
Parijs, Musée du Louvre, coll. Ed. de Rothschild (uit Bologna): zeer goede druk, 144 x 162 mm (met water-merk: kleine ossekop met stang en ster).
104.3*
Wenen, Albertina (inv. 1928/324): matige druk, 143 x 166 mm (afgeknipt).
104.4
Veiling Boerner, Leipzig, 14/5/1934, nr. 393 (coll. Fürst von Liechtenstein, Wenen?).

104.1

105.
Parijs, Musée du Louvre, coll. Ed. de Rothschild (uit Bologna; inv. 298 LR): zeer goede druk, 155 x 137 mm.

105. Liefdespaar (ten halve lijve)
*(Lɪ, 108 ; Lɪɪ (b x g), 30), ca. 1480
Gravure, unicum, 155 x 137 mm.*

¶ Het jeugdige liefdespaar past evenzeer in de hoofse traditie van ridderlijke liefdesidealen. De compositie herinnert aan het *Liefdespaar* [133] in Gotha, waar de geliefden eveneens ten halve lijve zijn afgebeeld. De jonge vrouw geeft haar minnaar, die zijn arm om haar middel heeft, een tak met bloempjes (en besjes?), zo te zien van hetzelfde soort als waaruit zijn verlovingskrans is gemaakt. Het geven van een bloem aan de gelief-

de, waarschijnlijk een symbool van trouw, komt vaak voor op verlovings- en huwelijksportretten in die tijd [zie 133]. Elders [55-56] is op de mogelijkheid gewezen dat een voor dit 'gelijke liefdespaar' verloren gegaan voorbeeld van de Meester oorspronkelijk de tegenhanger van zijn 'ongelijke liefdespaar' [55] gevormd heeft. Het is echter onzeker of een dergelijk voorbeeld ooit heeft bestaan, want de wat brede, grove gelaatstrekken van de geliefden vertonen weinig overeenkomsten met vergelijkbare figuren in de prenten van de Meester.

105

106. Liefdespaar (ten halve lijve)
(niet bij Lehrs), ca. 1480
Gravure, unicum, 181 x 159 mm.

¶ Deze slechts in één exemplaar bewaarde gravure is een van de grootste en een van de merkwaardigste bladen van Meester b x g.[1] Hoewel het monogram b x g ontbreekt, is de graveerstijl van de prent zo verwant aan zijn gemonogrammeerde werk dat de toeschrijving aan hem gerechtvaardigd lijkt.

¶ Met een grote mate van detaillering is de kleding van de geliefden weergegeven: de jonge vrouw met een kap over haar zorgvuldig opgebonden haarvlechten, een wijdvallende blouse over een met brocaatmotieven versierd hemd.

¶ Hoewel de rijke, modieuze kleding dit liefdespaar in het hoofse milieu lijkt te situeren, is hier niet zoals in de vorige prent een nobel liefdesideaal weergegeven. De jongeman grijpt naar de borsten van de vrouw die hem nauwelijks afweert, maar als een soort medeplichtige de toeschouwer aankijkt. Het is duidelijk dat de relatie tussen de beide geliefden eerder door lustgevoelens [vergelijk **75**e] dan door het ridderlijk liefdesideaal bepaald wordt.

¶ Hoewel de graveerstijl niet erg verfijnd is, ontbreekt een zeker raffinement in de compositie niet, met name bij het oversnijden van het door de omtreklijnen bepaalde kader, waarin de figuren gevat zijn.

1. Zie Hutchison 1972, p. 80, afgebeeld op p. 185; de prent werd gepubliceerd door William Ivins jr., 'Lovers by the Master b x g, an undescribed early German engraving', *Metropolitan Museum Studies* 5 (1936), p. 234.

106.*
New York, Metropolitan Museum (inv. 34.38.6; Harris Brisbane Dick Fund 1934): zeer goede druk, met plaattoon, 181 x 159 mm.

107.1*
München, Staatliche Graphische Sammlung (coll. Maltzan, Militsch; inv. 1964:424): goede druk, 174 x 208 mm.
107.2
Parijs, Musée du Louvre, coll. Ed. de Rothschild (uit Bologna; inv. 302 LR): zeer goede druk, 175 x 209 mm (watermerk: gotische P).
107a
Daniel Hopfer, *Marcolf en Bolikana*, ca. 1530. Ets, 244 x 227 mm. B.72.

107. Dansende nar en oude vrouw

(L1, 110 ; L11 (b x g), 33), ca. 1480
Gravure, twee exemplaren bewaard, 175 x 209 mm.

¶ Op deze voor de vijftiende eeuw ongewoon grote prent zien we een op een stok leunende, oude vrouw voortstrompelen aan de hand van een dansende nar. Zijn narrengewaad en schoenen zijn versleten, in één van zijn afzakkende hozen steekt een fluit, aan zijn zij hangt een zwaard en een rieten mandje met een gans (?). De lelijke oude vrouw heeft dezelfde gelaatstrekken als andere

boerenvrouwen in prenten van de monogrammist [94-95, 97, 102-03], maar de nar ziet er wat jonger uit dan de nar op de volgende prent.

¶ Toch lijkt het, hoewel dat niet eerder gesuggereerd is, aannemelijker dat hier het komische narrenpaar Marcolf en zijn oude vrouw Polikana is afgebeeld. Zo wordt het paar althans aangeduid in de omstreeks 1530 gemaakte ets van Daniel Hopfer, die eveneens een dansende nar en een oude vrouw voorstelt [107a]. In het onderschrift van een van de latere uitgaven van deze prent wordt uitgelegd, dat als Marcolf en Polikana niet

107.1

zo dwaas waren geweest, zij al lang vergeten zouden zijn.[1] De bekendheid van Marcolf blijkt onder meer uit een beroemde vijftiende-eeuwse tekst, *Dialogus Salomonis et Marcolfi*, waarvan tientallen, meest Duitse, versies in handschrift en boekdruk bewaard zijn. De wijze Salomo heeft volgens dit verhaal de even slagvaardige als lelijke Marcolf tot een debat uitgenodigd: het wordt een komische confrontatie van de hogere (bijbelse) wijsheid van Salomo met de platvloerse nuchterheid en praktische levenservaring van de nar.

¶ Of er in de prent een bepaalde episode uit het leven van de nar is afgebeeld, kon niet worden vastgesteld; men mag evenwel aannemen dat de spreukbanden boven de figuren bedoeld zijn voor een moraliserend of spottend commentaar en dat ook de gans in de mand een specifieke betekenis heeft.

1. Lehrs, deel 8, p. 206.
2. Over deze dialoog bestaat, naast tekstuitgaven, een vrij uitvoerige literatuur, samengevat in een lexicografische bijdrage van Michael Curschmann, waarop Keith P. Moxey mij wees.

108. Oude vrouw en nar in venster

(LI, 111 ; LII (b x g), 34), ca. 1480
Gravure, zes exemplaren bewaard, 181 x 158 mm.

¶ Achter een stenen vensterbank in een raam, waarvan de boog met ornamentaal bladwerk is versierd, zit een paar te eten: een oude boerenvrouw en een kalende nar met een bult en een pukkel op zijn hoofd. Al in de negentiende eeuw is opgemerkt dat het hier om het narrenpaar Marcolf en Polikana zou kunnen gaan [zie **107**]. Net zoals in de vorige prent schijnt die identificatie vrij aannemelijk. Ook op deze prent kunnen de handgebaren van de vrouw, de kom, het brood, de pot en de pollepel in de handen van de man nauwelijks zonder betekenis zijn. Het is mogelijk dat de wellustige aard van het bejaarde paar belachelijk wordt gemaakt [zie ook **64, 96, 97, 109**]; zowel het brood als de pot zouden daarop kunnen wijzen, terwijl de pollepel wellicht de dwaasheid symboliseert. Het onderschrift van een laat zestiende-eeuwse vrije copie [**108a**] naar de prent wijst er op dat het oude paar weliswaar veel eet,

108.1*
Oxford, Ashmolean Museum (Douce Bequest): zeer goede druk, 178 x 157 mm.
108.2
Parijs, Musée du Louvre, coll. Ed. de Rothschild: ongelijkmatige druk, 172 x 148 mm.
108.3
Parijs, Musée du Louvre, coll. Ed. de Rothschild: zeer goede druk, 166 x 144 mm (met rood en geel gekleurd).
108.4
Chicago, Art Institute (Friedrich August II van Saksen, Dresden; W. McCollin McKee Memorial Coll.): goede druk, 180 x 158 mm.
108.5
Wenen, Graphische Sammlung Albertina (inv. 1928/333): zeer goede druk, 181 x 157 mm.
108.6
Vroeger coll. Von Liechtenstein, Wenen.
108.7
Vroeger coll. Maltzen, Militsch.

107a

108a
Copie in spiegelbeeld door
Nicolaas de Bruyn, ca. 1590.
Gravure, 113 x 145 mm.
Holl. 200.

maar toch mager blijft. Daar 'eten' in het Duits
van die tijd ook een obscene bijbetekenis kan hebben, zou deze tekst het wellustige karakter van het
oude paar kunnen bevestigen.

¶ Kwalitatief behoort de prent tot de fraaiste bladen van de monogrammist b x g. Met een grote
variatie van arceringen, gebogen lijntjes, puntjes
en dergelijke is de prent op een krachtige maar
ook vrij verfijnde wijze gegraveerd. De uitgewo-
gen compositie maakt de prent tot een soort
tegenhanger van de hoofse dubbelportretten [**75**,
113]. Om deze redenen is men geneigd aan te
nemen dat deze prent op een verloren drogenaald
van de Meester gebaseerd is.

1. Lehrs, deel 8, pp. 205-207, nr. 34.
2. Stewart 1977, pp. 51-53.

108a

109. Boerenpaar

Li, 112 ; Lii (b x g), 35), ca. 1475
Gravure, twee exemplaren bewaard, 186 x 116 mm.

¶ Deze vrij grote prent geeft een boerenpaar weer dat met zijn koopwaar op weg is. De kleren en schoenen van de man, zelfs de schede van zijn zwaard, zijn versleten. Hij draagt een ouderwetse kaproen met een lange lamfer (die in de eerste helft van de vijftiende eeuw mode was),[1] een zak over de schouder en in zijn hand een mand eieren. De boerin, die er wat minder verlopen uitziet, draagt een mand met jonge eenden (?) op het hoofd en een aardewerken pot in een draaghengsel om haar arm. De spreukbanden boven de figuren suggereren een moraliserend commentaar.

¶ Zoals uitvoeriger bij het *Boerenpaar* van de Meester beschreven wordt [**64**], maakt de prent deel uit van een reeks van dergelijke voorstellingen. Net zoals bij andere prenten van de monogrammist [**94, 96, 97**] kan men vermoeden dat het hier om een satire op de dwaze wellust van armoedige lieden gaat.

¶ De groteske wijze waarop beide partners in de prent zijn voorgesteld, benadrukt ook hier de platvloerse domheid en lelijkheid van de boeren. Dit beeld komt overeen met de wijze waarop boeren, die hun waar op de markt verkopen, in vastenavondspelen uit die tijd worden uitgebeeld. Zij worden als een onbetrouwbaar slag lieden gezien, die de stedelingen bedriegen door bedorven waar als vers aan te bieden.[2]

1. Paul Vandenbroeck, Antwerpen, was zo vriendelijk mij daarop te wijzen. O. Bax, *Ontcijfering van Jeroen Bosch*, 's-Gravenhage 1949, pp. 181-82.
2. H.A. von Keller, *Fastnachtspielen aus den fünfzehnten Jahrhundert*, 3 vols., Stuttgart 1853, deel 2, nr. 113.

109.1
Parijs, Musée du Louvre, coll. Ed. de Rothschild (uit Bologna): zeer goede druk, 184 x 115 mm (watermerk: grote gotische P met bloem).
109.2*
Karlsruhe, Kunsthalle (inv. 2326): redelijke, wat magere druk, 186 x 115 mm.

110a.1* en 110b.1*
Frankfurt am Main, Städelsches Kunstinstitut (inv. 33688/89): zeer goede drukken, diameter 90 mm (met marges).
110a.2
Londen, British Museum (coll. Durazzo, 1873): zeer goede druk, met marge, 91 x 94 mm.
110a.3
Parijs, Musée du Louvre, coll. Ed. de Rothschild (uit Bologna): goede druk (langs rand rondom afgeknipt).
110a.4
Pavia, Museo Civico, Malaspina coll: matige druk, met marge, 93 x 90 mm.
110a.5
Wenen, Albertina (inv. 1928/330): matige druk, diameter 84 mm, (uitgeknipt).
110a.6 en 110b.4
Veiling Boerner, Leipzig, 14/5/1934, nrs. 394 en 395 (exemplaar Wolfegg?).
110b.1* zie 110a.1
110b.2
Berlijn, Kupferstichkabinett: zeer goede druk (rondom afgesneden).
110b.3
Parijs, Musée du Louvre, coll. Ed. de Rothschild (uit Bologna): goede druk, diameter 91 mm (langs rand rondom afgeknipt).
110b.4 zie 110a.6

110a. Boer met knoflook en blank wapenschild
(L₁, 114 ; L₁₁ (b x g), 36), ca. 1475-80
Gravure, vier exemplaren bewaard, diameter 90 mm.

110b. Boerin met beker en blank wapenschild
(L₁, 115 ; L₁₁ (b x g), 37), ca. 1475-80
Gravure, vier exemplaren bewaard, diameter 90 mm.
Tegenhangers.

¶ De compositie, het formaat en het type figuren van de gravures sluiten nauw aan bij de twee drogenaaldprenten van de Meester van een boer en boerin met blanke wapenschilden [**79, 80**]. Sterker dan in deze prenten van de Meester wordt hier door de houding en gebaren van de figuren het anecdotische karakter benadrukt. Zoals elders (p. 74) is uiteengezet bevatten de afbeeldingen de nodige toespelingen op zinnelijke liefde. De boer heeft de hand in zijn buis gestoken, een gebaar dat luiheid kan verbeelden. De wederom tamelijk bejaarde boerin tilt haar rokken omhoog, terwijl zij haar metgezel iets te drinken aanbiedt: beide gebaren suggeren seksuele toenadering.

¶ Op stilistische gronden is men geneigd deze prenten als copieën van verloren drogenaaldprenten van de Meester te beschouwen. Het is echter opvallend dat de satirische prenten met boeren van Meester b x g een veel platvloerser karakter hebben dan die van de Meester zelf.

110a.1

110b.1

111. Wapenschilden van de families Rohrbach en Holzhausen

(Lι, 116 ; Lιι (b x g), 40), ca. 1480
Gravure, zes oude afdrukken bewaard, 96 x 93 mm.

¶ Deze gravure behoort tot de best gedocumenteerde vijftiende-eeuwse prenten. Niet alleen is de koperplaat van de prent bewaard, maar bovendien is het mogelijk de afgebeelde wapens te identificeren. Ditmaal zijn de wapenschilden niet fictief, maar zijn het de familiewapens van Bernhard von Rohrbach en Adelgunde von Holzhausen, die op 19 september 1466 in het huwelijk traden. In het verleden werd aangenomen dat deze prent ter gelegenheid van hun huwelijk gemaakt werd, maar dit is onmogelijk omdat op dat tijdstip de kroon op de helm boven hun wapens ontbrak; deze waardigheid werd pas in 1470 door Keizer Frederik III aan de patriciërsfamilie Von Rohrbach verleend.[1]

¶ Men kan dan ook aannemen dat de modieus geklede jongelieden op de prent niet het jonge bruidspaar zijn, maar gewoon heraldische schilddragers. Gezien hun kleding is het waarschijnlijk dat de prent pas omstreeks 1480 gemaakt is, kort voor de dood van Bernhard von Rohrbach [zie ook 135] in december 1482. In tenminste één boek [zie 111.3] blijkt de prent als ex-libris te zijn gebruikt, zodat men kan vermoeden dat de prent

als boekmerk gemaakt is. De koperplaat is waarschijnlijk met de aflevering van een aantal afdrukken in het bezit van de opdrachtgever gekomen; na het uitsterven van de Rohrbach familie is het in het bezit van de familie Holzhausen gebleven. In 1856, of kort daarvoor, werd het zeer goed bewaarde koperplaatje in het familie-archief van de Holzhausens teruggevonden, gewikkeld in een papier met de datum 1467. Bij die gelegenheid is er een dertigtal moderne afdrukken van de prent gemaakt. Na lange tijd verdwenen te zijn geweest is het koperplaatje tien jaar geleden door het Berlijnse prentenkabinet verworven.[2]

¶ In dit geval is het zeer onwaarschijnlijk dat de gravure op een verloren drogenaaldprent van de Meester gebaseerd is; het bevestigt dat de Monogrammist een eigen, zij het wat stereotype stijl heeft. Daardoor is het tevens aannemelijk dat een aantal van de prenten met zijn monogram niet op voorbeelden van anderen zijn gebaseerd, maar door hem zelf ontworpen zijn.

1. Eduard Flechsig, 'Der Meister des Hausbuchs als Zeichner für den Holzschnitt', *Monatshefte für Kunstgeschichte* 4 (1911), pp. 95-115, 162-75, vooral pp. 164-67. Zie ook Lehrs, deel 8, pp. 212-17.
2. Peter Dreyer, 'Eine wiedergefundene Platte des Monogrammisten b x g', *Jahrbuch der Berliner Museen*, NF 17 (1975), pp. 144-48.

111.1*
München, Staatliche Graphische Sammlung (uit Reichlschen Klebeband, 1567: inv. 171721): goede druk met lichte toon, 96 x 93 mm.
111.2
Parijs, Musée du Louvre, coll. Ed. de Rothschild (uit Bologna).
111.3
Kassel, Landesbibliothek (als ex libris in handschrift *Legenda Aurea* (Ms. theol. fol. 5).
111.4
Washington, National Gallery of Art (coll. Maltzan, Militsch, 1952; coll. J. Rosenwald, inv. B 20.215). Een dertigtal moderne drukken zijn in de negentiende eeuw gemaakt, nadat de plaat omstreeks 1856 in het familie-archief van de Holzhausenfamilie was herontdekt.
111.5
Berlijn, Staatliche Museen Preussischer Kulturbesitz, Kupferstichkabinett (inv. 671.1).
111.6
Hamburg, Kunsthalle.
111a.*
Koperen plaat van de gravure, 98 x 93 mm.
Berlijn, Staatliche Museen Preussischer Kulturbesitz, Kupferstichkabinett, familie-archief van familie Holzhausen, Frankfurt am Main, verworven in 1973).

111.1

111a

112a.1*
Berlijn, Staatliche Museen
Preussischer Kulturbesitz,
Kupferstichkabinett (coll.
Nagler, inv. 670-1): zeer
goede druk, 117 x 91 mm.
112a.2
Oxford, Ashmolean Museum
(Douce Bequest): goede
druk, 119 x 91 mm (met
plaatrand).
112a.3
Parijs, Bibliothèque Natio-
nale (inv. Ec.N.438):
112a.4
Milaan, Biblioteca Trivulzia.
112b.
Hamburg, Kunsthalle (coll.
Révil, 1838?; inv. 10321):
goede druk, 119 x 92 mm.

112a-b. Ornamentbladen
(L1, 119-120 ; L11 (b x g), 42-43), ca. 1475

112a. Distelornament met wildeman
Gravure, vier afdrukken bewaard, 119 x 91 mm.

112b. Distelornament met twee vogels
Gravure, unicum, 119 x 92 mm.

¶ Terwijl van de meeste vijftiende-eeuwse graveurs, die vaak zelf goudsmeden waren, ornamentprenten bewaard zijn, ontbreken deze in het
werk van de Meester geheel. Er zijn echter vier
ornamentprenten met het monogram b x g. Eén
daarvan sluit aan bij het werk van Meester E.S.,
een ander bij dat van Van Meckenem.[1] Het meest
oorspronkelijke zijn de hier afgebeelde bladen
met distelornament, waarin op het ene blad een
wildeman is afgebeeld en in het andere blad twee
fantastische vogels.

¶ Er is weinig reden om aan te nemen dat de prenten op voorbeelden van de Meester gebaseerd
zijn. Waarschijnlijk was de monogrammist zelf
een goudsmid en behoren de bladen tot zijn eigen
inventies.

1. Lehrs, deel 8, pp. 217-19.

112a.1

112b

PRENTEN
VAN MEESTER W⚚B

¶ Van deze monogrammist zijn vier prenten bekend, alle portretkoppen; twee daarvan dragen het monogram met de letters W B en daartussen een kruisstaf met een slang (*Schlangenstab*); het middelste teken is waarschijnlijk een huismerk. Een overtuigende identificatie voor dit monogram met huismerk is nooit gevonden. Al eerder is vermeld, dat Harzen in 1860 meende dat de monogrammist dezelfde was als Meester b x g en de Meester van de drogenaaldprenten (zie p. 45). Zelfs nog in 1910 suggereerde Baer, dat het monogram een uitgeversmerk was, en de prenten gedrukt waren van opgestoken platen van de Meester (zie p. 37).

¶ Op grond van de vrij uitgesproken stilistische karakteristieken van de prenten slaagde Buchner er in 1927 in, een beeld van de persoonlijkheid van de kunstenaar te geven: hij schreef op overtuigende wijze een aantal schilderijen, glasschilderingen, tekeningen en ontwerpen voor houtsneden aan de monogrammist toe.[1] Uit deze toeschrijvingen blijkt dat deze kunstenaar, evenals de Meester van het Amsterdamse Kabinet, in de eerste plaats een schilder en ontwerper van glasschilderingen is. Hij is een goed portretschilder. Zijn religieuze werk – waaronder de voorstellingen uit het leven van de H. Sebastiaan in de Mainzer Dom – wordt gekenmerkt door een geanimeerd realisme waarbij overdreven expressieve gelaatstrekken met grote neuzen en uitpuilende ogen opvallen. Zijn bekendste gebrandschilderde glasschilderingen bevinden zich in de Mariakerk in Hanau. Hij is een vaardig en levendig tekenaar, zoals blijkt uit de 188 pentekeningen die het Herpinhandschrift uit 1487 – een ridderroman – in Berlijn illustreren. Waarschijnlijk zijn tevens van zijn hand houtsneden die voorkomen in de *Chronecken der Sassen*, een boek dat in 1492 door Peter Schöffer in Mainz werd uitgegeven.[2]

¶ Waarschijnlijk was deze veelzijdige kunstenaar tussen ca. 1480 en 1495 in het Midden-Rijngebied werkzaam, naar men mag aannemen vooral in Mainz. Het ligt dan ook voor de hand te veronderstellen dat hij het werk van de Meester goed kende.

¶ De prenten van Meester W B zijn zorgvuldig beschreven door Lehrs in 1927 (achter de titel aangeduid met *L (W B)*;[3] uit de tekst daarvan blijkt dat Lehrs de in hetzelfde jaar gepubliceerde onderzoekingen van Buchner niet kende.

1. Buchner 1927; Shestack 1972, geeft een beknopt en goed geïllustreerd overzicht van de verschillende aspecten van zijn werk.
2. Zie Fuchs 1958, pp. 1234-39.
3. Lehrs, deel 6, pp. 343-49; zie ook Max Lehrs, *Der Meister LCz und der Meister W B* (Graphische Gesellschaft XXV), Berlijn 1922.

113.*
Hamburg, Kunsthalle (coll.
Buckingham, 1834; inv.
3722): zeer goede druk, 139
x 90 mm.

114.*
Berlijn, Staatliche Museen
Preussischer Kulturbesitz,
Kupferstichkabinett (coll.
Harzen, 1841; inv. 559.1):
zeer goede druk,
116 x 87 mm (aan onderzijde
afgeknipt; monogram met de
hand toegevoegd).

113-16. Portretkoppen van Meester W B

113. Oude man
(L (W B), 1), ca. 1485-90
Gravure, unicum, 137 x 90 mm.

114. Jonge vrouw
(L (W B), 2), ca. 1485-90
Gravure, unicum, 116 x 87 mm.

115. Oude man met tulband
(L (W B), 3), ca. 1485
Gravure, drie exemplaren bekend, 138 x 88 mm.

116. Jonge vrouw met juweel op haar muts
(L (W B), 4), ca. 1485
Gravure, 132 x 89 mm.

¶ De vier prenten vormen twee paren, waarbij in beide gevallen de geportretteerden tot op borsthoogte zijn afgebeeld in een nis achter een balustrade. In het eerste stel prenten [113, 114] is achter de figuren een interieur gesuggereerd. Met een dicht net van arceringen zijn twee wanden aangegeven, waartegen de gezichten zich licht aftekenen. In het tweede stel prenten [115, 116] is de ruimte rond de figuren nog nauwer, maar biedt een raam in de zijmuur uitzicht naar buiten.

¶ Hoewel de meester een uitnemend portretschilder was [116a-b] en de figuren in zijn prenten vrij uitgesproken gelaatstrekken hebben, is het de vraag of het hier om specifieke portretten gaat. Het lijken eerder karakterstudies dan individuele portretten te zijn. De twee paren prenten verschillen in conceptie van de beroemde portretgravure van Van Meckenem [116c], die de graveur zelf en zijn vrouw Ida afbeeldt. De sterke leeftijdsverschillen tussen de geportretteerde (bejaarde) mannen en (jonge) vrouwen maken het ook mogelijk dat hier 'ongelijke liefdesparen' zijn afgebeeld (zie **55, 56**), hoewel iedere toespeling op een moraliserende betekenis ontbreekt.[1]

¶ De oude man in het eerste paar [113], die zijn hoofd licht naar links geneigd heeft, is de meest uitgesproken karakterkop: met zijn gerimpelde gelaat, waarin grote treurige ogen, lijkt hij door het leven getekend. De jonge vrouw daarentegen [114] heeft een rimpelloos maar ook tamelijk

113

114

115.3

116c

expressieloos gelaat, ondanks de enigszins uitpuilende ogen.

¶ In het tweede stel prenten [115-16] lijken de in verhouding grote hoofden van beide partners ingeklemd in de beperkte ruimte van de nis. Ook hier heeft de man met de tulband meer uitgesproken gelaatstrekken dan de vrouw met het sieraad op haar kwastenmuts.

¶ De burijn is hier op een zeer gevarieerde wijze gebruikt, nu eens met fijne dunne lijntjes, dan weer met krachtige zware contouren. Hoewel in het type der arceringen het voorbeeld van Schongauer zichtbaar is, wordt over het algemeen de graveertechniek veel minder regelmatig en zeer picturaal toegepast. De donkere gearceerde achtergrond in de eerste twee prenten vormt een toon, waartegen de lichte partijen in beide portretten gemodelleerd zijn; waarschijnlijk zijn de prenten van Van Meckenem daarvoor het voorbeeld.

¶ In het tweede stel prenten, dat waarschijnlijk wat eerder gedateerd kan worden, zijn vrij zware contouren en arceringen gecombineerd met een fijne modellering van de gezichten. Hoewel de teken-

115.1-2
Eerste staat:
115.1*
Parijs, Bibliothèque Nationale (inv. Ec.N. 432): goede druk, 138 x 88 mm (met fragment van watermerk: kruis van ossekop).
115.2
Parijs, Musée du Louvre, coll. Ed. de Rothschild (coll. Lloyd, 1825; Ottley; inv. 71 LR): zeer goede druk met plaatrand, 143 x 94 mm met marges.
Tweede staat:
115.3
Tweede staat met retouches bij neus en rechterschouder: Bazel, Kunstmuseum, Kupferstichkabinett (inv. aus K. 6.16), 130 x 93 mm (aan onderzijde afgeknipt).
116.*
Hamburg, Kunsthalle (coll. Berkley, 1738; coll. Lloyd, 1825; Cole & Wilson, 1828; coll. Ottley, 1837; inv. 3723): zeer goede druk met plaatrand, rechts onscherp gedrukt, 132 x 89 mm.

115.2

116

116a-b
Meester W B, *Portret van man* en *Portret van vrouw*, ca. 1484.
Beide paneel, beide 45 x 33 cm.
Frankfurt, Städelsches Kunstinstitut (inv. 334 en 335).
116c
Israhel van Meckenem, *Dubbelportret van de kunstenaar en zijn vrouw*, ca. 1490.
Gravure, 129 x 174 mm. B.1 en L.1.
Wenen, Graphische Sammlung Albertina.

wijze in de drogenaaldprenten van de Meester van het Amsterdamse Kabinet nog wat vrijer en schetsmatiger is, herinnert met name het gelaatstype van de jonge vrouw met het sieraad [116] aan de Maria op het late studieblad met *Maria en Christus* [16]. Daardoor en op grond van de datering van de geschilderde portretten van Meester W B kunnen deze verrassende portretprenten gedateerd worden tussen ca. 1485 en 1490.[2]

1. Buchner 1927, pp. 229-230; Shestack 1972, p. 54.
2. Buchner 1927, p. 235, dateert de prenten tussen 1480 en 1485. Shestack 1972, p. 59, dateert de prenten in verband met het 1487 gedateerde mansportret in Lugano wat later.

116a

116b

VERLUCHTE
HANDSCHRIFTEN

¶ Hoewel in de inleidingen door de verschillende auteurs wordt aangenomen dat de Meester is gevormd als miniaturist (pp. 13-19, 57,59) kan slechts een beperkt aantal verluchte handschriften met hem in verband worden gebracht. De illustraties van twee daarvan kan men dan bovendien nog nauwelijks als miniaturen aanduiden. Het Hausbuch [117] bevat wel enkele verluchte bladen, initialen en rankwerk, maar juist die gedeelten van het Hausbuch worden zelden aan de Meester toegeschreven en de rest van de illustraties, alle pentekeningen, zijn slechts in een aantal gevallen en dan nog vrij spaarzaam met waterverf gekleurd. De met dek- en waterverf gekleurde dedicatiepagina van 'Die Kinder von Limburg' kan men evenmin een miniatuur noemen, al speelt de kleur daar wel een grotere rol [118]. Het is evenwel duidelijk dat de illustraties van de beide handschriften een centrale plaats in het werk van de Meester innemen, al blijven de meningen zeer verdeeld over de mate waarin de Meester aan de tekeningen in het Hausbuch heeft meegewerkt. De grootste puristen menen dat slechts drie van de Planetenbladen *Mars, Sol* en *Luna* (fol 13r, 14r en 17r) van zijn hand zijn; anderen geven de Meester een groot deel van de illustraties. Hoewel de opvattingen hierover in zekere mate bepalend zijn voor de toeschrijving van de andere tekeningen, de schilderijen en glasruitjes, heeft de catalogus niet de ambitie hier een definitief oordeel over te geven; slechts een betere kennis van het originele manuscript kan op den duur tot een duidelijker beeld bijdragen. Omdat het niet mogelijk is gebleken het manuscript bij de voorbereiding van de tentoonstelling te bestuderen heeft de catalogustekst, geschreven door Jane C. Hutchison, een vrij summier karakter. Merkwaardigerwijs is van het ongetwijfeld zeer rijke bestand aan verluchte handschriften in het Midden-Rijngebied betrekkelijk weinig bewaard gebleven[1] en is er maar één handschrift, waarvan de miniaturen met vrij grote zekerheid aan de Meester kunnen worden toegeschreven: het *Evangeliarium* in Cleveland [119]. Het *Missaal van Margaretha von Simmern* uit 1481-82 [120], dat om conservatorische redenen helaas niet getoond kan worden, is het fraaiste voorbeeld van een kleine groep handschriften, waarvan de randversieringen de invloed van de Meester tonen.

1. Zie hierover Frommberger-Weber 1973, pp. 37-42 en Anzelewsky 1958, p. 30.

117. Het Middeleeuwse Hausbuch,
ca. 1475-85.*

Buigzame leren band met drie en zestig bladen dun perkament met veertig pentekeningen in bruine en zwarte inkt, ten dele, in beperkte mate, met waterverf gekleurd en met verguldsel; met twee miniaturen en verluchte initialen, ca. 290 x 186 mm.

¶ Het belangrijkste manuscript toegeschreven aan de man die ook de drogenaaldprenten in het Rijksprentenkabinet in Amsterdam heeft gemaakt, is een bundel pentekeningen en notities op fijn perkament, zonder titel, en waarschijnlijk incompleet.[1] Toen dit handschrift in de negentiende eeuw werd ontdekt, betitelde men het als het 'Middeleeuwse Hausbuch', een misleidende naam, want het lijkt nauwelijks op de destijds gebruikelijke almanakken en nog minder op de Lutherse *Hausväterliteratur* uit het eind van de zestiende eeuw, met tips en informatie betreffende het bestieren van een huishouden en het boerenbedrijf.[2] De enige zaken van puur huishoudelijke aard in dit Hausbuch zijn aanwijzingen voor het klaren van wijn, het verwijderen van vlekken en het maken van kaarsen. Dan zijn er recepten voor toiletzeep, verschillende soorten textielverf en voor hazelnoottaart en verder ook nog een tekening van een spinnewiel (fol. 34a), waarin men het vroegst bekende voorbeeld meent te zien van een dergelijk werktuig met een trapmechanisme, waarmee tijdens het spinnen het garen op een spoel wordt gewonden.[3] De meeste notities gaan echter over munitie en krijgskunde, medische en cosmetische behandelingen voor mensen en paarden, metaalbewerking en het munten van goudgeld. De recepten voor de diverse liefdesdranken (fol. 31b) en een satirische tekening van een *Minneburcht* bewoond door manzieke vrouwen (fol. 23b-24a), een pornografische liefdestuin (fol. 24b-25a), gebaseerd op een gravure van Meester E.S. (L. 215), en een badhuis met bezoekers van beiderlei kunne (fol. 18b-19a), plaatsen het handschrift buiten het kader van de normale familie-almanakken.

¶ Zoals graaf Johannes von Waldburg-Wolfegg al heeft opgemerkt,[4] is het manuscript eigenlijk helemaal geen Hausbuch, maar een van aanvullingen voorzien handboek voor krijgskunst. Het eerste voorbeeld van een dergelijk manuscript is de *Bellifortis* uit 1402-04 van Konrad Kyeser van Eichstätt (Göttingen, cod. ms. philos. 63), een Latijns tractaat over explosieven, vuurwerk en alchemie dat, net als het Hausbuch en andere handschriften over medische en technische zaken, begint met een serie illustraties van de zeven Planeten. Kyeser (1366-1405) was een Beierse legerarts en technisch specialist, die gediend had in het leger van Sigismund van Hon-

garije. Later zwoer hij trouw aan Wenceslaus van Bohemen, de Heilig Roomse keizer. Zijn manuscript, dat is opgedragen aan Wenceslaus' opvolger, de voormalige Paltsgraaf Ruprecht (gest. 1410), schreef hij in gevangenschap, na Wenceslaus' troonsafzetting in 1402. Het is geïllustreerd door een Boheems miniaturist en werd al spoedig gecopieerd. Tegen het midden van de vijftiende eeuw was het wijd en zijd bekend.[5]

DE DATERING VAN HET HAUSBUCH

¶ Het Hausbuch is geschreven in het Hoogduits, behalve een kort stukje latijn (fol. 4v-5r). Het ontstond ongeveer tachtig jaar na Kyesers krijgskundig handboek en bestrijkt een grotere variatie van onderwerpen, waarvan de belangrijkste de geneeskunst en de metaalbewerking zijn. Net als de *Bellifortis* lijkt het Hausbuch ontstaan in de kringen van het keizerlijke hof: men treft er onder andere een afbeelding in aan van het kampement van Friedrich III tijdens het beleg van Neuss in 1475 (53a-a$_1$). Kronieken uit die tijd vermelden de greppel die om het cirkelvormige kamp liep en de aanwezigheid van Friedrichs kanselier, Adolf II van Nassau, aartsbisschop van Mainz, wiens vaandel duidelijk zichtbaar is vlak naast de tent met het banier van de Habsburgs.[6] De zwaargebaarde figuur naast de keizerlijke legertent is door Lanckrońska zeer overtuigend geïdentificeerd als graaf Eberhard im Bart van Württemberg,[7] van wie de kroniekschrijvers melden dat hij voortdurend in de nabijheid van de keizer was.

¶ Anni Warburg heeft aangetoond dat het beleg van Neuss voor de grafische kunsten een tamelijk belangrijke gebeurtenis was. Het sleepte zo lang, dat het legerkamp een menigte burgers aantrok die daar ook hun tenten opsloegen, zoals kooplui in etenswaren en wapens, handelaren in religieuze souvenirs, vrouwen van lichte zeden en dergelijke.[8] Zo bevond zich in het kamp van Karel de Stoute de Bourgondische edelsmid-graveur Meester W met de Sleutel, zoals blijkt uit diens prent van de H. Quirinus van Neuss; zijn militaire prenten van legereenheden worden ook gedateerd in deze periode. Warburg oppert dat ook Israhel van Meckenem aanwezig geweest kan zijn bij de troepen van de bisschop van Mainz, en Hotz heeft aangetoond dat een 'Clas Nyvergal von Spyr' behoorde tot het voetvolk van het Frankfurtse detachement van het keizerlijke leger (zie pp. 54-55). Het blad met het legerkamp bij Neuss rechtvaardigt de veronderstelling dat of de schrijver van de krijgskundige teksten, of de illustrator ervan, of misschien beiden, oudgedienden waren uit Friedrichs veldtocht tegen Karel de Stoute. De datum 1475 is de terminus post quem voor de tekening.

¶ De terminus ante quem voor een deel van de

117. fol.2a   **117**. fol.3a

medische tekst (*von der Kreps*, fol. 29b) kan ook worden vastgesteld. Beschreven wordt nl. de behandeling voor kanker die de hertog van Lotharingen heeft ondergaan, met de opmerking dat deze de ziekte geen halt heeft toegeroepen. Nu leed René II van Lotharingen (1467-1508) nog in 1481 aan kanker, maar herstelde zich eind 1482 schijnbaar op wonderbaarlijke wijze, een feit dat de auteur zeker vermeld zou hebben als het zich tijdens het schrijven had voorgedaan.[9]

¶ Het feit dat Duitse woorden voor diverse ingrediënten in het medische en metallurgische deel van het Hausbuch in Hebreeuwse letters zijn geschreven, wijst eens te meer op de mogelijkheid dat de schrijver ervan connecties had onder de hoge adel aan het keizerlijke hof. Van Friedrich III is bekend dat hij een Joodse arts had, een Jacob ben Jehiël Loans (ca. 1450-ca. 1506), die hij in de adelstand verhief,[10] en bovendien een Joodse chirurg. Friedrichs kanselier, aartsbisschop Adolf van Nassau, had nog in 1473 alle Joden verdreven uit zijn bisschopsstad Mainz en de synagoge tot een christelijke kapel gemaakt.[11] Het was aan het begin van de jaren 1480 dus nogal lichtzinnig om het Hebreeuwse alfabet te gebruiken en daarmee openlijk uit te komen voor con-

tacten met een Joodse arts of apotheker, wanneer men niet zeker wist hoe de keizer zelf over deze zaken dacht.

¶ Friedrich III stierf in 1493 in de oude vestingstad Linz, waar hij zich al sedert 1485 half had teruggetrokken. Zijn zoon Maximiliaan volgde hem op als Heilig Rooms keizer. Deze had meer belangstelling voor oorlog en militaire zaken dan zijn vader en al spoedig na zijn troonsbestijging achtte hij zware investeringen in bewapening noodzakelijk, en stelde nieuwe munitiemeesters aan. De relatief lichte geschutstukken in het Hausbuch met hun ingewikkelde affuiten (onderstukken) lijken verouderd naast de nieuwe zware kanonnen, gegoten naar Maximiliaans specificatie. Zij waren versierd met Renaissance-ornamenten en berekend op gestandaardiseerde kogels.[12]

¶ Wat het Hausbuch verder verbindt met de oude keizer, is het feit dat diens beroemde devies 'AEIOU' voorkomt op een vaandel, gevoerd door een ridder te paard (fol. 52a). Het is een rebus met vele betekenissen, die echter allemaal Oostenrijk verheerlijken: *Austria Erit In Orbe Ultima* (Oostenrijk zal altijd blijven bestaan), *Al Ere Ist Ob Uns* (alle eer is vanwege ons), *Austriæ Est Imperium*

Orbis Universi (Oostenrijk regeert de hele wereld).[13] Graaf Waldburg heeft erop gewezen dat Friedrichs ridderorde van de vaas (een witte sjerp met een in goud geborduurde vaas met lelies) wordt gedragen door jonge mannen op een aantal tekeningen met hoofse taferelen (fol. 18b-24a). Deze van oorsprong Aragonese orde gaf Friedrich aan zijn gunstelingen, terwijl Maximiliaan hen bij voorkeur de Bourgondische orde van het Gulden Vlies gaf.

¶ Wanneer wij deze specifieke verwijzingen naar het regime van de oude keizer combineren met het feit dat zonder uitzondering de mode uit het eind van de vijftiende eeuw wordt afgebeeld, met inbegrip van snavelschoenen, ligt de conclusie erg voor de hand dat de eerste twee katernen van het manuscript al ten tijde van Friedrichs dood in 1493 grotendeels voltooid moeten zijn geweest.

De schrijvers

¶ Er zijn twee verschillende handschriften aan te wijzen in het Hausbuch, het eerste van een klerk, het tweede van een amateur. De klerk schreef een foutloos minuskelschrift en van hem zijn de korte Latijnse passage met ezelsbruggetjes (fol. 4a-5b)[14] en de Hoogduitse gedichten bij de tekeningen van de Planeten (fol. 10b-16b), die samen de eerste twee katernen van de bundel vormen. De overige tekst, ook alle technische notities, lijkt in verschillende stadia en gedurende een lange periode tot stand te zijn gekomen. Het is geschreven met inkt van verschillende diktes door een energieke en meer individualistische hand. De vele verbeteringen doen vermoeden dat dit wel voor eigen gebruik geweest zal zijn. De schrijver kende Latijn. Hij maakte er overvloedig gebruik van voor medische termen en obsceniteiten. Het Hebreeuwse alfabet maakte hij zich kennelijk eigen tijdens de totstandkoming van het eerste gedeelte van zijn manuscript, want de eerste notities met Hebreeuwse letters staan in uitgespaarde ruimtes in de Duitse tekst, maar verderop zijn zij geschreven in dezelfde inkt als de lopende teksten. De Hebreeuwse letters komen tamelijk veel voor in het huishoudelijke en medische gedeelte, maar spelen een overwegende rol in de twee pagina's waar uitvoerig wordt uitgelegd hoe men verschillende ertsen moet scheiden van het metaal (fol. 40r-40v).

¶ Net als Konrad Kyeser werd de auteur kennelijk daadwerkelijk te hulp geroepen bij medische behandelingen en als ingenieur. Zijn belangrijkste medische bron was Avicenna's *Canon medicinae* (waaraan wordt gerefereerd op fol. 27a: *Kopff setzen*), maar huismiddeltjes komen ook voor. Een belangrijke plaats wordt ingenomen door zaken die voor een legerarts van nut zijn (wondbehandeling, botbreuken, dysenterie, purgeermiddelen voor mens en paard en dergelijke) en de meer algemene medische zaken zoals het stellen van diagnoses door middel van bloed en urine, koortsbehandeling, behandeling van nierstenen, constipatie, impotentie, zwaarlijvigheid, wondkoorts, wratten en de pest). Ook geeft hij advies over het al of niet bekendmaken van de aard van de kwaal aan de patiënt.

¶ Het deel over krijgszaken begint met een heel open bespreking van de verantwoordelijkheden en de gevaren van het beroep van munitiemeester (*Dis hort eim büchsenmeister zu*, fol. 57r en verder). Er volgt advies over de keuze en opleiding van personeel, hun voeding en maatregelen om verraad te voorkomen. Hij geeft een lijst van de basisbenodigdheden en advies voor de te volgen tactiek ingeval men zich in een belegerd kasteel bevindt; recepten voor buskruit, stinkbommen en verschillende soorten vuurwerk. Aanvalswapens, waaronder veldgeschut met verstelbare affuiten, ladders en ander klimtuig voor het bestormen van muren, gesloten wagens voor het vervoer van kanonnen en zelfs een affuit dat van achter door een span van zes paarden geduwd kan worden, zijn alleen getekend, zonder bijbehorende tekst. Dat geldt ook voor de tactiek-tekeningen, waarop een leger op mars is afgebeeld (een ingenieus uitvouwblad, fol. 51b-52a) en het kampement bij Neuss. Het niveau van vakkennis dat uit tekeningen en tekst in dit deel blijkt, doet sterk vermoeden dat de eerste eigenaar van het manuscript er zelf de auteur en de illustrator van was. Hij moet dan een man op rijpere leeftijd zijn geweest met een aanzienlijke practische staat van dienst als *Büchsenmeister*.[15] Lanckrońska heeft de mogelijkheid geopperd dat deze persoon, een expert op het gebied van munitie, slotvoogd was in dienst van een feodaal heer – een theorie waar wel wat voor te zeggen is. Het zou namelijk ook verklaren waarom er in één manuscript zoveel is opgetekend over geneeskunde en medicamenten, metaalbewerking en huishoudelijke zaken.[16]

¶ Lanckrońska's identificatie van het wapen dat als frontispice van het handschrift is afgebeeld, als dat van de slotvoogd van de Schalksburg, een ridder uit de familie von Erzingen, genaamd Ast (tak), lijkt overtuigend. De Schalksburg was vanouds bezit van de Hohenzollern maar ging in de vijftiende eeuw over in handen van de graven van Württemberg – belangwekkend, gezien de afbeelding van graaf Eberhard im Bart, bij Neuss – en het was herbouwd in 1467. Het bezat belastingprivileges, het jacht- en visrecht, en dat voor de productie van wijn. De ligging, ver van de bewoonde wereld, op de hoogste top van de Schwäbische Alb bij Balingen, zou verklaren waarom er zoveel in het Hausbuch staat over tactiek en zo weinig over het beheren van een boerenbedrijf. Maar deze zelfde afzondering pleit tegen een uitgebreide persoonlijke relatie tussen Büchsenmeister en de maker van de drogenaaldprenten, want van deze weten wij dat hij vooral veel verder naar het westen gewerkt heeft, in het dal van de Rijn.

¶ Het manuscript bleef kennelijk tot het begin van de zestiende eeuw in het bezit van de schrijver en diens nakomelingen. Toen werd het eigendom van een zekere Ludwig Hof – die het misschien verwierf tijdens een reis naar Innsbruck, zoals een notitie in Hofs handschrift lijkt te beduiden (*zog zu Innbrugg*). Innsbruck was tijdens Maximiliaans regering letterlijk de artillerie-hoofdstad van Europa. Het is daarom heel wel mogelijk dat Hof zelf munitiemeester is geweest in dienst van een lid van de hoge adel. Van nog twee leden van de familie Hof komen de namen voor in het Hausbuch – Joachim en Leonard – voordat het in de zeventiende eeuw wordt verworven door de erfrijksdrost Maximiliaan von Waldburg. Van deze is bekend dat hij naast zijn militaire loopbaan belangstelling had voor alchemie, geneeskunst, zeldzame boeken en de schone kunsten.[17] Tot op de dag van vandaag is het Hausbuch in het bezit van zijn nakomelingen.

¶ Wij weten nu, wat men in de negentiende eeuw, toen de eerste artikelen over het Hausbuch verschenen, nog niet wist, namelijk dat het handschrift deel uitmaakt van een rijke, onafgebroken traditie van technologische geschriften. Daartoe behoren o.a. de dertiende-eeuwse bundel aantekeningen van Villard d'Honnecourt, en Leonardo da Vinci's *Codex Atlanticus* (ca. 1490), en natuurlijk ook het werk van Konrad Kyeser.

DE PLANETENKINDEREN (fol. 11a-17a)

¶ In vorm zowel als inhoud is het Hausbuch nauw verwant aan vroeg-vijftiende-eeuwse, rijkelijk geïllustreerde handboeken, zoals Konrad Kyesers *Bellifortis* en de copieën daarnaar, en aan het Tübingse handboek voor astrologie en geneeskunst van 1402, dat het familiewapen van de Württembergs draagt. De Hoogduitse versjes waarin de kenmerkende eigenschappen en het typische uiterlijk beschreven worden van de kinderen van elk van de zeven Planeten, zijn bijna letterlijk hetzelfde als die in een astrologisch handschrift dat 1445 is gedateerd (Kassel, Landesbibliothek, ms. astron. fol. 1), en geïllustreerd met ronde afbeeldingen, getekend in inkt en licht ingekleurd met waterverf.

¶ De Kyeser-handschriften bevatten ook afbeeldingen van de zeven Planeten maar niet van hun 'kinderen', terwijl de versjes daar in een zeer verbasterd Latijn zijn geschreven. Het handschrift uit Tübingen dat net als het Hausbuch kennis put uit Grieks-Romeinse en Hebreeuwse medische bronnen, bezit afbeeldingen van de tekens van de dierenriem, met beschrijvingen in het Duits van de beroepen waarover zij 'regeren' en van de zeven Planeten, met beschrijvingen van het temperament en de huidskleur die met elk van hen in verband worden gebracht. Gevoel voor humor is kenmerkend voor de illustraties, die sterk vooruitlopen op de voorstellingen in blokboeken met Planetenkinderen uit het midden van de jaren zestig van de vijftiende eeuw (Kopenhagen, Berlijn), en het Hausbuch.

¶ De codex uit Tübingen, de blokboeken, en verwante manuscripten zoals het zogenaamde Schermar handschrift (een medische verhandeling van ca. 1410-40, opgedragen aan Friedrich I, markgraaf van Brandenburg; Ulm, libri med. nr. 8) en het astronomische handboek van 1445 (Kassel, Landesbibliothek, ms. astron. 1.2), die allemaal de Planeten afbeelden als staande figuren binnen een cirkel, verschillen van het Hausbuch daarin, dat in dit laatste de Planeten zijn weergegeven als ruiters met banieren aan hun lansen. Dat sluit aan bij de traditie van handschriften uit Wenen (cod. vind. lat. 3068, fol. 80 en verder) en Wolfenbüttel (ms. 29. 14 aug. 4⁰. fol. 90v).[18]

¶ Al in de negentiende eeuw werden stilistische verschillen tussen de tekeningen in het Hausbuch opgemerkt (zie p. 14). Verschillende specialisten beschouwen alleen de beste tekeningen onder de Planetenkinderen: *Mars*, *Sol* en *Luna* als het werk van de Meester die de drogenaaldprenten maakte. De stilistische verschillen die tussen de drie bovengenoemde bladen en de bladen met *Saturnus*, *Jupiter* en *Mercurius* bestaan, zouden volgens Becksmann verklaard kunnen worden uit verschillen in datering; de beste bladen zouden tot het rijpe werk behoren, de andere tot het vroege werk. Naar de mening van Husband hebben maar liefst drie kunstenaars aan de Planeten gewerkt; de derde hand zou tevens verantwoordelijk zijn voor de tekeningen met hoofse taferelen. Andere specialisten, vooral degenen die het Hausbuch in het origineel hebben kunnen bestuderen, menen dat voor de tekeningen in het Hausbuch in hoofdzaak één kunstenaar verantwoordelijk is.[19]

SATURNUS (fol. 11a)

¶ De Planetenserie in het Hausbuch begint met Saturnus, die in het universum volgens Ptolemaeus de verst verwijderde planeet van ons zonnestelsel is. Hij is onfortuinlijk, verstoort het evenwicht en brengt ellende in de wereld. Zijn ruiterfiguur is het beweeglijkst van de hele serie. Hij berijdt een steigerend paard dat een dekkleed heeft met bellen, en op zijn banier staat een draak. Zijn 'kinderen' worden in het bijbehorende versje

117. fol.11a

117. fol.12a

beschreven als bleek, hard, koud, zwartgallig en oud. Onder hen zijn kreupelen, gevangenen, slachters en boeren. Zijn element is aarde, zijn symbool het varken. De tekening is helemaal in zwarte inkt uitgevoerd en doet onhandiger aan dan de rest.

JUPITER (fol. 12a)

¶ Jupiter is de tweede Planeet in het Hausbuch. Hij berijdt een paard dat stapvoets gaat. Zijn embleem, het lam, staat zowel op de banier als op het dekkleed van het paard. Vanuit zijn positie aan het firmament tussen de boogschutter en de vissen, regeert hij boogschutters, jagers, valkeniers, rechters, juristen en geleerden. Zijn aard is warm en zijn kinderen zijn knap van uiterlijk, goedgekleed, goedgeluimd en verstandig. Net als op de compositie van Saturnus, kloppen ook hier de verhoudingen tussen de figuren en de ruimte niet helemaal. Kennelijk was het probleem dat er zowel bezigheden binnens- als buitenshuis moesten worden weergegeven.

MARS (fol. 13a)

¶ De derde Planeet wordt gepersonifieerd door Mars, de god van de oorlog. Hij is een wat oudere man met een baard en een koningskroon, gekleed in harnas. Hij draagt een banier met enkel een

paar druppels bloed, en hij rijdt op een galopperend paard. Het landschap, dat vloeiend verloopt naar een horizon met bomen en kasteeltorens, is het toneel van louter gewelddadigheid – een dorp wordt gebrandschat, vrouwen gegrepen en vee gestolen door plunderende benden ruiters; rovers overvallen een bank en vermoorden op de voorgrond een pelgrim. Ironisch is het ooievaarsnest op de schoorsteen van de bank, gewoonlijk een teken van voorspoed. Hier is de verhouding tussen figuren en landschap evenwichtig. De figuren zelf zijn slank en sierlijk getekend en zonder enige twijfel het werk van de prentmaker. Het rookeffect, door een gedoezelde plek, en de eerste tekening in bister, nog zichtbaar op de voorgrond, maar verder opgewerkt met een diep zwart over paard en banier van Mars, zijn experimenten die heel goed lijken te passen bij de prentmaker zoals wij die kennen.

SOL (fol. 14a)

¶ Dezelfde zwarte, olie-achtige inkt is gebruikt voor de hele compositie gewijd aan Sol, de zon, behalve voor het dierenriemteken van de Leeuw, het gezicht van de zon en de twee mannen die een stokkengevecht houden. Net als bij de *Mars* zijn de kleine figuurtjes goed geïntegreerd in het vloeiend verlopende landschap. De kinderen van

117. fol. 13a

117. fol. 15a

Sol zijn fortuinlijk, edel en knap van uiterlijk, sterk van lijf en leden en muzikaal. Vóór de middag, zegt het gedicht, dienen zij God, en daarna vermaken ze zich zoals ze zelf willen.

¶ Drie kinderen van Sol knielen voor een altaar in een kleine open kapel links beneden, terwijl een vierde een aalmoes geeft aan de kreupele bedelaar die in de deuropening zit. In een ommuurde tuin brengen muzikanten een serenade aan jeugdige geliefden, terwijl in een verderop gelegen veld, acht jonge mannen wedstrijden houden in het gewichtheffen, worstelen en stokschermen. Net als bij het Kopenhaagse blokboek, is Sol een oudere man met een baard, de keizerskroon op het hoofd en een scepter in de hand. Hier is hij echter uitgedost in een hermelijnen mantel, zachte rijlaarzen en sporen. Hij draagt een blanke banier en galoppeert op een paard dat getooid is met drie struisveren.

Venus (fol. 15a)

¶ Venus, de eerste van de twee vrouwelijke Planeten, is gekleed als een jonge keizerin. Zij zit in dameszit op een galopperend paard dat is uitgerust met een schitterend sjabrak. Naast haar zijn de dierenriemtekens van de Weegschaal en de Stier afgebeeld, zwevend boven het vlakke landschap. Haar kinderen, zegt het vers, zijn altijd gelukkig, of ze nu rijk zijn of arm. Net als die van de zon houden ze van muzikaal vermaak. Zij hebben ronde gezichten en een fraai gevormd lichaam, maar neigen tot onkuisheid. In de blokboeken, in het Hausbuch en in het vroeg-vijftiende-eeuwse Schermar manuscript wordt de onkuisheid verbeeld door naakte paren die elkaar liefkozen bij het baden. In het Hausbuch wordt echter bovendien nog de nadruk gelegd op het sociale verschil tussen arm en rijk, geheel volgens de tekst van het bijbehorende gedicht. Op de voorgrond dansen ingetogen aristocratische paren op de tonen van een trompet en twee cornets. Op de achtergrond wordt door een boerenpaar zonder veel omhaal de liefde bedreven in het struikgewas, begeleid door een draailier en een bazuin. Nog verder weg dansen twee jongens een wilde horlepiep bij een trommel en een blokfluit.

117. fol.14a
(in kleur, *pl.Ia*, p. 225)

117. fol. 16a

je rond van gezicht, bleek, dol op mooie dingen, maar zij neigen tot egoïsme. Zij zijn intelligent, weten veel, en hun beroepen zijn schrijver, edelsmid, schilder, beeldhouwer, of klokkenmaker en orgelbouwer. Iconografisch gezien is dit een van de interessantste tekeningen uit de reeks – let bijvoorbeeld eens op de schilder die omhelsd wordt door zijn geliefde terwijl hij werkt aan een altaarstuk met de Madonna en de H. Catharina, en op de schoolmeester die een kind een pak slaag op de blote billen geeft, de beeldhouwersgezel, die een glas wijn aanneemt van de vrouw van zijn nors toeziende baas.

Luna (fol. 17a)

¶ De meestgeroemde tekening uit de Planetenserie in het Hausbuch is de *Luna*, die samen met de *Sol* en de *Mars* nooit twijfels heeft opgeroepen wat betreft de eigenhandigheid. Het blad is bijna helemaal getekend in zwarte inkt, behalve het dierenriemteken van de Kreeft, delen van hals en staart van het paard en de lichte gedeelten uit het kleed van Luna, die in bleekbruine inkt zijn. De compositie is geplaatst in een schitterend landschap. De kinderen van de maan zijn volgens het gedicht wispelturig en zonderling (*unstet und wunderlich*) maar ook onafhankelijk. Zij hebben ronde gezichten, dikke lippen en zijn kort van gestalte. Zij moeten oppassen voor de zonden van hoogmoed en luiheid. Zwervers, tovenaars, jagers en vissers, molenaars, zeelui en zwemmers (*pader*)[20] worden geregeerd door deze meest nabije en grillige planeet, waarvan de aard koud is en die als element het water heeft.

Taferelen uit het hoofse leven (fol. 18b-24a)

¶ Het derde katern van het Hausbuch (dat, zoals Bossert en Storck hebben aangetoond, oorspronkelijk het vijfde was, van de Planetenkinderen gescheiden door zestien nu verloren gegane bladzijden) is tekstloos en gaat vooraf aan het deel over geneeskunst, liefdesdranken, huishoudelijke recepten en huismiddeltjes. De tekeningen van deze groep lopen over twee pagina's. Anders dan die uit de Planetenserie zijn zij licht ingekleurd met waterverf, hier en daar met toetsjes goud of zilver. Hoewel de onderwerpen in dit deel vaak fascinerend zijn door hun oorspronkelijkheid, is de manier waarop mensen en dieren zijn afgebeeld zeer stereotiep en minder bekwaam dan die uit de Planetenserie, of de meeste drogenaaldprenten. Gedeeltelijk zou dat kunnen liggen aan de invloed van de versjes bij de Planeten, die immers een grote verscheidenheid aan gelaatsvormen, leeftijden en mensentypes dicteren. Maar als dezelfde kunstenaar ook deze groep tekeningen heeft gemaakt, dan zou men kunnen vermoeden dat ze aanzienlijk eerder zijn ont-

117. fol. 17a
(in kleur, *pl.Ib*, p. 225)

De verre horizon is met bruine inkt getekend, terwijl het prieel op de voorgrond is gedaan met zwarte inkt. Bij sommige figuren zijn de schaduwpartijen aangegeven door penseelstreken, zoals goed te zien is bij de draailierspeelster en haar begeleider, en de dansers rechts beneden.

Mercurius (fol. 16a)

¶ Mercurius werd beschouwd als de beschermer van de beeldende kunsten, totdat hij in Dürers tijd werd verdrongen door de Aristotelische Melancholia als het symbool van het kunstzinnige genie. Hij is afgebeeld als een oude man in de kleding van een burger. Zijn banier heeft een wolf als blazoen, en zijn paard gaat stapvoets tussen de dierenriemtekens van de Maagd, die zichzelf in een spiegel bewondert, en de naakte kleine jongens van de Tweelingen. De kinderen van Mercurius oefenen hun beroepen uit op een glad vloeroppervlak, dat doet denken aan het Tübingse manuscript – een passender omgeving voor de activiteiten binnenshuis, die bij hen behoren, dan de uitvoerige landschappen uit de blokboeken. De kinderen van Mercurius zijn volgens het vers-

117. fol. 14a

117. fol. 17a

Pl. Ia-b
Het Hausbuch, fol.
14a, De planeet
Saturnus en fol.
17a, De planeet
Luna.

Pl. IIa-b
Het Hausbuch fol.
20b-21a: Toernooi
(*Deutsches Stechen*)
en fol. 21b-22a:
Steekspel (*Scharf-
rennen*).

117. fol. 20b-21a

117. fol. 21b-22a

Pl. IIIa-b
Het Hausbuch, fol.
22b-23a, Herten-
jacht en fol. 23b-
24a, Minne-
burcht.

117. fol. 22b-23a

117. fol. 23b-24a

Pl. IVa-b
Het Hausbuch, fol.
53a-53a₁: Het
legerkamp bij
Neuss en fol. 56b-
57a: Kanonnen.

117. fol. 53a-53a₁

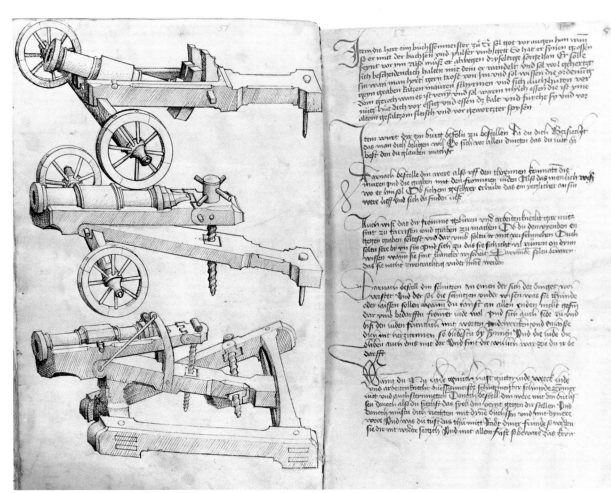

117. fol. 56b-57a

Pl. V
Dedicatiepagina van Johann von Soest, Die Kinder von Limburg, 1480. Heidelberg.

119a

119b

119c

119d

121

Pl. VIII
Zgn. Spierse altaar: Opstanding
van Christus. Frankfurt am
Main.

131d

Pl. IX
Zgn. Spierse altaar: Voetwassing.
Berlijn. Niet tentoongesteld.

Pl. X
Zgn. Mainzer Marialeven:
Geboorte van Christus. Mainz.

132d

Pl. XI
Zgn. Mainzer Marialeven:
Aanbidding der Koningen.
Mainz.

133

134

135

136

Pl. XIV
Toernooi, particulier bezit.

Pl. XVa
*Staande H. Maarten met
Bedelaar*. Amorbach.

Pl. XVb
H. Maarten te paard met bedelaar.
Aschaffenburg.

137

Pl. XVI
*Portret van een stichter (Johann
van Dalberg?)*, Karlsruhe.

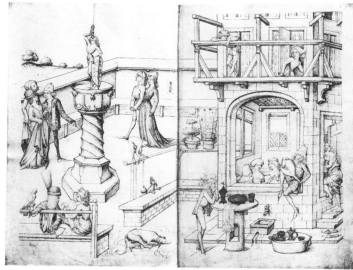

117. fol. 18b-19a

117. fol. 19b-20a

staan, hetgeen moeilijk vol te houden is, gezien de grote overeenkomsten tussen de costuums van de Planetenkinderen en in deze bladen. Rüdiger Becksmann en anderen hebben deze tekeningen en een paar van de Planetenkinderen dan ook toegeschreven aan een andere hand, de 'Meester van de Toernooien', naar aanleiding van een glas-schildering van een patricisch toernooi [**135**], die van dezelfde hand zou zijn.[21]

Badhuis (fol. 18b-19a)

¶ De eerste tekening over twee pagina's is een bad-huistafereel, met een binnenplaats waar een fon-tein staat, die is omgeven door een hoge muur. Een gemengde groep baders zien wij door de ramen van het 'caldarium' en op de binnenplaats vertoeven een aantal paren, net als in een liefdes-tuin. Aangezien fonteinen en waterwerken bin-nen het werkterrein van een Büchsenmeister vie-len, komen de figuren eigenlijk op de tweede plaats. Een jongeman (links) draagt een sjerp met de orde van de vaas van keizer Friedrich III. Op de fontein is een wapenschild met het Jeruzalem-kruis, het blazoen van de hertogen van Lotharin-gen.[22]

Waterburcht (fol. 19b-20a)

¶ Op deze tekening speelt net als op de voorgaande, eerder de architectuur dan de afgebeelde liefdes-paren een hoofdrol. Waarschijnlijk was in de ogen van een Büchsenmeister de ophaalbrug die toegang geeft tot het kleine vierkante gebouwtje het belangrijkste element. Voor kunsthistorici is echter de iconografie van de vissers en vogel-vangers op de voorgrond belangrijker.[23]

Duitse steekspel (fol. 20b-21a)

¶ Een van de fraaiste tekeningen uit deze groep is ongetwijfeld die van het toernooi met stompe lan-sen (het zg. Duitse steekspel), waarbij de scherpe punt vervangen werd door een kroontje. De bedoeling is enkel de tegenstander uit het zadel te wippen.[24] De feestelijke sfeer van dit sportieve evenement, waar de ene ridder de vijfbladige Bourgondische roos in zijn vaandel voert en de andere de keizerlijke orde van de vaas, doet den-ken aan de festiviteiten ter gelegenheid van de verloving van Maximiliaan met Maria van Bour-gondië in 1473. Het opschrift op het sjabrak van het paard van de Duitse of Oostenrijkse ridder luidt 'Henrich Mang' of 'Lang' en speelde een-maal een belangrijke rol in de speurtocht naar de identiteit van de Hausbuch-meester (zie p. 50).[25]

Toernooi (fol. 21b-22a)

¶ Naast het sportieve steekspel met de stompe lan-sen, waarbij vrouwen en kinderen aanwezig waren en dat werd geleid door scheidsrechters met batons, is hier een afbeelding van een *Scharf-rennen*, een tweegevecht met echte lansen, dat kon eindigen met de dood of met zware verwonding. Hierbij zijn alleen mannen aanwezig, sommigen zelf gewapend. Een knaap te paard doet dienst als vaandeldrager. Een hoornblazer geeft het teken voor het begin van de strijd. De ridders berijden onbeschermde paarden met lage zadels en dragen strijdhelmen met kinbeschermers, die meer bewegingsvrijheid bieden dan de enorme pronk-helmen die bij het Duitse steekspel werden gedra-gen. De bovenrand van de compositie toont een afbeelding van paardenrennen.[26]

Hertenjacht (fol. 22b-23a)

¶ Tijdens de regering van keizer Maximiliaan, die een groot sportliefhebber was, zien wij plotseling veel meer jachttaferelen dan in de vijftiende

117. fol. 20b-21a
(in kleur, *pl.IIa*, p. 226)

117. fol. 21b-22a
(in kleur, *pl.IIb*, p. 226)

117. fol. 22b-23a
(in kleur, *pl.IIIa*, p. 227)

117. fol. 23b-24a
(in kleur, *pl. IIIb*, p. 227)

117. fol. 51b, 51b₁1, 52a, 52a₁

eeuw. Op deze compositie komt echter een jongeman voor met de ridderorde van de vaas, de orde
die Friedrich III bij voorkeur aan zijn gunstelingen gaf. Net als op de *Venus* is hier een opzettelijk
aangebracht contrast te zien tussen aristocratie
en boeren: een stel konijnenvallen op de achtergrond en een galg waaraan veroordeelden hangen, zelf ten prooi aan aasvogels, vormen een
tegenstelling met de feestelijke jachtpartij van de
adellijke paren. Het afgebeelde moment is dat
waarop het *Halali* klinkt, ten teken dat het hert is
waargenomen. Het knielende hert op de voorgrond doet denken aan de ontwerpen van de
Meester van de Speelkaarten voor een serie herten, die in Utrecht en Mainz gebruikt werden als
model voor miniaturisten,[27] terwijl uit het dorp en
de bomen op de achtergrond blijkt dat de kunstenaar bekend was met de vroege gravure van Martin Schongauer, de *Boerenfamilie op weg naar de
markt* [L.90; **64**c]. De twee drogenaaldprenten
van de Meester met vergelijkbare onderwerpen,
Hertenjacht [**67**] en het *Vertrek voor de jacht* [**72**], zijn
getekend met meer gevoel voor contour, stofuit-
drukking en proportie van paarden en gejaagde
dieren, en zij geven blijk van een betere kennis

van de menselijke anatomie. De in detail geobserveerde ploeg, het draaihek en het molenrad getuigen anderzijds van een nauwe verwantschap met
de belangstellingswereld van de Büchsenmeister
of slotvoogd.

MINNEBURCHT (fol. 23b-24a)

¶ In een travestie van de hoofse liefdesallegorie, die
wij kennen uit Franse ivoren en uit het veertiende-eeuwse Duitse gedicht *Die Minneburg*, een
van de vele dergelijke dichtwerken uit de Middeleeuwen,[28] hoeven de minnaars van de bewoon-
sters van dit niet bepaald goedversterkte slot zich
niet erg in te spannen om de harten van hun
geliefden te veroveren. In tegendeel, de dames
zijn uit eigen beweging naar de binnenplaats
gekomen en proberen jongemannen uit elke
klasse van de maatschappij te verleiden en in de
val te lokken: één jongeman, die de orde van de
vaas draagt, omhelst een meisje, terwijl op de
achtergrond een boer hulpeloos in een strik ben-
gelt. Een vrouw heeft een vogelkooi in haar hand
– een bekend symbool voor prostitutie in latere
Nederlandse kunst, maar hier misschien een
meer algemene verwijzing naar het in de val laten
lopen – terwijl een andere een staljongen wenkt
vanuit haar plaats in het waterput-gebouwtje.
Het dak van dit wanordelijke geheel wordt
gesierd met een ooievaarsnest en twee rode wim-
pels met zilveren chevrons.

117. fol. 24b-25a

¶ Het laatste blad van de serie taferelen uit het
hoofse leven over twee pagina's, de *Liefdestuin* (fol.
24b-25a) is wat de linkerhelft betreft grotendeels
op de gravure van Meester ES, de 'grote' *Liefdestuin* (L.215) gebaseerd. Het blad is in metaalstift
getekend, een techniek die verder in het Hausbuch niet voorkomt, en is zoals de voorgaande
bladen gedeeltelijk gekleurd. Evenmin als de eerder vermelde (p. 15) gekleurde tekening *Bergwerk*
(fol. 35a; *afb. 9*), wordt het blad door de meeste
specialisten als eigenhandig werk beschouwd.
Hetzelfde geldt voor de grote groep technische
tekeningen van kanonnen, machines, belege-
ringswerktuigen en dergelijke; helaas ontbreekt

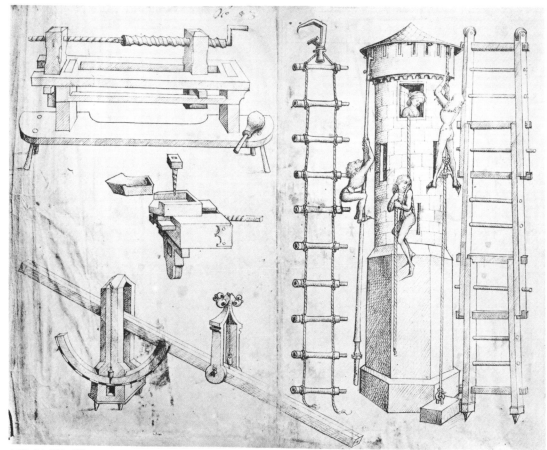

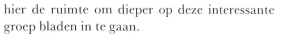

117. fol. 35a (zie *afb. 9*)

117. fol. 53a-53a
(in kleur, *pl.IVa*, p. 228)

117. fol. 56b-57a
(in kleur, *pl. IV*, p. 228)

117. fol. 53b, 53b₁

hier de ruimte om dieper op deze interessante groep bladen in te gaan.

¶ De *Legerstoet* (fol. 51b, 51b₁, 52a, 52a₁) en het *Legerkamp bij Neuss* (fol. 53a, 53a₁) worden over het algemeen wel tot de eigenhandige tekeningen in het Hausbuch gerekend en zijn zeker van dezelfde hand als de taferelen uit het hoofse leven.

* Dit catalogusnummer is geschreven door Jane C. Hutchison en is uit het Engels vertaald.

117. fol. 52b

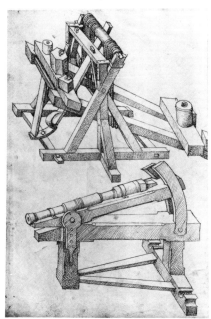

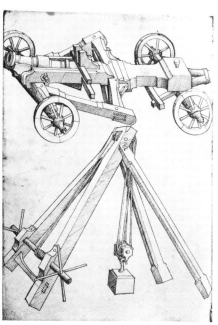

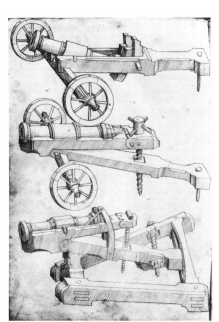

117. fol. 54b   **117**. fol. 55b   **117**. fol. 56b

1. Voor een complete beschrijving van het Hausbuch en de paginering en een geannoteerde uitgave van de complete tekst, Bossert-Storck 1912. Voor een historische analyse, zie Waldburg-Wolfegg 1957; Retberg 1865, op.cit. (p. 62, noot 27); Lehrs, deel 8, pp. 36-40; zie ook M. Scheffold, 'Das mittelalterliche Hausbuch als Dokument für die Geschichte der Technik', *Industrie Jahrbuch des Vereins deutscher Ingenieure* 19 (1929), pp. 127 en verder.

2. Voor een nuttige korte geschiedschrijving van dergelijke literatuur, zie de tentoonstellingscatalogus *Kalender im Wandel der Zeiten*, Karlsruhe, Badische Landesbibliothek 1982, passim.

3. Wolfgang Born, 'Das Spinnrad mit Flügelspindel und Trittanbetrieb', *CIBA Rundschau* 30, 1938, p. 1104; Walter Endrei, *l'Evolution des techniques du filage et du tissage du moyen-âge à la révolution industrielle*, Den Haag 1968, pp. 100 en verder; afb. 29 (Ecole Pratique des Hautes Etudes, Sorbonne, VIe, Sciences économiques et sociales).

4. Waldburg-Wolfegg 1957, pp. 6-7.

5. Zie *Neue deutsche Biographie*, deel 8, 'Kyeser'; Lynn White jr., 'Kyeser's *Bellifortis*', *Technology and Culture* 10 (1969), pp. 436-41.

6. Bossert-Storck 1912, p. 22.

7. Maria Lanckorońska, *Das Mittelalterliche Hausbuch der Fürstlich Waldburgschen Sammlung: Auftraggeber, Entstehungsgrund und Zeichner*, Darmstadt 1975.

8. Anni Warburg, *Israhel von Meckenem*, Bonn 1930, pp. 24 en verder (gebaseerd op de *Chronik* van Christian Wierstrait); Wolfgang Boerner, *Der Meister W mit dem Schlüssel*, Leipzig 1927 (proefschrift), p. 53; Henry Meier, 'Some Israhel van Meckenem problems', *The Print Collectors Quarterly* 27 (1940), pp. 41-67 (voor de theorie dat Israhel niet aanwezig was bij Neuss).

9. Zie Flechsig, op.cit. [III; noot 1], pp. 172-73.

10. Voor Loans (Loanz), vergelijk *The Jewish encyclopedia*, New York/Londen 1905, deel 8, 'Medicine', p. 417.

11. Valentin Ferdinand von Gudenus, *Codex diplomaticus anecdotorum res Moguntinas, Francicas, Trevirenses, Hessiaces*, Frankfurt-Leipzig 1758, deel 4, p. 412, 'synagogam judaeorum'.

12. Voor Maximiliaans artillerie en Büchsenmeister, zie Erich Egg en Wolfgang Pfaundler, *Maximilian I. und Tirol*, Innsbruck-Wenen z.j., niet gepagineerd.

13. Bossert-Storck 1912, p. 28 noot *.

14. Bossert-Storck 1912, p. 68. Deze passage is afkomstig uit de *Liber secretorum ad Monteum*, toegeschreven aan Galenus, en uit de *Rhetoricum ad C. Herennium libri IV*, foutief toegeschreven aan Cicero.

15. Bossert-Storck, pl. 48-71. Zie ook Waldburg-Wolfegg 1957, pp. 24 en verder.

16. Lanckorońska, op.cit. (noot 7), passim.

17. Matthäus von Pappenheim, *Chronik der Truchsessen von Waldburg, zweyter Theyl* 1785, p. 440 (Bossert-Storck 1912, p. 17). Het Hausbuch werd door Maximilian Franz von Waldburg (gest. 1681), stamvader van de Wolfeggse tak, eerst gecatalogiseerd als 'Manscriptium chimicum auff Pergamen der Saturnus etc., alt.' Aan het eind van de achttiende eeuw werd het opnieuw beschreven, ditmaal als 'Der Lauf der 7 Planeten in Gemälde auf Pergament vorgestellt'.

18. Zie voor de geschiedenis van de reeksen met Planetenkinderen, Anton Hauber, *Planetenkinderbilder und Sternbilder zur Geschichte des menschlichen Glaubens und Irrens*, Straatsburg 1916; Erwin Panofsky en Fritz Saxl, *Dürers Melencholia I - Eine quellen- und typengeschichtliche Untersuchung*, Leipzig-Berlijn 1923, pp. 121-36, 'Die Entwicklung der Planetenkinder Darstellung'; Raymond Klibansky, Erwin Panofsky en Fritz Saxl, *Saturn and Melancholy - Studies in the history of natural philosophy, religion and art*, Londen 1964, pp. 191-93; Renate M. Radbruch, *Der deut-sche Bauernstand zwischen Mittelalter und Neuzeit*, Göttingen 1961, pp. 37-47. E. Hoffmann-Krayer en Hans Bächtold-Stäubli, *Handwörterbuch des deutschen Aberglaubens*, deel 7, Berlijn-Leipzig 1935-36, pp. 278 en verder; R. Kautzsch, 'Planetendarstellungen aus dem Jahre 1445', *Repertorium für Kunstwissenschaft* 20 (1897), pp. 320-40; Ernst Zinner, *Geschichte und Bibliographie der astronomischen Literatur in Deutschland zur Zeit der Renaissance*, Leipzig 1941 (N.B.: Friedrich Lippmanns bekende *Die sieben Planeten* zit vol historische onjuistheden. Zie Aby Warburg, *Gesammelte Schriften*, deel 1, Berlijn 1932, p. 179).

19. Zie onder meer, Hans Naumann, 'Das Hausbuch und der Meister des Amsterdamer Kabinetts', *Repertorium für Kunstwissenschaft* 21 (1910), pp. 293-309; Willy F. Storck, 'Über das mittelalterliche Hausbuch', *Monatshefte für Kunstwissenschaft* 3 (1910), pp. 285-87; Stange 1958, p. 28; Becksmann 1968 en Husband 1985. Voor een tegenovergesteld standpunt, waarbij het merendeel van de bladen in het Hausbuch aan de Meester wordt toegeschreven, zie Lehrs, deel 8, pp. 36-37; (Peter Halm), tent.cat. *Deutsche Zeichnungen 1400-1900*, München 1953, pp. 21-22, nr. 15; Waldburg-Wolfegg 1957 en Fedya Anzelewsky's bespreking van Stange, in *Zeitschrift für Kunstgeschichte* 24 (1961), pp. 86 en verder.

20. Het Kasselse manuscript heeft een barbier (*Bader*) en diens klanten en geen baders – een van de vele aanwijzingen voor het feit dat de afbeeldingen in de Planetenserie van het Hausbuch uitging van de Duitse versjes en niet van de Latijnse literaire bronnen of Italiaanse visuele voorbeelden, zoals Lippmann veronderstelde (zie Warburg, op.cit. (noot 15) en Saxl, 'Literary sources for the 'Finiguerra Planets'', *Journal of the Warburg Institute* 2 (1938-39), pp. 72-74.

21. Becksmann 1968, passim.

22. Waldburg-Wolfegg 1957, p. 39.

23. Zie vooral Hotz 1956, op.cit. (p. 64, noot 100), pp. 312-13, waar deze een verband legt met het huwelijk van de dichter Johann von Soest met Margaretha Hecht (d.i. 'snoek'), de dochter van de Heidelbergse muntmeester in 1494. Hotz interpreteert de jongeman met de vis in zijn hand op de voorgrond als een verwijzing naar de gelukkige 'vangst' van de dichter.

24. Waldburg-Wolfegg 1957, p. 23. Dit steekspel heet in Duitsland weliswaar 'Deutsches Stechen', maar het was een internationaal bekend spel. Het komt ook voor op Franse ivoren uit de veertiende eeuw (zie bijvoorbeeld de deksel van een vroeg-veertiende-eeuws Frans ivoren kistje in de Walters Art Gallery in Baltimore, inv.nr. 71.264). Zie voor de hier afgebeelde zadels en wapenrustingen, Retberg, op.cit. (p. 62, noot 27), pp. 60 en verder.

25. Bossert-Storck 1912, pp. 31-34. Voor een complete bibliografie van de kwestie Henrich Mang/Lang, zie Hutchison 1972, p. 82.

26. Retberg, op.cit. (p. 62, noot 27), pp. 62-64; Waldburg-Wolfegg 1957, p. 23.

27. Zie Ann H. van Buren en Sheila Edmunds, 'Playing cards and manuscripts: some widely disseminated fifteenth-century model sheets', *Art Bulletin* 56 (1974), pp. 12-29; en verder Helmut Presser, *Gutenberg-Museum der Stadt Mainz, Weltmuseum der Druckkunst*, München 1966, pp. 14-15, waar een vergelijkbaar motief wordt vermeld in een bijbelmanuscript van ca. 1450.

28. Zie Raymond van Marle, *Iconographie de l'art profane au moyen-âge et à la renaissance*, 2 delen, Den Haag 1931-32, deel 2, p. 442 en verder, 'château d'amour'. Zie ook Retberg, op.cit. (p. 62, noot 27), p. 263. Voor de symboliek van de val, zie Van Marle, p. 472; Heinrich Kohlhausen, *Minnekästchen im Mittelalter*, Berlijn 1928, nr. 47.

118. Dedicatiepagina van 'Die Kinder von Limburg': Johann von Soest overhandigt het handschrift aan Philips de Oprechte, 1480.

Pentekening, met dek- en waterverf gekleurd op papier, geplakt in het handschrift, 284 x 192 mm.

¶ De gekleurde pentekening is geplakt aan het begin van het handschrift van de roman op rijm 'De kinderen van Limburg', die door Johann von Soest (1442-1501), de hofzanger en -dichter van de keurvorst van de Palts in Heidelberg uit het Middelnederlands in het Duits is vertaald. Deze roman vertelt de geschiedenis van de kinderen van Hertog Otto van Limburg, vol krijgsgebeurtenissen en liefdesgeschiedenissen: de zoon Heinrich is op zoek naar zijn ontvoerde zuster Margaretha, die door de sultan gevangen wordt gehouden.

¶ Met hulp van de op Margaretha verliefde koningszoon Echites slaagt Heinrich er tenslotte in om zijn zuster te bevrijden zodat zij met Echites kan trouwen. Tussen de 25.000 verzen van het handschrift staan allerlei persoonlijke opmerkingen van Johann von Soest, waaruit blijkt dat hij deze omvangrijke vertaling in opdracht van de keurvorst heeft verricht.[1] Waarschijnlijk had Johann von Soest op 24 september 1479 zijn werk voltooid en kon hij op Nieuwjaar 1480 het handschrift aan de Keurvorst aanbieden.[2]

¶ Deze gebeurtenis is op de tekening afgebeeld: knielend geeft Johann von Soest het boek aan de keurvorst van de Palts, Philips de Oprechte (1442-1508, keurvorst sedert 1476). Het ruitpatroon van de boekband in de Beierse kleuren van Wittelsbach-Beieren, blauw en wit, was een onderdeel van het wapen van de keurvorst van de Palts, die zelf immers uit dit geslacht stamde; hoewel deze band door een andere vervangen is, ziet men het blauwwitte ruitmotief nog steeds op de snede van het boek.[3] Philips de Oprechte, die dan 32 jaar oud is en door Johann von Soest 'der hubschte Furst in al Tutschlant' wordt genoemd, is afgebeeld als een mooie jongeman met lang krullend haar, dat door een metalen haarband met een diadeem en veer erop bijeen wordt gehouden. Over een hemd met veters overdwars verbonden draagt hij een laag uitgesneden lange mantel met wijde mouwen, een *Schaube*, gemaakt van zwart brocaat met een bontrand en -kraag, aan de voeten draagt hij de lange tootschoenen met houten trippen (zie bijlage 1). Het lange hooggesloten zwarte kleed van de hofzanger heeft eveneens een bontrand, maar ziet er eenvoudiger uit.

¶ Op enkele plaatsen is nog te zien dat de tekening met zwart krijt is opgezet en vervolgens met de pen in bruin is uitgewerkt; daarna is de tekening met een fijne penseel met water- en dekverf opge-werkt. Het coloriet van de tekening, die in een brede rode rand gevat is,[4] is beperkt: wat roserood in de gezichten, blauw voor de ruiten op de boekband en voor de schoenen, geelbruin voor de haren, de modellering van de spreukband en de bontranden van de mantels. Op het zwarte kleed van Philips is het brocaatpatroon zowel met een penseel in zwart als in wit getekend. In afbeeldingen van de gekleurde tekening gaan de meeste van deze details verloren, en dat kan de reden zijn dat herhaaldelijk aan het auteurschap van de Meester getwijfeld is.[5] Toch verraadt de deels door dekverf bedekte pentekening in allerlei details de eigenhandigheid van het blad.[6] Het opschrift van de spreukband, dat hetzelfde handschrift vertoont als de rest van het manuscript, is waarschijnlijk door Von Soest zelf ingevuld.

¶ De toeschrijving van het blad aan de Meester staat centraal in de discussie over zijn persoonlijkheid; indien deze toeschrijving juist is, bewijst dat, dat de kunstenaar in contact stond met een van de meest levendige culturele centra in die tijd, het Heidelbergse hof van Philips de Oprechte. Als bevorderaar van wetenschappen en kunsten vervulde Philips in zijn tijd een belangrijke rol, waardoor zijn regering als een bloeitijd, de 'Pfälzische Renaissance' wordt aangeduid (zie pp. 60-61). Of dè Meester ooit in dienst is geweest bij de Keurvorst is de vraag, maar in zijn levensstijl en zijn hof streefde Philips de Oprechte in 'hoofse' ridderlijkheid idealen na, die we in het werk van de Meester weerspiegeld vinden (zie pp. 75-77).

1. Valentiner 1903, p. 293, noot 3.
2. Ibidem, p. 294, noot 1.
3. Ibidem, p. 293.
4. Waarschijnlijk is de tekening bij de restauratie in 1962 uit deze rode rand gesneden; rechts ontbreekt thans de rode lijn, die men op de afbeelding bij Valentiner in 1903 ziet.
5. Voor het eerst door J. Springer 1904, op.cit. (**125**, noot 1); recent door Frommberger-Weber 1973, pp. 121-23. Ook Becksmann 1968, p. 359, schrijft de tekening aan de tweede tekenaar van het *Hausbuch* toe. Zie over de toeschrijving verder Storck 1909, nr. 4; Lehrs deel 8, p. 78; Winkler 1932, nr. 14; Solms-Laubach 1935-36, pp. 47-48; Stange 1958, p. 28, nr. 102.
6. Valentiner 1903, pp. 291-92, beschrijft de vele stilistische overeenkomsten met ander werk van de Meester; de tekenwijze is verder goed vergelijkbaar met de pentekening *Drie mannen in gesprek* [**123**].

118.*
Heidelberg, Universitäts-bibliothek (Codex pal. germ. 87). Met jaartal 1480.
Op spreukband:
Laborem hunc dux accipe
De musica discipulo
Sed plus affectum suscipe
Johannes de Suzato.

118. (in kleur, *pl. V*, p. 229)

119. Vier evangelisten, *ca. 1475-80*

Evangelarium, handschrift in originele leren band,
229 x 168 mm, met vier paginavullende miniaturen, water
en dekverf op perkament, zonder rand 149 x 97 mm, met
rand 156 x 120 mm.

¶ Het Evangeliarium, waarvan deze miniaturen deel uitmaken, bevat de tekst van de vier evangeliën van de H. Mattheus, de H. Marcus, de H. Lucas en de H. Johannes, die allen het leven en lijden van Christus beschrijven. Het handschrift bevat, naast verluchte initialen en randversieringen bij de tekst, vier paginavullende miniaturen van de afzonderlijke evangelisten, die allen schrijvend achter een lessenaar zijn afgebeeld; een spreukband met hun naam wordt vastgehouden door hun vier traditionele symbolen: de engel bij Mattheus, de leeuw bij Marcus, de stier bij Lucas en de adelaar bij Johannes. Met gevoel voor humor en voor specifieke details als inktpotjes, pennen, een schaar en dergelijke, zijn de evangelisten weergegeven, ieder op hun wijze verdiept in hun taak. De H. Johannes is zelfs met een mesje bezig iets uit te raderen.[1]

¶ De felle en levendige kleuren van de miniaturen zijn fris bewaard gebleven. Vaste elementen in het coloriet van deze miniaturen zijn de gouden rand, de heldere blauwe lucht, waarin met een penseellijntje witte wolken zijn aangegeven, het meubilair in geel, en de tegelvloer in grijs, met paars en groen. De kleding van de evangelisten met sterk rood, turkoois, blauw en paars is even fel van kleur. Opmerkelijk is dat vooral in de kleding op de vrij egaal aangebrachte dekverf met een fijne penseel een zorgvuldige modellering met contouren en arceringen is getekend in verschillende, vaak complementaire tinten; ook de scha-

duwpartijen in het meubilair en andere details zijn met uitvoerige arceringen aangegeven.

¶ In de miniatuurkunst is een dergelijke werkwijze niet ongewoon, maar uitzonderlijk is de pregnante en tekenachtige wijze waarop dit gedaan is. Dit verbindt de miniaturen met het werk van de Meester, in wiens prenten en in de ondertekening in de schilderijen (zie bijlage III) vergelijkbare arceringen te zien zijn. Ook de gelaatstypen met de zware oogleden en proporties en houdingen van de figuren herinneren aan de prenten uit de middenperiode in zijn werk.

¶ Opmerkelijk zijn de sterke overeenkomsten met het al eerder genoemde Belial-handschrift (p. 58, *afb. 42a-b*), dat in 1461 geschreven is door broeder Nikolaus von Rohrbach, kapelaan in Burg Trifels in het bisdom Spiers.[2] Niet alleen zijn de brede gouden randen en de met de pen getekende ornamentale rand daaromheen goed vergelijkbaar, ook het coloriet en de techniek is vrij verwant. Een wezenlijk verschil ligt in de sterk tekenachtige behandeling van de kleding van de evangelisten in het *Evangeliarium* uit Cleveland, waardoor dezen plastischer en realistischer zijn dan de figuren in het Belial-handschrift. Wel ondersteunen de overeenkomsten met het Belial-manuscript de hypothese dat de Meester in het Midden-Rijngebied als miniaturist is gevormd.

1. Het manuscript is voor het eerst gepubliceerd na de verwerving door het Cleveland Museum of Art in 1953, William M. Milliken, 'An illuminated manuscript by the Master of the Hausbuch', *The Bulletin of the Cleveland Museum of Art*, 40 (1953), pp. 121-22; zie Stange, deel 7, pp. 105, 120; Stange 1958, pp. 29-30 (ca. 1500); Frommberger-Weber, 1973, pp. 96-97, meent dat het om werk uit de school van de Meester gaat, beïnvloed door de Nederlandse en Bourgondische miniatuurkunst.
2. München, Staatsbibliotheek, cgm. 48. Zie Frommberger-Weber 1973, pp. 86-97.

119. (afbeeldingen van de *Vier evangelisten* in kleur, *pl. VI*, p. 230)

120. Missaal van Paltsgravin Margaretha von Simmern, *1481-82*.

Handschrift, 191 bladzijden op perkament in originele leren band met initialen en randversieringen, 233 x 172 mm.

¶ Onder de kleine groep handschriften die omstreeks 1480 in Mainz of omgeving zijn ontstaan en waarvan de randversieringen de invloed van de Meester vertonen,[1] is dit het fraaist verluchte boek. Het handschrift dat zowel 1481 als 1482 gedateerd is, werd gemaakt voor Margaretha von Simmern, dochter van Hertog Arnold van Gelderen. Zij was vanaf 1454 met de in 1480 overleden Paltsgraaf Friedrich getrouwd en voerde sinds 1459 het wapen, dat op de eerste verluchte pagina van het handschrift (fol. 8r) is weergegeven.[2]

¶ De versiering van het handschrift beperkte zich waarschijnlijk tot verluchte initialen en randen, die bestaan uit gecompliceerde ornamentale ranken, waarin mens- en dierfiguren zijn opgenomen. De initialen vertonen een andere stijl dan het rankwerk en moeten door een andere kunstenaar gemaakt zijn. Het zijn de ranken en vooral de figuren die daarin opgenomen zijn die het meest aan het werk van de Meester herinneren. Naast enkele religieuze thema's ziet men tussen de ranken soldaten, edellieden en boeren, in enkele gevallen goed vergelijkbaar met het werk van de Meester: twee worstelende figuren [fol. 44v, vergelijk **63**], Jongeling en de Dood [fol. 160v, vergelijk **58**] en het staand Christuskind [fol. 14v, vergelijk **18**]. Voor Anzelewsky, die

120.
Berlijn, Staatliche Museen Preussischer Kulturbesitz, Kupferstichkabinett. Mss. 78 b.4. Missaal met randversieringen in pen en dekverf met verguldsel.

120. fol. 160v

120. fol. 8r

120. fol. 14r. (detail)

pleitte voor de toeschrijving van de randversieringen aan de Meester, was juist het feit dat deze
thema's geen herhalingen van de prenten vormen, een argument voor zijn opvatting.[3]

¶ De figuren zijn spits en levendig getekend, eerst
met de pen, daarna met dekverf in een delicaat
coloriet, waarin groen, blauw, rood en oker in verschillende tinten overheersen, met enig verguldsel. Wat de tekenwijze, maar ook het type figuren
betreft, vertonen de randversieringen weinig
overeenkomsten met de prenten van de Meester;
wel is er sprake van verwantschap met over twee
pagina's doorlopende tekeningen van toernooien
en andere wereldse thema's in het Hausbuch (fol.
18v-24r).

¶ Zoals elders is opgemerkt herinneren de figuren
in de ranken vrij sterk aan de Bourgondisch-
Nederlandse miniatuurkunst, met name aan het
werk van Van Lathem (*afb. 12*), hetgeen erop zou
kunnen wijzen dat de miniaturist van dit missaal
in dit milieu gevormd is.[4]

1. Zie Paul Wescher, 'Zwei Rheinische Miniaturhandschriften
   in Berliner Kupferstichkabinett', *Wallraf-Richartz-Jahrbuch*
   NF 1 (1930), pp. 118-122.
2. Zie Wescher 1930 en Anzelewsky 1958.
3. Anzelewsky 1958, pp. 33-34.
4. Zie p. 21, pp. 33-34.

120. fol. 44v

TEKENINGEN

¶ Toen Lehrs in 1893-94 zijn boek over de prenten uitgaf, schreef hij in de inleiding dat naast de tekeningen in het Hausbuch slechts één andere tekening met zekerheid aan de Meester kon worden toegeschreven: de zilverstifttekening met het *Staand liefdespaar* in Berlijn [**121**]. Enkele jaren later, in 1899, voegt hij daaraan toe de als fragment bewaarde ontwerptekening in pen voor een vierpas glasruitje met *Prinses Cleodelinde* [**127**], dat hij kort daarvoor voor het Prentenkabinet in Dresden verworven had.[1] In het eerste decennium van deze eeuw slaagde het Berlijnse Prentenkabinet er in om drie pentekeningen [**123-25**] te verwerven, die nauwe samenhang met het werk van de Meester vertonen. Alle zijn gepubliceerd in het *Jahrbuch der königlich preussischen Kunstsammlungen*, net zoals de in 1913 in Leipzig opgedoken zilverstifttekening *Staand liefdespaar op de rug gezien* [**122**]. Ook de Parijse tekening met de *Kruisiging* werd aan het begin van de eeuw gepubliceerd [**128**]. Evenals bij de schilderijen en glasruitjes zijn in de daarop volgende jaren vele andere tekeningen aan de Meester toegeschreven, zelden erg overtuigend.[2] De meest aannemelijke toeschrijving is het kleine blad met *Vechtende marktvrouwen* [**126**] in Frankfurt, dat in 1956 gepubliceerd werd.

¶ De kleine groep hier behandelde tekeningen is op uiteenlopende manieren met het werk van de Meester verbonden. Het dichtst bij de prenten staan de twee zilverstifttekeningen met liefdesparen [**121, 122**], die zowel in tekenstijl als in stilistisch opzicht nauw aansluiten bij de prenten met hoofse thema's. Dit geldt ook voor de pentekening *Drie mannen in gesprek* [**123**], hoewel deze wat minder gedetailleerd is dan beide zilverstifttekeningen. Het in tekenstijl enigszins aan dit blad verwante *Banket van Maximiliaan* [**124**] heeft een veel schetsmatiger karakter; wanneer het onderwerp juist geduid is, gaat het hier waarschijnlijk om een ter plaatse vervaardigd ooggetuigeverslag. Een voorbeeld van de vroegere tekenstijl van de Meester is waarschijnlijk het blad met de *Vechtende vrouwen* [**126**], dat zowel bij de prenten uit de middenperiode als bij de tekeningen van de planeten in het *Hausbuch* aansluit.

¶ De andere tekeningen zijn moeilijker direct met de prenten te verbinden, waardoor de opvattingen over de eigenhandigheid ook verder uiteenlopen. Omdat het origineel van het Hausbuch tijdens de voorbereiding van de tentoonstelling niet bestudeerd kon worden en het moeilijk is om te bepalen welke van de tekeningen daarin eigenhandig werk van de Meester zijn, was het niet mogelijk nader op de relatie tussen de tekeningen in het Hausbuch en de aan de Meester toegeschreven tekeningen in te gaan.

¶ De tentoonstelling zelf, waarin voor het eerst zoveel van de aan de Meester toegeschreven tekeningen en het Hausbuch zijn samengebracht, biedt, naar we hopen, een goede mogelijkheid om de verschillende toeschrijvingen te toetsen.

1. Lehrs 1899, pp. 180-81.
2. Storck, 1909, stelde de eerste kritische lijst van de tekeningen samen, waarin behalve hier behandelde bladen [**118, 121, 127, 127**b, **128**] ook de tekening met de *Aanbidding der Koningen* in Coburg vermeld is, die tot 1927 algemeen als werk van de Meester werd beschouwd. Buchner 1927, pp. 284-300, schreef deze tekening als onderdeel van een grote groep toe aan de Meester van de Coburgse rondjes (zie Christiane Anderson en Charles Talbot, tent.cat. *From a mighty fortress*, Detroit 1983, pp. 108-45, 388-93). Zie voor kritische opmerkingen over de vele toegeschreven tekeningen, Lehrs, deel 8, pp. 41-45, Stange 1958, pp. 28-30 en de literatuuropgave bij Hutchison 1972, pp. 91-92.

121. Staand liefdespaar, *ca. 1485*

Zilverstifttekening op met wit gehoogd papier, 195 x 135 mm.

¶ Dit staande liefdespaar is even direct en ontspannen afgebeeld[1] als op de drogenaaldprent met het *Liefdespaar* [**75**], waar het paar op een bankje in de tuin zit. De jongeman met het lange krullende haar herinnert in zijn vriendelijke en jeugdige gelaatstrekken aan de jonge Philips de Oprechte [**118**] en de jonge vrouw lijkt wat gelaat en kapsel betreft op de jonge vrouw in het *Liefdespaar* in Gotha [**133**], terwijl haar kleding weinig verschilt van die van de vrouw op de prent. Zonder twijfel behoren de elegante jongelieden tot dezelfde aristocratische kringen als de figuren op de genoemde kunstwerken en andere 'hoofse' prenten van de Meester [**66, 70, 73**]. Ook hun kleding is hetzelfde: de jongeman met een geplisseerd hemd, een korte keerle met opengewerkte bovenmouwen, een beursje en een dolk aan de gordel, slanke hozen, en de lange tootschoenen; de vrouw met een lange, hoog getailleerde jurk, met opengewerkte mouwen, een laag uitgesneden décolleté een hoofddoek met een netwerk van gouddraad over het zorgvuldig opgemaakte haar en een doorschijnend sluiertje over het voorhoofd (zie bijlage II). Met beide handen houdt zij de bonthoed – met breed lint, een sieraad en een reigerveer – die de jongeman haar aangeeft, vast. Evenals in het *Liefdespaar* in Gotha [**133**] mag men hier aannemen dat het vasthouden van de muts van de geliefde de wederzijdse trouw symboliseert.

¶ De tekentechniek van dit blad, waarbij met een zilverstift op een met witte dekverf geprepareerd blad papier werd getekend, stelt hoge eisen aan een kunstenaar, te meer daar de tekening er eerst licht-grijs uitziet en pas langzamerhand verbruint en dan aan nuancering wint.[2] Het is daarom voor de kunstenaar tijdens het werk niet mogelijk het uiteindelijke effect te beoordelen en te corrigeren. De Meester gebruikt de zilverstift

121. (in kleur, op ware grootte, *pl. VII*, p. 231)

op een zorgvuldige en uiterst verfijnde wijze: vaak plaatst hij verschillende lijnen naast elkaar, fijne arceringen over elkaar en zet hij de contouren die de schaduwzijde van de figuren aangeven, breed en krachtig aan. De nauwe verwantschap met de fijn gegraveerde drogenaaldprenten uit de rijpe periode (zie pp. 31-33) maakt een datering van ca. 1485 aannemelijk.

¶ De tentoonstelling biedt de unieke mogelijkheid om deze vijftiende-eeuwse meestertekening te zien naast een andere, het *Wandelend liefdespaar* van Albrecht Dürer [121a],[3] die naar alle waarschijnlijkheid nog geen decennium later is ontstaan. De kleding van de jongeman met de gelaatstrekken van de jonge Dürer zelf verschilt nauwelijks van de kleding van de jongeman op de zilverstifttekening. De beide geliefden zijn mogelijk wat minder zelfbewust, maar hun relatie is niet minder innig. Dürers tekening die tijdens zijn 'Wanderjahren' is ontstaan, wellicht in Bazel in 1494, toont hoezeer hij dezelfde 'hoofse' idealen

nastreefde. Waar de geliefden in de zilverstifttekening onbevangen in hun eigen wereld staan, toont Dürers tekening een dynamischer beeld: een raak getroffen momentopname van een wandelend paar. In het met een vlotte en virtuoze pen getekende blad overtreft Dürer de Meester zeker in pregnant realisme.

1. De tekening, die tot het oude bestand van het Berlijnse kabinet behoort, werd voor het eerst door F. Lippmann (*Zeichnungen alter Meister im Kupferstichkabinett der königlichen Museen zu Berlin*, Berlijn 1882, nr. 51), als werk van de Meester van het Amsterdamse Kabinet gepubliceerd. Zie verder Lehrs 1899, p. 180; Storck 1909, nr. 1; Stange 1958, nr. 106. Zie over de herkomst van de tekening: Peter Dreyer, *Ex Bibliotheca Regia Berolinensi – Zeichnungen aus dem ältesten Sammlungsbestand des Berliner Kupferstichkabinetts*, Berlijn 1982, nr. 3.
2. Zie over de zilverstifttechniek, James Watrous, *The craft of Old-Master drawings*, Madison en Londen 1967, pp. 3-33, vooral p. 21.
3. Zie over de tekening van Dürer, S. Montagu Peartree, 'Eine Zeichnung aus Albrecht Dürers Wanderjahren', *Jahrbuch der königlich preussischen Kunstsammlungen* 25 (1904), pp. 119-24; F. Winkler, *Die Zeichnungen Albrecht Dürers*, 4 delen, Berlijn 1936-39, deel 1, nr. 56; tent.cat. *Albrecht Dürer*, Neurenberg 1971, nr. 68.

121a.*
Albrecht Dürer, *Staand liefdespaar*, ca. 1493.
Pentekening geplakt op oude doublure, 257 x 191 mm.
W. 56.
Hamburg, Hamburger Kunsthalle, inv. 23918.

121a

122.
Leipzig, Museum der bilden-
den Künste. Graphische
Sammlung (oud bezit; inv.
NI, 30).
In latere hand getekend,
H.v.Mechel.

122. Staand liefdespaar, op de rug gezien, *ca. 1485.*

Zilverstifttekening op met wit gehoogd papier, met de penseel in grijs opgewerkt, 178 x 135 mm.

¶ Dit blad met een op de rug gezien liefdespaar is wat de compositie betreft nog verrassender dan de Berlijnse zilverstifttekening.[1] De geliefden kijken elkaar aan, waardoor we hun gezichten in profiel kunnen zien. De blader- en bloemenkransen in hun haar karakteriseren de geliefden als verloofden, terwijl de muts met een kwast in de hand van de jonge vrouw wellicht haar trouw aan de man symboliseert [zie 133]. De gelaatstrekken en de kleding van de jongeman doen sterk denken aan die van de valkenier in de drogenaaldprent *Valkenier en metgezel* [70]. Zoals daarbij is uiteenge-zet, was de valkenjacht voorbehouden aan de aristocratie; het was bij uitstek een 'hoofs' tijdverdrijf van jeugdige geliefden uit deze kringen [zie ook 72]. In dezelfde ridderlijke hofcultuur ontstonden minneliederen als het 'Valkenlied' van Von Kürenberg'.[2]

¶ Ondanks de complicaties die het uitbeelden van het op de rug geziene paar met zich meebrengt, zijn beide geliefden op treffende wijze in een verfijnde zilverstifttechniek weergegeven. Met fijne arceringen zijn de schaduwpartijen opgebouwd als subtiele toonwaarden, die de figuren volume geven. De tekenstijl is zó sterk verwant met die in de Berlijnse zilverstifttekening [121], dat beide zeker in dezelfde tijd moeten zijn ontstaan en dat men zelfs wel heeft vermoed dat de tekeningen uit eenzelfde schetsboek afkomstig zijn. Helaas bleek

122

het niet mogelijk de tekening in Leipzig naast het Berlijnse blad te tonen.

De contouren van de tekening in Leipzig zijn waarschijnlijk op een later tijdstip versterkt met dunne grijze penseellijnen, die het moeilijk maken te beoordelen hoe de tekening er oorspronkelijk heeft uitgezien. Of de contouren versterkt zijn omdat te weinig van de zilverstifttekening te zien was, en wanneer dit gebeurd is, laat zich niet vaststellen; ook in de tekeningen van de Planetenkinderen in het Hausbuch is een dergelijke versterking van de contouren te zien.[3]

1. In 1913 gepubliceerd door Hermann Voss, 'Eine Zeichnung des Hausbuchmeisters in der Leipziger Graphischen Sammlung', *Jahrbuch der königlich preussischen Kunstsammlungen* 34 (1913); Winkler 1932, nr. 10; Stange 1958, nr. 107; (Karl-Heinz Mehnert), *Kataloge der Graphische Sammlung – Band 1 – Altdeutsche Zeichnungen*, Museum der bildenden Kunste, Leipzig 1972, pp. 84-85, nr. 31.
2. Ibidem, p. 84. Zie *Deutsche Lyrik des Mittelalters*, Auswahl und Übersetzung von Max Wehrli, Zürich 1955, pp. 39-45.
3. Mededeling van Jane C. Hutchison.

123. Drie mannen in gesprek, *ca. 1480*
Pen in bruin, 162 x 104 mm.

¶ De vroegere titel van de tekening, 'Vaderlijke vermaning' is waarschijnlijk een onjuiste interpretatie van de voorstelling van drie pratende jongelieden.[1] De drie jongemannen zijn modieus gekleed: de rechts op de rug geziene figuur draagt een lange mantel met een hermelijnen voering en een kwastenmuts op het hoofd en de jongen links, gekleed in een korte keerle, heeft een dergelijke muts in de hand.

¶ De tekening herinnert aan prenten met staande figuren: de *Valkenier en metgezel* [70] en vooral de *Twee pratende jagers* [71]; ook in die prent duidt de hand die op de schouder van de gesprekspartner ligt op een zekere vertrouwelijkheid. Niet alleen het type figuren, maar ook de tekenwijze van het blad herinnert, vooral wat de arceringen betreft, aan de drogenaaldprenten. Zeer levendig, enigs-

123.*
Berlijn, Staatliche Museen Preussischer Kulturbesitz, Kupferstichkabinett (coll. E. Rodrigues (L. 897), 1904; inv. K.K. 4291).

123

124.*
Berlijn, Staatliche Museen
Preussischer Kulturbesitz,
Kupferstichkabinett (coll.
von Lanna (L. 2773), 1910;
inv. K.K. 4442).

zins schetsmatig is het blad met de pen in bruine
inkt getekend, arceringen zijn vaak in verschillende lagen over elkaar geplaatst en de contourlijnen zijn versterkt met zwaardere bruine lijnen;
veranderingen, verbeteringen ontbreken niet. De
wijze waarop gezichten, haren, schoenen zijn
getekend doen denken aan dergelijke details in de
dedicatiepagina uit 1480 [**118**]; men kan het blad
daarom in dezelfde periode dateren.

1. In 1905 gepubliceerd door J.S(pringer), 'Eine neue Zeichnung vom Meister des Hausbuchs', *Jahrbuch der königlich preussischen Kunstsammlungen* 26 (1905), p. 68; zie verder Storck 1909,
p. 262, nr. 6; Winkler 1932, nr. 11; Solms-Laubach 1934-35, p.
90; Stange 1958, nr. 109; (F. Anzelewsky), tent.cat. *Dürer en
zijn tijd*, Amsterdam (Rijksmuseum), 1964-65, nr. 8.

124. Koning Maximiliaan I aan het vredes-banket in Brugge, 16 mei 1488, met op de achter-zijde: Koning Maximiliaan bij de Vredesmis.
Pen in bruin, 277 x 192 mm.

¶ Het is zeer waarschijnlijk dat dit aan beide kanten
betekende schetsblad letterlijk een ooggetuigen-
verslag van een belangrijke historische gebeurtenis vormt: de vrede tussen de burgerij van Brugge
(en andere Vlaamse steden) en de toenmalige
koning en latere keizer Maximiliaan, nadat deze
enige maanden in Brugge gevangen was gehouden.[1]

¶ Door het huwelijk van Maximiliaan met Maria

124 (achterzijde)

van Bourgondië in 1477 was Bourgondië, waartoe ook Vlaanderen behoorde, onder het gezag van de Habsburgse keizer Frederik III gekomen. De rijke Vlaamse steden waren nauwelijks geneigd dit gezag te aanvaarden. Zo werd op 5 februari 1488 koning Maximiliaan door de Brugse burgerij gevangen genomen. Hoewel de nadering van het leger van Maximiliaans vader Frederik III Brugge bedreigde, slaagden de burgers erin van de 'sterk vermagerde en bleke' vorst ('fort amagry et palle') vèrgaande toezeggingen te verkrijgen, in ruil voor zijn vrijlating na een in het openbaar te sluiten vrede (zie p. 82). Deze vrede vond een plechtig beslag op 16 mei 1488 op de Grote Markt in Brugge, waar op een in de open lucht opgericht altaar de relieken van het Heilige Kruis en van de H. Donatius waren geplaatst. Tijdens een plechtige mis zwoer Maximiliaan, onder aanraking van de sacramenten en de relieken, aan de eisen van de Bruggenaren te voldoen; onder meer beloofde hij om zijn zoon Philips niet tot regent van de Nederlanden te benoemen, de Duitse bezetting uit de Vlaamse steden terug te trekken en geen wraak op Brugge te nemen. Op hetzelfde altaar zwoeren vertegenwoordigers van de Brugse adel en burgerij de vredeseed. Direct na deze gebeurtenis werd door de vorst een vredesbanket gehouden ten huize van Jan Canneel. Dankzij beschrijvingen in Vlaamse kronieken kan men de gebeurtenissen op die dag in detail volgen.[2]

¶ De sterke gelijkenis tussen de bekende portretten van Maximiliaan en de aan weerszijden van het blad afgebeelde vorst en de omstandigheden waarin deze is afgebeeld, maken het waarschijnlijk dat het hier om momentopnamen van de ceremonieën op 16 mei 1488 gaat. Op de huidige achterzijde van het blad is de vredesmis afgebeeld. Schematisch is de ruimte weergegeven waarin de mis gecelebreerd wordt; iedere aanduiding van een kerkinterieur ontbreekt, omdat de gebeurtenis zich op de Grote Markt afspeelt. Om het altaar staan vier zuilen, die een baldakijn lijken te dragen, direct naast het altaar knielt de koning in een 'chambre de tapisserie', achter het altaar zijn de aanwezige Brugse burgers zeer summier aangeduid.

¶ Bij het vredesbanket zit de vorst onder een baldakijn; hij draagt op het hoofd, zoals de kroniek vermeldt, een 'fijne roode schaerlaken bonette', een muts met opgebonden oorflappen en kwasten, zoals we die meer in het werk van de Meester zien [zie 73, 75, 123]. Alleen de vorst draagt de lange spitse tootschoenen, terwijl de andere aanwezigen het in Vlaanderen in die tijd gebruikelijke

bredere schoeisel dragen ('koemuilen'). Aangezien 16 mei 1488 op een vrijdag viel, is aan te nemen dat de schaal met vis, waarschijnlijk snoek, die voor de vorst op tafel staat, het hoofdmaal vormt. Vóór de tafel staat waarschijnlijk Maximiliaans lijfkok, met een doek over de schouder geslagen, en links en rechts van de tafel drommen de toeschouwers en deelnemers aan het banket samen.

¶ Voor beide voorstellingen kan men in de miniatuurkunst eerdere, enigszins verwante composities aanwijzen,[3] maar deze vormen geen overtuigend argument tegen de ingenieuze identificatie door Warburg van de tekening met de hierboven beschreven historische gebeurtenissen; dergelijke afbeeldingen vormden hoogstens een compositioneel stramien voor deze 'momentopnamen'. De schetsmatige tekenwijze doet inderdaad vermoeden dat de tekening 'naar het leven' is getekend met vlugge en trefzekere pen. Niet alleen is het moeilijk om deze schetsmatige tekenstijl met die in de prenten te vergelijken, maar bovendien treft men in de prenten zelden een zo overtuigende suggestie van ruimtelijk perspectief aan.[4] Hoewel veel minder schetsmatig vertoont de tekenstijl van de *Drie mannen in gesprek* [123] allerlei overeenkomsten, die het moeilijk maken de bladen aan verschillende handen toe te schrijven; zo vindt men dezelfde tekenwijze van de hoofden, de behandeling van het haar en de typische vorm van de handen, kriebelige arceringen en zigzaglijnen in beide bladen terug.

¶ Mocht de toeschrijving aan de Meester, waaraan overigens zelden serieus is getwijfeld, juist zijn, dan is het waarschijnlijk dat de kunstenaar in 1488 Brugge bezocht heeft; wellicht in het gevolg van een van de Duitse edellieden die na de vredessluiting als gijzelaars voor de vredesgelofte in Brugge achterbleven. Onder hen was de Graaf van Hanau, die mogelijk in het *Liefdespaar* in Gotha [133] geportretteerd is.

1. De tekening werd in 1911 gepubliceerd door A. Warburg (met een 'Vorbemerkung' van Max J. Friedländer), 'Zwei Szenen aus König Maximilians Brügger Gefangenschaft aus einem Skizzenblatt des sogenannten 'Hausbuchmeisters'', *Jahrbuch der königlich preussischen Kunstsammlungen;* 32 (1911), pp. 180-84. Zie verder Winkler 1932, nr. 13; Stange 1958, nr. 108.
2. Uitvoerig bronnenmateriaal is vermeld in het artikel van Warburg (zie noot 1).
3. Solms-Laubach 1935-36, pp. 33-34, afb. 45; tent.cat. *Dürer en zijn tijd*, op.cit. [123. noot 1].
4. Becksmann 1968, p. 359, schrijft de tekening, evenals 123, toe aan een tweede tekenaar in het *Hausbuch*, die onder meer de toernooiscènes in het *Hausbuch* zou hebben getekend. Jane C. Hutchison (mondelinge mededeling) meent dat vooral de geavanceerde perspectief in de tekening reden is om aan de toeschrijving aan de Meester te twijfelen.

125. Lopende man, *ca. 1490.*

Pen in zwarte inkt op bruinrood getoond papier,
118 x 73 mm.

¶ Dit blad is aan het begin van deze eeuw ontdekt. Het was geplakt op het achterplat van de boekband van een Franse editie van het Nieuwe Testament uit 1558.[1] Het opschrift op de tekening 'David Heunzellius' met de datum 1560 duidt waarschijnlijk de vroegere bezitter van het boek aan en het jaar van aanschaf, maar heeft verder niets met de tekening zelf te maken.[2] De kleding van de staande man lijkt eenvoudig: een lange mantel met wijde mouwen, slobberende hozen en klompschoenen ('koemuilen'), die aan het eind van de jaren tachtig van de vijftiende eeuw in de mode kwamen en ook op de vorige tekening te zien zijn.

¶ De tekening is op een spitse en levendige manier met een pen in zwarte inkt getekend: de dubbel neergezette contourlijnen vinden we ook in het tweezijdige schetsblad met Maximiliaan [124]. Verder vertoont de tekenwijze evenwel weinig verwantschap met die in de laatste prenten en daarom behoort de tekening tot de minder zekere toeschrijvingen.

1. De tekening werd in 1904 gepubliceerd door J.S(pringer), 'Notiz: Eine Zeichnung vom Meister des Hausbuchs', *Jahrbuch der königlich preussischen Kunstsammlungen* 25 (1904), p. 142; zie verder Storck 1909, nr. 5; Stange 1958, nr. 110.
2. Volgens Springer (zie noot 1) bevatte het boek nog een tweede tekening, op het voorplat van de band geplakt, met het opschrift: *1576 Benedictus Heincellius.* Helaas is niet bekend waar het boek is gebleven met de tekening met een wapenschild met schilddrager, die door Springer als een copie naar de tekening van de Hausbuchmeester werd beschouwd (vriendelijke mededeling dr. H. Mielke).

125.*
Berlijn, Staatliche Museen Preussischer Kulturbesitz, Kupferstichkabinett (geplakt in boek *Il Nuovo testamento*, Lyon, 1558; W. Bode, 1903; inv. K.K. 4281).
Met opschrift *David Heunzellius, 1560*; op verschillende plaatsen beschadigd en gerestaureerd.

125

126.*
Frankfurt am Main,
Museum für Kunsthandwerk
(uit Klebeband van Johann
Friedrich von Uffenbach
(1687-1769); inv. L.St.Z.4;
BL.57).
Met vals monogram M+S
en datum 1460.

126. Vechtende marktvrouwen, *ca. 1475-80*

Pen in bruin op geelachtig papier, achtergrond later met wit gehoogd, 78 x 81 mm.

¶ Op felle en agressieve wijze gaan de twee boeren-vrouwen elkaar te lijf; de zittende jongere vrouw heeft een aardewerk pot uit haar mand gegrepen om daarmee te slaan; met haar andere hand duwt ze het gelaat weg van haar oudere tegenstandster die haar bij de haren pakt. De kleding en de schoenen ('bundschuhe') doen denken aan die van de boerenvrouwen op de prenten met wapen-schilden [80, 81]; waarschijnlijk zijn de vrouwen op weg naar de markt, om hun koopwaar aan de man te brengen: de zak die tegen de driepoot leunt hoort bij de oudere vrouw, terwijl de andere een mand met aardewerk bij zich heeft.

¶ Wat de precieze betekenis van de tekening ook zijn mag, men kan er nauwelijks aan twijfelen dat met deze ongebreidelde woedeuitbarsting een weinig verheffend beeld van de boerenstand wordt gegeven (vergelijk de prent met de vech-tende boeren van Meester FVB, 63a). Er is terecht gewezen op de overeenkomsten van de tekening met de voorstelling van de planeet Mars

en haar kinderen in het Hausbuch [117, fol. 13a], waarop boerenvrouwen zich op even felle wijze tegen plunderende soldaten verzetten.

¶ Ondanks het kleine formaat van het blad is het gedetailleerd getekend: met een dun pennetje zijn fijne arceringen in twee tinten bruine inkt aange-bracht, tussen bredere hoekige contourlijnen. De tekenwijze is weliswaar wat vrijer en spontaner dan in de drogenaaldprenten, maar de arceersys-temen doen sterk denken aan de arceringen in de prenten uit de middenperiode [bijvoorbeeld **79**, **80**].

¶ De achtergrond is met dekwit bedekt, waarbij de getekende lijnen, zelfs haren, handen en dergelij-ke, zorgvuldig zijn uitgespaard. Op een later moment zijn waarschijnlijk het monogram van Martin Schongauer en de datum 1460 toege-voegd. Het blad komt uit een klein formaat plak-album van de Frankfurtse verzamelaar Johann Friedrich von Uffenbach, dat behalve een teke-ningetje van Schongauer verder meest matige achttiende-eeuwse landschapsgouaches bevatte.

1. De tekening werd in 1956 gepubliceerd door Ernstotto Graf zu Solms-Laubach, 'Nachtrag zu Erhard Reuwich', *Zeitschrift für Kunstwissenschaft* 10 (1956), pp. 187-92, vooral p. 192; zie ook Stange 1958, nr. 105.

126

127. Prinses Cleodelinde, fragment van een ontwerp voor een glasruitje, *ca. 1480-90.*
Pen in zwarte inkt, 116 x 91 mm.

¶ Dit fragment behoort tot de eerste tekeningen die aan de Meester zijn toegeschreven, en tot voor kort is deze toeschrijving niet in twijfel getrokken.[1] Het moet een ontwerp zijn voor een zogenaamd vierpasglasruitje, waarbij binnen een cirkelvorm rondom een wapenschild zich vier voorstellingen bevinden [zie **139**a]. In dit geval zal het om een voorstelling in de linker vierpas gaan. Men mag aannemen dat de rechter vierpas de H. Joris en de draak liet zien [zie voor het verhaal, **33-34**]. Prinses Cleodelinde, die met het schaap lijdzaam geknield haar lot afwacht, is gebaseerd op een gravure van Schongauer [**127**a]. Gezien het formaat is het goed mogelijk dat het hier om een fragment van een originele ontwerptekening voor een glasruitje gaat.

¶ Hoewel het ontstaan van dit type vierpasglasruitje, waarop gewoonlijk profane thema's zijn afgebeeld [zie **139**] meestal met de Meester of zijn omgeving wordt verbonden, zijn er geen voorbeelden bewaard die men met enige zekerheid aan hem kan toeschrijven.[2] Dit geldt ook voor dit op zichzelf fraaie en zorgvuldig met de pen getekende blad, waarvan echter noch de tekenstijl noch het type arceringen verwant zijn aan die in de prenten en in de eerder beschreven tekeningen.

¶ Dit is ook het geval bij een eveneens in Dresden bewaarde dubbelzijdige ontwerptekening voor twee glasrondjes, waarop in beide gevallen koningen als wapendragers optreden [**127**b], een blad dat eveneens sinds lange tijd aan de Meester wordt toegeschreven.[3] Op een schets in zwart krijt is de tekening op vlotte wijze met de pen aangebracht; weliswaar levendiger en schetsmatiger dan in het hierboven beschreven fragment, maar toch te slordig en te zwak om een toeschrijving aan de Meester te rechtvaardigen; wellicht gaat het hier om een latere navolging.

1. Lehrs 1899, p. 181; zie verder Storck 1909, nr. 2; Winkler 1932, nr. 17; Stange 1958, p. 30 als werkplaats; Becksmann 1968, p. 359, van de tweede tekenaar in het Hausbuch; Husband 1985, als anoniem, zeer verwant aan het Frankfurtse *Liefdespaar* [**139**].
2. Zie Schmitz 1913, pp. 101-16; verder Husband 1985.
3. M.J. Friedländer, 'Zum Meister des Amsterdamer Kabinetts', *Repertorium für Kunstwissenschaft* 17 (1894), pp. 270-73; Lehrs 1899, p. 190, niet eigenhandig; Winkler 1932, nrs. 15-16; Stange 1958, p. 30, tekenaar van *Bergwerk* in *Hausbuch*; Becksmann 1968, p. 359, noot 34.

127.
Dresden, Kupferstichkabinett (coll. Wilhelm Volck, Saarburg (Trier) 1898; inv. C 1898-24).
Met een later toegevoegd monogram van Schongauer; langs de middenvouw en aan de bovenzijde sterk beschadigd.
127a.
Martin Schongauer, *H. Joris en de draak*, ca. 1470-75. Gravure, diameter 84 mm. B.51 en L.58.
127b.
Ontwerp voor een glasruitje, *Koning als wapenhouder met een page*, ca. 1480.
Met oud opschrift: *1/2 S(?)* en *haulbeina*.
Met aan de achterzijde een tweede ontwerp voor een glasruitje, *Koning als wapenhouder met jonkvrouw*.
Beide: pentekening over een schets in zwart krijt, op papier, diameter 144 mm.
Dresden, Kupferstichkabinett (C. 2093).

127

127a

127b

127b (achterzijde)

128. De Kruisiging, *ca. 1480-90*

*Pen in zwart, met correcties in bruin op papier,
406 x 302 mm.*

¶ In een veelfigurige compositie is de 'Kruisiging van Christus' voorgesteld.[1] Vergelijkt men de compositie met de afbeelding van hetzelfde thema in het middenpaneel van het zogenaamde Spierse altaar [131a], thans in Freiburg im Breisgau, dan blijkt hoe sterk de compositie in de teke-ning in de hoogte is opgebouwd, ondermeer doordat de kruisen zeer lang zijn en de hoogwaardigheidsbekleders en soldaten te paard zitten. In dit opzicht lijkt de compositie op een Vlaams voorbeeld terug te gaan.[2] Hoewel de compositie in ruimtelijk opzicht overtuigender is dan in het Freiburgse paneel, waarin de figuren sterk opeengepakt zijn, maakt de kleding van de figuren in de tekening een ouderwetsere indruk.

¶ Zekere overeenkomsten met het werk van de

128

Meester zijn wel aanwijsbaar in de houdingen en gelaatstypen; moeilijker is het de tekenwijze van het blad met die van de Meester te verbinden. De manier waarop de contouren getekend zijn is merkwaardig schetsmatig, in enkele gevallen zijn meerdere wat bibberige bruine penlijnen naast en over elkaar geplaatst, sommige vormen zijn daarna nog eens met bruine inkt versterkt. Hoewel de tekenwijze zoekend is – de tekenaar schijnt pas door het herhalen van lijnen greep op de vorm te krijgen – zijn er nergens echte veranderingen te zien. Dit wijst erop dat de tekening op een schilderij of miniatuur gebaseerd is. De tekening heeft op zijn beurt waarschijnlijk het voorbeeld gevormd voor een fragmentarisch bewaard altaarstuk met een Calvarieberg in Königsbach an der Hardt.[3]

1. De tekening werd gepubliceerd door S. Montagu Peartree in *Dürer Society* 9 (1906), pl. 5; zie verder Storck 1909, nr. 8; Winkler 1932, nr. 12; Frits Lugt, *Bibliothèque Nationale, Cabinet des Estampes: Inventaire générale des écoles du nord*, Paris 1936, nr. 1.
2. Zie bijvoorbeeld de *Kruisiging* van Justus van Gent, Friedländer deel 3, pl. 100.
3. Zie Frommberger-Weber 1974, pp. 64-65.

129. Zittende handboogschutter, *1485(?)*
Pen in donkerbruin op papier, 153 x 102 mm.

¶ Verrassend direct is deze boogschutter getekend:[1] gespannen zit de man, gekleed in nauwe hozen en een kort wambuis, met een bontmuts op het hoofd, op het randje van een driepoot; met het linker oog gesloten, het rechter geopend, richt hij de handboog die hij met zijn beide (grote) handen hanteert naar rechts. Het opschrift 'stee...stee' (blijf staan), dat de tekenaar waarschijnlijk zelf heeft toegevoegd, is wel eens gezien als een verzuchting van de boogschutter, die zo te zien moeite heeft om zijn boog goed op het doel te richten. Het cijfer 85, dat staat onder een teken, dat een symbool voor de handboog zou kunnen zijn, zou een afkorting voor 1485 kunnen zijn.[2]

¶ Met levendige en vlotte pen is de tekening zonder veel aarzeling en met korte soms naast elkaar geplaatste lijnen tot stand gekomen. De tekening lijkt een momentopname te zijn, waardoor dit blad een raker beeld van een handboogschutter

129.*
Erlangen, Graphische Sammlung der Universität Erlangen-Nürnberg (B.34). Met opschrift *Stee Stee* en cijfer 85.

129

130.*
Zürich, coll. verzameling
Marianne Feilchenfeldt
(coll. Carl Koch, Londen,
1929; coll. Robert von
Hirsch, 1978).
In latere hand gedateerd
1520.

geeft dan de tekening van de Planeet Jupiter en zijn kinderen in het Hausbuch [**117**, fol. 12a]. Door Strocka is de tekening in verband gebracht met een penschets van een *Koerier te paard* (*afb. 40*), waarop in Dürers handschrift wordt vermeld, dat deze het werk is van Wolfgang Peurer, gemaakt in 1484. Om verschillende redenen meent Strocka dat deze Wolfgang Peurer identiek is met de Meester (zie p. 54).[3] Op grond van foto's is het moeilijk vast te stellen of beide tekeningen van dezelfde hand zijn en hoe de precieze verhouding met het prentwerk van de Meester en het Hausbuch is. Van de groep tekeningen in de omvangrijke verzameling vroege Duitse tekeningen van de Universiteitsbibliotheek in Erlangen, die met de Meester in verband wordt gebracht, is dit zeker het blad dat de meeste kans maakt.[4]

1. De tekening werd voor het eerst gepubliceerd door H. Naumann, 'Das Hausbuch und der Meister des Amsterdamer Kabinetts', *Repertorium für Kunstwissenschaft* 23 (1910), pp. 293-309, vooral p. 302; zie verder Bossert-Storck 1912, p. 45.
   Elfried Bock, *Die Zeichnungen in der Universitätsbibliothek zu Erlangen*, Frankfurt am Main 1929, nr. 34; (D. Kuhrmann), tent.cat. *Altdeutsche Zeichnungen aus der Universitätsbibliothek Erlangen*, München (Staatliche Graphische Sammlung) 1974, nr. 32.
2. Volker Michael Strocka, 'Albrecht Dürer und Wolfgang Peurer', *Argo-Festschrift für Kurt Badt*, Köln 1970, pp. 249-60, vooral pp. 255-56.
3. Ibidem.
4. Zie Bock, noot 1, nr. 31-37 en tent.cat. München 1974, op.cit. (noot 1), nrs. 26, 27, 32, 33.

130. Dansend liefdespaar, *ca. 1480-90*
Pentekening op papier, 110 x 58 mm.

¶ Een jongeman, met een lang zwaard aan zijn zijde, en een verlovingskrans in zijn krullend haar, tilt met beide handen zijn jonge verloofde op, die haar handen op zijn schouders steunt. Vooral wat de sfeer betreft roept de tekening de 'hoofse' wereld op zoals we die uit het werk van de Meester kennen.[1] Toch past de wijze, waarop de vrouw onder de oksels wordt opgetild niet in de gestileerde hoofse dansen. Een dergelijke vrij indecent geachte handeling zou men eerder in de boerendansen verwachten.

¶ Het summiere karakter van het schetsblad is moeilijk te vergelijken met de meer gedetailleerde afbeeldingen van 'liefdesparen' in de prenten, de eerder genoemde tekeningen en het Hausbuch. De tekenwijze, die enigszins herinnert aan de *Boogschutter* [**129**], laat zich ook niet direct met de meest zekere tekeningen van de Meester verbinden; ook hier biedt de tentoonstelling voor het eerst een mogelijkheid de verschillende originelen naast elkaar te zien.

1. De toeschrijving aan de Meester werd voor het eerst gedaan in de Amsterdamse veilingcatalogus van de verzameling Carl Koch uit Londen, 21 november 1929, nr. 20; zij werd overgenomen door Winkler in 1932, p. 25, nr. 19; verder heeft zij geen ingang in de literatuur gevonden.

130

SCHILDERIJEN

¶ Pas tegen het eind van de negentiende eeuw werd algemeen aanvaard dat de kunstenaar die zowel de drogenaaldprenten maakte als aan het Hausbuch meewerkte, naar alle waarschijnlijkheid in de eerste plaats een schilder was. De vraag welke schilderijen aan hem toegeschreven moesten worden, was en bleef een bron van meningsverschillen.[1] Meer dan enig ander onderdeel van het werk van de Meester waren de toeschrijvingen van uiteenlopende schilderijen verbonden met de lange reeks identificaties van de Meester met schilders als Zeitblom, Hans Holbein de Oude, Grünewald en vele anderen (zie pp. 45-48). Ook opvattingen over de vorming en de herkomst van de kunstenaar waren bepalend voor toeschrijvingen van schilderijen aan de Meester. Het heeft weinig zin om de talrijke toeschrijvingen van allerlei panelen hier opnieuw de revue te laten passeren.[2]

¶ Er is geen twijfel aan dat de invloed van de Meester in het Midden-Rijngebied groot is geweest en vele stilistische kenmerken in zijn werk door tijdgenoten zijn overgenomen. Ondanks de aanvechtbare opvattingen van Stange over de vorming van de kunstenaar in het Boven-Rijngebied, met name in de omgeving van Colmar, komt hem zeker de verdienste toe een zekere ordening in het werk te hebben aangebracht, door een duidelijke scheiding aan te brengen tussen het zijns inziens eigenhandige werk van de Meester en dat van zijn tijdgenoten en navolgers.[3] Hier willen we ons concentreren op de kerngroepen die van oudsher aan hem worden toegeschreven: het Spierse altaar

[131], de Mainzer Maria-cyclus [132] en het Liefdespaar [133] in Gotha. Bij de twee eerstgenoemde groepen schilderijen was het mogelijk de ondertekening – de tekening die in de plamuurlaag werd aangebracht voordat met schilderen begonnen werd – in de analyse van de schilderijen te betrekken. Ook van het Liefdespaar in Gotha stonden ons enkele röntgen- en infraroodfoto's ter beschikking. In bijlage III wordt een beknopt en voorlopig overzicht van de resultaten van dit onderzoek gegeven (pp.295-302).

¶ Zonder een diepergaande bestudering van de betreffende schilderijen in vergelijking met die van tijdgenoten is het nu nog te vroeg om op grond van de ondertekening en schildertechniek een definitief oordeel over de verschillende toeschrijvingen te geven. Wel is duidelijk geworden dat de panelen van het Spierse altaar het beste beeld van de Meester geven; slechts een deel van de panelen van het Mainzer Maria-leven kan als zijn eigenhandig werk beschouwd worden.

¶ Op stilistische gronden kan men vermoeden dat een aantal tot dusver aan de Meester toegeschreven schilderijen in Oldenburg [28a], Dresden en Neurenberg door dezelfde schilder, wellicht een assistent van de Meester, gemaakt zijn als de niet-eigenhandige panelen in Mainz.

1. Zie Lehrs, 1889.
2. Een goed overzicht van de talrijke toeschrijvingen geeft het literatuuroverzicht bij Hutchison 1972, pp. 88-91.
3. Stange, deel 7, 1955, pp. 97-110; Stange 1958, pp. 18-25.

131a.
Freiburg im Breisgau,
Augustiner Museum (in
Spiers gekocht door W.B.
Clarke uit Freiburg im Breis-
gau, in 1896 door Museum
verworven; inv. 11531 a).

131. Het zogenaamde Spierse Passie-altaar, *ca. 1480-85.*

131a. Calvarieberg

Paneel (naaldhout), 130,5 x 173 cm.

131b. Ecce Homo

Paneel (naaldhout), 131 x 75,6 cm.

131c. Christus voor de hogepriesters Annas en Kajafas

Paneel (naaldhout), 131 x 75,6 cm.

131d. De Opstanding van Christus

Paneel (naaldhout), 131 x 75,6 cm.

131e. De Voetwassing van de Apostelen door Christus

Paneel (naaldhout), 131 x 75,6 cm.

131f. Het laatste Avondmaal

Paneel (naaldhout), 131 x 75,6 cm.

¶ Van alle schilderijen die aan de Meester zijn toegeschreven, worden de zes panelen, die het zogenaamde Spierse altaar moeten hebben gevormd, sedert de late negentiende eeuw algemeen als zijn hoofdwerk beschouwd.[1] Het veelluik, waarvan de panelen thans over verschillende Duitse musea zijn verspreid, wordt het Spierse altaar genoemd, omdat het middenpaneel met de *Calvarieberg* [**131a**] in de negentiende eeuw door de toenmalige eigenaar in Spiers gekocht is. Over de oorspronkelijke plaats en de herkomst is verder niets bekend. Gezien de overeenkomstige afmetingen, de schilderstijl en -techniek kan er geen twijfel over bestaan dat de panelen bij elkaar hoorden, maar het blijft onzeker hoe het altaar er oorspronkelijk heeft uitgezien.

¶ Het thema van het veelluik is Christus' Passie, zijn Dood en Opstanding. Het middenpaneel met de *Calvarieberg* [**131a**] heeft, evenals de *Ecce Homo* [**131b**] en de *Opstanding* [**131d**] een gouden hemel; daarom neemt men aan dat die beide panelen aan weerszijden van het middenpaneel te zien waren als het altaar geopend was. Omdat tenminste één

131a

van de panelen van dit altaar verloren moet zijn gegaan, weet men evenmin hoe het veelluik er in gesloten toestand uit heeft gezien. Waarschijnlijk zag men naast elkaar de *Voetwassing* [**131e**], het *Laatste Avondmaal* [**131f**], *Christus voor Annas en Kajafas* [**131c**], en het verloren paneel met *Christus op de Olijfberg* of de *Kruisdraging*.[2]

¶ Voor een uitvoerige iconografische en stilistische analyse van het altaar ontbreekt hier de ruimte. Talrijke details in de voorstellingen getuigen van een gedetailleerde kennis van bijbelse en religieuze teksten; hierbij werd de schilder wellicht geadviseerd door iemand met een grote theologische kennis.[3] In stilistisch en formeel opzicht is de invloed van de vijftiende-eeuwse Vlaamse schilderkunst groot (zie p. 59).

¶ De *Opstanding van Christus* [**131d**; *pl. VIII*] is hier een goed voorbeeld van: het schilderij is direct gebaseerd op een paneel van Dirk Bouts (of zijn atelier), dat zich al in 1464 in de St. Laurenskerk in Keulen bevond.[4] De compositie is in grote lijnen op het Nederlandse voorbeeld gebaseerd, evenals de houding van Christus, die half naakt

met een rood kleed om de schouders en een staf met een kruisvaan in de hand voor de sarcofaag staat. In de gevarieerde houdingen van de soldaten, die rondom het graf zitten te slapen en in de geschrokken reacties van hen die ontwaken, vindt men een groter realisme dan in het schilderij van Bouts. Daar tegenover doen de gouden nimbus van Christus en de gouden hemel veel archaïscher aan. Het opmerkelijkste verschil met het Vlaamse voorbeeld is evenwel dat Christus uit een gesloten sarcofaag is opgestaan; dit blijkt niet alleen uit de ongebroken zegels, maar ook uit het feit dat de slapende soldaat er met zijn bovenlijf op ligt. Het wonder van de Opstanding van Christus wordt door de gesloten sarcofaag benadrukt. Vroeg-Christelijke teksten vergelijken dit wonder met de Geboorte van Christus: de zegels van het graf zijn evenmin beschadigd als de zegels van de maagdelijkheid van Maria. Net als de gouden achtergrond verbindt deze iconografische bijzonderheid het paneel met de Duitse vijftiende-eeuwse kunst, waar men de Opstanding uit het gesloten graf vaker vindt.[5]

131b en **c**.
Freiburg im Breisgau, Augustiner Museum (coll. Hutter, Freiburg; coll. Livonius, Frankfurt; in 1905 verworven van wijbisschop Knecht in Freiburg; inv. 11531 c en b).

131b

131c

131d*
Frankfurt am Main, Städelsches Kunstinstitut (coll. Weyer, Keulen; coll. Sigmaringen, verworven in 1930).
131e.
Berlijn, Staatliche Museen Preussischer Kulturbesitz, Gemäldegalerie (Kaiser Friedrich Museum, verworven in 1930; inv. 2072).
131f.
Berlijn, Bode Museum (Kaiser Friedrich Museum, verworven in 1930; inv. 2073).

¶ In ruimtelijk en compositioneel opzicht is de *Opstanding*, wellicht dankzij het Nederlandse voorbeeld, een van de meest geslaagde panelen van het Spierse altaar; op andere panelen doet het ruimtelijke arrangement van dicht opeengedrongen figuren bepaald ouderwets aan. Dit is vooral het geval in de *Voetwassing* [**132e**; *pl. IX*], waarin de grote hoofden van de Apostelen met hun massieve nimbussen nauwelijks ruimte voor dieptewerking bieden. De belangstelling van de Meester lijkt hier meer uit te gaan naar het individueel karakteriseren van de gelaatstrekken van de voorgestelden. Ook in de ondertekening en de schilderwijze van de panelen is dat zichtbaar. Op een ongewoon gedetailleerde wijze zijn niet alleen de gezichten, maar ook de kleding en dergelijke met een penseel in zwarte verf op de witte plamuurlaag getekend, vóórdat met schilderen begonnen werd (zie pp. 295-303). Hoewel bijvoorbeeld de plooival in de kleding nauwkeurig is voorbereid in de ondertekening, is daarvan in de uiteindelijke verflaag vaak in allerlei details afgeweken. Uitgaande van de ondertekening is de verflaag

zorgvuldig opgebouwd; op een met een bredere penseel opgezette onderschildering zijn de contouren, arceringen, witte hoogsels en andere details met een fijne penseel aangebracht. Dit alles is op eenzelfde levendige en gevarieerde wijze gedaan als in de drogenaaldprenten van de Meester. Alleen bij de *Opstanding* lijkt het verfoppervlak vrij glad en gesloten; waarschijnlijk is dit deels het gevolg van de dikke gele vernislaag. Uit röntgenfoto's van dit schilderij blijkt, dat de onderschildering vrij breed, levendig en pasteus is.[6]

¶ In alle panelen is het coloriet uitgesproken levendig en krachtig; naast sterke warme kleuren als rood, groen, oranje, donkerblauw, zijn er zeer koele kleuren, geel, wit, lichtblauw, paars. Er is veelvuldig van transparante glacis-achtige verflagen gebruik gemaakt, waardoor de ondertekening vaak al goed met het blote oog te zien is.

¶ Kwaliteitsverschillen lijken in een werk van deze omvang onvermijdelijk; soms zijn de proporties van figuren onhandig en de gelaatstrekken grof. Toch zijn de panelen van een zo uitzonderlijk

131f

131d (in kleur, *pl. VIII*, p. 232)   **131e** (in kleur, *pl. IX*, p. 233)

hoge kwaliteit, dat het geheel zeker als eigenhandig werk beschouwd moet worden, hoewel het niet onmogelijk is, dat een leerling of assistent hier en daar aan het veelluik heeft meegewerkt.

¶ Ten onrechte is het werk vaak in de zeventiger jaren van de vijftiende eeuw gedateerd;[7] de stilistische overeenkomsten met de drogenaaldprenten van de Meester betreffen vooral diens rijpe werk. Hetzelfde type elegant geklede figuren als op de *Calvarieberg* (vaak met baard en tulband) vinden we in verschillende prenten terug [bijvoorbeeld **7, 54**]. Een datering van het altaar, dat waarschijnlijk enkele jaren werk heeft gevergd, tussen 1480 en 1485 is daarom waarschijnlijk.

1. Lehrs 1899, pp. 174-76, 182; Stange, deel 7, pp. 98-101; Stange 1958, pp. 20-22; Frommberger 1974, pp. 53-59; Hutchison 1964, pp. 1-48.
2. Zie voor de reconstructies: Stange, deel 7, p. 98; Frommberger 1974, p. 53.
3. Uitvoerig gaat Hutchison 1964, pp. 1-48, op de iconografische bijzonderheden en de mogelijke voorbeelden in. Zie ook Frommberger 1973, pp. 53-56.
4. De *Opstanding van Christus*, thans in de Alte Pinakothek in München (WAF 74), zie Friedländer, deel 2, nr. 20; zie Hutchison 1964, pp. 11-18.
5. Zie Hubert Schrade, *Ikonografie der Christlichen Kunst - I, Die Auferstehung Christi*, Berlijn-Leipzig 1932, pp. 56-59, pp. 193-200.
6. A. Wolters, 'Anmerkungen zu einigen Röntgenaufnahmen nach Gemälden des Städelschen Kunstinstituts', *Städel-Jahrbuch* 7-8 (1932), pp. 228-232.
7. Zie Stange, zoals geciteerd in noot 1; Hutchison 1964, p. 9, wijst op de al eerder door Lehrs (1899, p. 175) opgemerkte overeenkomsten met de rijpe prenten van de Meester, die een datering in de jaren tachtig aannemelijk maken.
8. Stange 1958, pp. 22-24, nr. 95-97.

132. Het zogenaamde Mainzer Maria-leven, *ca. 1490-1505.*

132a. De Tempelgang van Maria

132b. De Verkondiging, *1505.*

132c. De Visitatie

132d. De Geboorte van Christus met de Aanbidding der Herders

132e. De Aanbidding der Koningen

132f. De Presentatie in de Tempel

132g. De Twaalfjarige Jezus in de Tempel

132h. Pinksteren

132i. Het Sterfbed van Maria
Allen: paneel (sparrehout), ca. 128 x 74 cm.

¶ De oorspronkelijke vorm van deze cyclus van negen panelen met gebeurtenissen uit het leven van Maria is nog moeilijker te reconstrueren dan die van het Spierse altaar. Het is mogelijk dat de panelen zijn doorgezaagd en oorspronkelijk deel uitmaakten van een veelluik (wellicht met beeldhouwwerk in het midden), maar het is ook denk-

132.
Mainz, Mittelrheinisches Landesmuseum (waarschijnlijk uit de Liebfraukirche, Mainz. In 1729 door keurvorst Lothar Franz von Schönborn aan het Welschnonnenklooster geschonken. Ca. 1895 in museum, inv. 429-437). **132**d* en **132**e* tentoongesteld in Amsterdam.

132a

132b

132c

baar dat de panelen naast elkaar in de kerk, waarschijnlijk de Liebfrauenkapel in Mainz, waren opgehangen.[1]

¶ Al in 1894 werd door Friedländer de verwantschap tussen het werk van de Meester en de cyclus van negen panelen opgemerkt; doordat spoedig daarna Lehrs een toeschrijving aan de Meester afwees,[2] heeft er tot in de jaren vijftig, toen de panelen schoongemaakt en gerestaureerd werden, weinig belangstelling voor bestaan. Na de verwijdering van de sterke overschilderingen meende Stange dat de gehele serie door de Meester vervaardigd moest zijn.[3] De nauwe relatie tussen een aantal late drogenaaldprenten [8, 9, 10] en verschillende van de panelen én de datum 1505 op één van de panelen leidde tot de veronderstelling dat de cyclus tot diens late werk moet worden gerekend. Terecht merkte Jane Hutchison op dat de panelen verre van homogeen van conceptie en uitvoering zijn en dat daarom het merendeel ervan aan één of meer leerlingen of helpers moet worden toegeschreven. Zij vermoedde dat het altaar onvoltooid bleef door de dood van de Meester en door anderen voltooid werd. Als mogelijke opdrachtgever dacht zij aan de bisschop van Mainz, Berthold van Henneberg, die op 20 december 1504 overleed; de datum 1505 op het paneel met de *Verkondiging* [132b] zou dan de datum kunnen zijn van de voltooiing van de complete cyclus, die de bisschop te zijner nagedachte-

nis aan zijn parochiekerk zou hebben nagelaten.[4]

¶ Als eigenhandig werk beschouwt Hutchison drie panelen: de *Geboorte van Christus* [132d], de *Aanbidding der Koningen* [132e], en de *Twaalfjarige Jezus in de Tempel* [132g]. De eerstgenoemde twee panelen vormen de kern van de reeks. Wanneer ze naast elkaar hangen, zoals ongetwijfeld de bedoeling was, vormen de twee zelfstandige composities één geheel, doordat de architectuur van de stal op het linkerpaneel aansluit bij die op het rechter paneel en beide helften één perspectivisch in de diepte verlopende tweehallige structuur vormen. Voor deze architectuur vormt de stal op het Columba-altaar van Rogier van der Weyden [zie 10b] het voorbeeld. Met de drogenaaldprent van de *Aanbidding der Koningen* [10] die eveneens Rogiers Columba-altaar als voorbeeld heeft, zijn zoveel overeenkomsten, dat de schilderijen welhaast in dezelfde tijd moeten zijn ontstaan als de prent. Wat de schildertechniek betreft vindt men in deze panelen eenzelfde helder en transparant kleurgebruik als in de panelen van het Spierse altaar; de verf is in de details vaak zeer tekenachtig gebruikt. Het coloriet is wat koeler dan in het Spierse altaar.

¶ Alleen in de figuren van de schriftgeleerden en Jezus in de *Twaalfjarige Jezus in de Tempel* [132g] en in een deel van de apostelen en Maria in het paneel met *Pinksteren* [132h] vindt men de voor de Meester karakteristieke transparante en teken-

132d (in kleur, *pl. X*, p. 234)

132e (in kleur, *pl. XI*, p. 235)

132f

achtige verfbehandeling. In de overige gedeelten van deze panelen en in de andere panelen is de schilderwijze veel minder verfijnd, de vaak zwarte contouren zijn zwaar en de verf is dik en dekkend en met weinig gevoel voor nuances opgebracht. Ook de proporties van de figuren verschillen met die op de andere panelen: zij zijn langgerekt en de gelaatsuitdrukkingen zijn zeer stereotiep.

¶ Opmerkelijk is dat de ondertekening van de panelen, die met infrarood-reflectografie ten dele zichtbaar kon worden gemaakt (zie bijlage III), vergelijkbare karakteristieke verschillen tussen de verschillende panelen laat zien. De eigenhandige panelen vertonen eenzelfde trefzekere hand in de ondertekening als de panelen van het Spierse altaar: een zorgvuldige gedetailleerde tekening, die met modellerende arceringen een duidelijk volume aan de figuren geeft. De niet-eigenhandige panelen laten een geheel ander type ondertekening zien: lange, aarzelende, onsystematische lijnen, die weinig samenhang vertonen. De niet-eigenhandige panelen lijken over het algemeen slechter bewaard te zijn: zij vertonen meer beschadigingen, overschilderingen en dergelijke dan de eigenhandige panelen. Dit zou er op kunnen wijzen dat de kwaliteit van de houten panelen minder goed is, omdat minder stringente eisen werden gesteld aan de schrijnwerker. Maar het zou ook kunnen betekenen dat de schilder van deze panelen in technisch opzicht minder bekwaam was, en zijn verflaag minder zorgvuldig heeft opgebouwd.

¶ Dit is nog een extra aanwijzing voor het vermoeden dat de Meester niet verantwoordelijk is voor de uitvoering van de hele serie. Wellicht is de reeks, na de dood van de Meester, afgemaakt door een schilder, die weliswaar onder zijn invloed stond en gebruik maakte van zijn voorbeelden [**8, 9**], maar een eigen stijl en werkwijze had. Zijn hand kan men ook herkennen in andere, ten onrechte aan de Meester toegeschreven panelen: de *Aanbidding der Herders* in Neurenberg (bruikleen van de Alte Pinakothek in München), de *Bewening van Christus* in Dresden en mogelijk ook in de *H. Anna-te-Drieën* in Oldenburg [**29**a].[5] De eigenhandige panelen van de Meester in de cyclus vormen waarschijnlijk diens laatste geschilderde werk. In artistiek opzicht zijn zij van een zeer hoge kwaliteit, maar minder verrassend en oorspronkelijk dan de panelen van het Spiers altaar.

1. Zie Hutchison 1964, pp. 81-84.
2. Max J. Friedländer, 'Zum Meister des Amsterdamer Kabinetts', *Repertorium für Kunstwissenschaft* 17 (1894), pp. 270-73; Lehrs 1899, p. 174.
3. Alfred Stange, 'Das Mainzer Marienleben im Werke des Hausbuchmeisters', *Mainzer Zeitschrift* 48-49 (1953-54), pp. 89-92.
4. Hutchison 1976; zie ook Hutchison 1964, pp. 81-109 voor een uitvoerige analyse van de iconografie en de gebruikte voorbeelden.
5. Zie Stange, deel 7, pp. 102-03, afb. 222-24; Stange 1958, pp. 22-23, nrs. 95-97.

132g

132h

132i

133.
Gotha, Schlossmuseum (al in 1824 aanwezig; inv.nr. 749-703).

133 (in kleur, *pl. XII*, p. 236)

133. Liefdespaar, *ca. 1484*
Paneel (lindehout), 118 x 82,5 cm

¶ De spreukbanden dragen de volgende opschriften, die een dialoog tussen het paar weergeven:
De vrouw: *Sye hat vch nytgantz veracht/*
Dye uch dasz schnurlin hat gemacht.
De man: *Vn bylich het Sye esz gedan/*
Want jch han esz sye genissen lan.[1]

¶ Het meest populaire schilderij van de Meester is dit *Liefdespaar* in Gotha: het klassieke liefdespaar in de vroege Duitse kunst.[2] Tegen een zwarte achtergrond zijn de geliefden ten halve lijve afgebeeld, achter een stenen balustrade waarop de elleboog van de man en de armen van de vrouw rusten; boven het paar de spreukbanden. De geliefden zijn rijk en modieus gekleed (zie bijlage II, pp. 289-290). Uitzonderlijk fraai is haar 'haube': een hoofddoek met een netwerk van gouddraad, waarop gouden zonnen geborduurd zijn. De jongeman heeft zijn arm om haar middel geslagen en kijkt zijn geliefde teder aan. De aandacht van het naar elkaar toegewende paar is gericht op twee dingen, die de jonge vrouw in haar handen houdt en die de aard van hun relatie schijnen te symboliseren. In haar linker hand heeft zij een wilde roos, van oudsher de bloem van Venus;[3] van dezelfde bloemen is de krans in het lange krullende haar van de jongeman gemaakt. Met haar rechter hand houdt zij een fraai versierde gouden band, een 'Schnürlein' vast, die de kwasten bijeenhoudt van de muts die over de schouder van de jongeman ligt. Net als bij de getekende Liefdesparen [121-122] vormt het vasthouden van de muts van de geliefde een bewijs van trouw. Uit de spreukbanden boven de figuren kan men opmaken dat de jonge vrouw hem het 'Schnürlein' gegeven heeft, en dat hij dit dankbaar aanvaardt. Van een dergelijk 'snoertje' is al in het Oude Testament (Numeri 15:16, vers 38-39) sprake, als een merkteken van de trouwgelofte, dat aan de kleding bevestigd werd; ook in latere tijden heeft het 'Schnürlein' deze betekenis gehouden.[4]

¶ In dit liefdespaar staan, net als bij de paren in de prenten en tekeningen van de Meester [75, 121, 122], de idealen van de hoofse liefde voorop: jeugd, schoonheid, trouw en wederzijdse toewijding van de partners.[5] Het blijft de vraag of dit ideaal ooit met de realiteit samenviel en men in dit geval van een verlovings- of huwelijksportret kan spreken. Er zijn vele pogingen gedaan om op grond van het wapenschild van de graven van Hanau boven in het schilderij het paar te identificeren. Het meest recente voorstel is om de geportretteerden te zien als Graaf Philipp von Hanau-Munzenberg (1449-1500) en Margaret Weiszkircher. Uit documenten blijkt dat deze Graaf Phi-

lipp na de dood van zijn eerste vrouw in 1477 geen vrouw van zijn stand vond, maar tot zijn dood openlijk samenleefde met een vrouw uit burgerlijke kring, die hem drie kinderen schonk: Margaret Weiszkircher. In juli 1484 ging deze Graaf Philipp von Hanau-Munzenberg met zijn neef Ludwig von Hanau-Babenhausen op pelgrimstocht naar het Heilige Land; voor deze reis kreeg zijn neef Ludwig een geschreven instructie mee van Bernard von Breydenbach, die juist zelf deze tocht had gemaakt en wiens reisverslag twee jaar later zou verschijnen [zie 142].[6] Veel van de pelgrims keerden niet terug van deze gevaarvolle tocht, maar stierven onderweg. Dat is de reden dat men zich voor het vertrek liet portretteren. We weten dat de schilder Reuwich de jonge Graaf Johann zu Solms-Lich portretteerde kort voor hun vertrek naar het Heilige Land, een reis waarvan de Graaf overigens niet terugkeerde.[7]

¶ Het is wel plausibel om te veronderstellen dat Graaf Philipp, voordat hij op reis ging, zijn liefdesband met Margaret in een portret liet vereeuwigen, maar concrete aanwijzingen ontbreken daarvoor.

¶ Een datering van het schilderij in 1484 past weliswaar goed in het werk van de Meester, maar het is moeilijk om de jongeman als de zesendertigjarige Graaf te zien. Hoewel men kan vermoeden dat de fysieke gelijkenis van de geportretteerden in dit ideaalbeeld van hoofse liefde niet voorop stond, lijkt dit strijdig met het veronderstelde karakter van het schilderij als memoriestuk. In ieder geval is het schilderij ook onder de zeldzame vroege Duitse dubbelportretten een unicum. Het vrij gladde verfoppervlak van het schilderij heeft herhaaldelijk twijfel opgewekt aan de juistheid van de toeschrijving aan de Meester.[8] Hoewel de tekenachtige modellering in de gezichten ontbreekt, zijn er in het coloriet en de schilderwijze van de kleding toch wel sterke overeenkomsten met de schilderijen van de Meester.

¶ In infraroodfoto's van details van het schilderij ziet men een summiere, zuiver lineaire ondertekening, die wezenlijk afwijkt van wat we in de eerder besproken schilderijen van de Meester hebben gezien. Zonder verdergaand onderzoek lijkt het echter voorbarig dit schilderij, dat wat het thema, de sfeer en het coloriet betreft zo goed in het werk van de Meester past, aan een andere hand toe te schrijven (zie pp. 301-302, noot 4).

1. Tent.cat. *Deutsche Kunst der Dürer-Zeit*, Dresden 1971, nr. 444.
2. Ernst Buchner, *Das deutsche Bildnis der Spätgotik und der frühen Dürerzeit*, Berlijn 1953, pp. 178-79, 220.
3. Hutchison 1964, p. 66, noot 3.
4. Gertrud Rudloff-Hille, 'Das Doppelbildnis eines Liebespaares unter dem Hanauischen Wappen im Schlosmuseum in Gotha', *Bildende Kunst* 1968, pp. 19-23.
5. Hutchison 1964, pp. 66-80.
6. Rudloff-Hille, zie noot 4.
7. Fuchs 1958, p. 1165.
8. Lehrs, deel 8, p. 46.

GLASSCHILDERINGEN

¶ In het Rijngebied bloeide in de late vijftiende eeuw de glasschilderkunst; niet alleen werden voor ramen in kerken en kapellen gebrandschilderde glazen gemaakt, maar er was ook een aanzienlijke productie van kleine glasruitjes, die in grotere vensterramen werden gezet ten behoeve van particuliere woningen en stedelijke gebouwen. Vooral wapenschilden, profane voorstellingen gecombineerd in de zgn. vierpasglasruitjes [zie **127** en **139**] werden veel op deze wijze toegepast. In het Midden-Rijngebied vormde de glasschilderwerkplaats in Mainz waarschijnlijk een centrum van de productie voor dit soort ruitjes.[1]

¶ Juist wat glasschilderkunst betreft heeft de naoorlogse periode voor de Meester een aantal belangwekkende ontdekkingen [**134, 135**] en toeschrijvingen [**136**] opgeleverd. Het is niet de bedoeling om alle met de Meester of zijn omgeving in verband gebrachte glasschilderingen[2] te tonen en te behandelen: slechts de om uiteenlopende redenen meest belangwekkende voorbeelden komen aan bod. Vrijwel ieder voorbeeld staat op een andere wijze in relatie tot het werk van de Meester, mogelijk zijn er slechts twee die door dezelfde kunstenaar zijn gemaakt [**136, 137**]. Het blijft de vraag of de Meester ooit zelf gebrandschilderd glas heeft gemaakt of dat hij slechts als ontwerper is opgetreden; juist de technisch meest verfijnde glasschilderingen vereisen een mate van specialistische ervaring en kennis waarvoor een lange training op dit gebied voorwaarde is. Wij hopen dat de confrontatie van de glasschilderingen met het verdere werk van de Meester een beter inzicht in deze problemen zal geven.

1. Solms-Laubach 1935-36, pp. 48-49.
2. Een voortreffelijke recente kritische behandeling van deze toeschrijvingen in Husband 1985. Van fundamentele betekenis zijn ook de publicaties van Becksmann 1968 en Wentzel uit 1966 [zie **134**, noot 1].

134.*
New York, Metropolitan
Museum, The Cloisters
collection (coll. Sibyll Kum-
mer-Rothenhäusler, Zürich;
inv. 1982, 42.1).
Het blauwe glas is modern.

134. Madonna op de maansikkel,
ca. 1485-90.
Gebrandschilderd glas in lood, in grisaille en zilvergeel,
35 x 22 cm.

¶ Dit fraaie en zorgvuldig uitgevoerde glasruitje weerspiegelt beter dan alle andere aan de Meester toegeschreven gebrandschilderde ruitjes, de stijl en de kwaliteit van diens prenten.[1] De overeenkomsten met de grafiek en tekeningen in het Hausbuch zijn talrijk,[2] maar het meest duidelijk is de verwantschap met de drogenaaldprenten *Madonna met sterrekroon en boek op de maansikkel* [25] en de *Staande Madonna met kind en appel* [26]. Zeer verwant zijn het kind, de gelaatstrekken van Maria, het haar en de diepe hoekige plooien; afwijkend zijn de ogen van Maria en Kind die hier in tegenstelling tot de neergeslagen ogen in de prenten wijd geopend zijn.

¶ De techniek is uiterst verfijnd. Met de penseel is een zorgvuldige modellering aangebracht in gradaties die variëren van grijsbruin tot diepzwart. De schaduwen in de mantel zijn opgebouwd uit verschillende lagen parallelle arceringen, waarbij zowel een brede als een smalle penseel is gebruikt; de arceringen in de gezichten en in het lichaam van Christus zijn binnen zwaardere contourlijnen met een fijne penseel getekend. In deze penseeltekening is met een zeer fijne scherpe stift een verdere tekening gegraveerd: dit is vooral goed te zien in de haren en de kroon van Maria.

¶ De verfijnde toepassing van deze combinatie van technieken wijst erop dat de kunstenaar een ervaren graveur was; hij moet ook een ervaren glasschilder zijn geweest, want het resultaat van zijn werk, waarbij de schaduwpartijen in verschillende stadia van licht naar donker werden opgebouwd, kon de maker pas zien nadat de tekening in een oven in het glas was gebrand.[3]

¶ Kort omschreven is dit het dilemma bij de toeschrijving van het glasruitje: maakte de Meester het zelf of was het een zeer ervaren glasschilder, die het ontwerp geheel in diens geest in glasschildertechniek vertaald heeft?[4] In ieder geval staat het glasruitje zo dicht bij het rijpere werk van de Meester, dat de vraag naar wie het heeft uitgevoerd misschien minder relevant is.

1. Het glasruitje dat in de jaren vijftig in Parijs opdook werd gepubliceerd door Hans Wentzel, 'Schwäbische Glasmalereien aus dem Umkreis des 'Hausbuchmeisters', *Pantheon* 24 (1966), pp. 360-71, vooral p. 366, die het ondanks de parallellen met het werk van Peter Hemmel (Straatsburg) in de omgeving van de Meester plaatst. Becksmann 1968, pp. 359-60, schreef het glasruitje aan dezelfde hand toe als het door hem gepubliceerde *Toernooi* [135], de tweede tekenaar in het Hausbuch, die daarin onder meer tekeningen met de Toernooien heeft gemaakt; hij dateert beide glasschilderingen in de jaren zeventig van de vijftiende eeuw (zie noot 4); Husband 1985 schrijft in een uitvoerig goed gedocumenteerd artikel het ruitje aan de maker van de drogenaaldprenten toe en dateert het werk tussen 1480-90.
2. Zie Husband 1985.
3. Zie over de glasschildertechniek, Jane Hayward, 'Painted Windows', *The Metropolitan Museum of Art Bulletin* 30 (1971-72), pp. 98-108.
4. Zie Husband 1985. De samensteller is dank verschuldigd aan T. Husband en R. Becksmannn voor de wijze waarop zij hem inzicht in deze complexe materie hebben gegeven. Becksmann wees mij erop dat een late datering van het glasruitje onwaarschijnlijk is, gezien de ontwikkeling van de Midden-Rijnse glasschilderkunst, die in de jaren tachtig van de vijftiende eeuw in technisch en artistiek opzicht alle kenmerken van een massaproductie gaat vertonen; hij staat daarom een datering van dit en het volgende nummer in de jaren zeventig van de vijftiende eeuw voor.

134 (in kleur, *pl. XIII*, p. 237)

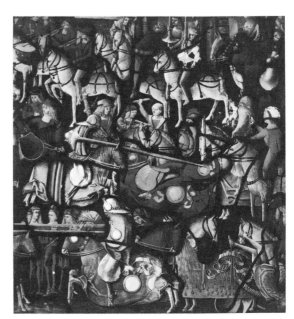

135 (in kleur, *pl. XIV*, p. 238)

135. Een patriciërstoernooi, *ca. 1480.*

Gebrandschilderd glas in lood, in zilvergeel, ijzerrood en grisaille in zwart en bruin, met groen en blauw, violet en rood glas, fragment, 47 x 45 cm.

¶ De meest verrassende recente ontdekking op het gebied van de vijftiende-eeuwse Duitse glasschilderkunst is deze, weliswaar fragmentarisch bewaarde, afbeelding van een patriciërstoernooi.[1] Waarschijnlijk is zowel aan de bovenzijde als aan beide zijkanten een deel van de voorstelling verloren gegaan; men denkt aan een oorspronkelijke hoogte en breedte van ongeveer 55 tot 60 cm. Toch is zo veel van de voorstelling bewaard gebleven dat men zich van de aard en het verloop van het toernooi een goed beeld kan vormen.

¶ Afgebeeld is een type steekspel waarbij de deelnemers te paard op elkaar afstormden en het er om ging de tegenstander met een lansstoot tegen zijn schild uit het zadel te werpen, zonder dat daarbij de lans versplinterde (het zogenaamde 'Angezogenrennen').[2] Op de glasschildering is het verloop van een dergelijk toernooi weergegeven. Linksboven rijden aan het begin van de stoet vijf jonge muzikanten; zij kondigen met pauken en trompetten twee toernooideelnemers aan, die rechts nog net zichtbaar zijn: zij zitten geharnast op in een kleurig kleed gehulde en geblinddoekte paarden. In het midden zien we het beslissende moment van de strijd: de ruiter links op het geel geklede paard heeft zijn tegenstander zo getroffen dat deze achterover valt. Op de onderste strook is links een gevecht aan de gang tussen een ruiter met een bril als devies en een niet meer zichtbare tegenstander. Rechts zien we een ruiter die juist van zijn paard af stort; zijn devies op het kleed van zijn paard en zijn schild bestaat uit gouden stralen en druppels. Tussen de ruiters zien we meest in het rood geklede helpers, in het midden mannen met stokjes in de hand, waarschijnlijk scheidsrechters.

¶ Uit het ontbreken van aristocratische wapens en deviezen, te midden van de kleurige toernooikleding en fantasievolle deviezen, kan men afleiden dat het om een patriciërstoernooi gaat. Het eigenlijke toernooi was ook in de late vijftiende eeuw voorbehouden aan het ridderdom, maar deze vorm van het steekspel kon ook door de rijke burgerij georganiseerd worden. Juist in een rijke stad als Frankfurt am Main, waar de glasschildering vandaan komt, organiseerden patriciërsvereni-

gingen dergelijke toernooien. Uit een beschrijving van Bernhard Rohrbach [zie **111**] blijkt dat op 7 januari 1471 het patriciërsgenootschap Alten-Limpurg, waarvan Rohrbach lid was, voor het stadhuis een dergelijk steekspel hield, waarbij drie paar tegenstanders tegen elkaar in het veld traden. Omdat het hierbij om een steekspel met stompe lansen ging, moet het een ander toernooi zijn dan dat op de schildering is afgebeeld. Maar het vermoeden dat een dergelijk glasraam voor het huis van de patriciërsvereniging Alten-Limpurg auf dem Römerburg gemaakt is, klinkt erg aannemelijk.[3]

¶ In technisch en artistiek opzicht is het glasraam een vrij uitzonderlijk werkstuk: dertig personen en twintig paarden zijn op een betrekkelijk klein formaat, zonder dat veel ruimte rond de figuren is gelaten, afgebeeld; de kleur bepaalt daardoor in belangrijke mate de overzichtelijkheid van de compositie. Het glas is vervaardigd met een grote variatie in de gebruikte glasschildertechnieken: met groen, blauw, violet en rood glas, een fijne grisailletoon in zwart, een modellerende penseeltekening in bruin, zilvergeel en tenslotte de detaillering met een fijne stift in de grisailletekening en in het glas gegraveerd. Zoals bij het hiervoor behandelde glasruitje denkt men hier eerder aan een graveur of schilder met een training in de glazenierstechnieken dan aan een gespecialiseerde glasschilder.[4]

¶ Terecht is op de grote verwantschap gewezen tussen de glasschildering en de beide tekeningen van toernooien in het Hausbuch (fol. 19b-21a; *pl. II*), en het lijkt dan ook aannemelijk dat zij beide door dezelfde kunstenaar zijn gemaakt. Becksmann, de ontdekker van deze glasschildering, meent, naar ons idee terecht, dat deze kunstenaar een ander is dan de Meester van de Amsterdamse drogenaaldprenten.[5] Niet eerder opgemerkt is de verwantschap tussen de gelaatstypen op de schildering en op het *Wapenschild van de families Rohrbach en Holzhausen* [**111**] van Meester b x g (zie p. 55 en p. 211).

1. Het glasraam werd ontdekt en gepubliceerd in een grondig gedocumenteerd artikel door Becksmann in 1968.
2. Becksmann 1968, p. 355.
3. Ibidem, p. 355, p. 363, noten 13-17.
4. Ibidem, p. 357.
5. Ibidem, pp. 357-61, hij stelt een identificatie van de Meester met Nicolaas Nievergalt (zie p. 54) voor. Zie ook Husband 1985.

135.*
Particulier bezit, Duitsland (mogelijk uit Frankfurt, Haus der Patrizier-Gesellschaft Alten Limpurg am Römerberg).

136.*
Amorbach in Odenwald,
Fürstlich Leiningensche
Sammlungen, Heimatmu-
seum (in 1486 door Erhart
Reuwich, met zijn knecht
aangebracht in de Mainzer
Amtskellerei).
136a-c
Andere glasruitjes die tot
dezelfde groep uit 1486
behoren:
136a.
Opstanding Christus. Gebrandschilderd glas,
39 cm.
136b.
*Wapen van Bertholt von Henne-
berg.* Gebrandschilderd glas,
36 cm.
136c.
*Wapen van een graaf van
Nassau-Saarbrücken.* Gebrandschilderd glas,
35 cm.

136. Staande H. Maarten met bedelaar, *ca. 1485.*

*Gebrandschilderd glas in lood in zilvergeel en grisaille in
bruin en zwart met rood damast, diameter 37,5 cm.*

¶ De vier hier gereproduceerde glasruitjes,[1] waarvan alleen de *H. Maarten* tentoongesteld is, behoren waarschijnlijk tot de best gedocumenteerde
laat vijftiende-eeuwse Duitse ruitjes. Uit de
bouwrekeningen van de Mainzer Amtskellerei in
Amorbach in Odenwald weten we dat 'Meister
Erhard der Moler... der Glaser von Meintze' met
zijn knecht Willem op 21 december 1486 in Amorbach aankwam met een aantal glasramen met
door hem vervaardigde gebrandschilderde ruitjes; in de tien dagen die daarop volgden bevestigde hij de ruitjes in de 'Herrenkammer' van de
Amtskellerei.[2] Zowel het wapen van de aartsbisschop van Mainz, Berthold van Henneberg
(overleden in 1504) [**136**b],[3] als de afbeelding van
de H. Maarten, de patroonheilige van het aarts-
bisdom Mainz, waaronder Amorbach viel,
maken het uiterst waarschijnlijk dat dit de
raampjes zijn, die Meester Erhard in dienst van
de Aartsbisschop Berthold in 1486 heeft aangebracht in de Mainzer Amtskellerei in Amorbach,
waar ze nog steeds in het huidige Heimatsmu-
seum tentoongesteld zijn.

¶ Er hoeft nauwelijks twijfel aan te bestaan dat de

136 (in kleur,
pl. XVa, p. 239)

genoemde Meester Erhard de Erhard Reuwich is,
die dan juist het drukken van Breydenbach's *Peregrinationes in Terram Sanctam* [**142**] voltooid heeft.
Dit maakt de glasruitjes, die onderling wel enigszins stilistisch verschillen, tot sleutelstukken in de
discussie over de mogelijke identificatie van Reuwich met de Meester.[4] Vooral het fragmentarisch
bewaarde ruitje met de H. Maarten laat zich goed
vergelijken met de drogenaaldprent, waarop de
heilige te paard is afgebeeld [**38**]. Wat de compositie betreft gaat de glasschilder eerder terug op

136a

136b

Schongauers prent [**38a**], maar de kreupele bedelaar vertoont wel overeenkomsten met het uiterlijk van de bedelaar op de prent. Moeilijker is het
de stijl van het, op zichzelf vrij zorgvuldig getekende en gegraveerde, glasruitje te verbinden met
de prenten van de Meester; de proporties van de
figuren zijn vertekend, de lijnvoering is hoekig en
weinig soepel. In tegenstelling tot de twee hiervoor behandelde glasschilderingen valt het moeilijk de maker van deze ruitjes als het werk van een
groot kunstenaar te zien; eerder zou men, naar
het oordeel van de samensteller, moeten denken
aan een ambachtsman, die met behulp van verschillende voorbeelden op kundige maar weinig
verrassende wijze zijn werk doet.

1. De glasruitjes zijn gepubliceerd door Karl Simon, 'Mittelrheinische Scheiben in Amorbach', *Der Cicerone* 17, pp. 137-43, die
wel op de relatie met de Meester wijst, maar meent, dat het
eerder om werk uit zijn omgeving gaat.
2. Walter Hotz, 'Der Hausbuchmeister', Nikolaus Nievergalt
und sein Kreis', *Der Wormsgau* 3 (1953), pp. 97-125, vooral p.
113, p. 125, noot 108.
3. Zie voor een dergelijk glasruitje met hetzelfde wapenschild,
Suzanne Beeh-Lustenberger, *Glasmaleierei um 800-1900 im
Hessischen Landesmuseum in Darmstadt*, Frankfurt 1967, nr. 242.
4. Voor Hotz (zie noot 1) waren de ruitjes een bewijs dat de
Meester niet identiek met Reuwich kon zijn; Ernstotto, Graf
zu Solms-Laubach, 'Nachtrag zu Erhard Reuwich', *Zeitschrift
für Kunstwissenschaft* 10 (1956), pp. 187-92, meent juist dat de
stilistische overeenkomsten tussen de glasruitjes en de prenten het bewijs voor de juistheid van zijn identificatie vormen.
Zie ook Filedt Kok 1983, p. 436, noot 33 en Husband 1985.

137. H. Maarten te paard met bedelaar, *ca. 1485.*

*Gebrandschilderd glas in lood in zilvergeel en grisaille in
bruin met blauw rankendamast en groen glas, diameter 39
cm.*

¶ Dit glasruitje[1] volgt vrij getrouw de drogenaaldprent van de *H. Maarten* [**38**], zowel het paard als
de houding en kleding van de heilige en zelfs de
stenen op de grond wijzen daarop. Net als bij de
H. Maarten in Amorbach [**136**] zijn de proporties
wat vertekend en hebben vooral de gelaatsuit-
drukkingen aan expressie verloren. De penseeltekening is vrij zwaar en er is vrij uitvoerig gegraveerd.

¶ De confrontatie op de tentoonstelling van dit
ruitje met de *H. Maarten* uit Amorbach zal naar
alle waarschijnlijkheid duidelijk maken of beide
glasruitjes aan elkaar verwant en mogelijk van
dezelfde hand zijn. Ondanks de kwaliteitsverschillen met de prent is het ruitje aantrekkelijk in
zijn directe eenvoud; het laat zien hoe het werk
van de Meester gepopulariseerd werd.

1. Ernst Schneider, Ingrid Jenderko-Sichelschmidt (ed.), *Stifts-
museum Stadt Aschaffenburg* 1981, p. 27, omgeving van de Hausbuchmeester, ca. 1500. Zie ook Husband 1985.

137.*
Aschaffenburg, Stiftmuseum
der Stadt Aschaffenburg
(inv.nr. 6751).

136c

137 (in kleur, pl. XVb, p. 239)

138. Portret van een stichter (Johann von Dalberg ?), *ca. 1480-85.*

Gebrandschilderd glas in lood in grisaille in donker- en mat-bruin, met blauw damast, 86 x 60 cm.

¶ Deze vrij grote glasschildering is met zijn 'tegen-hanger', een stichtersportret van een geharnaste ridder, al aan het begin van deze eeuw met de schilderijen van de Meester is verband gebracht.[1] De glasschilderingen zijn waarschijnlijk afkomstig uit de in 1478 gestichte grafkapel van Philipp von Dalberg in de parochiekerk St. Peter zu Herrnsheim bij Worms. Gezien het wapen van de Dalberg-familie op het stichtersportret van de geharnaste ridder [138a] ligt het voor de hand dat daarop de ridder Philipp von Dalberg (gestorven in 1492) is afgebeeld. Bij de geestelijke is het wapenschild door een later wapen vervangen; ervan uitgaande dat ook deze glasschildering uit de grafkapel van de Dalbergs komt, neemt men aan dat hier een familielid is afgebeeld, Johann von Dalberg. Hij was in 1482 tot bisschop van Worms benoemd, was de kanselier van de Keur-vorst Philips de Oprechte en de rector van de Hei-delbergse Universiteit (zie p. 61).

¶ Terwijl de compositie en het ornamentale blad-werk in weinig aan de Meester herinnert, is de tekening in het gezicht en in het kanunnikenkleed verwant aan de ondertekening in de schilderijen van het Spierse altaar. In een opmerkelijk schets-matige grisailletechniek in loodbruin is de teke-ning met een brede penseel aangebracht. De sterk individuele trekken van het gelaat zijn gemodel-leerd met een fraai samenspel van lijntjes en arce-ringen, die de vormen volgen. De snelle, bijna nerveuze toets geeft het gezicht een directe indivi-

138 (detail)

duele uitdrukkingskracht, die in de vijftiende-eeuwse Duitse glasschilderkunst zelden voor-komt. Een directe parallel vindt men in de onder-tekening van het stichtersportret in de *Kruisiging* in Freiburg im Breisgau (*afb. 78*), waar in de reflectogrammen een vergelijkbare penseelmo-dellering van het gezicht te zien is. Ook voor de wijze waarop met arceringen en hoekige contour-lijnen de plooien in het kleed van de geestelijke zijn aangegeven, vindt men vrij nauwkeurige parallellen in de ondertekening van de panelen van het vroegere Spierse altaar [131] (zie bijlage III). Niet goed zichtbaar op de afbeeldingen is de wijze waarop de lichte plooien in het kleed zicht-baar zijn gemaakt door graveerwerk in de grisail-letoon.

¶ De sterke overeenkomsten tussen de onderteke-ning in de schilderijen van de Meester en een glas-schildering die verder niet al te sterk aan de Mees-ter herinnert, doen vermoeden dat het gelaat en de kleding van de geestelijke door de Meester zelf op het glas getekend en gegraveerd zijn of dat een glasschilder zich daarbij gebaseerd heeft op een ontwerptekening op ware grootte van de Meester.

1. Het eerst gepubliceerd en in verband gebracht met de Meester door Schmitz 1913, deel 1, pp. 114-115; Johannes Dürkop, 'Der Meister des Hausbuches', *Oberrheinische Kunst* 5 (1932), pp. 83-159, zie p. 130, als werk van de Meester, ca. 1480; verder Solms-Laubach 1935-36, p. 48, onder invloed van de Meester; *Corpus Vitrearum medii Aevi, Deutschland* II, 1 - Rüdiger Becks-mann, *Die Mittelalterlichen Glasmalereien in Baden und der Pfalz, ohne Freiburg*, Berlijn 1979, nr. 39-40, pp. 79-81.

138 (in kleur, pl. XVI, p. 240)

138a

139. Zittend liefdespaar, *ca. 1490.*

Fragment van een glasschildering in grisaille en zilvergeel, 10,4 x 14 cm.

¶ Dit fragment vormde het bovenste segment van een vierpasglasruit (zie ook **127**).[1] De schildering laat een in het gras zittend liefdespaar zien, dat samen een bloemenkrans maakt. Het meisje plukt een bloem uit de pot met anjers naast haar, om de bloemenkrans die door haar en de jongeman wordt vastgehouden verder te versieren. Het vlechten van een bloemenkrans (en het plaatsen daarvan op het hoofd van de geliefde) was één van de motieven van de 'Liefdestuin' (zie pp. 67-70, *afb. 46*). Juist anjers waren als symbool van huwelijkstrouw en bescherming tegen boze geesten bij uitstek geschikt als bloemen voor een verlovingskrans.[2]

¶ Liefdestuinmotieven zijn vaak op vierpasglasruitjes afgebeeld. In één geval is een copie naar een ontwerptekening [**139a**] bewaard, dat laat zien hoe een dergelijk glasruitje er oorspronkelijk uitgezien moet hebben.[3] Dergelijke glasruitjes met meest profane thema's (liefdesparen, muzikanten, goochelaars, wildemannen en dergelijke) zijn tegen het einde van de vijftiende eeuw op verschillende plaatsen in Duitsland en Zwitserland gemaakt. Dit wijst op een brede verspreiding van het type door middel van dergelijke ontwerptekeningen.[4] Of bij het ontstaan van dit type glasruitjes de Meester een rol heeft gespeeld is zeer de vraag; het zijn vooral de thema's die daarop afgebeeld zijn die met zijn werk in verband staan. In stilistisch opzicht zijn er nauwelijks relaties met het werk van de Meester. Dit geldt ook voor het hier afgebeelde fragment dat in een combinatie

139a

139.
Frankfurt am Main, Historisches Museum (verworven in 1893; inv. X 1559).
139a.
Copie van een ontwerptekening voor een vierpasruitje, 24 x 22 cm.
Coll. Hartman, Bazel (Prof. Grahl, Dresden, ca. 1885; coll. F. Becker, 1912; Oppenheimer, 1922).

van een levendige brede penseeltekening en fijn graveerwerk zeer vlot getekend is op een wijze die nergens aan de stijl van de Meester herinnert. Wel deelt het ruitje de wat naïeve charme die uit zijn werk spreekt.

1. Voor het eerst met het werk van de Meester in verband gebracht bij Schmitz 1913, deel 1, p. 111-13; zie ook Solms-Laubach 1935-36, pp. 48-49. Zie vooral Suzanne Beeh-Lustenberger, *Glasgemälde aus Frankfurter Sammlungen*, Frankfurt am Main 1965, pp. 88-91, nr. 40.
2. Zie Beeh-Lustenberger (zie noot 1), p. 90, noot 7, 9.
3. Zie Felix Becker, 'Ein neuere Scheibenriss des Hausbuchmeisters', *Zeitschrift für bildenden Kunst*, N.F. 23, pp. 219-22; zie ook Schmitz 1913, deel 1, p. 103; deel 2, nr. 1, Tafel 30, het daarop gebaseerde – thans verloren – glasruitje, vroeger in het Kunstgewerbemuseum in Berlijn.
4. Zie Husband 1985, noot 58.

139

M ET HOUTSNEDEN

GEÏLLUSTREERDE BOEKEN

¶ Toen aan het begin van de eeuw deze belangstelling van Duitse zijde voor de Hausbuch-meester een hoogtepunt bereikte, ging dit gepaard met een toeschrijvingsrage, waarin met houtsneden geïllustreerde incunabelen een grote rol speelden. In 1910 publiceerde Flechsig zijn beroemde prijsvraag voor kenners, 'Ex ungue leonem', waardoor zijn vermoeden, dat de houtsneden in de door Peter Drach in Spiers uitgegeven *Spiegel Menschlicher behältnis* naar ontwerp van de Hausbuch-meester gemaakt zijn, in brede kring bevestiging vond (zie pp. 48-49). Onafhankelijk daarvan publiceerde Naumann in het zelfde jaar, op een weinig zorgvuldige wijze, de 267 illustraties uit dit boek als werk 'des Meisters vom Amsterdamer Kabinett.[1] In een gedetailleerde studie die in 1911 verscheen ging Flechsig dieper en zorgvuldiger dan Naumann in op de relaties tussen de drogenaaldprenten en de houtsneden, waarbij hij ook het ontwerp van een aantal houtsneden in andere te Spiers en Ulm uitgegeven incunabelen aan de Meester toeschreef.[2]

¶ In een serie artikelen van Bossert en Leonhardt in 1912 bereikt de toeschrijvingsmanie een hoogtepunt met een œuvre-catalogus van liefst twee en dertig door de Meester geïllustreerde incunabelen die in Ulm, Urach en Spiers werden uitgegeven. Op grond daarvan werd een biografie van de kunstenaar opgebouwd met een vrij nauwkeurig beeld van zijn artistieke ontwikkeling. Hoewel de meeste van de toegeschreven houtsneden randversieringen zijn, bevonden zich onder de toeschrijvingen ook enkele hoogtepunten van de vijftiende-eeuwse Duitse boekillustraties, zoals de in Ulm uitgegeven Fabels van Aesopus. Het verband met het werk van de Meester was in de meeste gevallen echter ver te zoeken.[3] Toen Buchner in 1927 op tamelijk overtuigende gronden aantoonde dat ook de *Spiegel* niet door de Meester was ontworpen, was de belangstelling van de onderzoekers op dit gebied inmiddels zo sterk teruggelopen, dat daar nauwelijks meer op gereageerd werd.[4]

¶ Een hernieuwde belangstelling voor houtsneden in verband met de Meester had heel andere gronden. De al in 1891 door Pit gedane suggestie dat de Meester identiek zou kunnen zijn met Erhard Reuwich, die de illustraties maakte van de *Peregrinationes in Terram Sanctam* (1486, Mainz), werd met veel argumenten in 1935 door Solms-Laubach nieuw leven ingeblazen (zie pp. 51-53). Deze identificatiepoging, die vooral na de tweede wereldoorlog veel aanhang kreeg, had in ieder geval het grote voordeel dat met zekerheid vaststaat dat de houtsneden van twee boeken, de *Gart der Gesuntheit* [141] en de *Peregrinationes* [142], door Reuwich (of naar zijn ontwerp) vervaardigd moeten zijn.[5]

¶ De tentoonstelling laat de *Spiegel* zien als overtuigend voorbeeld van de invloed die de Meester rond 1480 op de boekillustraties van zijn tijd had. Ook wanneer men de identificatie van de Meester met Reuwich niet aanvaardt zijn de overeenkomsten tussen de stijl van drogenaaldprenten en de houtsneden in de *Peregrinationes* zo opvallend, dat de door Boon geopperde veronderstelling (p. 20), dat Reuwich en de Meester goede bekenden zijn en het titelblad van de *Peregrinationes* mogelijk door de Meester zelf ontworpen is, steek houdt.

1. Naumann 1910.
2. Flechsig 1911, op.cit. (111, noot 1).
3. K. Friedrich Leonhardt en Helmuth Th. Bossert, 'Studien zur Hausbuchmeisterfrage', *Zeitschrift für bildenden Kunst* NF 23 (1912), pp. 133-138, 191-203, 239-52.
4. Zie voor een kritische samenvatting van de literatuur over de houtsneden, Lehrs, deel 8, pp. 51 t/m 74.
5. Fuchs 1958, pp. 1159-1239.

140. Spiegel Menschlicher Behältnis, *uitgegeven*
door Peter Drach, Spiers, ca. 1480.
Incunabel, 238 pagina's met 277 houtsneden.

¶ De *Spiegel* behoort tot de meest populaire vijftiende eeuwse boeken. De eerste gedrukte uitgaven verschenen in het Latijn zonder illustraties onder de titel *Speculum humanae salvationis*: een reeks van bijbelse geschiedenissen, waarbij de gebeurtenissen uit het Oude Testament typologisch, als een voorafspiegeling van analoge gebeurtenissen in het Nieuwe Testament, werden beschreven. De geïllustreerde uitgaven hiervan nemen in de latere vijftiende eeuw de plaats in van de *Biblia pauperum*, dat als blokboek in verschillende uitgaven tussen 1440-60 verscheen.

¶ Tegen 1470 verscheen de eerste met houtsneden geïllustreerde uitgave van *Speculum* bij Zainer in Augsburg; in 1476 kwam ook in Augsburg bij Sorg een Duitse uitgave uit met eveneens 192 houtsneden. Een derde geïllustreerde uitgave verscheen bij Richel te Basel eveneens in 1476, in het Duits maar nu met 276 houtsneden.[1] In feite is de *Spiegel* van Peter Drach een nadruk van de laatst genoemde uitgave. De wijze waarop de tekst is gezet, volgt vrij slaafs Richels voorbeeld; de houtsneden zijn weliswaar geen copieën maar volgen wat de compositie betreft in grote lijnen de illustraties bij Richel.[2]

¶ Legt men de illustraties van de vier achtereenvolgende uitgaven van de *Spiegel*, die in de loop van één decennium verschenen, naast elkaar, dan laat de vergelijking zien, hoe snel de oorspronkelijk vrij primitieve houtsnedenillustraties aan kwaliteit en uitdrukkingskracht hebben gewonnen.[3] De illustraties in de uitgave van Peter Drach, die meestal tussen 1478 en 1483 gedateerd wordt,

tonen een gevoel voor driedimensionale ruimte dat in de eerdere versies ontbrak. Met humor en pittoreske details zijn de voorstellingen op expressieve wijze afgebeeld.

¶ Het boek bevat 277 houtsneden, die van 253 houtblokken gedrukt zijn: een aantal illustraties is, soms meer dan één keer, tegen het einde van het boek herhaald. Op grond van vrij sterke kwaliteitsverschillen tussen de houtsneden, werd aangenomen dat tenminste twee en mogelijk drie houtsnijders de ontwerpen uitgevoerd hebben van de kunstenaar, die in 1910 als de Hausbuchmeester geïdentificeerd werd.[4]

¶ De overeenkomsten met het werk van de Meester zijn ondanks de formele gelijkenis met de voeten en benen in de prenten van de Meester vrij beperkt. In het geval van de houtsnede van *Simson en de leeuw* [5a] mag men er van uitgaan dat deze op de drogenaaldprent [5] gebaseerd is en bij de houtsnede met *Adam en Eva met kinderen* wordt men herinnerd aan de *Wildemansfamilie* van Meester b x g [93]. Ondanks het verwante gevoel voor humor is dit voor een overtuigende toeschrijving van het ontwerp van de houtsneden aan de Meester te weinig. Buchner merkte in 1927 terecht op dat er een wezenlijk verschil in temperament en karakter bestaat tussen de houtsnijder en de Meester. De expressieve stijl van de houtsnijder, die Buchner de Meister der Drachschen Offizin (De Meester van de Drachse drukkerij) noemt, is veel rauwer en dramatischer dan het subtiele, sterk picturale prentwerk van de Meester.[5]

1. Naumann 1910, pp. 8-21.
2. Flechsig 1911, op.cit. (111, noot1), pp. 106-109.
3. Naumann 1910, pp. 10-47.
4. Flechsig 1911, op.cit. (111, noot 1), p. 106.
5. Buchner 1927, pp. 276-89.

140*
München, Bayerische Staatsbibliothek (2e rar. 172).
Hain 14935.

140 (fol. 2v-3r)

141. Johannes von Cube, Gart der Gesuntheit,

uitgegeven door Peter Schöffer, Mainz, maart 1485.
Incunabel, 360 pagina's met 381 houtsneden.

¶ In maart 1485 verscheen bij de Mainzer drukker Peter Schöffer een omvangrijk nieuw en rijk geïllustreerd kruidenboek, de *Gart der Gesuntheit*, dat tot ver in de zestiende eeuw herdrukt, bewerkt en nagevolgd werd. Het was het eerste boek over geneeskrachtige kruiden dat in het Duits verscheen; daardoor was het praktisch ingedeelde handboek voor een brede kring van geïnteresseerden toegankelijk.

¶ Het ontstaan van het boek wordt in de voorrede beschreven door degene die de opdracht tot het samenstellen heeft gegeven. Hoewel de inleiding anoniem is, blijkt uit verschillende details dat de opdrachtgever niemand anders kan zijn dan de deken van de kathedraal van Mainz, Bernhard von Breydenbach. Deze ontwikkelde het plan om een geïllustreerd boek over kruiden en hun geneeskracht samen te stellen dat voor iedereen bruikbaar was. Hij gaf een 'meyster in der artzney gelehrt' opdracht dit te doen met behulp van de geschriften van de beroemde antieke en Middeleeuwse artsen. Deze taak werd vervuld door Johann (Wonnecke) von Cube (Cuba), die van 1484 tot 1503 stadsarts in Frankfurt am Main was. Volgens de inleider van het boek bleek bij de voorbereiding van de illustraties dat veel van de behandelde planten niet in Duitsland groeiden en daardoor niet naar het leven getekend konden worden, waardoor de voortgang stagneerde. Dit probleem werd opgelost, toen de opdrachtgever, die blijkbaar als redacteur van het boek voor de illustraties zorgde, een pelgrimsvaart naar Jeruzalem en de berg Sinaï maakte en op deze reis veel vreemde kruiden kon bestuderen. Hij werd daarbij namelijk begeleid door een schilder, die tekeningen van de planten maakte.[1] Er is nauwelijks twijfel aan dat de bedoelde pelgrimage dezelfde is als die welke door Von Breydenbach in zijn *Peregrinationes* [142] beschreven wordt en dat de bedoelde schilder Erhard Reuwich is, die ook verantwoordelijk is voor de illustraties in dit reisverslag.

¶ Reuwich kan, althans gedeeltelijk, verantwoordelijk worden gesteld voor het onderwerp van de illustraties van het boek. Behalve twee titelprenten met figuren bevat het boek 368 afbeeldingen van planten en elf van dieren, die alle voor deze

141 (fol. 164r)

141 (fol. 232r)

141 (fol. 269r)

141 (fol. 1v)

uitgave nieuw gemaakt zijn.[2] Op de titelprent ziet men de 'bewerten meyster in der artzney' uit antieke en latere tijd, uit wier geschriften de *Gart* is gecompileerd. Hoewel het houtsnijwerk wat minder fraai en geraffineerd is dan in de *Peregrinationes* is de verwantschap met de titelpagina daarvan groot.[3] In de afbeeldingen van de planten zijn grotere kwaliteitsverschillen, een deel daarvan lijkt geheel op oudere voorbeelden gebaseerd te zijn, deze planten zijn op een weinig specifieke en vlakke manier weergegeven. De naar de natuur getekende planten zijn met sterke brede lijnen en krachtige schaduwen in het hout gesneden. Ze zijn vrij realistisch weergegeven maar toch met een gevoel voor de decoratieve kwaliteiten, dat Lottlisa Behling beschrijft als 'die spätgotische Formkraft'.

1. Fuchs 1958, p. 1212-20.
2. Zie over de illustraties, Fuchs 1958, pp. 1221-24; Lottlisa Behling, 'Der Hausbuchmeister-Erhard Rewich', *Zeitschrift für Kunstwissenschaft* 5 (1951), pp. 179-190. Van het boek bestaat een moderne druk, met nawoord van W.L. Schreiber, München 1924.
3. Fuchs 1958, pp. 1190-91.

142. Bernard von Breydenbach, Peregrinationes in Terram Sanctam, *gedrukt bij Erhard Reuwich, Mainz, februari 1486, 164 pagina's met 25 houtsneden.*

¶ Niet minder populair dan de *Gart der Gesuntheit*, uit 1485, was het reisverslag van de pelgrimstocht naar het Heilige Land dat een klein jaar later in Mainz verscheen. Opmerkelijk is dat daarbij dezelfde personen betrokken waren als bij de *Gart der Gesuntheit*; de deken Bernhard von Breydenbach was de auteur en de illustraties waren van Erhard Reuwich, die als schilder Breydenbach vergezelde op zijn reis naar het Heilige Land in 1483-84. Het boek dat een neerslag van deze reis vormt, was bedoeld als een handleiding en compendium voor Palestina-reizigers. Niet alleen dankzij de reisbeschrijving, maar ook door een ongewoon groot aantal andere documenten is het mogelijk om het verloop van de pelgrimstocht vrij precies te volgen.[1]

¶ Na de nodige voorbereidingen, ontmoette het reisgezelschap elkaar op 25 april 1483 in Rödelheim. Behalve uit Reuwich en Breydenbach bestond het uit de jonge graaf Johann zu Solms-Lich (1464-83), en de ridder Philipp von Bicken. Na een verblijf van drie weken in Venetië, vertrok men met een groter gezelschap van Duitse pelgrims per schip naar het Heilige Land, via de eilanden Parenza, Corfu, Modon, Rhodos en Cyprus. Zes weken later kwam de groep in Jeruzalem aan. Gedurende de daarop volgende maanden verbleef men in Jeruzalem en werd een aantal heilige plaatsen bezocht. Langs de Rode Zee trok het gezelschap van Gaza naar Cairo en vandaar naar Alexandrië, waar de jonge graaf zu Solms-Lich ziek werd en stierf. Na de nodige omzwervingen door stormachtig weer langs de eilanden in de Middellandse Zee keerde men op 8 januari in Venetië terug. Een maand later zijn Breydenbach en Reuwich weer in Mainz. Uit de uitvoerige instructie die Breydenbach kort na zijn terugkeer aan Graaf Ludwig von Hanau voor diens pelgrimstocht naar Jeruzalem mee gaf, blijkt dat deze toen al het plan had om zijn reisverslag als een soort handleiding voor toekomstige Palestinareizigers uit te geven.[2]

¶ Het boek dat opgedragen is aan de Mainzer aartsbisschop Berthold von Henneberg verschijnt pas een kleine twee jaar later, eerst in het Latijn en vier maanden later in het Duits; de Nederlandse uitgave verschijnt weer ruim twee jaar later, op 24 mei 1488. Volgens het colofon is het boek ten huize van de schilder Erhard Reuwich gedrukt, maar uit het lettertype blijkt dat gebruik is gemaakt van de letterkasten van de bekende Mainzer drukker Peter Schöffer. Men heeft daarom wel aangenomen dat het drukken van de tekst is gebeurd in de drukkerij van Schöffer in opdracht van Breydenbach en onder toezicht van Reuwich.

¶ Het drukken van de houtsneden, wat gezien de zeven panorama's die vaak van meerdere blokken zijn gedrukt, een omvangrijke onderneming moet zijn geweest, zou dan door of onder Reuwichs leiding zijn geschied.[3] In ieder geval mag men uit het betrekkelijk grote aantal bewaarde exemplaren van de verschillende edities afleiden dat er een grote oplage van het boek gedrukt is; dat blijkt ook uit de duidelijke slijtage die de blokken al vóór de Nederlandse uitgave van mei 1488 hebben opgelopen. Het boek blijft populair en wordt onder meer in het Spaans en Frans vertaald en herdrukt met copieën van de houtsneden.[4] De laatste uitgave met de originele houtblokken is de Spaanse uit 1498, daarvoor verscheen in 1490 nog een Latijnse uitgave bij Peter Drach in Spiers; de overdracht van de houtblokken naar Spiers, doet vermoeden dat Reuwich dan al overleden is. Als reisgids voor pelgrims beantwoordde het boek ongetwijfeld aan een sterke behoefte, maar nog

142.1* en 142.2* 's-Gravenhage, Rijksmuseum Meermanno-Westreenianum (cat. inc. 644, IV C 35 en 36). Hain 3956.

142 (fol. IV, zie *afb. 14*, p. 18)

142 (fol. 18, Modon)

142 (fol. 13, Venetië)

142 (fol. 132, Jeruzalem)

meer dan in de *Gart der Gesuntheit* speelden de houtsnede-illustraties daarbij waarschijnlijk een belangrijke rol.[5]

¶ De zeven grote panorama's van Venetië, Parenzo, Corfu, Modon, Candia (Kreta), Rhodos en tenslotte Jeruzalem, de steden en eilanden die men onderweg passeerde, waren in die tijd iets volledig nieuws. Het zijn de eerste individuele stadsportretten, waarbij de topografische herkenbaarheid voorop staat. Het gezicht op Venetië is van vier houtblokken gedrukt en moet meermalen gevouwen worden om in het boek te passen, de breedte is 162 cm. Technisch is dit al een uitzonderlijke prestatie, maar ook in artistiek opzicht is dit panorama zeer geslaagd. De weergave van de stad met de belangrijkste gebouwen getuigt van een beheersing van de perspectief, die voor die tijd zeker in het Noorden niet vaak voorkwam. Even gecompliceerd is de kaart van het Heilige Land met een panorama op Jeruzalem, dat van drie houtblokken is gedrukt en 127 cm breed is.

¶ In stilistisch opzicht is het moeilijk deze (en de andere) panorama's en de houtsnede met de kerk van het Heilige graf, waarvan het perspectief met evenveel zorg behandeld is, op enigerlei wijze te verbinden met het werk van de Meester, die zelden blijk heeft gegeven van belangstelling voor perspectief. Met de andere houtsneden in het boek zijn de verbanden groter (zie pp. 18-20, 51-53, 60).[6]

¶ De al eerder beschreven titelprent van het boek (p. 18; *afb. 14*) met de rijkgeklede Venetiaanse dame als schilddraagster van de wapens van de (adellijke) deelnemers aan de pelgrimstocht in 1483-84 is in velerlei opzicht een meesterwerk. Voor het bijna perfecte houtsnijwerk vind men pas tegen 1500 parallellen. Als ware hij een graveur, werkt de houtsnijder met verfijnde arceringen, zelfs met kruisarceringen, waardoor een bijna picturale licht-donkerwerking gecreëerd wordt. Met een duidelijk plezier en gevoel voor ornament zijn de dekkleden van de wapenschilden getekend en is het bladwerk weergegeven met rozen en granaatappels in de ronde boog van de omlijsting, waar tussen het weelderig loof kindertjes spelen. Al vaak is op de sterke overeenkomsten van dit blad met de prenten van de Meester gewezen. Dit geldt ook voor de kleinere houtsneden van de oriëntaalse volkeren die men in het Heilige land tegen kwam: Saracenen, Joden, Grieken, Syriërs, Turken. Met een opmerkelijk

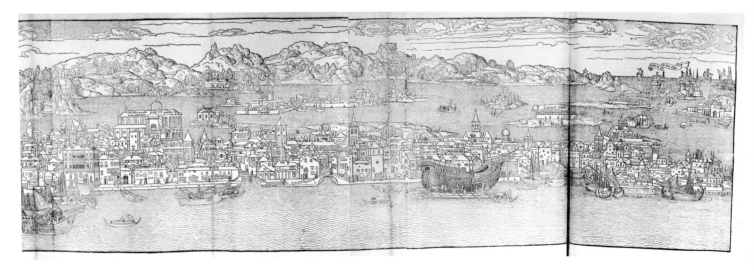

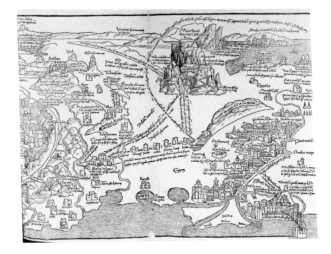

142 (fol. 29v, Hl. Graf)

observatievermogen en met veel gevoel voor humor zijn de Oosterlingen in de voor hen karakteristiek geachte kleding en houdingen afgebeeld. Hoewel wat minder fijn gesneden dan het titelblad, wordt in deze houtsneden voor de weergave van de kleding even sterk gebruik gemaakt van arceringen en kruisarceringen; daarbij herinnert de plooi-behandeling sterk aan wat men in de ondertekening van de schilderijen van de Meester (zie pp. 295-300) en ook wel in de prenten ziet: hoekige plooilijnen, waar dwars over of tegen aan arceringen zijn geplaatst. Levendig en met krachtige contouren zijn de dieren getekend in de houtsnede die op de achterzijde van de kaart van Palestina is gedrukt; ondanks het feit dat het onderschrift vertelt dat deze dieren uit het Heilige land naar het leven getekend zijn, schijnt dat slechts bij de kameel het geval te kunnen zijn; in dit door elkaar lopen van fabel en werkelijkheid blijft de illustrator een Middeleeuwer.

¶ Ondanks zekere stilistische verschillen tussen de houtsneden en kwaliteitsverschillen in het houtsnijwerk, is de *Peregrinationes* één van de mooiste geïllustreerde vijftiende-eeuwse boeken. Het blijft daarom een aantrekkelijke gedachte dat de maker van dit werk, Erhard Reuwich, dezelfde

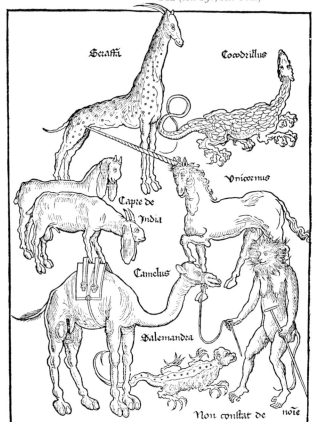

142 (fol. 132r)

142 (fol. 76)

142 (fol. 76v)

142 (fol. 78v)

142 (fol. 80v)

142 (fol. 84v)

142 (fol. 76)

142. (fol. 147v)

zou zijn als de maker van de drogenaaldprenten, het Hausbuch en de andere in dit boek behandelde kunstwerken; in de *Peregrinationes* zijn het niet de panorama's maar de houtsneden met menselijke figuren die hier een, zij het niet al te sterk, argument vormen.

1. Fuchs 1958, pp. 1163-69.
2. Fuchs 1958, p. 1168.
3. Fuchs 1958, pp. 1176-77.
4. Fuchs 1958, pp. 1160-61; Hugh W.M. Davies, *Bernhard von Breydenbach and his journey to the Holy Land 1483-4, a bibliography*, Londen 1911 (reprint 1968 Utrecht).
5. Een moderne uitgave met de houtsneden van het boek verscheen in 1961, Bernhard von Breydenbach, *Die Reise ins Heiligland* (Übertragung und Nachwort von Elisabeth Geek) Wiesbaden 1961, alle houtsneden zijn afgebeeld bij Schramm, deel 15. Zij worden uitvoerig besproken bij Fuchs 1958, pp. 1179-89.
6. Op de verbanden tussen de houtsneden in het boek en het werk van de Meester wordt uitvoerig ingegaan door Solms-Laubach 1935-36, pp. 70-95 en Fuchs 1958, pp. 1192-99.

BIJLAGE I: WATERMERKEN IN DE PRENTEN VAN DE MEESTER VAN HET AMSTERDAMSE KABINET

M.D. Haga

¶ Bij zeventien van de 124 bekende afdrukken van drogenaaldprenten van de Meester zijn in het papier watermerken of gedeelten daarvan aangetroffen. Alleen de acht watermerken van de afdrukken in Amsterdam konden in origineel bestudeerd worden. Hiervan zijn röntgenopnamen gemaakt[1] en is de afstand van de kettinglijnen gemeten.[2] Van een negende merk [**73**.3] stond een strijklichtfoto ter beschikking. Met nog twee van de vier andere watermerken, die bij Lehrs, deel 8 zijn afgebeeld,[3] worden hier elf merken gereproduceerd. De overblijvende vier zijn slechts door een korte beschrijving bij Lehrs, deel 8, bekend [**7**.3; **25**.2; **63**.2; **74**.4]; omdat de betreffende afdrukken op het opzetcarton geplakt zijn, kon hier geen nader onderzoek naar gedaan worden.

¶ Na de beschrijving van het watermerk wordt verwezen naar de literatuur waarin eenzelfde of vergelijkbaar watermerk wordt behandeld en afgebeeld. Vier van de dertien hier vermelde merken hebben òf een te uitzonderlijke vorm [**49**] of tonen een te klein fragment [**13**.2, **17**, **29**] om een identificatie mogelijk te maken. Hierdoor konden van de zeventien nu bekende watermerken in prenten van de Meester er niet meer dan negen nader bepaald worden.

LIJST VAN AFKORTINGEN VAN DE GEBRUIKTE LITERATUUR OVER WATERMERKEN

Briquet
C.M. Briquet, *Les Filigranes*, 4 delen, Jubilee Edition, Amsterdam 1968 (Eerste uitgave, Genève 1907).

Heitz
Paul Heitz, *Les Filigranes des Papiers contenus dans les Incunables Strasbourgeois de la Bibliothèque Impériale de Strasbourg* (pp. 1-34, Filigranes nrs. 1-1330).

Lehrs, deel 8
Zie lijst van afkortingen van veelvuldig gebruikte titels.

Piccard
Gerhard Piccard, *Die Wasserzeichenkartei, Piccard im Hauptstaatsarchiv Stuttgart*, tot nu toe verschenen 14 delen, Stuttgart 1961-1983.
Findbuch deel 2, 1-3, *Die Ochsenkopfwasserzeichen*, Stuttgart 1966.
Findbuch deel 4, 1-3, *Wasserzeichen Buchstabe P*, Stuttgart 1977.

Schramm
Albert Schramm, *Der Bilderschmuck der Frühdrucke*, 23 delen, Leipzig 1936-43.
Deel 19, *Die Strassburger Drucker*, I Teil, Leipzig 1936.
Deel 20, *Die Strassburger Drucker*, II Teil, Leipzig 1937.

Sotheby
Samuel Leigh Sotheby, *Principia Typographica....*, The Block-Books, issued in Holland, Flanders and Germany, during the fifteenth Century....*, deel 3, Paper-Marks, Londen 1858.

Afb. 61
Röntgenfoto van watermerk, *De Visitatie* [**9**.1]: *smalle osse-kop met enkel gebogen hoorns, stang en ster.*

Afb. 62
Röngtenfoto van water-merk *De Aanbidding der Koningen* [**10**]: *paaslam.*

Afb. 63
Röntgenfoto van onderkant van watermerk *Christus als Goede Herder* [**17**]: *gedeelte van gothische P.*

Afb. 61

Afb. 62

Afb. 63

7.3
Salomo's afgoderij – Wenen
Kleine ossekop met stang en ster
Vermeld, niet afgebeeld, bij Lehrs, deel 8, p. 86.

9.1
De Visitatie – Amsterdam
Smalle ossekop met enkel gebogen hoorns, stang en ster
Afstand kettinglijnen 35 mm.

Vergelijkbaar met:
Heitz nr. 553 (pl. 22, pp. 20 en 27): voorkomend in Aeneas Sylvius, *Eurialius en Lucretia*, een druk van Heinrich Knob-lochtzer uit *1477* (Universiteitsbibliotheek Freiburg i.Br.); Schramm deel 19, p. 14, noemt alleen acht ongedateerde exemplaren, waaronder één in Freiburg (?).
Heitz nr. 600 (pl. 24, pp. 20 en 32): voorkomend in Nicolaus (Falcutius), *Antidotarium* s.a., een druk van Johann Prüss; Schramm, pp. 25-26, noemt tussen *1483 en 1499* gedateerde uitgaven van deze drukker.

10.
De Aanbidding der Koningen – Amsterdam
Paaslam
Afstand kettinglijnen 40 mm.
Niet vermeld bij Lehrs.

Vergelijkbaar met:
Briquet 26: Zuid-Nederland en Maas-Rijngebied, *1467* en later. Sotheby, p. 57, nr. 5, in: Rekeningen met de titel 'Bors-selen diversa, Cas. L.', Den Haag *1470*.

13.
De Kruisdraging – Chicago
Fragment bovenste gedeelte van Gothische P met bloem
Afgebeeld bij Lehrs, deel 8, p. 423, nr. 27.
Te klein om te determineren.

17.
Christus als de Goede Herder – Amsterdam
Fragment onderkant van Gothische P
Afstand kettinglijnen 36 mm.
Niet vermeld bij Lehrs.
Te klein om te determineren.

26.2
Staande Madonna met kind en appel – Bazel
Gothische P zonder bloem
Vermeld, niet afgebeeld, bij Lehs, deel 8, p. 103.

29.2
Heilige Familie in een gewelfde ruimte – Hamburg
Fragment onderkant van Gothische P
Afgebeeld bij Lehrs, deel 8, p. 423, nr. 28.
Te klein om te determineren.

42.
H. Sebastiaan in nis – Amsterdam
Gothische P zonder bloem
Afstand kettinglijnen 44 mm.
Niet vermeld bij Lehrs.
Vergelijk Piccard, deel 2, 2, III, 287: *Lobith 1476*.

49.
De elevatie van de H. Maria Magdalena met vijf engelen – Amsterdam
Gothische P met bloem
Hoogte 72 mm. Afstand kettinglijnen 41 mm.
Vermeld bij Lehrs als onduidelijk.
Te uitzonderlijk om te determineren.

53.2
Het gevecht tussen twee wildemannen te paard – Ham-burg
Brede ossekop met stang en ster
Afgebeeld bij Lehrs, deel 8, p. 417, nr. 14.

Vergelijk Piccard, deel 2, 2, VII, 244: *Heidelberg-Straatsburg 1486-1488*.

54.1
Aristoteles en Phyllis – Amsterdam
Smalle ossekop met dubbel gebogen hoorns, voorhoofdring, stang en ster
Afstand kettinglijnen 37 mm.

Vergelijkbaar met:
Heitz nr. 606 (pl. 24, pp. 20 en 27): voorkomend in *Aeneas Sylvius, Eurialius en Lucretia*, een druk van Heinrich Knoblochtzer uit 1477 (Universiteitsbibliotheek Freiburg i.Br.); Schramm, deel 19, p. 14 noemt alleen acht ongedateerde exemplaren waaronder één in Freiburg (?).
Heitz nr. 636 (pl. 25, p. 21 en 32): voorkomend in *Nicolaus (Falcutius), Antidotarium*, s.a., een druk van Johann Prüss; Schramm, deel 20, pp. 25-26, noemt tussen 1483-1499 gedateerde uitgaven van deze drukker.
Vrijwel gelijk aan **67**, **89**.1 en **89**.2.

63.2
Twee worstelende boeren – Washington
Ossekop met stang en ster
Vermeld, niet afgebeeld bij Lehrs, deel 8, p. 141.

67.
Hertenjacht – Amsterdam
Smalle ossekop met dubbel gebogen hoorns, voorhoofdring, stang en ster
Afstand kettinglijnen 37 mm.

Vrijwel gelijk aan **54**.1 (zie daar voor verdere gegevens) en **89**.1 en 2.

73.3
Kaartspelers – München
Smalle ossekop met enkel gebogen hoorns, stang en ster
Vergelijkbaar met:
Heitz nr. 553 – Straatsburg 1477.
Heitz nr. 600 – Straatsburg 1483-1499.

Vrijwel gelijk aan **9**.1 (zie daar voor volledige gegevens).

74.4
Turkse ruiter – Wenen
Klein hart zonder kruis
Vermeld, niet afgebeeld, bij Lehrs, deel 8, p. 152.
Mogelijk als Briquet 4192 (1467, Decize, bij Nevers) of Briquet 4195 (1494, Metz, Var. sim.).

89.1
Wapenschild met een op zijn kop staande boer – Amsterdam
Smalle ossekop met dubbel gebogen hoorns, voorhoofdring, stang en ster
Afstand kettinglijnen 37 mm.
Niet vermeld bij Lehrs.
Vrijwel gelijk aan **54** (zie daar voor verdere gegevens), **67**, **89**.2.

89.2
Wapenschild met een op zijn kop staande boer – Coburg
Smalle ossekop met dubbel gebogen hoorns, voorhoofdring, stang en ster
Afgebeeld bij Lehrs, p. 417, nr. 13.
Hoewel de neusgaten los liggen, vrijwel gelijk aan **54** (zie daar voor verdere gegevens), **67**, **89**.1.

CONCLUSIE
¶ Zeven van de negen te identificeren watermerken hebben de vorm van een *ossekop* en zijn in drie typen te verdelen, die alle uit Straatsburg bekend zijn. Twee typen (resp. **54**; **67**; **89**.1; **89**.2 en **9**.1; **73**.1) komen beide voor in twee verschillende incunabelen, waarvan de eerste in 1477 door Heinrich Knoblochtzer is uitgegeven en de tweede tussen

Afb. 64

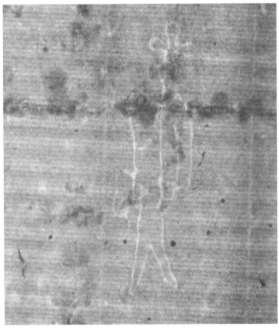
Afb. 65

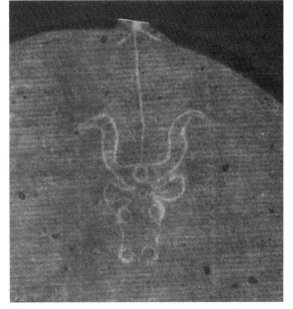
Afb. 67

Afb. 64
Röntgenfoto van watermerk *H. Sebastiaan in nis* [**42**]: *gothische P zonder bloem*.

Afb. 65
Röntgenfoto van watermerk *De elevatie van de H. Maria Magdalena met vijf engelen* [**49**]: *gothische P met bloem*.

Afb. 66
Tekening van watermerk *Gevecht tussen twee wildemannen te paard* [**53**.2]: *brede ossekop met stang en ster*.

Afb. 67
Röntgenfoto van watermerk *Aristoteles en Phyllis* [**54**]: *smalle ossekop met dubbel gebogen hoorns, voorhoofdring, stang en ster*.

Afb. 66

Afb. 68
Röntgenfoto van watermerk
Hertenjacht [**67**.1]: *smalle ossekop met dubbel gebogen hoorns,
voorhoofdring, stang en ster.*

Afb. 69
Strijklichtfoto van watermerk
Kaartspelers [**73**.3]: *smalle
ossekop met enkel gebogen hoorns,
stang en ster.*

Afb. 70
Röntgenfoto van watermerk
*Wapenschild met een op zijn kop
staande boer* [**89**.1]: *smalle
ossekop met dubbel gebogen
hoorns, voorhoofdring, stang en
ster.*

Afb. 71
Tekening van watermerk in
afdruk in Coburg van
dezelfde prent als *afb. 70*
[**89**.2].

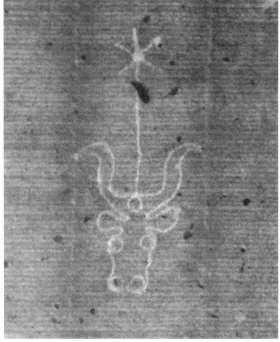

Afb. 68

Afb. 69

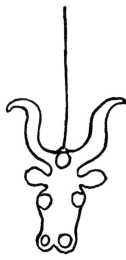

Afb. 71

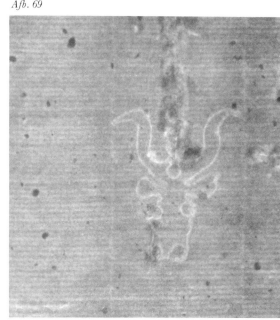

Afb. 70

1483 en 1499 door Johann Prüss. Het derde type *ossekop* [**53**.2] komt voor in Straatsburg tussen 1486 en 1488. Opmerkelijk is dat de prenten van de Meester die een *ossekop* als watermerk hebben, alle tussen 1480 en 1490 gedateerd worden. De overige watermerken bestaan uit een *paaslam* (**10**; meestal tussen 1490 en 1500 gedateerd), te vergelijken met twee voorbeelden, een uit Zuid-Nederland en het Maas-Rijngebied, gebruikt in 1467 en later, het andere uit Den Haag in 1470 en tenslotte uit een *Gothische P zonder bloem* (**42**; ca. 1475-80), gebruikt in Lobith in 1476.

¶ Bij de acht niet nader te bepalen merken, zijn twee *ossekoppen* [**7**.2 en **63**], die mogelijk bij de Straatsburg-groep horen; twee *Gothische P's* [**26**.2 en **49**] waarvan de eerste zonder bloem, drie Gothische P fragmenten [**13**.2; **17**; **29**] en tenslotte een *klein hart*, waarvan Briquet mogelijk twee vergelijkbare voorbeelden geeft: uit de omgeving van Nevers 1467 en uit Metz 1494.

¶ Hoewel van chronologie nauwelijks sprake is, lijken het *paaslam* en de *Gothische P*, beide uit het Rijn-Maasgebied, iets vroeger dan de zeven *ossekoppen* uit Straatsburg.

¶ Hoewel zeventien merken op 124 (bijna 14%) gering lijkt en Lehrs drie van de acht Amsterdamse voorbeelden (10% van de daar aanwezige tachtig stuks) niet noemt, lijkt het onwaarschijnlijk, dat er nog veel meer bij gevonden zullen worden; het percentage in de overige vier en veertig prenten is ruim 20 en tweemaal zo hoog als dat in de bijna dubbel zo grote Amsterdamse groep. De prenten, die overwegend van klein formaat zijn, zullen eerder (en misschien bij voorkeur) van de rand, dan uit het midden van een vel papier zijn gedrukt.

¶ De hoop blijft bestaan dat door toenemende kennis van het vijftiende-eeuwse papier, het in de toekomst mogelijk zal zijn om op grond van de afstand van de kettinglijnen tot een nauwkeuriger datering van het papier zonder watermerk te komen.

1. Vervaardigd door de Röntgen Technische Dienst te Rotterdam met behulp van reflectiestralen (Compton-effect).
2. De heer E.G. Loeber te Hilversum, verstrekte waardevolle adviezen en gaf de stoot tot het realiseren van röntgenopnamen.
3. Van de copie te Dresden (**13**a, De Kruisdraging) is een vijfde merk afgebeeld (Lehrs, deel 8, p. 419, nr. 17): *grote ossekop met dubbel gebogen hoorns, stang en dubbelkruis,* dat verwant is aan Piccard deel 2, 3, XI, 256 (Crailsheim-Ulm, 1506-1509).

BIJLAGE II: *C*OSTUUM-
HISTORISCHE AANTEKENINGEN

M.J.H. Madou

¶ De gratie waarmee de 'jeunesse dorée' uit de late vijftiende eeuw door de Meester van het Amsterdamse Kabinet of van het Hausbuch is uitgebeeld, leidt als vanzelf de aandacht naar de kledij van deze jonge lieden. Op het eerste gezicht bemerkt men hoofdzakelijk lintjes en franjes, overdreven lange schoenpunten, veel gekrulde haren, fronsen en plooien. Een nauwkeuriger analyse leert echter dat het schijnbaar bizarre kledingbeeld in wezen betrekkelijk overzichtelijk is.

¶ Vooraleer enige aantekeningen van meer beschouwelijke aard te maken mogen hier gemakshalve eerst de beschrijvingen van het mannen- en van het vrouwencostuum volgen.

¶ De mannen dragen zeer strak om de benen gespannen hozen, die bij de sluiting vooraan voorzien zijn van een driehoekig tussenstuk[1] dat bewegingsvrijheid moet verzekeren en tegelijkertijd de genitaliën accentueert. De voeten zijn gestoken in een laag lederen schoeisel met omgeslagen randen rond de enkels en een overmatig lange punt.[2] Soms worden onder dit schoeisel nog houten trippen of patijnen gedragen die in lengte de tootschoen overtreffen[3] [**58, 123**]. Het bovenlijf is bekleed met drie of twee kledingstukken. Steeds draagt men het fijne en zeer wijde linnen hemd, dat in enkele gevallen rond de hals met passement is afgezoomd. De overtollige wijdte van het hemd is in vele smalle plooitjes getrokken. De hemdsmouwen, eveneens veel te wijd, zijn zichtbaar door de diverse mouwsplitten van het wambuis en reiken tot even over de elleboog [*afb. 75*; **56, 133**].

¶ Het wambuis is uit een minimum van textiel vervaardigd. Het reikt slechts tot in de taille en toont middenvoor een zeer breed en diep V-vormig decolleté. Een kraag ontbreekt en van schouder naar schouder, evenwijdig aan de halslijn van het hemd, zijn de voorpanden verbonden met een stel van zes veters of smalle linten, aan weerszijden gevat in een langwerpig plaatje van (edel)metaal [**133**]. Sommige voorstellingen laten zien hoe het wambuis nog met veters voor de borst wordt samengehouden [**58**]. De mouwen van het wambuis zijn dermate gereduceerd dat de hemdsmouw aan de buitenkant van de arm grotendeels onbedekt blijft. Ook hier dienen veters om de brede spleet overdwars te verbinden [*afb. 75*; **56, 58, 105**]. Tenslotte zij er nog op gewezen dat de mouwen verticaal geplaatste splitten op de bovenarm hebben [*afb. 75*; **58, 75**] en dat ze,

zoals de hemdsmouwen, slechts tot over de elleboog reiken en aldus de voorarm geheel ontbloot laten. Een dergelijk wambuis, in combinatie met het uitpuilende hemd, maakt een tamelijk slordige indruk. Deze indruk wordt nog versterkt door het kleine manteltje dat steeds boven het wambuis gedragen wordt. Het betreft een manteltje van zeer eenvoudige snit: een rechthoekig stuk stof met een ondiepe halsuitsnijding. Het kledingstuk is gedrapeerd op een schouder en op de ander schouder met een gevlochten koord of een veter dichtgeknoopt, zodat het aan de zijkant open hangt. Het reikt amper tot op de heupen, zodat het eerder tooi dan beschutting mag heten [*afb. 75*; **58, 72, 75, 122**].

¶ In plaats van wambuis met korte mantel dragen sommige mannen als bovenkleed een robe of 'keerle'. Dit kleed is in middenvoor tot aan de lendenlijn breed V-vormig gedecolleteerd, over de hele lengte open en voorzien van een korte schoot tot op de heupen. De schoot is vaak gespleten en de panden ervan liggen, bij wijze van sluiting, over elkaar geslagen [*afb. 73*; **71, 72**]. De wijdte van het kleed is in de rug in zogenaamde orgelpijpplooien geschikt [**72**] en een smalle gordel benadrukt de taille. De robe heeft geen kraag en de brede halsopening is samengehouden door middel van een op de schouder geknoopt snoer [*afb. 72*; **121**]. De kop van de mouw staat ietwat bol, wat de schouderlijn verbreedt, een effect dat nog geaccentueerd wordt door de splitten waar doorheen het hemd zichtbaar is [*afb. 72*; **121**]. De mouwen zijn niet strak en iets te lang zodat ze in soepele plooien tot op de hand vallen. Als accessoire ziet men een enkele keer een beursje aan de gordel hangen [*afb. 72*; **121**] en vaker een dolk, die soms aan een afzonderlijk riempje is bevestigd [**58, 70**] en altijd in het midden voor de buik hangt.

¶ Het haar valt in lange gekrulde lokken tot op de rug en korte krulletjes bedekken het voorhoofd [**58, 75**]. Het hoofd is bij sommige mannen omkranst door een metalen band [**73, 75, 118**] of met groen lover [**70, 122**]. De mutsen, met opgebonden oorlappen, lopen uit in een spitse top die verwerkt is tot een grote kwast. Deze kwast is gevormd door de tot zeer smalle linten verknipte stof van het hoofddeksel zelf, alles wederom samengebonden met veters. In een uitzonderlijk geval worden de knipsels van de kwast samengehouden door een fraai versierde gouden band [**133**]. Naast de met

Afb. 72
Staand liefdespaar [**121**], zilverstifttekening, ca. 1485.

Afb. 73
Staand liefdespaar [**122**], zilverstifttekening, ca. 1485.

Afb. 72

Afb. 73

franjes opgesmukte muts komt als mannenhoofddeksel nog een kleine hoed voor, zonder rand, in de vorm van een halve bol en vermoedelijk uit bont vervaardigd. De hoed is versierd met een breed gedrapeerd lint en grote struisveren [*afb. 72*; **71, 121**] ofwel met een enkel klein veertje [**70**], of nog met een bosje reigerveren in een juweel gevat [*afb. 72*; **121**].

¶ De vrouwen dragen een bovenkleed met passend lijfje dat zowel voor als in de rug een diep afgerond decolleté heeft (*afb. 72, 73*). De wijdte van de rok is weggewerkt in een reeks korte verticale plooien die middenvoor – onder de buste – en middenachter vermoedelijk vastgenaaid zijn. Vanaf de taille valt de rok ruim en soepel tot op de grond. Men krijgt de indruk dat er twee rokken boven elkaar worden gedragen: een die reikt tot op de voeten en een met een lange sleep in de rug (*afb. 72, 73*). De mouwen blijven op de bovenarm betrekkelijk smal, maar vallen vanaf de elleboog wijder uit en zijn zo lang dat ze de hand gedeeltelijk bedekken. Zo ontstaat hetzelfde plooieneffect als bij de mouwen van de mannenrobe. Ook aan het vrouwenkleed ontbreekt de kraag. De halsuitsnijding wordt op de plaats gehouden door een zestal veters aan weerszijden bevestigd door middel van een metalen plaatje [**133**]. Meestal is het decolleté opgevuld door het ruime hemd dat versierd kan zijn met gouddraad en passementen. Bij sommige vrouwenfiguren is het hemd blijkbaar even diep uitgesneden als het bovenkleed waaruit volgt dat de boezem zichtbaar is [*afb. 74*; **55, 75**]. Dit diepe decolleté kan voorzien zijn van een driedubbele rij veters, horizontaal over de buste aangebracht [*afb. 74*; **75**] en aan de halsuitsnijding van het kleed vastgemaakt. Zeer onconventioneel voor de Middeleeuwse vrouwenkledij zijn de mouwen die de voorarm onbedekt laten en een zelfde model vertonen als die van het mannenwambuis, met uitzondering dan van de splitten op de kop

van de mouw (*afb. 74 en 75*). De twee types van mouwen aan het vrouwenkleed zijn des te opvallender daar ze niet, als bij de mannen, gecombineerd zijn met een verschillend bovenkleed.

¶ Het haar van de vrouwen is steeds opgestoken in dikke vlechten die langs de slapen liggen en de oren bedekken. Op het achterhoofd zijn de vlechten horizontaal in de nek geschikt en versierd met een strookje kleurige franjes, *Gefrens* genoemd, dat door middel van in het haar meegevlochten linten aan het kapsel is bevestigd[4] [*afb. 73*; **72, 122**]. De dikte van de haarvlechten laat vermoeden dat ruimschoots gebruik werd gemaakt van vals haar, wat overigens door eigentijdse teksten aan de kaak wordt gesteld.[5] Als hoofdbedekking dragen de vrouwen een ronde kap die uit een zes- of achttal boven elkaar gerangschikte lagen fijn linnen bestaat. De kap, die het hoofd vergroot, is in de nek vastgeknoopt [**106**]. Voor zover zichtbaar gebeurde dit door een afzonderlijke smalle sluier waarvan een uiteinde soms los langs het gezicht hangt [**121, 133**]. Uitzonderlijk is de hoofddoek met een netwerk van gouddraad en parels of juwelen getooid (een 'haube') en met een doorschijnend sluiertje over het voorhoofd. De vlechten aan de slapen en het *Gefrens* blijven onder de kap steeds zichtbaar (*afb. 72*; **73**). De schoen- en patijnpunten die onder de rokzoom te voorschijn komen zijn even spits en haast zo lang als bij het mannenschoeisel [*afb. 72*; **75**].

¶ Zowel mannen als vrouwen dragen als overkleding wel eens een mantel. Het gaat hier in beide gevallen om een gewaad dat tot op de voeten reikt en voorzien is van lange mouwen en een smalle liggende kraag. Bij de mannen is de mantel middenvoor met knopen gesloten. Bij de vrouwen hangt het kledingstuk over de gehele lengte open, doch aan de kraag is het van een vetersluiting voorzien [**54**]. De vrouwenmantel valt ruimer vanaf de taille en lijkt, in tegenstelling tot die

Afb. 74

Afb. 75

Afb. 74
Ongelijk liefdespaar: Jonge
vrouw en oude man [55], drogenaaldprent, ca. 1475-80.

Afb. 75
Ongelijk liefdespaar: Jongeman
en oude vrouw [56], drogenaaldprent, ca. 1475-80.

van de mannen, niet met bont gevoerd.

¶ Een interpretatie van de kleding, zoals ze hierboven is beschreven, brengt meerdere problemen met zich mee. Eerst en vooral moet worden nagegaan binnen welke geografische grenzen de Meester werkzaam was en waar hij derhalve de door hem afgebeelde kleding heeft zien dragen. Een vergelijking met costuums die voorkomen in de beeldende kunst van het laatste derde van de vijftiende eeuw in Duitsland[6] laat toe grosso modo een grens te trekken die loopt van Mainz over Straatsburg tot Colmar in het westen en van Bamberg over Neurenberg tot Augsburg in het oosten. De lijnen Mainz-Bamberg en Colmar-Augsburg vormen respectievelijk de noordelijke en zuidelijke grenzen van een gebied waarbinnen verwante formele en artistieke strekmingen leefden. Uit een eerste vluchtig onderzoek blijkt tevens dat binnen dit gebied een zekere homogeniteit bestond in vestimentaire gebruiken, die in andere streken van Duitsland zo goed als niet voorkwamen in genoemde periode.

¶ Het is bekend dat de Meester van het Hausbuch werkzaam is geweest in de omgeving van Frederik III. Deze Habsburgse vorst resideerde bij voorkeur in Oostenrijk[7] doch het is best mogelijk dat Duitse invloeden tot het hof en de residentiesteden van de keizer zijn doorgedrongen. Noch Frederik III zelf, noch zijn entourage lijken toonaangevend geweest te zijn op het gebied van de cultuur en naar men mag aannemen ook niet op het gebied van de kleding. De keizer was te weinig energiek om als leidende figuur op te treden.[8] In Duitsland was verder geen centraliserende macht aanwezig, zodat de steden met hun toenemend belang en rijkdom, in menig opzicht hun eigen weg gingen.

¶ Deze situatie brengt ons naar een tweede probleem: de vraag naar een cultureel referentiepunt van waaruit de kleding in het hierboven aangeduide deel van Duits-land beïnvloed kon worden. Dit referentiepunt was gelegen in de Nederlanden, waar het hof van de Bourgondische hertogen zich vanaf Filips de Goede (†1467) in diverse steden ophield. Het Bourgondische hof heeft de cultuur van geheel West-Europa gedurende het grootste deel van de vijftiende eeuw beheerst. De zogenaamde Bourgondische klederdracht, al dan niet met lokale afwijkingen, was zonder meer een voorbeeld voor de bovenlagen van de maatschappij. Met de dood van Karel de Stoute in 1477 valt echter de Bourgondische invloed weg en meteen ook het enige richtsnoer op gebied van de kleding in Duitsland.[9] Dit heeft als gevolg dat in de meer conservatieve centra een zekere stagnatie in het kledingbeeld optreedt. Heel wat steden die in de late vijftiende eeuw uitgroeiden tot internationaal belangrijke centra, zullen daarentegen op vestimentair gebied vooruitstrevend willen zijn.[10] Eigen combinaties en vindingen overdrijven en vervormen het Bourgondische costuum zodat in laatstgenoemde centra de zeer bizarre kleding ontstaat zoals zij ons bekend is uit de prenten van de Meester. Een bondige analyse moge verduidelijken wat in het costuum enerzijds wel Bourgondisch erfgoed is en wat anderzijds volledig buiten de Bourgondische traditie ontstond, of zich uit lokale klederdrachten weer op de voorgrond plaatste.

¶ Nog helemaal Bourgondisch geïnspireerd is het sterk verticaliserende silhouet van de mannen met hun korte gewaden en het accent op de benen en op de lange schoenpunten. Het dichtst aansluitend bij de Bourgondische voorbeelden zijn de mannenfiguren gekleed in een robe. De Duitse mannen verliezen het echter bij de veel strakkere stylering van het lichaam dat in de Nederlanden nagestreefd werd.[11] Volledig afwijkend van de Bourgondische modellen is de algemene indruk van losheid en nonchalance veroorzaakt door de vele linten en veters, de splitten op de kop van de mouwen, het aan borst en armen uitpuilende hemd,[12] het achteloos gedrapeerde schoudermanteltje, de lange krullende haren en de muts met het vele 'knipwerk'. Ten overstaan van de kleding uit de jaren tachtig van de vijftiende eeuw in de Zuidelijke Nederlanden doen de lange tootschoenen, waarin de voet duidelijk gemodelleerd is, enigszins ouderwets aan. In de vrouwenkledij bemerkt men dezelfde uiteenlopende tendenzen. Het lange kleed met sleep past, wat de rok betreft, in het Bourgondische kledingbeeld. Het lijfje wijkt er echter totaal van af door het ronde décolleté en door de manier waarop het kleed in de taille aansluitend is gemaakt door middel van een reeks korte orgelpijpplooien in voorpand en rug. Verder verschillen ook de vormen van de mouwen. Deze zijn in het vrouwencostuum van de Nederlanden steeds eng rond de arm aansluitend en voorzien van een manchet die over de hand kan geslagen worden. Het vlechtkapsel met het *Gefrens* en de gelaagde ronde kap vertegenwoordigen een typisch Duitse hoofdtooi en de mantel met lange mouwen en liggende kraag komt evenmin voor in de Bourgondische landen.

¶ Het valt op dat de Duitse vrouwen heel wat onderdelen van hun costuum aan de mannenmode ontlenen.[13] De orgelpijpplooien in het kleed zijn rechtstreeks gecopiëerd van de plooienschikking zoals die in de Bourgondische robe van de mannen te zien is.[14] De mantel als overkleed en de lengte van de tootschoenen suggereren een herkomst uit de mannelijke garderobe en voor die tijd beslist on-vrouwelijk zijn de reeds genoemde halflange mouwen die de voorarm geheel onbedekt laten.[15] Een verklaring voor deze eerder ongewone gang van zaken moet voorlopig uitblijven.

¶ Resumerend kan men stellen dat het hier behandelde Duitse costuum als het ware de Bourgondische voorbeelden op uitbundige wijze parafraseert en met germaanse elementen opsmukt. Het is inderdaad te merken dat het ontbreken van een leidinggevend centrum tot extravagantie en promiscuïteit kan voeren.

¶ Na de localisatie van het hier bestudeerde Duitse costuum in een geografische en in een cultuurhistorische context, rest nog het situeren van deze kledij in een maatschappelijk kader. Dit derde probleem van interpretatie is niet het gemakkelijkste. Men kan het omschrijven met de vraag of de voorgestelde personages op de prenten van de Meester zich bewogen hebben in adellijke of in burgerlijke kringen.

¶ Daar de kledij in wezen steeds een aspect van onderscheiding bevat, hoeft het geen verwondering te wekken dat rangen en standen in de samenleving zich affirmeren in hun uiterlijke verschijning, in de manier dus van zich te kleden. Vormveranderingen en toename van luxe zijn altijd mede een gevolg van rivaliseren binnen een bepaalde groep of tussen verschillende groepen. Zo ziet men de burgers van een zelfde stad met elkaar wedijveren, maar men mag ook aannemen dat er wedijver bestond tussen burgerij en adel. De adel was per slot van rekening de hoogste stand en in deze hoedanigheid allicht toonaangevend. Echter door hun rijkdom konden de burgers een vestimentaire luxe voeren die gelijke tred hield met die van de adel, ja deze zelfs overtrof. De stadsbesturen deden dan ook al het

mogelijke om de excessen in de kleding tegen te gaan door het herhaaldelijk uitvaardigen van kledingsverordeningen.[16] Wat aan de burgers uitentreuren verboden werd was het dragen van lange tootschoenen of *Schnabelschuhe*, het toppunt van hovaardij,[17] het dragen van korte schandelijke kleding voor de mannen[18] en het diepe décolleté en de sleep aan de kleren van de vrouwen.[19]

¶ Deze gewraakte en ergenerniswekkende kledingdetails zijn nu precies het meest opvallend bij de kleding van de figuren op de Amsterdamse prenten. Kan men daaruit zonder meer concluderen dat al deze personages tot de adel behoren? In acht genomen het feit dat de stedelijke kleding- en luxewetten niet de adel raakten, blijft het gevaarlijk en onverantwoord op de gestelde vraag bevestigend te antwoorden. Een louter vestimentair criterium kan in dit opzicht geen uitsluitsel geven. Gezien immers de kledingsverordeningen steeds dezelfde verbodsbepalingen bevatten mag men daaruit afleiden dat de burgers er zich weinig aan stoorden. Het onderzoek binnen de costuumgeschiedenis is nog te weinig gevorderd om toe te laten scherpe grenzen te trekken tussen burgerlijke en adellijke kledij – voor zover dit onderscheid er in de werkelijkheid is geweest.[20]

¶ Op het eerste gezicht doet de hoofdbedekking van de Duitse vrouwen – eigenlijk zijn het jonge meisjes – zeer huiselijk en burgerlijk aan, doch dit wil niet zeggen dat edeldames zich niet met een dergelijke kap tooiden. Men moet er ook rekening mee houden dat in de late vijftiende eeuw in Duitsland het modieuze costuum beïnvloed werd door lokale klederdrachten. Buiten het louter vestimentaire zijn vanzelfsprekend andere aspecten die een indicatie kunnen geven in de richting van een adellijk milieu: de jeugdigheid van de voorgestelde personen en de bezigheden die ze uitvoeren.

¶ In de loop van de geschiedenis, telkens wanneer het kledingbeeld ingrijpend veranderde, werd de adellijke jeugd verantwoordelijk gesteld voor de schandalen die daaruit volgden.[21] Binnen het gebied en de periode die voor ons van belang zijn, is het best mogelijk dat de jeugdige adel de bizarre, weinig gedisciplineerde en 'schandelijke' kledingsvormen propageerde, doch absolute zekerheid in dezen kan voorlopig niet geboden worden. De bezigheden van de jonge lieden, in het bijzonder de jacht – en hierbij aansluitend de valk als attribuut van de jonge man [71] – pleiten overtuigender in het voordeel van een adellijk gezelschap daar de jacht op verre na het meest geliefkoosde tijdverdrijf van de adelstand was. Het kaartspel daarentegen was geen typisch adellijk vermaak, hoewel het tafereel [73] door de aanwezigheid van een jachthond en het zicht op een paard dat met zijn berijders in een bos verdwijnt toch een adellijke sfeer oproepen.

¶ Indien de personages uit de prenten van de Meester in de kringen van de adel te zoeken zijn – iets wat redelijkerwijze verondersteld mag worden, dan blijkt dat de Duitse adel in levensvormen en in kleding afwijkt van zijn soortgenoten in de Bourgondische Nederlanden. De dwingende etiquette van de Bourgondiërs lijkt hier vervangen door een grotere losheid, speelsheid en vrolijkheid, echter wel getemperd door een zekere ernst. Het ware een boeiend onderwerp van studie de gemakkelijk en graag gemaakte vergelijking van de prenten met de geest van het *Herfsttij der Middeleeuwen*, zoals door *Huizinga* beschreven, eens nader te toetsen. Misschien is deze vergelijking niet zó voor de hand liggend. Doch deze kwestie overschrijdt de grenzen van de costuumgeschiedenis.

¶ De datering tenslotte van de Amsterdamse prenten in de jaren tachtig van de vijftiende eeuw[22] kan vanuit costuumhistorisch standpunt onderschreven worden. Meer precieze jaartallen binnen dit decennium zijn nochtans moeilijk te geven want het vergelijkingsmateriaal is zeldzaam.[23] Het is dan ook dubbel interessant te beschikken over een paar gedateerde werken in het œuvre van onze Meester. Het gaat om tekeningen, respectievelijk bewaard in de Universiteitsbibliotheek te Heidelberg [118] en in het Kupferstichkabinett te Berlijn [124].

¶ De tekening uit Heidelberg, 1480 gedateerd, stelt de keurvorst van de Pfalz, *Philips de Oprechte* voor. De vorst is gekleed in een brocaten mantel, die een zeer vroeg voorbeeld van de *Schaube* kan genoemd worden.[24] Het kledingstuk is voor die tijd uiterst modern. De brede kraag die over de rug neervalt, de wijde mouwen en de lengte tot halfweg de benen kondigen een horizontaliserende lijn in de kleding aan, kenmerkend voor het costuum van omstreeks 1500 en de vroege zestiende eeuw. De lange *Schnabelschuhe* met de houten trippen vertegenwoordigen nog het verticale accent van de Bourgondische mode en vormen, costuumhistorisch beschouwd, een sterk contrast met de lijnen van het overkleed.

¶ Een zeer vergelijkbare penseeltekening, opgenomen in de 'Cronicke van Vlaenderen' en 1477 gedateerd,[25] stelt de jonge Maximiliaan van Oostenrijk voor, samen met zijn bruid Maria van Bourgondië. De Habsburgse prins en de jonge keurvorst hebben dezelfde haartooi: lange gekrulde lokken en een metalen hoofdband met vooraan een bosje reigerveren – geheel Duits dus. Maximiliaan draagt eveneens tootschoenen. Zijn overkleed echter verschilt totaal van dat van Philips de Oprechte. De eerste figuur heeft nog het gotische sil-

houet. De tweede laat in zijn kledij reeds het silhouet van de Renaissance vermoeden.

¶ We ontmoeten nogmaals Maximiliaan op twee kanten van de Berlijnse tekening [134], die 1488 gedateerd kan worden. Voorgesteld worden Maximiliaan die te Brugge de mis bijwoont op de morgen van het Vredeskabinet en Maximiliaan aan tafel bij het bewuste banket. De vorst valt op, temidden van de vermoedelijk Zuid-Nederlandse figuren, door zijn typisch Duitse kledij. Hij draagt voor de mis een mantel met lange mouwen en smalle liggende kraag. Aan tafel heeft hij een muts op met een kwast van knipwerk. In beide gevallen is hij de enige persoon in het gezelschap die nog tootschoenen en trippen draagt. Zijn kleding is volledig conform aan deze van de jonge mannen op de Amsterdamse prenten, maar voor de toenmalige Zuid-Nederlandse normen een beetje ouderwets.

¶ Al met al vormen de Amsterdamse prenten een ongemeen rijke en interessante costuumhistorische documentatie. Ze confronteren ons met een te weinig gekend aspect van de kledingmode in Duitsland. Door de grote nauwkeurigheid waarmee alle costuumdetails zijn weergegeven bewijzen ze de echtheidswaarde er van en noden tot een meer diepgaande vergelijkende studie van de kleding in de late vijftiende eeuw.

¶ In het gebied waar de Meester werkzaam was, heeft men met een zekere vasthoudendheid de gotische vormen in het costuum tot het uiterste gecultiveerd. Daarin uit zich de spanning, inherent aan een cultuur die ten einde loopt en haar nieuwe weg nog niet heeft gevonden.

¶ Bij de diepe decolletés en de 'mannelijke' mouwen met uitpuilend hemd wordt de ingetogenheid van de witte vrouwenkappen haast bedrieglijk. Het té lange van de schoenen, het té korte van de kleding en het té warrige van linten, veters en kwasten geeft de mannen iets bravoure-achtigs, dat toch zeer beheerst blijft. De enige figuur die het meer evenwichtige zelfbewustzijn van de dagende Renaissance in zijn kledij uitstraalt is de mooie jonge keurvorst, een bijna-Renaissanceprins.

1. De hozen vormden aanvankelijk twee aparte kousen. Het gebruik om deze kousen aan de bovenkant aan elkaar te bevestigen dateert uit de jaren zeventig van de veertiende eeuw en is het gevolg van het steeds korter worden van de bovenkledij van de mannen. Het driehoekige inzetstuk of klep zal in het begin van de zestiende eeuw uitgroeien tot een buidel, de 'braguette' of 'codpiece'. E. Thiel, *Geschichte des Kostüms. Die europäische Mode von den Anfängen bis zur Gegenwart*, Berlijn (DDR) 1973, p. 227-228.
2. Omstreeks 1362 wordt voor het eerst melding gemaakt van nieuwe schoenmodellen, 'poulaines' en 'cracowes' genoemd, met punten 'zo lang als een vinger, meer gelijkend op een duivelsklauw dan op menselijke kleding'. Zie S. Newton, *Fashion in the Age of the Black Prince. A study of the years 1340-1365*, Woodbridge 1980, p. 34. Circa 1420 werden de schoenpunten korter om na 1450 weer te verlengen. Tussen 1470 en 1480 bereikten de tootschoenen hun grootste lengte. Vanaf 1480 wordt de vorm meer gematigd, althans in de Nederlanden. In bepaalde gebieden van Duitsland duurde deze extravagante schoenmode nog bijna tien jaar langer. Vgl. ook Thiel, op.cit. (noot 1), p. 321 en het *Sachregister* op trefwoord: *Schuh*, p. 691.
3. Patijnen of trippen bestaan uit een houten zool, voorzien van

een of meer lederen riemen aan de bovenzijde, zodat ze aan de voet geschoven kunnen worden. Ze hadden de functie van overschoenen. Men droeg ze buitenshuis om het schoeisel te beschermen tegen straatvuil en tevens als versteviging voor de dunne lederen zool van het schoeisel.
4. Zie L. van Wilckens, 'Zöpfe, Bänder und Fransen', *Zeitschrift für Waffen- und Kostümkunde*, 1975, pp. 139-142 en A. von Rohr, 'Das Gefrens', *Zeitschrift für Waffen- und Kostümkunde* 1976, pp. 65-68.
5. Zie L.C. Eisenbart, *Kleiderordnungen der deutschen Städte zwischen 1350 und 1700. Ein Beitrag zur Kulturgeschichte des deutschen Bürgertums*, Göttingen 1962, p. 97. Vgl. ook M. Scott, *Late Gothic Europe, 1400-1500*, (The History of Dress Series), Londen-New Jersey 1980, p. 220.
6. Men zie vooral A. Stange, *Deutsche Malerei der Gotik*, deel 7 en 9, München-Berlijn 1955-1958.
7. Hoewel de keizer in vele Oostenrijkse steden heeft opgehouden, zijn Wiener Neustadt, Graz en Linz werkelijke residentiesteden geweest. Zie B. Sutter, 'Die Residenzen Friedrichs III. in Österreich', in tent.cat. *Friedrich III*, Wiener Neustadt 1966, pp. 132-143.
8. De keizer hield het meest van eenvoudige kleding. Zijn staat-

siegewaden schijnen echter buitengewoon kostbaar geweest te zijn. Voor meer gegevens over de persoon van de keizer, zie A. Lhotsky, 'Kaiser Friedrich III. Sein Leben und seine Persönlichkeit', *Friedrich III*, op.cit. (noot 7), pp. 16-47 (voor de kleding: p. 36).

9. Vgl. E. Thiel, op.cit. (noot 1), p. 240 en H. Hundsbichler, *Kleidung, in Alltag im Spätmittelalter*, redactie H. Kühnel, Graz-Wenen, 1984, p. 243.

10. Thiel, op.cit. (noot 1), p. 240.

11. Men vergelijke de personages op de miniaturen van het laatste derde van de vijftiende eeuw met die van de Amsterdamse prenten. Afbeeldingen in tent.cat. *Karel de Stoute*, Brussel 1977, pl. III, pl. 6, 8-9, 12. Men bedenke hierbij dat de stylering van de personages ietwat overdreven kan zijn door de miniaturist.

12. Smalle mouwsplitten en gebruik van veters aan mouwen en decolletés komen voor op de laat-Bourgondische miniaturen (zie noot 11) en op diverse mansportretten van Hans Memlinc. Te oordelen naar de afbeeldingen komt de Duitse uitbundigheid in dezen in de Nederlanden nergens voor. Daar is alles meer binnen de maat gehouden. Wat de Memlinc-portretten aangaat: de meeste stellen ongeïdentificeerde personen voor. De vraag of het hier om Italianen gaat is echter gewettigd. In hoeverre er een verwantschap bestaat tussen het Italiaanse en het Duitse costuum in de late vijftiende eeuw zou nog onderzocht moeten worden.

13. Scott, op.cit. (noot 5), p. 214 trekt de aandacht op dit verschijnsel, zonder er verder op in te gaan. De voorliefde van vrouwen voor mannenkledij moet echter reeds in de veertiende eeuw tot excessen geleid hebben. Vergelijk de aanhalingen uit kledingsverordeningen uit 1356 (Spiers) en 1492 (Straatsburg) over het dragen van mannenmantels door vrouwen bij Eisenbart, op.cit. (noot 5), pp. 96-97.

14. Over de orgelpijpplooien: zie F.W.S. van Thienen, *Acht eeuwen kostuum*, Hilversum-Antwerpen 1967, pp. 35 en 41.

15. Een bericht uit 1417 (Konstanz) vermeldt dat een burgervrouw bestraft werd omdat zij te korte mouwen droeg, zodat men haar arm tot aan de elleboog kon zien. Zie Eisenbart, op.cit. (noot 5), p. 47. Uit de late vijftiende eeuw zijn voorlopig geen vermeldingen over de lengte van de mouwen te vinden. In de Nederlanden worden de mouwen van het vrouwenkleed pas definitief korter rond het midden van de zeventiende eeuw.

16. Kledingsverordeningen zijn voorschriften door een stadsbestuur of een regering uitgevaardigd. Ze hebben vaak betrekking op de sumptuositeit van de kleding en verbieden derhalve bepaalde uitingen van luxe en extravagantie. Voor het Duitse taalgebied werd reeds enig onderzoek hiernaar verricht. Zie Eisenbart, op.cit. (noot 5),; V. Baur, *Kleiderordnungen in Bayern vom 14. bis 19. Jahrhundert*, München 1975 en GF. Hampel-Kallbrunner, *Beiträge zur Geschichte der Kleiderordnungen mit besonderer Berücksichtigung Österreichs*, Wenen 1962.

17. Eisenbart, op.cit. (noot 5), p. 92. Een geschilderd paneel van circa 1480, bewaard te Bamberg in de Staatsgalerie (inv.-nr. 62) laat zien hoe de bevolking van Bamberg allerlei luxueuze modische accessoires, waaronder tootschoenen, en ook een tric-tracspel en speelkaarten op de brandstapel werpt naar aanleiding van een sermoen van de franciscaanse boeteprediker Johannes van Capistrano.

18. Reeds in de veertiende eeuw wordt gefulmineerd tegen de korte mannenkleding, die vanaf circa 1345 in de mode kwam. Tegen het einde van de veertiende eeuw was de lange bovenkleding van de mannen weer algemeen tot kort na 1450 opnieuw de korte en strakke robe verschijnt zodat in de verordeningen de 'kurtze rocke, dye hyndenn und vorne nicht wol deckenn' als 'unzüchtig und schandbar' gebrandmerkt worden. Vergelijk Eisenbart, op.cit. (noot 5), pp. 95-96.

19. Voor decolletés die 'da vornen also weit offen' zijn 'dass man in busen gesehen kann und die brustkernen gesehen mag': zie Eisenbart, op.cit. (noot 5), p. 94; voor slepen: zie Hampel-Kallbrunner, op.cit. (noot 16), pp. 27, 74.

20. Vanzelfsprekend gaat het hier om de hogere burgerij: de magistraten en de vooraanstaande kooplieden. Over onderscheid tussen adel en burgers op grond van de kleding: zie H. Hundsbichler, G. Jaritz en E. Vavra, 'Tradition? Stagnation? Innovation? Die Bedeutung des Adels für die spätmittelalterliche Sachkultur', *Adelige Sachkultur des Spätmittelalters*, (Internationaler Kongress Krems an der Donau, 22. bis 25. September 1980), Wenen 1982, pp. 35-72 (vooral pp. 39-49).

21. Het schandaal wordt vooral gezien als het verstoren van de orde in de maatschappij. Zie H. Platelle, 'Le problème du scandale: les nouvelles modes masculines aux XIe et XIIe siècles', *Belgisch Tijdschrift voor filologie en geschiedenis* 53 (1975), pp. 1071-1096. Zie ook: Newton, op.cit. (noot 2), pp. 6-8.

22. Zie hiervoor Filedt Kok 1983.

23. Deze klacht werd reeds geuit door Scott, op.cit. (noot 5), p. 208. Behalve de paneelschilderkunst kunnen de laat-Middeleeuwse glasramen soms heel interessant vergelijkingsmateriaal leveren. Zie: *Vitraea dedicata. Das Stifterbild in der deutschen Glasmalerei des Mittelalters*, Berlijn 1975. Hierin is de bijdrage van R. Becksmann over de ramen van Lautenbach zeer verhelderend.

24. De *Schaube* is een wijd overkleed, zonder gordel, middenvoor open, meestal met een brede kraag en vaak met pels gevoerd en afgezoomd. In de eerste helft van de zestiende eeuw werd de *Schaube* zeer veel gedragen. De vorm van dit kledingstuk leeft nog door in de huidige professorentoga's.

25. Dit handschrift, bewaard te Brugge, Stadsbibliotheek, 437, draagt als volledige titel: De Cronicke van Vlaenderen, Klacht van Marie van Burgoenie. De hier besproken penseeltekening is afgebeeld in: tent.cat. *Vlaamse kunst op perkament. Handschriften en miniaturen te Brugge van de 12de tot de 16de eeuw*, Brugge 1981, pl. 34, nr. 10.

BIJLAGE III: *D*E ONDERTEKENING
IN DE SCHILDERIJEN VAN DE MEESTER

J.P. Filedt Kok

¶ De tentoonstelling en dit boek laten zien hoe veelzijdig de Meester van het Amsterdamse Kabinet als kunstenaar is: hij was als tekenaar, prentmaker en schilder werkzaam en waarschijnlijk ook als ontwerper van glasruitjes en boekillustraties. Als uitgangspunt bij de bestudering van zijn œuvre is zijn grafiek uitgekozen. Terwijl zijn drogenaaldprenten vaak terecht picturaal worden genoemd, is een sterk grafisch, tekenachtig element karakteristiek voor al zijn werk in de verschillende media. De Meester is een rastekenaar, die al tekenend zijn figuren volume en door toonvlakken 'kleur' geeft; zorgvuldig gevarieerde arceringen spelen daarbij een veel grotere rol dan de contouren. Tot dusver sprak dit aspect van het werk van de Meester vooral uit diens prenten, tekeningen en miniaturen. In het kader van de tentoonstelling was het mogelijk een ander – tot dusver onbekend – aspect, de ondertekening in zijn schilderijen, te onderzoeken en dit in de beschouwingen te betrekken. Met behulp van infraroodreflectografie kon de ondertekening in een aantal aan de Meester toegeschreven schilderijen onderzocht worden. De ondertekening is als basis voor en hulpmiddel bij het schilderen getekend op de witte plamuurlaag, voordat met het eigenlijke schilderen begonnen werd.

¶ Vrijwel alle kunstenaars in de vijftiende en de eerste helft van de zestiende eeuw maakten gebruik van een dergelijke tekening, die met het penseel in zwarte verf of met zwart krijt werd aangebracht. Deze ondertekening heeft soms een zeer schetsmatig karakter, terwijl zij in andere gevallen de schildering uitvoerig voorbereidt. Soms is de tekening gedeeltelijk zichtbaar door de transparante verf heen, soms is er niets van te zien. Infraroodreflectografie is een natuurwetenschappelijke onderzoeksmethode, waarbij gebruik wordt gemaakt van een televisiecamera met een infraroodgevoelige buis. Bij het onderzoek verschijnt op de tv-monitor een beeld van een detail van het schilderij, waarbij de ondertekening in vele gevallen geheel of gedeeltelijk zichtbaar wordt gemaakt, doordat het infrarode licht grotendeels door de verflaag heendringt. Dit lukt niet bij alle kleuren even goed – de in zwarte verf geschilderde ogen, haren, contouren blijven zichtbaar – maar in vele gevallen kan men zo een goed beeld van de ondertekening van het schilderij krijgen. Dit beeld moet opgebouwd worden uit foto's van kleine details van het schilderij, die tot een montage

gecombineerd worden. Door de onvermijdelijke contrastverschillen in de opnamen ontstaat er zelden een geheel egaal beeld in de als een mozaïek samengestelde reflectogrammenmontages. Hoewel zulke opnamen soms een verrassend direct beeld van de werkwijze van de kunstenaar geven, blijven het fotografische documenten, die met voorzichtigheid geïnterpreteerd moeten worden.[1]

¶ In het geval van de Meester was het niet in de eerste plaats de vraag naar het ontstaansproces en de techniek van de schilderijen die ons interesseerde, maar de vraag in welke mate het grafisch-tekenachtige element, dat we uit zijn andere werk kennen, ook in de aan hem toegeschreven schilderijen terug te vinden is. Tot de eerste röntgenopnamen die van schilderijen werden gemaakt, behoren die welke in het Frankfurtse Städelsches Kunstinstitut zijn vervaardigd. Röntgenopnamen geven een beeld van het gebruik van pigmenten als loodwit, waarin de eerste verflaag – de onderschildering – vaak grotendeels is opgezet. Wolters, die als een van de eersten deze documenten kunsthistorisch interpreteerde, meende dat het beeld dat de röntgenfoto's van de onderschildering geven: 'frei, locker, pastos und charaktervoll, bewegt' is en de toeschrijving van het schilderij aan de Meester, die de zo levendig en vrij getekende drogenaaldprenten maakte, bevestigde.[2] Dit kan men met evenveel overtuiging zeggen van de ondertekening, zoals deze in de infraroodreflectogrammen zichtbaar wordt. Zoals destijds bij de beoordeling van de röntgenfoto's vooral de karakteristieke wijze waarop de verf gehanteerd is, een toeschrijvingscriterium werd, vertoont de ondertekening details die men, ondanks schaal- en stijlverschillen direct met de tekeningen en prenten kan vergelijken en die een grote verwantschap daarmee vertonen.

¶ Het was mogelijk beide in deze catalogus behandelde groepen schilderijen met infraroodreflectografie te onderzoeken: de verschillende panelen van het zgn. Spierse altaar in Berlijn-Dahlem, Frankfurt am Main en Freiburg im Br. [131] en alle panelen van het Mainzer *Maria-leven* [132].[3] Dankzij enkele infrarood- en röntgenopnamen was het ook mogelijk enig inzicht in de ondertekening van het *Liefdespaar* in Gotha te krijgen.[4]

¶ Het ter beschikking staande materiaal aan reflectogrammen van de veertien panelen die konden worden

Afb. 76
Reflectogrammontage van
detail uit de *Calvarieberg*
[**131a**], kop van een van de
toeschouwers met een breedgerande rode muts en witte
sjerp. Van de verflaag zijn de
ogen en de contourlijnen van
de muts en sjerp nog te zien.
De tekening is met een dunne
penseel uitgevoerd: met fijne
arceringen is het modelé in
het gezicht getekend, de
haren zijn met iets bredere
lijnen aangegeven.

Afb. 77
Reflectogrammontage van
detail uit de *Calvarieberg*
[**131a**], gezicht van een dob-
belende soldaat. In de ondertekening is de lange puntneus
al aanwezig, over de wang
zijn dwarse arceringen
gebruikt om schaduwpartijen
aan te geven.

Afb. 78
Reflectogrammontage van
detail uit de *Calvarieberg*
[**131a**], gezicht van de stichter. In de ondertekening
geven fijne modellerende
arceringen de individuele
gelaatstrekken plastisch
weer. Men ziet nog de met
zwarte verf geschilderde
ogen, mondlijn, neusgaten en
een aantal haren.

Afb. 79
Reflectogrammontage van
gedeelte uit de *Calvarieberg*
[**131a**], groep links van het
kruis: Maria en Johannes.
De ondertekening heeft in de
gezichten, in het blauwe
kleed van Maria en in het
rode van Johannes een wat
schetsmatiger karakter: de
schaduwpartijen zijn met
parallelle arceringen aangegeven; de plooien met meerdere naast elkaar geplaatste
lijnen. De contouren van de
handen zijn met wat krachti-
ger lijnen getekend en er zijn
dwarse arceringen over de
vingers geplaatst. De neus
van Johannes was wat groter
getekend, die van Maria wat
puntiger.

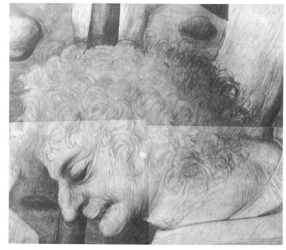

Afb. 77

Afb. 76

Afb. 78

Afb. 79

onderzocht is zo complex en omvangrijk, dat hier slechts een beperkt aantal voorbeelden gereproduceerd en kort behandeld kan worden. Een uitvoerige analyse van de karakteristieke elementen in de tekening en de arceringen, en de relatie met het andere werk van de Meester is in dit stadium nog niet mogelijk. Daarvoor is een grotere kennis van de verfopbouw in de schilderijen en van de ondertekening in het werk van tijdgenoten noodzakelijk. De uitzonderlijke gelegenheid, die de tentoonstelling biedt om enkele van beide altaarstukken naast elkaar te zien en te bestuderen en met het werk in andere media te vergelijken, zal de mogelijkheid tot een diepergaande analyse van het onderzoeksmateriaal bieden.

¶ In de verschillende panelen van het Spierse altaar [131] vindt men in alle gevallen eenzelfde zorgvuldige penseeltekening, die de schildering tot in de details voorbereidt. Terwijl bij veel tijdgenoten de ondertekening zich beperkt tot enkele contouren en globale arceringen om de schaduwen aan te geven, zijn hier de volumes met verfijnde en gedetailleerde systemen van arceringen aangegeven. Met variaties in dichtheid, kruisarceringen en modellerende arceringen wordt een groot aantal gradaties bereikt, waaruit toonwaarden zijn opgebouwd die de figuren volume geven. In een aantal gevallen lijkt de tekening een soort ondermodellering van de verflaag te vormen.[5]

¶ Vooral in de gezichten is de tekening vaak zeer zorgvuldig: fijne parallelle lijnen volgen het modelé van het gezicht, arceringen zijn voorzichtig gebruikt om schaduwpartijen aan te geven (afb. 76-78, 82-83). De handen zijn even nauwkeurig getekend, met arceringen over de langgerekte vingers (afb. 79, 80). Zelden, en dan meestal nog in details, is in de schildering van de contouren van deze ondertekening afgeweken. Voor de modellerende arceringen in de handen, de armen en vooral bij de in hozen gestoken benen vindt men zeer directe parallellen in de drogenaaldprenten (afb. 87).

¶ In de ondertekening van de gewaden van de figuren is een grotere variatie in de gebruikte arceringen te constateren. Soms zijn de plooien in alle details en schaduwgradaties getekend, met een netwerk van fijne arceringen, vaak in verschillende lagen over elkaar; in andere gevallen heeft de tekening een sterker schematisch karakter. Waarschijnlijk hangt dat samen met de geplande opbouw van de verflaag. Het rode kleed van Christus in de *Opstanding* (afb. 81) is een voorbeeld van een gedetailleerde ondertekening, die waarschijnlijk tijdens het schilderen lang zichtbaar bleef en als een soort ondermodellering onder het dunne rode glacis van de verflaag fungeerde. In de wijde geelblauwe mouw van één van de toeschouwers van de *Kruisiging* (afb. 80) is de ondertekening, die door een vrij pasteuze verflaag bedekt is, veel schetsmatiger. Ondanks het feit dat ook in de zorgvuldig ondergetekende plooien van de kleding de tekening in grote lijnen gevolgd wordt, zijn er in vele details verschillen op te merken.

¶ In de centrale panelen van het Mainzer *Maria-leven* [132]: de *Geboorte van Christus* en de *Aanbidding der Koningen* vindt men een verwante levendige en gedetailleerde ondertekening. In vele gevallen zijn de arceringen zeer systematisch gebruikt: parallelle- en kruisar-

Afb. 80

ceringen creëren duidelijke, soms wat hoekige, vlakken (afb. 85). De wijze waarop de benen van de koning met modellerende arceringen zijn getekend, vindt men zowel in de Freiburgse panelen als in de drogenaaldprenten terug (afb. 87).

¶ Net als bij de panelen van het Spierse altaar is zelden op essentiële wijze van de ondertekening afgeweken; de tekening lijkt een vrij definitieve leidraad voor de schildering. Ook in het paneel van de *Twaalfjarige Jezus in de tempel* en in mindere mate in *Pinksteren* vindt men eenzelfde type ondertekening. De lijnvoering is levendig en vloeiend, maar zelden uitgesproken expressief. Van een 'ouderdoms'-stijl zoals Glaser deze in de late prenten van de Meester heeft geconstateerd (pp. 49-50) is in deze laat gedateerde schilderijen geen sprake.

¶ Zoals al eerder in de catalogus is opgemerkt tonen de andere panelen van het Mainzer *Maria-leven* niet alleen een afwijkende (minder transparante) verfstructuur, maar bovendien een geheel andere type ondertekening. Deze bestaat uit lange kriebelige lijnen, die soms tot arceringen gecombineerd zijn; kruisarceringen ontbreken. De arceringen geven vage schaduwen aan; er is verder nauwelijks enige sprake van volume.

¶ De grote verschillen tussen beide typen ondertekening bevestigen hetgeen reeds op grond van de kwaliteit van de verflaag opgemerkt was, namelijk dat hier een andere kunstenaar aan het werk is geweest.

Afb. 80
Reflectogrammontage van detail van de *Calvarieberg* [131a], de wijde mouw van een toeschouwer. Met een krachtige penseel is de hand links getekend, met gebogen lijntjes over de vingers. In de mouw is de ondertekening veel schetsmatiger dan elders in het schilderij; met hoekige lijnen, vaak meerdere naast elkaar, zijn de plooien aangegeven, de schaduwen zijn hier en daar met snel aangezette parallelle lijnen aangegeven; de rechter mouw die in de schaduw valt, is in de ondertekening grotendeels bedekt met een dicht net van arceringen. De uitzonderlijk schetsmatige tekening in de mouw is wellicht verklaarbaar uit de omstandigheid dat de verflaag in gele verf met blauwe schaduwen vrij dik en pasteus is aangebracht, zodat er geen behoefte bestond aan een ondermodellering in de vorm van een gedetailleerde tekening, maar slechts een leidraad voor het schilderen.

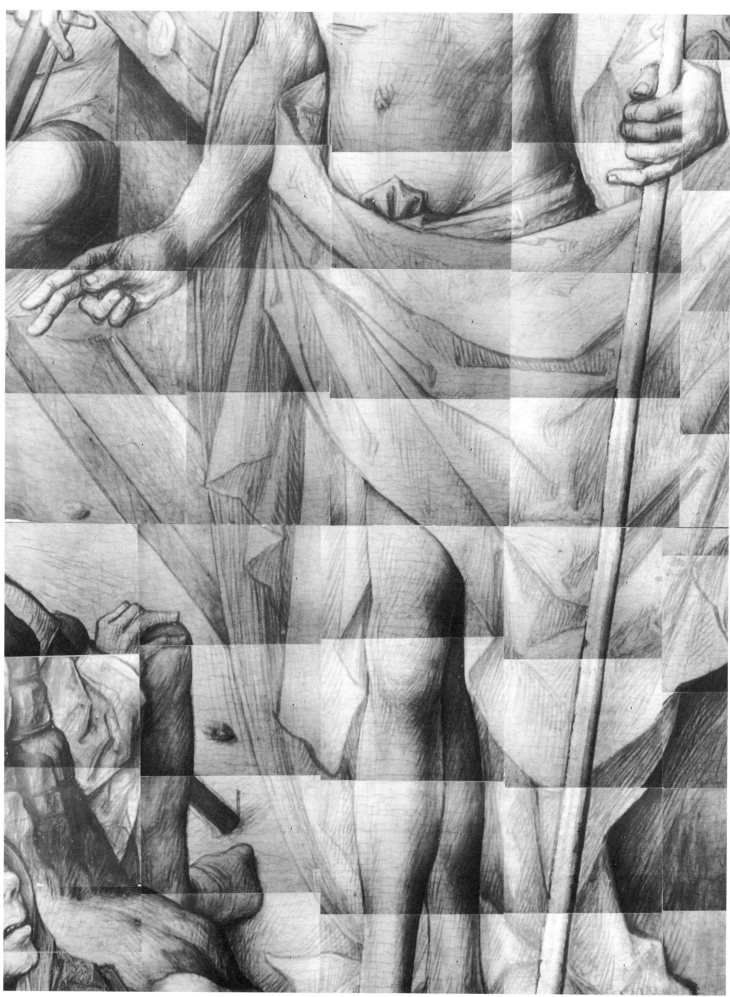

Afb. 81

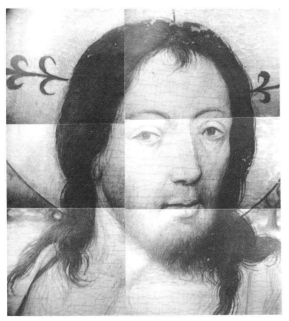

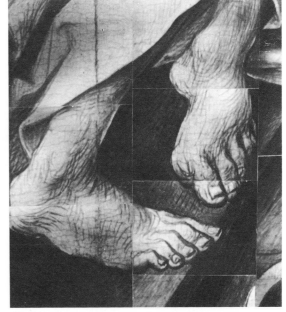

Afb. 82   *Afb. 84*

Afb. 83

Afb. 81
Reflectogrammontage van het kleed van Christus in de *Opstanding* [**131d**, *zie pl. VIII*]. Het kleed heeft een zeer zorgvuldige en systematische ondertekening: de contouren en plooien zijn met brede penseellijnen aangegeven, de schaduwpartijen met parallelle arceringen en kruisarceringen; soms zijn deze dwars op of over de contourlijnen geplaatst, soms geven gebogen lijntjes de diepere plooien aan. In de incarnaten zijn vooral lange parallelle lijnen gebruikt die, al naar gelang de schaduw dieper is, sterker geconcentreerd zijn. Ook de schaduwen bij de sarcofaag en bij de voeten zijn zeer zorgvuldig met een netwerk van parallelle arceringen aangegeven.

Afb. 82
Reflectogrammontage van het gezicht van Christus in de *Opstanding* [**131d**; *zie pl. VIII*]. De geschilderde haren en ogen van Christus zijn hierop zichtbaar, naast de ondertekening die uit fijne parallelle lijnen bestaat, die de schaduwpartijen aangeven.

Afb. 83
Reflectogrammontage van de knielende Christus in de *Voetwassing* [**131c**, *zie pl. IX*]. Ook hier zijn de geschilderde haren, ogen, neusgaten en mondlijn zichtbaar. De lijnen van neus en ogen, en de schaduwpartijen in het gezicht zijn zeer zorgvuldig getekend. De ondertekening in het donkerblauwe kleed van Christus is zeer gevarieerd; de plooien zijn met hoekige lijnen aangegeven, de schaduwen, vaak met over en naast elkaar geplaatste arceringen.

Afb. 84
Reflectogrammontage van de voeten van Petrus in de *Voetwassing* [**131e**, *zie pl. IX*]. De ondertekening die bestaat uit gebogen lijnen die de vorm volgen, modelleren de voet op fraaie wijze; deze manier van tekenen herinnert aan details in de drogenaaldprent van de *Krabbende hond* [**78**, *afb. 25*].

Afb. 85
Reflectogrammontage van de
biddende Jozef in de *Geboorte*
[**132d**, *pl. X*]. In de kleding is
een zorgvuldige combinatie
van vaak over elkaar geplaatste arceringen gebruikt, die
een duidelijk volume aan de
vorm geven.

Afb. 86
Reflectogrammontage van
het gezicht van Maria in de
Geboorte [**132d**, *pl. X*]. De
ondertekening geeft een
duidelijke structuur aan het
gezicht door fijne dwarse
parallelle arceringen. In de
witte hoofddoek zijn plooien
vaak met meerdere naast
elkaar geplaatste lijnen aangegeven.

Afb. 87
Reflectogrammontage van de
benen van de koning in de
Aanbidding der Koningen [**132e**]:
met een fijn netwerk van
parallelle arceringen van
kortere gebogen lijnen, en
met krachtige ovale lijnen
voor het kniegewricht zijn de
benen getekend, op een wijze
die men zowel in het Spierse
altaar als in de prenten ziet.

Afb. 88
Reflectogrammontage van de
*Presentatie van Christus in de
tempel* [**132f**]. De brede, als
grijze lijnen zichtbare contouren en plooien behoren over
het algemeen niet tot de
ondertekening, maar maken
deel uit van de schildering.
De ondertekening is met wat
dunne kriebelige lijnen opgezet, die weinig volume aan de
incarnaten geven.

Afb. 85

Afb. 86

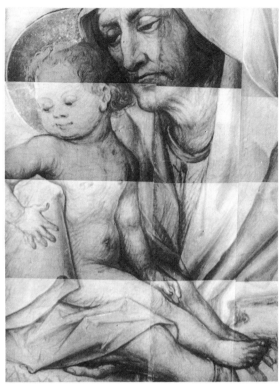

Afb. 88

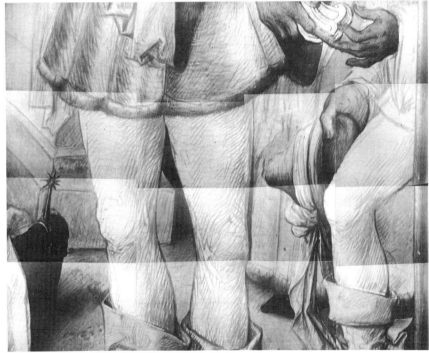

Afb. 87

Afb. 89

¶ Veel moeilijker is het om de ondertekening in het *Liefdespaar* in Gotha [133] te interpreteren zoals deze op enkele infraroodfoto's van details zichtbaar is. De zuiver lineaire ondertekening die in het gezicht van de jongeman te zien is, laat zich niet vergelijken met de ondertekening in de twee hierboven besproken altaarstukken van de Meester, waarin de tekening een duidelijke creatieve rol in het totstandkomen van het schilderij vervult. De tekening in het schilderij in Gotha lijkt eerder op een model gebaseerd te zijn en bedoeld als hulpmiddel bij het herhalen van een bestaande compositie. Zonder verdergaand onderzoek van deze documenten bij het schilderij zelf lijkt het nog te vroeg om conclusies te trekken omtrent de toeschrijving.

¶ Uit de hier afgebeelde reflectogrammen kan men tenminste concluderen dat de Meester ook bij het totstandkomen van zijn schilderijen een geestdriftig tekenaar blijft die zijn schilderijen tot in de details in de ondertekening voorbereidt. In de ondertekening vindt men een aantal karakteristieke teken- en arceringsvormen, die men ook in ander werk van de Meester tegenkomt.

¶ Karakteristiek voor zijn tekenstijl lijken bijvoorbeeld het naast elkaar plaatsen van meerdere lijnen bij de contouren, de lange dicht opeen geplaatste parallelle lijnen die de arceringen in incarnaten en schaduwpartijen vormen, de hoekige plooilijnen in de kleding, waartegen of waarover een baan dwarse arceringen is

Afb. 89
Reflectogrammontage van Maria op het *Sterfbed van Maria* [132i]. De plooien zijn met vrij onsystematische kriebelige lijnen getekend, waarbij de arceringen nauwelijks volume creëren. In het schilderij zijn de plooien veel hoekiger.

Afb. 90
Detail uit het *Liefdespaar*
[**133**] met een infraroodfoto
van hetzelfde detail: de wenk-
brauwen, neus, mond en
hals, maar ook een aantal
haren, zijn met enkele strakke
lijnen in krijt op een vrij
mechanische wijze getekend.

Afb. 90a

Afb. 90b (infraroodfoto).

geplaatst, het dwars over elkaar plaatsen van banen
arceringen in de donkere partijen, arceringen van half-
ronde of gebogen lijntjes om rondingen in incarnaten
en dergelijke aan te geven. In hoeverre dergelijke

karakteristieken ook in het werk van tijdgenoten voorkomen[6] en als een zeker stilistisch toeschrijvingscriterium gehanteerd kunnen worden, zal uit verder onderzoek moeten blijken.

---

1. Zie over de interpretatie van infraroodfoto's, -reflectogram-
men en röntgenfoto's onder meer, J.R.J. van Asperen de Boer,
'An introduction to the scientific examination of paintings',
Nederlands Kunsthistorisch Jaarboek 26 (1975, *Scientific examination
of early Netherlandish painting*), pp. 1-40, en J.P. Filedt Kok,
'Underdrawing and other technical aspects in the paintings
of Lucas van Leyden', *Nederlands Kunsthistorisch Jaarboek* 29
(1978, *Lucas van Leyden-studies*), pp. 1-184, vooral pp. 1-9.
2. Wolters, op.cit. (**131**, noot 6).
3. De opnamen werden in overleg met de samensteller gemaakt
door dr. J.R.J. van Asperen de Boer met behulp van een Grun-
dig FA 70 televisiecamera met een Hamamatsu N 214 infra-
rood vidicon en een Kodak Wratten 87 A filter, van een Grun-
dig BG 12 monitor (875 lijnen) met Kodak Panatomic X film
32 ASA.
De opnamen van de *Voetwassing* [**131**c] in Berlijn-Dahlem werden gemaakt in november 1982, dankzij de medewerking van
prof. H. Bock en dr. W.H. Köhler; de reflectogrammen werden afgedrukt door G. Schultz in Berlijn en gemonteerd door
de schrijver.
Het beeld dat de reflectogrammen van de ondertekening in
het Berlijnse schilderij geven en de relaties met de prenten van
de Meester is door de schrijver aan de orde gesteld in een voor-
dracht op het *Colloque V - 'Le Dessin sous-jacent dans la peinture'*,
Leuven, september 1984, zie noot 6.
De opnamen van de andere schilderijen in Mainz, Frankfurt
am Main en Freiburg im Br. werden gemaakt in februari 1984;
de reflectogrammen werden afgedrukt door Foto van Rijn en

de montages werden samengesteld door Jarno de Haan. De
opnamen in Mainz kwamen tot stand dankzij de medewerking van dr. H. Reber, in Frankfurt am Main van dr. H.U.
Ziemke en in Freiburg im Breisgau van dr. D. Zinke.
4. De directeur van de Musea in Gotha, dr. H. Wiegand, was zo
vriendelijk ons infraroodfoto's van enkele details uit het schilderij te verschaffen (gemaakt door Roland Möller, Erfurt, juni
1982) en een aantal röntgenfoto's. Over de röntgenfoto's die
enkele moeilijk te interpreteren pentimenti tonen zal het
Museum in Gotha te zijner tijd publiceren.
5. Van geen van de schilderijen zijn verfmonsters genomen,
zodat men over de opbouw van de verflaag weinig met zekerheid kan zeggen.
6. Van een van de belangrijkste prenten van de Meester,
Martin Schongauer, is de ondertekening in een aantal schilderijen bekend, zie: A. Châtelet, 'Schongauer: premières observations', *Le Dessin sous-jacent dans la peinture*, *Colloque IV* (1981),
Louvain-la-Neuve 1982, pp. 144-151, pl. 46-56. De ondertekening heeft een heel ander karakter, het is een duidelijke werk-
tekening, waarin vooral de contouren zijn aangegeven en weinig gebruik is gemaakt van arceringen. Ook bij Schongauer
zijn er sterke parallellen tussen de ondertekening en de heldere plastische graveerstijl. Zie J.P. Filedt Kok, 'The develop-
ment of graphic style in 15th-century Northern printmaking
and the Master of the Amsterdam Cabinet', *Le Dessin sous-
jacent dans la peinture*, Colloque V (1984), Louvain-la-Neuve
1985.